Warming-up

C Warming-up Programming
2nd Edition

KB020873

Programming
2nd Edition

천정아

YD Edition 연두에디션

Warming-up
C Programming 2nd Edition

발행일 2023년 1월 10일 1쇄
지은이 천정아
펴낸이 심규남
기 획 염의섭 · 이정선
표 지 신현수 | **본 문** 이경은
펴낸곳 연두에디션
주 소 경기도 고양시 덕양구 삼원로 73 한일윈스타 지식산업센터 8층 809호
등 록 2015년 12월 15일 (제2015-000242호)
전 화 031-932-9896
팩 스 070-8220-5528
I S B N 979-11-92187-90-7
정 가 27,000원

이 책에 대한 의견이나 잘못된 내용에 대한 수정정보는 연두에디션 홈페이지나 이메일로 알려주십시오.
독자님의 의견을 충분히 반영하도록 늘 노력하겠습니다.
홈페이지 www.yundu.co.kr

※ 잘못된 도서는 구입처에서 바꾸어 드립니다.

이 책의 답안은 홀수만 제공됩니다.

PREFACE

우리는 이제 프로그래밍이 선택이 아니라 필수인 시대를 살고 있습니다. 수많은 C 책이 있음에도 불구하고 제가 "Warming-up C Programming"을 집필하게 된 이유는 무엇일까요? C 언어는 배우기 어렵고 사용하기 어렵다는 선입견을 깨뜨리고, 누구나 쉽고 빠르게 C 프로그래밍을 시작할 수 있게 도와줄 수 있는 책을 만들어 보고 싶었습니다.

제가 이 책을 집필하면서 계속해서 머리 속에서 되뇌었던 핵심 키워드는 "simple but enough"입니다. C의 다양한 기능 중 복잡하고 자주 사용되지 않는 기능은 과감히 생략하고, 핵심 기능만을 다루는 것이 첫 번째 목표였습니다. 동시에 C의 핵심 기능 중 어떤 부분도 부족하지 않도록 필요한 모든 내용을 충분히 담는 것이 또 다른 목표였습니다. 이 두 가지 상반된 목표 사이에서 적절한 균형을 맞추는데 많은 노력을 기울였으며, 그 결과가 바로 "Warming-up C Programming"입니다.

이 책은 C의 여러 가지 기능에 대한 명확한 개념을 이해할 수 있도록 풍부하고 다양한 그림을 제공합니다. 또한 초보자들도 점차적으로 프로그래밍에 익숙해질 수 있도록 짧고 간단한 예제에서부터 시작해서 학습자 수준별로 과제를 진행할 수 있도록 프로그래밍 과제를 제시하고 있습니다. 또한 장 별로 간단한 Quiz와 다양한 형식의 연습 문제를 제공하여 학습자가 배운 내용을 스스로 확인할 수 있게 하고 있습니다.

이 책이 다른 C 책과 가장 다른 점은 풍부한 프로그래밍 경험을 바탕으로 제가 직접 정리한 C 언어의 핵심 기능에 대한 "가이드라인"입니다. 이 책에서는 C의 수많은 기능을 단순히 나열하는 것이 아니라 어떤 상황에서 어떤 기능을 사용해야 하는지에 대한 "가이드라인"을 명확히 제시하고 있습니다. 따라서, C를 처음 배우는 초보자도 이 "가이드라인"을 따르면 빠르고 쉽게 C 프로그래밍에 익숙해질 수 있을 것입니다.

 "Warming-up C Programming"을 집필할 수 있도록 따뜻한 격려와 배려를 보여주신 연두출판사의 심규남 대표님과 작은 의견 하나에도 귀기울여 주시고 조언을 아끼지 않으신 염의섭 부장님, 세세한 저자의 요구를 들어주시느라 고생하신 이정선 편집부장님과 연두출판사의 관계자 여러분께 깊이 감사드립니다.

 책을 탈고하기까지 힘든 시간을 잘 참고 배려와 관심을 보여준 남편과 우리 딸 서연이에게 사랑과 감사를 전하고 싶습니다.

2023년 봄
저자 천정아

이 책의 강의 구성

이 책은 1학기 분량으로 강의를 진행할 경우, 1학기를 16주로 가정하여 다음과 같이 진행할 수 있다. 11~13장은 난이도가 있으므로 일부분을 생략하고 진행할 수 있다.

1주	1장. 프로그래밍과 C 언어	2장. C 프로그램의 기본
2주	3장. 데이터형과 변수	
3주	4장. 연산자	
4주	5장. 제어문	
5주		
6주	6장. 함수	
7주		
8주	중간고사	
9주	7장. 배열	
10주	8장. 포인터	
11주		
12주	9장. 문자열	
13주	10장. 구조체	
14주	11장. 입출력	12장. 전처리기와 분할 컴파일
15주	12장. 전처리기와 분할 컴파일	13장. 동적 메모리와 함수 포인터
16주	기말고사	

이 책은 2학기 분량으로 강의를 진행하는 경우에는 다음과 같이 진행할 수 있다. 11~13장은 난이도가 있으므로 일부분을 생략하고 진행할 수 있다.

1학기	
1주	1장. 프로그래밍과 C 언어
2주	2장. C 프로그램의 기본
3주	3장. 데이터형과 변수
4주	
5주	4장. 연산자
6주	
7주	5장. 제어문
8주	중간고사
9주	5장. 제어문
10주	
11주	6장. 함수
12주	
13주	
14주	
15주	기말 프로젝트 발표
16주	기말고사

2학기	
1주	7장. 배열
2주	
3주	8장. 포인터
4주	
5주	
6주	9장. 문자열
7주	
8주	중간고사
9주	10장. 구조체
10주	
11주	
12주	11장. 입출력
13주	12장. 전처리기와 분할 컴파일
14주	13장. 동적 메모리와 함수 포인터
15주	기말 프로젝트 발표
16주	기말고사

CONTENTS

CHAPTER 13   동적 메모리와 함수 포인터

C

Warming-up

CHAPTER

1

프로그래밍과 C 언어

1.1 C 언어 소개

1.1.1 프로그래밍 개요

(1) 프로그래밍이란

여러 사용자가 함께 사용하는 메인 프레임, 개인용 컴퓨터인 PC·노트북, 휴대형 모바일 기기인 태블릿·스마트폰은 모두 컴퓨터의 일종이다. 이처럼 다양한 용도로 사용되는 컴퓨터 외에도 가전제품, 자동차, 엘리베이터나 인공위성 같은 다양한 기기 안에도 컴퓨터가 내장되어 있다.

컴퓨터에는 CPU, 메모리, 입출력 장치 등의 **하드웨어**가 있고, 하드웨어를 제어·관리하는 운영체제가 설치되어 있다. 사용자는 특정 기능을 제공하는 프로그램을 설치해서 다양한 용도로 컴퓨터를 사용할 수 있다. 예를 들어 동영상 플레이어를 설치해서 영화를 감상하거나, 게임 프로그램을 설치해서 게임을 즐길 수 있다. 즉, 컴퓨터 하드웨어가 여러가지 다양한 기능을 제공할 수 있게 만드는 것이 바로 프로그램이다.

[그림 1-1]   컴퓨터 하드웨어와 소프트웨어

컴퓨터 하드웨어에서 실행되는 **프로그램** 또는 **응용 프로그램**(application)을 **소프트웨어**라고 한다. 스마트폰에서 실행되는 프로그램을 **앱(App)**이라고 하는데, 스마트폰이 일상적으로 사용되면서 PC에서도 사용되는 프로그램도 앱이라고 부르기도 한다. 이 책에서는 프로그래밍의 관점에 초점을 맞추어 앱 대신 '프로그램'이라는 용어를 사용할 것이다.

프로그램은 **컴퓨터 하드웨어가 수행할 일련의 작업을 기술하고 있는 명령어(instruction)의 모임**이다. 컴퓨터 하드웨어 중 CPU는 하드웨어를 제어하고 연산을 수행하는 핵심 유닛인데, 이 CPU가 처리할 수 있는 2진 코드를 CPU 명령어, 또는 명령어라고 한다.

프로그래밍이란 **프로그램을 작성하는 일 또는 그 과정**을 의미한다.

(2) 프로그래밍 언어

프로그래밍 언어는 프로그램에서 컴퓨터가 수행해야 할 다양한 작업을 기술하는데 사용되는 언어이다. 프로그래밍 언어는 컴퓨터가 직접 이해할 수 있는 저급 언어(low-level language)와 사람이 이해하기 쉬운 고급 언어(high-level language)로 구분할 수 있다.

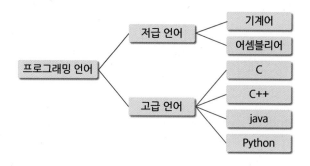

[그림 1-2] 프로그래밍 언어

■ 저급 언어

기계어(machine language)는 1000 1001 0110 0100처럼 0과 1로 된 CPU 명령어를 의미한다. 컴퓨터가 직접 처리할 수 있는 프로그래밍 언어는 기계어 밖에 없다. 기계어는 2진수로 표현되므로 사람이 사용하기에 매우 불편하고 실수가 발생하기 쉽다. 따라서 기계어와 일대일로 대응되는 어셈블리어를 개발하게 되었다.

어셈블리어(assembly language)는 0과 1로 된 CPU 명령어 대신 알아보기 쉬운 니모닉 기호(mnemonic symbol)를 사용한다. 예를 들어 0000 0000 1001 1010 0001 1000 0100 0010 대신 add eax, 0Ah를 사용하는 식이다. 어셈블리어로 작성된 프로그램은 **어셈블러(assembler)**에 의해 기계어로 변환된다. 기계어와 어셈블리어는 프로그래밍 언어 중 저급 언어에 해당한다.

어셈블리어와 CPU 명령어는 일대일로 대응되어 있기 때문에 어셈블리어로 프로그램을 작성하려면 CPU가 어떻게 동작하는지를 잘 이해해야 한다. 또한 CPU마다 처리할 수 있는 명령어가 다르므로 어셈블리어로 작성한 프로그램은 CPU가 달라지면 실행할 수 없게 된다. 즉, 기계어와 어셈블리어는 **기계 종속적(machine-dependent)**이다.

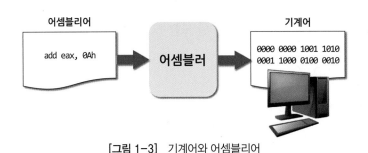

[그림 1-3]   기계어와 어셈블리어

■ 고급 언어

고급 언어는 사람이 사용하는 자연어에 가까운 언어로, 사람이 이해하고 사용하기 쉽다. 또한 CPU 명령어와 일대일로 대응되는 언어가 아니기 때문에 CPU의 종류나 하드웨어의 특성에 얽매이지 않고 프로그램을 작성할 수 있다. 즉, 고급 언어를 이용하면 **기계 독립적인(machine-independent)** 프로그램을 개발할 수 있다. 고급 언어에는 C나 C++, Java, Python 등이 있다.

고급 언어로 작성된 프로그램은 **컴파일러(compiler)**에 의해서 기계어로 번역되는데, 먼저 컴파일을 거쳐 어셈블리어로 변환된다. 그리고 나서 컴파일러에 내장된 어셈블러에 의해 다시 기계어로 변환된다.

고급 언어로 프로그램을 작성할 때는 텍스트 파일 형태로 소스 파일을 작성한다. 소스 파일을 컴파일한 결과로 생성되는 2진 파일이 사용자에게 배포되는 실행 파일이다.

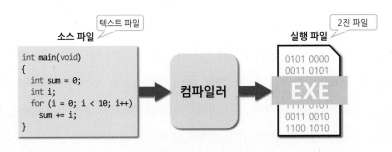

[그림 1-4]   고급 언어와 컴파일러

1.1.2 C 언어의 특징

(1) C 언어의 역사

1972년에 데니스 리치(Dennis Ritchie)와 켄 톰슨(Ken Thomson)은 UNIX 운영체제 개발에 고급 언어를 사용하려고 시도하면서, C 언어를 개발하였다. 처음에는 운영체제 같은 시스템 프로그램을 개발하기 위한 목적으로 만들어졌지만, 그 이후 C 언어는 다양한 애플리케이션 개발에 이용되어 왔으며, 현재까지도 많이 사용되고 있다. 그리고 C 언어는 C++, C#, Objective-C, Java, JavaScript, Perl 등 최신 언어의 등장에도 지대한 영향을 주었다.

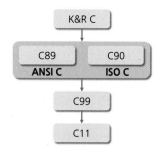

[그림 1-5] C 표준

K&R C은 1978년에 브라이언 커니건(Brian Kernighan)과 데니스 리치가 'The C Programming Language'라는 책을 출간하면서 제시한 C 언어에 대한 기본 명세이다. K&R C는 ANSI C가 등장할 때까지 사실상의 표준(de facto standard)이었다.

1989년에 ANSI(American National Standards Institute)에서 C 언어에 대한 표준을 제정했는데, 이것을 **ANSI C**나 표준 C(Standard C)라고 하며 차후에 개정된 표준 C와 구분하기 위해서 **C89**라고 부른다. 1990년에 ISO(International Organization for Standardization)에서 ANSI C를 국제 표준으로 채택하면서 ISO C 또는 **C90**이라고 부른다. 즉, **ANSI C, C89, C90은 모두 같은 버전의 C이다.** 현존하는 C 컴파일러는 모두 ANSI C를 지원하고 있으며, 대부분의 C 프로그래머가 ANSI C를 기준으로 C 프로그램을 개발하고 있다.

C99는 1999에 개정 및 발표된 C 표준이다. C99에는 //를 이용한 한 줄 주석, 인라인 함수, long long int나 complex 등의 새로운 데이터형, 가변 길이 배열, 개선된 IEEE 754 실수 지원, 가변 인자 매크로 등의 기능이 추가로 포함되었다.

C11은 2011년에 발표된 가장 최근 버전의 C 표준이다. C11에는 익명 구조체나 메모리

정렬, 멀티-스레딩 지원, 유니코드 지원 같은 향상된 C 라이브러리 기능 등이 추가되었으며, C99에서 'deprecated' 경고 메시지를 생성했던 gets 같은 함수들이 완전히 제거되었다.

　C++ Builder, Intel C++, Visual C++ 같은 C/C++ 컴파일러들은 표준 C/C++에 자신만의 기능을 함께 제공한다. 표준 C/C++을 기준으로 작성된 소스 코드는 모든 C/C++ 컴파일러에서 컴파일되고 동일하게 실행될 수 있다. 반면에 특정 컴파일러에서만 제공되는 기능을 이용해서 프로그램을 작성하면, 다른 컴파일러에서는 컴파일되지 않을 수도 있다. 이 책의 예제 소스는 ANSI C를 기준으로 작성되었으며, 특정 컴파일러에서만 사용되는 기능은 별도로 명시할 것이다.

 Further Study

C/C++ 컴파일러

C와 C++은 서로 다른 언어지만 컴파일러 때문에 함께 사용되는 경우가 많다. 대부분의 C 컴파일러는 C/C++ 컴파일러이며, C 컴파일러와 C++ 컴파일러 역할을 모두 제공한다. C++ Builder, GCC, Visual C++은 모두 C/C++ 컴파일러이며, 간단히 C++ 컴파일러라고 부른다. C++ 언어가 C 언어를 대체하고 있기 때문에, 기존에 C로 개발된 많은 프로그램들이 개선되면서 C++로 작성되고 있다.

C++은 1983년 비야네 스트롭스트룹(Bjarne Stroustrup)이 C에 객체지향 프로그래밍(Object-oriented programming)과 제너릭 프로그래밍(Generic programming) 기능을 추가해서 만든 프로그래밍 언어이다. C++은 C의 모든 기능을 지원하므로 기존의 C 프로그램은 수정 없이 혹은 최소한의 수정만으로 C++ 프로그램으로 사용될 수 있다. 또한 C로 개발된 라이브러리도 그대로 C++ 프로그램에서 사용할 수 있다.

C++ 컴파일러로 C 컴파일을 하려면 어떻게 할까요?

C/C++ 컴파일러는 소스 파일의 확장자에 따라 C 컴파일을 수행할지, C++ 컴파일을 수행할지 결정한다. 소스 파일의 확장자가 .c면 C 컴파일을 수행하고, .cpp면 C++ 컴파일을 수행한다. 따라서 C로 작성된 소스 파일을 C++ 소스 파일로 변환하려면 소스 파일의 확장자를 .c에서 .cpp로 변경하면 된다.

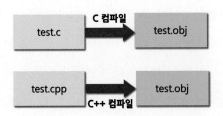

(2) C 언어의 특징

C 언어는 다른 언어에 비해 **간결한 구문**과 프로그램 개발에 꼭 필요한 핵심적인 기능들을 제공한다. C는 절차적 프로그래밍(Procedural Programming)을 지원하며, 함수나 사용자 정의형 같은 고수준의 지원 기능(high-level capability)을 제공한다.

C 언어는 프로그래머에게 **유연성(flexibility)**를 보장하므로 프로그래머가 목표하는 기능을 구현하는데 있어 제약이 거의 없다. 따라서 다양한 가전제품이나 전자 기기의 제어 프로그램에서 시작해서 운영체제 등의 시스템 프로그램, 게임과 같은 사용자 애플리케이션까지 다양한 프로그램이 C로 개발되고 있다.

또한 C 언어는 **이식성(portability)**이 높다. C 프로그램은 소스 코드 변경 없이 여러 하드웨어 플랫폼(H/W platform)이나 운영체제에서 사용되도록 컴파일될 수 있다. 대부분의 CPU가 소프트웨어 개발 환경으로 C 컴파일러를 제공하므로, 동일한 C 소스 코드를 이용해서 특정 CPU용 기계어 코드를 여러 가지로 생성할 수 있다.

C 언어는 **저수준의 지원 기능(low-level capability)**를 제공하므로, C로 개발된 프로그램은 실행 파일의 크기도 작고, 실행 속도도 빠르다. 따라서 운영체제나 게임처럼 성능이나 효율성이 최우선시되는 프로그램을 개발할 때, 주로 C를 사용한다.

하지만 **C 언어는 배우기도 어렵고 사용하기도 어렵다.** C 언어를 사용하면 성능이 우수한 프로그램을 개발할 수는 있지만, 다른 언어를 사용할 때에 비해서 프로그래머가 주의해야 하는 부분이 많다. C는 컴파일러나 런타임이 알아서 처리해주는 대신 프로그래머가 직접 최적의 방법으로 코드를 작성할 수 있게 하는 유연성을 제공하기 때문이다.

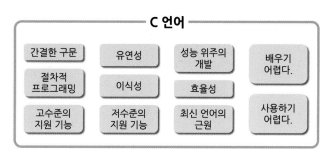

[그림 1-6] C 언어의 특징

(3) C 언어를 배워야 하는 이유

C 언어는 **프로그래밍의 기본 개념을 이해**하는 데 도움이 된다. C를 배우면 프로그래

밍에 필수적인 제어 구조와 메모리 구조, 함수나 사용자 정의형 등에 대해 알 수 있으며, Java나 C#과 같은 언어에서는 숨겨져 있는 **프로그램의 내부 동작 원리를 이해**하는데 도움이 된다. 이런 이유로 많은 대학교의 이학·공학 계열에서 C 언어를 필수 과목으로 채택하고 있다.

C 언어는 프로그래머들 사이에서 일종의 **공용어 역할**을 한다. 다양한 알고리즘이나 소스 코드, 라이브러리가 C로 개발 및 공개되어 있기 때문에, C 언어를 알면 이런 프로그래밍 정보를 쉽게 활용할 수 있다. 또한 우리가 알고 있는 대부분의 최신 언어(C++, Java, C#, Javascript, Perl 등)는 C로부터 파생되었기 때문에 **C 언어를 알면 다른 언어를 배우는 것이 쉬워진다.**

(4) C 언어의 활용 분야

다양한 최신 언어가 등장했음에도 불구하고, **성능이 중요하거나 이식성이 필수적인 프로그램**을 작성할 때 많은 프로그래머들이 여전히 C/C++을 선택하고 있다.

C/C++이 사용되는 대표적인 개발 분야로 PC나 스마트폰의 **운영체제 개발**(Windows, LINUX, iOS, Android 등)을 들 수 있다. 운영체제는 컴퓨터 시스템을 구동해야 하므로 성능이 최우선시되고, 다양한 컴퓨터 시스템에서 실행될 수 있어야 하므로 이식성이 필수적이기 때문이다.

그 밖에도 Python이나 Perl 언어의 **컴파일러**, MATLAB 같은 **고성능 라이브러리**, Oracle이나 MySQL 같은 **데이터베이스**도 C/C++로 개발되었다. 또한 우리가 일상적으로 사용하는 업무용 프로그램(MS Office)이나 웹 브라우저(Internet Explorer, Chrome)나 게임·게임 엔진 같은 **고성능 애플리케이션** 개발에도 C/C++이 주로 사용되고 있다.

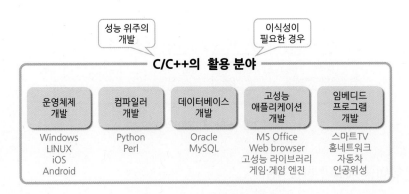

[그림 1-7] C/C++의 활용 분야

C/C++은 **임베디드 프로그램(embedded program)** 개발에도 주로 사용되고 있다. 스마트TV나 홈네트워크 같은 가전제품, 자동차, 공장 제어장치, 네트워크 장비, 인공위성에도 컴퓨터가 내장되어 특정 기능을 수행하는 프로그램을 실행한다. 이처럼 범용 목적인 아닌 특수 목적의 컴퓨터를 내장하고 있는 장치를 **임베디드 시스템(embedded system)**이라고 하고, 임베디드 시스템에서 수행되는 프로그램을 임베디드 프로그램이라고 한다.

임베디드 프로그램은 제한된 하드웨어 자원 위에서 실시간(real-time) 제약 조건으로 실행되어야 한다. 따라서 프로그램 크기가 작아야 하며, 오랜 시간 동안 오류 없이 안정적으로 실행될 수 있어야 한다. C/C++은 꼭 필요한 기능만 구현해서 최소한의 코드만 생성할 수 있으므로 임베디드 프로그램 개발에 적합하다.

▶ **Quiz**

1. 컴퓨터 하드웨어가 특정 기능을 수행할 수 있게 만드는 것은?
   ① 운영체제　　　　② 메모리　　　　③ 소프트웨어　　　　④ 컴파일러

2. 다음 중 고급 언어를 모두 고르시오.
   ① C　　② 기계어　　③ Java　　④ 어셈블리어　　⑤ Python　　⑥ Ruby

3. 다음 중 C 언어의 특징이 아닌 것은?
   ① 간결한 구문　　② 이식성　　③ 효율성　　④ 유연성　　⑤ 객체지향성

4. 다음 중 C 언어의 주요 활용 분야를 모두 고르시오.
   ① 운영체제 개발　　　　② 컴파일러 개발　　　　③ 성능 위주의 개발
   ④ 임베디드 프로그램 개발　　⑤ 고성능 라이브러리 개발　　⑥ 웹 애플리케이션

1.2 C 프로그램 개발

1.2.1 일반적인 C 프로그램 개발

일반적인 C 프로그램의 개발은 **프로그램 설계 → 소스 코드 작성 → 컴파일 → 실행**의 순서로 진행된다.

[그림 1-8]　C 프로그램의 개발 순서

(1) 프로그램 설계

프로그램을 작성하려면 먼저 프로그램이 어떤 순서로 작업을 처리할지 설계해야 한다. 어떤 문제를 논리적으로 해결하기 위한 절차나 방법을 **알고리즘(algorithm)**이라고 하며, 프로그램 설계 단계에서 먼저 알고리즘을 도출해야 한다. 알고리즘은 자연어나 순서도, 의사코드를 이용해서 기술할 수 있다.

자연어를 이용하는 경우에는 알고리즘이 처리할 내용을 말로 풀어서 기술한다. **순서도(flowchart)**를 이용하는 경우에는 알고리즘의 처리 순서를 기호와 도형으로 표현한다. **의사코드(pseudo-code)**를 이용할 때는 프로그래밍 언어를 흉내 내어 알고리즘을 대략적으

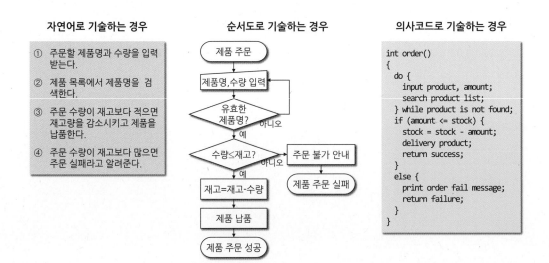

[그림 1-9]　알고리즘의 기술

로 기술하며, 자세히 기술할 수 없는 부분은 자연어로 표현하기도 한다.

(2) 소스 코드 작성

소스 코드는 프로그램이 처리할 작업이나 알고리즘을 특정 프로그래밍 언어로 기술한 것이다. 소스 코드는 일반적인 텍스트 편집기나 C++ Builder, Visual Studio 등이 제공하는 소스 코드 편집기를 이용해서 작성할 수 있다.

소스 코드는 텍스트 파일로 저장되며, 이 파일을 **소스 파일**이라고 한다. 소스 파일에는 프로그래밍 언어에 따라 고유의 확장자를 사용하며, C 소스 파일에는 .c 확장자를 사용한다.

(3) 컴파일

소스 코드를 작성하고 나면 C/C++ 컴파일러를 이용해서 컴파일을 수행한다. 컴파일은 세부적으로 나누면 **전처리 → 컴파일 → 링크**의 순서로 수행된다.

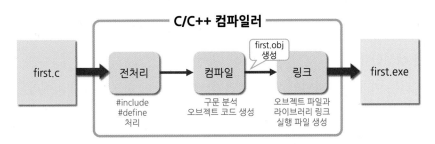

[그림 1-10] 컴파일 과정

■ 전처리(Preprocessing)

C/C++ 컴파일러는 먼저 C/C++ 컴파일러에 내장된 **전처리기(preprocessor)**를 수행하여, 소스 파일을 컴파일할 수 있도록 준비한다. 전처리기는 다른 파일을 포함하거나, 소스 파일 내의 특정 문자열을 다른 문자열로 바꾼다. 그리고 조건에 따라서 코드의 일부를 컴파일하도록 또는 하지 않도록 선택하는 기능을 제공한다.

전처리기 문장은 '#'으로 시작하므로 쉽게 구별할 수 있다. #include와 #define이 대표적인 전처리기 문장이다.

▪ 컴파일(Compilation)

C/C++ 컴파일러는 전처리기 수행 후 소스 코드에 대한 **구문 분석**과 **코드 생성**을 수행한다. 구문 분석은 소스 코드가 C/C++ 문법에 맞게 작성되었는지 검사하는 것이다. C/C++ 컴파일러는 구문 분석 시 잘못된 부분이 있으면 **컴파일 에러**를 발생시키는데, 프로그래머는 소스 코드를 수정해서 컴파일 에러를 모두 없애야 한다.

컴파일 에러가 없으면 **오브젝트 코드를 생성**한다. 오브젝트 코드는 소스 코드를 기계어로 변환한 것으로, 오브젝트 코드를 담고 있는 파일을 오브젝트 파일이라고 한다. 오브젝트 파일(.obj)은 아직 실행 파일이 아니며, 링크 단계를 거친 후에 실행 파일이 생성된다. 소스 파일이 여러 개일 때는 소스 파일마다 오브젝트 파일이 하나씩 생성된다.

▪ 링크(Linking)

마지막으로 C/C++ 컴파일러는 오브젝트 파일과 라이브러리를 **링크**해서 실행 파일을 생성한다. C/C++ 컴파일러에 내장되어 링크를 수행하는 프로그램을 **링커(linker)**라고 한다. 링커는 링크할 때 문제가 있으면 **링크 에러**를 발생시키며, 링크 에러가 없어야 최종 실행 파일을 생성한다.

링크 에러는 여러 소스 파일의 상관관계를 함께 파악해야 하므로 컴파일 에러에 비해 찾기가 쉽지 않다.

(4) 실행

실행 파일이 생성되면, 프로그램이 올바르게 동작하는지 확인하기 위해 프로그램을 실행할 수 있다. 이때, 프로그램이 잘못된 실행 결과를 생성하거나 실행 중에 프로그램이 죽는 것을 **실행 에러**라고 한다.

실행 에러는 프로그램의 논리가 잘못된 경우에 발생한다. 실행 에러가 어디서 발생했는지 찾아서 수정하려면 프로그램이 올바른 순서로 실행되는지, 실행 중에 프로그램 내에서 사용된 수식의 값이 맞는지 확인해야 한다. 이 과정을 **디버깅(debugging)**이라고 한다.

1.2.2 Visual Studio를 이용한 C 프로그램 개발

Microsoft의 Visual C++은 윈도우 플랫폼에서 사용되는 대표적인 C/C++ 컴파일러이다. Visual C++은 소스 파일 작성, 컴파일, 실행 및 디버깅을 한 화면에서 처리할 수 있는 **통합 개발 환경(Integrated Development Environment)**이다. Visual C++은 별도의 프로그램이 아니라 Visual Studio에 내장된 프로그램이므로, Visual Studio를 설치하면 Visual C++이 함께 설치된다. Microsoft는 학생, 오픈 소스 제공자 및 개인 개발자를 위해 무료로 다운로드할 수 있는 Visual Studio Community 버전을 제공하고 있다. 현재 Visual Studio 2022가 가장 최신 버전이므로, 이 책에서는 **Visual Studio Community 2022**를 사용해서 C 프로그램을 작성하기로 하자.

(1) Visual Studio 설치 및 실행

■ Visual Studio 설치

네이버나 구글 같은 검색 포털에서 'Visual Studio'를 검색하면 최신 버전의 Microsoft Visual Studio 페이지(https://visualstudio.microsoft.com)를 열 수 있다. 무료 버전인 Visual Studio Community에서도 표준 C/C++ 라이브러리와 ATL/MFC 라이브러리, .NET 지원 기능 등을 모두 사용할 수 있다.

[그림 1-11] Visual Studio 다운로드

Visual Studio는 다양한 프로그래밍 언어(C/C++, C#, Visual Basic, Python 등)를 지원하며, 웹 및 클라우드 앱, 윈도우 앱, 모바일 및 게임 앱, Azure 앱 등을 개발하기 위한 기능을 제공한다. 처음부터 모든 기능을 설치하면 Visual Studio의 로딩 및 실행 속도가 느리므로, 필요한 기능만 선택적으로 설치하는 것이 좋다.

C/C++ 프로그램 개발을 위해서 Visual Studio를 설치하려면, 설치 화면 왼쪽 창의 '워크로드'에서 'C++를 사용한 데스크톱 개발'을 선택한다. 이때, 오른쪽 창에 어떤 항목들이 설치될 것인지 알려주는 '설치 세부 정보'가 표시된다.

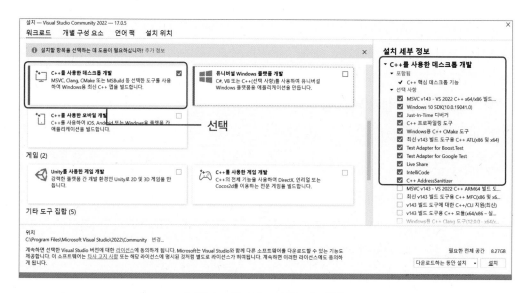

[그림 1-12] Visual Studio 설치

■ Microsoft 계정

Visual Studio를 사용하려면 Microsoft 계정이 필요하다. Visual Studio Community 버전의 라이선스는 Microsoft 계정에 대해서 사용이 허가되므로 Microsoft 계정이 없다면 계정을 먼저 만들어야 한다.

[그림 1-13] Microsoft 계정 로그인

■ **Visual Studio 실행**

Microsoft 계정에 로그인한 다음 Visual Studio을 실행하면 [그림 1-14]처럼 시작 화면이 표시된다. C 프로그램을 새로 작성하려면 '새 프로젝트 만들기'를 선택한다. 이미 작성한 C 프로그램을 열어서 수정하려면 '프로젝트 또는 솔루션 열기'를 선택한다. '코드를 사용하지 않고 계속'을 선택하면 빈 화면의 Visual Studio를 실행할 수 있다.

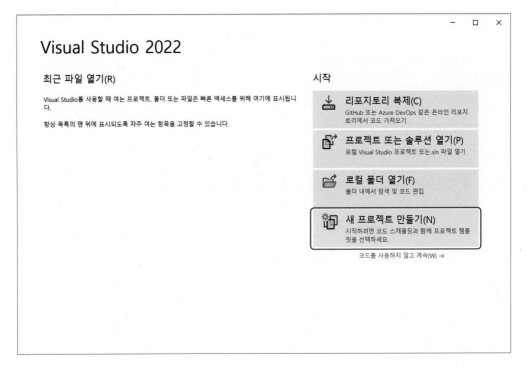

[그림 1-14] Visual Studio 시작 화면

(2) 프로젝트와 솔루션

Visual Studio에서 프로그램을 작성하려면 먼저 프로젝트와 솔루션 개념을 이해해야 한다. 먼저 프로젝트의 개념부터 알아보자.

■ 프로젝트

간단한 프로그램은 하나의 소스 파일로 구성된다. 반면에, 프로그램의 크기가 크거나 여러 프로그래머가 공동으로 개발하는 프로그램은 소스 파일을 여러 개로 나누어 작성하게 된다. 소스 파일이 여러 개일 때는, 각각의 소스 파일을 컴파일해서 오브젝트 파일을 얻은 다음, 링크 단계에서 오브젝트 파일과 라이브러리를 링크해서 실행 파일을 생성한다.

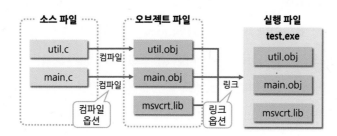

[그림 1-15]   여러 개의 소스 파일로 작성된 C 프로그램

Visual Studio의 프로젝트에는 프로그램을 만들기 위해서 필요한 모든 정보가 포함된다. 프로젝트에 포함되는 정보는 다음과 같다.

- 어떤 소스 파일과 헤더 파일이 사용되는지에 대한 정보
- 소스 파일을 컴파일할 때 사용되는 컴파일 옵션
- 오브젝트 파일과 라이브러리를 링크할 때 사용되는 링크 옵션

Visual Studio는 프로젝트 정보를 저장하기 위해 .vcxproj 확장자를 가진 파일을 사용한다. 또한 프로젝트별로 폴더를 생성해 프로젝트에 관련된 파일(소스 파일과 헤더 파일)을 모아두고 관리한다. Visual Studio내의 C/C++ 컴파일러는 프로젝트 단위로 작업을 수행한다. 프로젝트를 생성하거나 연 다음, 프로젝트에 포함된 소스 파일을 컴파일 및 링크한다.

■ 솔루션

솔루션은 일종의 작업 공간이다. 기존의 프로젝트 중 함께 작업해야 하는 것들을 모아서 솔루션에 등록하고 관리할 수 있다. 즉, **솔루션은 서로 관련된 프로젝트들을 함께 관리하는 기능을 제공한다.**

디폴트로 프로젝트를 생성하면 솔루션이 함께 생성되므로 솔루션에 대해 신경쓰지 않고 작업할 수 있다. 프로젝트와 솔루션을 함께 생성하는 대신 빈 솔루션을 먼저 생성하고, 필요할 때 솔루션에 여러 프로젝트를 추가해서 관리할 수도 있다.

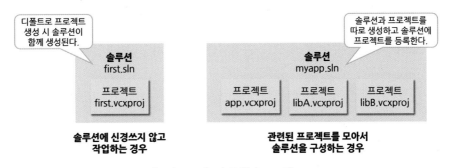

[그림 1-16]   솔루션과 프로젝트

솔루션 정보는 .sln 확장자를 가진 파일에 저장되며, 솔루션 폴더가 함께 생성된다. Visual Studio는 디폴트로 솔루션 폴더의 서브 디렉터리로 프로젝트 폴더를 생성해서 관리한다.

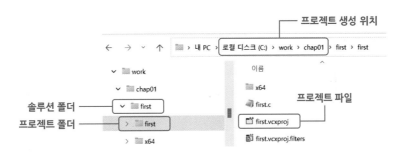

[그림 1-17]   솔루션 폴더와 프로젝트 폴더

(3) Visual Studio의 C 프로그램 개발 순서

■ 프로젝트 생성

Visual Studio에서 C 프로그램을 작성하려면 소스 코드부터 작성하는 대신 먼저 프로그램의 유형을 선택해서 프로젝트를 생성한다. 선택된 프로그램의 유형에 따라 기본적인 컴파일 옵션과 링크 옵션이 결정되고, 경우에 따라서는 소스 파일도 함께 생성될 수 있다.

■ 새 항목 추가

소스 파일이 함께 생성된 경우에는 생성된 소스 파일에 필요한 코드를 작성하고, 소스 파일이 없는 빈 프로젝트의 경우에는 소스 파일을 생성해서 새로운 항목으로 추가한다. 새 항목 추가로 생성된 소스 파일이나 헤더 파일은 프로젝트에 등록되며, 프로젝트에서 제거할 수도 있다.

■ 소스 코드 작성

Visual Studio가 제공하는 소스 코드 편집기를 이용해서 소스 파일이나 헤더 파일을 작성할 수 있다.

■ 빌드

소스 파일을 작성한 다음에는 컴파일과 링크를 수행하는데, Visual Studio에서는 이것을 '빌드'라고 한다. 빌드 후 컴파일 에러나 링크 에러가 있으면 소스 코드를 수정해서 에러를 없앤다.

■ 실행 및 디버깅

컴파일 에러나 링크 에러가 없으면 실행 파일이 생성되며 Visual Studio 안에서 직접 실행할 수 있다. 프로그램 실행 시 실행 에러가 있으면 디버깅을 통해서 실행 에러를 찾고 수정한다.

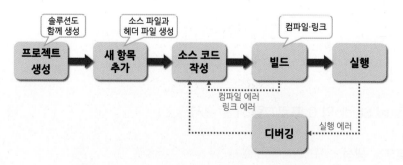

[그림 1-18] Visual Studio를 이용한 C 프로그램 개발

1.2.3 Visual Studio 사용법

(1) 프로젝트 생성

프로젝트를 생성하려면 Visual Studio 시작 화면에서 '새 프로젝트 만들기'를 선택하거나 [파일] → [새로 만들기] → [프로젝트] 메뉴를 선택한다.

프로젝트를 생성하려면 먼저 프로젝트의 유형을 선택해야 하는데, Visual Studio는 이것을 프로젝트 템플릿으로 준비해두고 있다. 선택된 프로젝트 템플릿에 따라서 프로젝트 정보가 생성된다. 간단한 C 프로그램을 작성하려면, '빈 프로젝트'를 선택한다. 이 경우 소스 파일 없이 프로젝트만 생성된다.

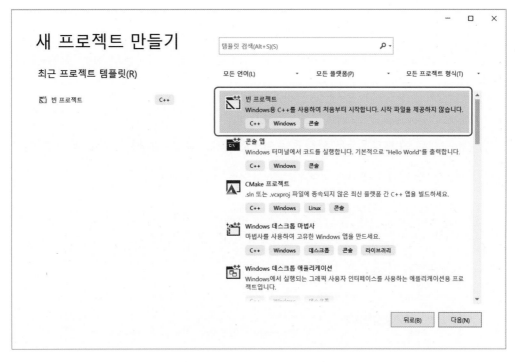

[그림 1-19] 새 프로젝트 만들기

[그림 1-19]에서 '빈 프로젝트'를 선택한 다음, [그림 1-20]에서 프로젝트 이름과 위치를 지정한다. '프로젝트 이름'에는 'first'를 입력하고, '위치'에는 'C:\work\chap01'을 입력한다. 디폴트로 솔루션 이름은 프로젝트 이름과 같은 이름으로 설정된다. 이 프로젝트를 빌드하면 프로젝트 이름과 같은 이름으로 실행 파일(first.exe)이 생성된다.

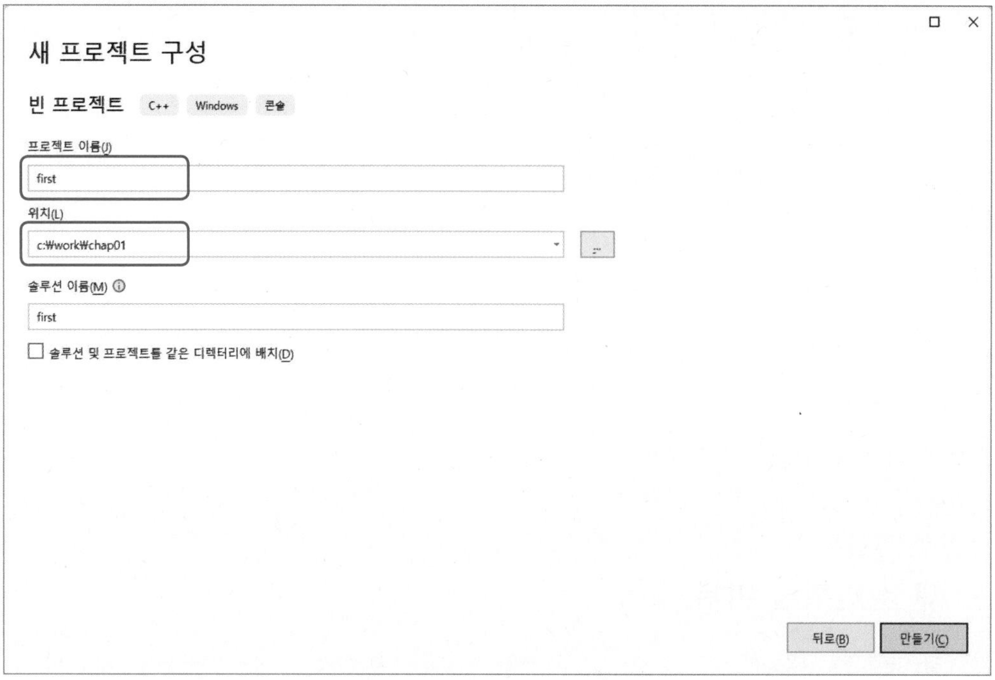

[그림 1-20] 에 표시된 이미지

[그림 1-20] 새 프로젝트 구성

[그림 1-21]은 빈 프로젝트를 생성한 후의 Visual Studio 화면이다. 왼쪽의 솔루션 탐색기를 보면 first 솔루션 안에 first 프로젝트가 생성된 것을 확인할 수 있다.

[그림 1-21] 빈 프로젝트 생성

(2) 새 항목 추가

프로젝트에서 사용할 소스 파일을 생성하려면 솔루션 탐색기에서 first 프로젝트를 클릭한 다음 [프로젝트] → [새 항목 추가] 메뉴를 선택한다.

C 소스 파일을 추가하려면 추가할 항목의 종류로 'C++ 파일(.cpp)'을 선택하고, 파일 이름으로 'first.c'를 지정한다. 이때 소스 파일의 확장자를 생략하면 first.cpp가 생성되므로, **반드시 소스 파일의 확장자로 .c를 지정해야 한다.** 생성된 파일은 프로젝트에 추가되었으므로 솔루션 탐색기의 소스 파일 목록에서 확인할 수 있다.

[그림 1-22] 새 항목 추가

기존에 작성해둔 C 소스 파일을 프로젝트에 추가하려면 먼저 소스 파일을 프로젝트 폴더에 복사한다. 솔루션 탐색기에서 프로젝트 이름을 선택한 다음에, [프로젝트] → [기존 항목 추가] 메뉴를 선택해서 파일을 프로젝트에 등록한다.

반대로 프로젝트에서 소스 파일을 제거하려면 솔루션 탐색기에서 소스 파일 이름을 클릭한 다음 Delete 키를 누른다. 소스 파일의 이름만 변경하려면 소스 파일 이름을 클릭한 다음 F2 키를 눌러서 수정한다.

(3) 소스 코드 작성

Visual Studio는 새 항목 추가 시 소스 코드 편집기에서 파일을 열어 편집할 수 있는 상태로 준비해준다. 소스 코드 편집기에서 [그림 1-23]처럼 간단한 C 프로그램을 작성하고 저장한다.

Visual Studio의 소스 파일 편집기는 **자동 서식** 기능이 있어서 소스 코드를 입력하면 자동으로 들여쓰기를 수행한다. 또한 **구문별 색 지정** 기능이 있어서 키워드는 파란색, 문자열은 자주색, 주석은 초록색 등으로 표시한다. 참고로 이 책의 예제 소스 코드는 Visual Studio의 구문별 색 지정 방식을 따라서 표현되어 있다.

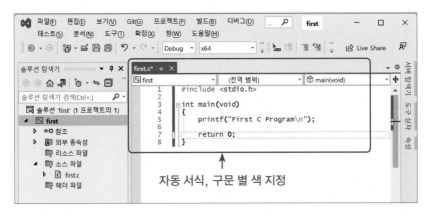

[그림 1-23] 소스 코드 편집기

(4) 빌드

[빌드] → [솔루션 빌드] 메뉴를 선택하면 솔루션 내의 모든 프로젝트를 컴파일 및 링크할 수 있다. Visual Studio는 솔루션 내의 모든 프로젝트를 빌드한 후 출력 창에 각 프로젝트에 대한 빌드의 성공·실패 여부를 출력한다. [그림 1-24]를 보면 first 솔루션에는 first 프로젝트밖에 없으므로 '성공 1'이라고 출력된다.

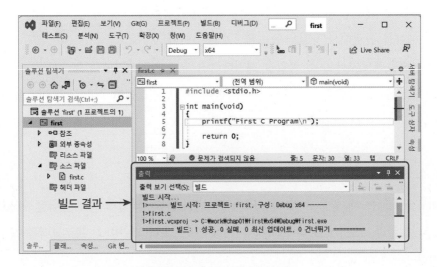

[그림 1-24] 솔루션 빌드 결과

컴파일 에러나 링크 에러가 있으면 [그림 1-25]처럼 출력 창에 에러 메시지가 출력되므로 에러 메시지를 이용해서 프로그램의 잘못된 부분을 찾아서 수정하고 다시 빌드하는 과정을 반복한다. C 소스 코드는 위에서 아래쪽으로 순차적으로 컴파일되므로, 컴파일 에러를 수정할 때도 위에서부터 순서대로 찾아서 수정해야 한다. 에러 메시지가 여러 개일 때는 F4 키를 눌러서 다음 에러 메시지로 이동할 수 있다.

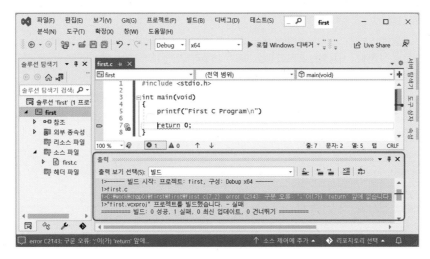

[그림 1-25] 컴파일 에러

컴파일 에러와 링크 에러가 없으면 실행 파일이 생성된다. 실행 파일은 프로젝트 이름과 같은 이름(first.exe)으로 솔루션 폴더의 Debug 폴더 또는 x64\Debug 폴더 안에 생성된다.

(5) 실행

Visual Studio 안에서 프로그램을 실행하려면, [디버그] → [디버그하지 않고 시작] 메뉴를 선택한다. Visual Studio는 콘솔 프로그램을 실행하면 [그림 1-26]처럼 명령 프롬프트를 열어서 프로그램을 실행한다.

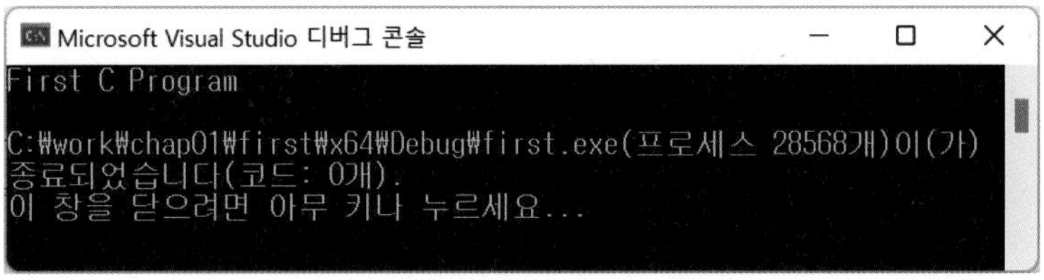

[그림 1-26] 콘솔 프로그램 실행

Visual Studio 밖에서 콘솔 프로그램을 실행하려면, 직접 명령 프롬프트를 실행한 다음, 실행 파일의 완전 경로명(c:\work\chap01\first\Debug\first.exe) 또는 C:\work\chap01\first\x64\Debug\first.exe을 입력한다.

 Further Study

콘솔 프로그램

콘솔 프로그램은 키보드로 입력을 받아서 콘솔(명령 프롬프트)에 출력하는 프로그램이다. Microsoft Office 처럼 윈도우 플랫폼에서 사용되는 프로그램을 윈도우 애플리케이션이라고 하는데, 윈도우 애플리케이션을 만들려면 Windows API나 ATL, MFC 같은 라이브러리가 필요하다.

이 책에서는 표준 C와 표준 C 라이브러리만을 이용해서 C 프로그램을 작성하고 있으므로, 콘솔 응용 프로그램의 형태로 C 프로그램을 작성해야 한다. 마우스 입력이나 다양한 그래픽 출력이 가능한 Windows 데스크톱 응용 프로그램과는 다르게 콘솔 프로그램에서는 키보드 입력과 텍스트 출력만 가능하다.

(6) Visual Studio의 단축키

Visual Studio에서 자주 사용되는 기능과 단축키를 정리해보면 다음과 같다.

〈표 1-1〉 Visual Studio 기능과 단축키

기능	메뉴 항목	단축키
새 프로젝트 생성	[파일] → [새로 만들기] → [프로젝트]	Ctrl + Shift + N
새 항목 추가	프로젝트 선택 후 [프로젝트] → [새 항목 추가]	Ctrl + Shift + A
기존 항목 추가	프로젝트 선택 후 [프로젝트] → [기존 항목 추가]	Shift + Alt + A
빌드	[빌드] → [솔루션 빌드]	F7
실행	[디버그] → [디버그하지 않고 시작]	Ctrl + F5
솔루션/프로젝트 열기	[파일] → [열기] → [프로젝트/솔루션]	Ctrl + Shift + O
프로젝트에서 소스 파일 제거	파일 선택 후 오른쪽 마우스 클릭 → [제거]	Del
소스 파일명 수정	파일 선택 후 오른쪽 마우스 클릭 → [이름 바꾸기]	F2

▶ Quiz ?

1. C/C++ 컴파일러가 제공하는 기능이 아닌 것은?

   ① 소스 파일에 대한 전처리　　　② 구문 분석　　　③ 오브젝트 코드 생성

   ④ 링크　　　　　　　　　　　　⑤ 프로그램 설계

2. 프로그램이 잘못된 실행 결과를 생성하거나 실행 중에 프로그램이 죽는 에러는?

   ① 컴파일 에러　　　　　　② 링크 에러　　　　　　③ 실행 에러

3. Visual Studio에서 소스 파일이나 헤더 파일 정보, 컴파일 옵션, 링크 옵션을 모아둔 것은?

   ① 프로젝트　　② 라이브러리　　③ 컴파일러　　④ 솔루션

4. Visual Studio에서 관련된 프로젝트를 모아서 관리하는 기능을 제공하는 것은?

   ① 프로젝트　　② 솔루션　　③ 라이브러리　　④ 소스 코드 편집기

5. Visual Studio에서 솔루션 내의 프로젝트 목록이나 프로젝트 내의 소스 파일, 헤더 파일 목록을 보여주는 창은?

   ① 클래스 뷰　　② 속성 관리자　　③ 솔루션 탐색기　　④ 출력 창

1. 소프트웨어를 지칭하는 용어를 모두 쓰시오.

2. 프로그래밍 언어에 대한 설명 중 잘못된 것을 모두 고르시오.
   ① 기계어로 작성된 프로그램은 변환 없이 다양한 CPU에서 실행될 수 있다.
   ② 0과 1로 되어있는 명령어 대신 일대일로 대응된 니모닉 기호를 사용하는 것이 어셈블리어이다.
   ③ 어셈블리어를 이용하면 기계 독립적인 프로그램을 작성할 수 있다.
   ④ 고급 언어를 사용하면 CPU의 종류나 하드웨어의 특성에 얽매이지 않는 프로그램을 작성할 수 있다.
   ⑤ C, C++, Java, Python은 고급 언어이다.
   ⑥ 컴파일러는 고급 언어로 된 프로그램을 기계어로 번역한다.
   ⑦ 기계어와 어셈블리어는 고급 언어이다.

3. 고급 언어로 작성된 소스 파일을 기계어로 번역하는 프로그램을 무엇이라고 하는가?

4. C 언어를 배워야 하는 이유가 아닌 것을 모두 고르시오.
   ① C 언어는 프로그래머들 사이에서 일종의 공용어 역할을 한다.
   ② C 언어를 알면 다양한 프로그래밍 정보를 활용하는데 도움이 된다.
   ③ C 언어를 알면 다른 언어를 배울 필요가 없다.
   ④ C 언어는 프로그래밍의 기본 개념을 이해하는 데도 도움이 된다.
   ⑤ C 언어를 사용하면 프로그램의 내부 동작 원리를 알 필요가 없다.

5. C 언어의 활용 분야에 대한 설명 중 잘못된 것은?
   ① C 언어는 이식성이 필수적인 시스템 프로그램을 개발하기에 적합하다.
   ② C 언어는 성능이 최우선시 되는 프로그램을 개발하기에 적합하다.
   ③ 임베디드 시스템처럼 시스템 리소스가 충분한 환경에서 프로그램을 개발할 때 C 언어를 주로 사용한다.
   ④ C 언어는 그래픽이나 수치 해석 같은 고성능 라이브러리를 개발할 때 주로 사용된다.
   ⑤ 게임이나 게임 엔진을 개발하는데 C/C++ 언어를 주로 사용한다.

6. 다음 중 C 언어의 장점이 아닌 것을 모두 고르시오.
   ① C 언어는 구문이 간결하고, 프로그램 개발에 꼭 필요한 핵심적인 기능들을 제공한다.
   ② C 언어는 객체지향 프로그래밍을 지원한다.
   ③ C 언어는 어셈블리어 수준의 기능을 제공하면서도 기계-독립적인 프로그램을 작성할 수 있다.
   ④ C 언어는 배우기 쉽고 사용하는데도 별다른 주의 사항이 없다.
   ⑤ C 언어는 개발자에게 최대한의 자유를 제공한다.
   ⑥ C 언어를 이용하면 성능이 우수한 프로그램을 개발할 수 있다.

7. 가전제품, 자동차, 네트워크 장비처럼 특수 목적의 컴퓨터를 내장하고 있는 장치에서 수행되는 프로그램을 무엇이라고 하는가?

8. C 언어와 C++ 언어에 대한 설명 중 잘못된 것은?

① C 언어를 이어받아 객체지향성을 추가한 것이 C++ 언어이다.

② C 언어는 C++ 언어와의 호환성을 제공한다. 즉, 유효한 C++ 프로그램은 C 프로그램이다.

③ C로 작성된 프로그램을 C++로 변환하는 간단한 방법은 소스 파일의 확장자를 c에서 cpp로 변경하면 된다.

④ 대부분의 C 컴파일러는 C/C++ 컴파일러이다.

⑤ C로 개발된 라이브러리를 C++ 프로그램에서 사용할 수 있다.

9. 다음은 일반적인 C 프로그램의 개발 과정이다. 그림의 빈칸에 각각 알맞은 단계는 무엇인지 쓰시오.

10. C 프로그램 개발 과정에 대한 설명 중 잘못된 것을 모두 고르시오.

① 프로그램 설계 단계에서 알고리즘을 도출한다.

② 프로그램 설계 단계에서 알고리즘을 표현할 때는 특정 프로그래밍 언어를 사용한다.

③ 소스 코드를 작성할 때는 텍스트 편집기를 사용한다.

④ 전처리기는 소스 파일이 컴파일될 수 있도록 준비한다.

⑤ 소스 파일이 여러 개일 때는 소스 파일을 모두 하나로 합쳐서 컴파일한다.

⑥ 오브젝트 파일이 하나밖에 없을 때는 링크할 필요가 없다.

⑦ 링크 단계에서 라이브러리를 오브젝트 파일과 연결한다.

11. Visual Studio에서 프로젝트와 솔루션에 대한 설명 중 잘못된 것을 모두 고르시오.

① 솔루션에는 소스 파일과 헤더 파일 정보, 컴파일 옵션과 링크 옵션이 포함된다.

② 프로젝트를 생성하면 .vcxproj 확장자를 가진 파일이 생성된다.

③ 프로젝트를 생성할 때 디폴트로 솔루션이 함께 생성된다.

④ 프로젝트는 반드시 솔루션에 속해야 한다.

⑤ 관련된 프로젝트를 여러 개 묶어서 솔루션에서 관리할 수 있다.

⑥ 솔루션과 프로젝트는 일대일로 대응된다. 즉, 솔루션 하나당 프로젝트가 하나이다.

Programming Assignment

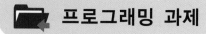

프로그래밍 과제

1. Visual Studio를 이용해서 다음과 같이 C 프로그램을 작성하고, 빌드 후 실행하시오.

(1) 프로젝트명: second

(2) 프로젝트 위치: C:\work\chap01

(3) 프로젝트 유형: 빈 프로젝트(C++, Windows, 콘솔)

(4) 소스 파일명: second.c

(5) 소스 파일 내용

---

second.c

```
01    #include <stdio.h>
02
03    int main(void)
04    {
05        printf("Second C Program\n");
06        printf("Date    : 2022.1.1\n");
07        printf("Version : 1.0\n");
08
09        return 0;
10    }
```

실행 결과

```
Second C Program
Date    : 2022.1.1
Version : 1.0
```

2. Visual Studio를 이용해서 다음과 같이 C 프로그램을 작성하고, 빌드 후 실행하시오.

(1) 프로젝트명: calculator

(2) 프로젝트 위치: C:\work\chap01

(3) 프로젝트 유형: 빈 프로젝트(C++, Windows, 콘솔)

(4) 소스 파일명: calculator.c

(5) 소스 파일 내용

📑 **calculator.c**

```
01    #include <stdio.h>
02
03    int main(void)
04    {
05        printf("55 + 33 = %d\n", 55 + 33);
06        printf("55 - 33 = %d\n", 55 - 33);
07        printf("55 * 33 = %d\n", 55 * 33);
08        printf("55 / 33 = %d\n", 55 / 33);
09
10        return 0;
11    }
```

실행 결과   ■ ■ ■

```
55 + 33 = 88
55 - 33 = 22
55 * 33 = 1815
55 / 33 = 1
```

C
Warming-up

2

C 프로그램의 기본

2.1 첫 번째 C 프로그램

[예제 2-1]은 1장에서 Visual Studio를 이용해서 작성한 첫 번째 C 프로그램으로, 간단한 텍스트를 화면에 출력한다.

📋 **예제 2-1 : 첫 번째 C 프로그램**

```c
01   // first.c
02   #include <stdio.h>              // 입출력 라이브러리를 사용하기 위한 준비
03
04   int main(void)                  // 시작점 함수
05   {
06       printf("First C Program\n");    // 콘솔에 텍스트를 출력한다.
07
08       return 0;                   // 프로그램의 종료 코드 리턴
09   }
```

실행 결과

```
First C Program
```

[예제 2-1]에서 사용된 C 프로그램의 구성 요소로는 주석, main 함수, 출력 함수 등이 있다. 각각에 대해 자세히 알아보자.

2.1.1 주석

주석(comment)은 프로그램에 대해 설명으로, C/C++ 컴파일러는 컴파일 시 주석을 무시한다. **주석을 이용하면 소스 코드에 대한 정보를 제공하거나 소스 코드의 일부분을 컴파일하지 않게 만들 수 있다.**

C에서 주석을 지정하려면 주석의 시작에는 /*을 써주고, 주석의 끝에는 */을 써준다. C99에서 //을 이용한 한줄 주석 기능이 추가되었는데, 대부분의 C 컴파일러가 C99를 지원하므로 //을 이용한 주석을 사용할 수 있다.

//을 이용하면 소스 코드의 끝부분에 소스 코드에 대한 설명을 적어줄 수 있다. 컴파일러는 //부터 해당 줄의 끝까지를 무시한다.

```
#include <stdio.h>                    // 입출력 라이브러리를 사용하기 위한 준비
```

주석을 이용하면 프로그램 전체에 대한 대략적인 정보를 제공할 수 있다. 소스 파일의
시작 부분에 프로그램 이름, 작성자, 개정 일시, 개정 이력 등의 정보를 주석으로 써줄 수
있다.

```
/*
    프로그램명: ex02_01
    설명: 간단한 텍스트를 출력하는 C 프로그램
    작성 일시: 2022/9/1
    작성자: 천정아
*/
```

주석 처리(comment out)는 이미 작성한 소스 코드를 컴파일하지 않게 만드는 것이다.
//을 소스 코드의 시작 부분에 적어주면 해당 줄 전체가 주석 처리된다.

```
printf("First C Program\n");
//printf("Comment out\n");                    // 이 줄 전체를 주석 처리한다.
```

여러 줄 주석을 만드는 /*와 */는 /*와 */로 감싸여진 텍스트를 주석으로 처리한다.
//와는 다르게 /*와 */는 문장의 중간에서 사용할 수 있다.

```
printf(/*출력할 내용*/"First C Program\n");    // 코드 중간에 주석을 넣을 수 있다.
```

어떤 일을 하는 코드인지 주석을 달아 두는 것보다 주석 없이도 어떤 일을 하는 코드인
지 알아보기 쉽도록 코드를 명확하게 작성하는 것이 더 좋다.

Further Study

구문별 색 지정 기능

Visual Studio에는 구문별 색 지정 기능이 있어서 키워드(int, void, return)는 파란색, 문자열은 자주색, 주석은 초록색, 함수 이름(main)이나 리터럴(0)은 검은색 등으로 표시하고 있다. Visual Studio의 구문별 색 지정을 변경하려면 [도구] → [옵션] 메뉴를 선택한 다음 [환경] → [글꼴 및 색]에서 지정한다. 참고로 이 책의 예제 소스는 Visual Studio가 사용하는 디폴트 구문별 색 지정 방식을 따르고 있다.

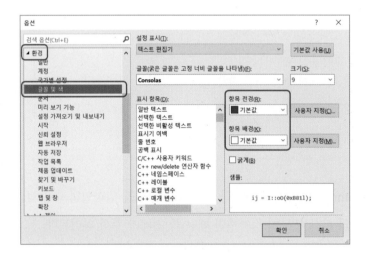

주석의 중첩

//로 된 주석은 /* */로 된 주석 안에 포함될 수 있지만 /* */로 된 주석은 중첩해서 사용할 수 없으므로 주의해야 한다.

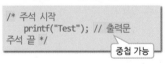

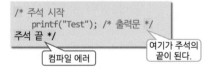

2.1.2 main 함수

C 프로그램에는 반드시 main 함수가 필요하다. 함수가 무엇인지, 그중에서 main 함수가 왜 반드시 필요한지 알아보자.

(1) 함수의 개념

C 프로그램은 하나 또는 여러 개의 함수(function)로 구성된다. 각각의 함수는 세미콜론(;)으로 끝나는 문장(statement)으로 구성된다. 어떤 일을 하는 문장인지에 따라서 '~문'이라고 부르며, 선언문, 입력문, 출력문, 조건문, 반복문 등은 모두 C 문장이다. 여러 문장들이 모여서 함수가 되고, 함수들이 모여서 C 프로그램을 구성한다.

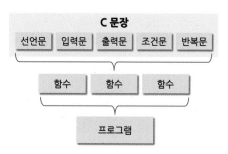

[그림 2-1] C 프로그램의 구성

간단한 C 프로그램은 main 함수로만 구성된다. 프로그램의 기능이 많아지고 복잡해지면, main 함수와 다른 함수들로 구성될 수 있다.

**main 함수로만 구성된
C 프로그램**

```c
int main(void)
{
    printf("First C Program\n");
    return 0;
}
```

**여러 개의 함수로 구성된
C 프로그램**

```c
void print_line(void)
{
    printf("------\n");
}
int add(int a, int b)
{
    return a + b;
}
int main(void)
{
    print_line();
    add(10, 20);
}
```

[그림 2-2] C 프로그램과 main 함수

함수를 만들 때는 리턴형, 함수 이름, 매개변수가 필요하다. 함수는 함수 안의 문장들을 수행하고 나면 함수를 호출한 곳으로 리턴한다. 리턴형은 함수가 리턴할 때 어떤 형식의 값을 리턴하는지 알려준다. int main(void)에서 int는 함수가 정수값을 리턴한다는 의미이다.

함수 이름 다음에 ( ) 안에는 함수의 매개변수를 써준다. 함수를 수행하는 데 필요한 값을 넘겨주기 위해 매개변수를 사용한다. 매개변수가 없으면 void라고 써주거나 ( )안을 비워둔다.

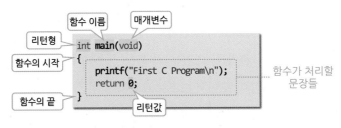

[그림 2-3] 함수의 구성

함수가 처리할 문장들은 {과 } 안에 써준다. 함수가 호출되면 { } 안에 있는 문장들이 위에서부터 순서대로 수행된다. 함수 안의 문장들을 수행하다가 함수의 끝(})을 만나거나 return을 만나면, 함수를 호출한 곳으로 되돌아간다. return 다음에 리턴할 값을 써주는데, 함수의 리턴형과 같은 형식의 값을 리턴해야 한다.

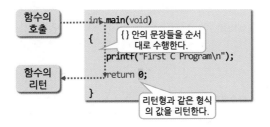

[그림 2-4] 함수의 호출과 리턴

(2) 진입점 함수

main 함수는 C 프로그램이 처음 시작될 때 호출되기로 약속된 함수이다. C 프로그램을 실행하면, 운영체제는 C 프로그램의 실행 파일(.exe)을 메모리로 로드(load)한 다음 main 함수를 호출한다. 이처럼 프로그램이 시작될 때 호출되는 함수를 프로그램의 **진입점(entry-point) 함수**라고 한다.

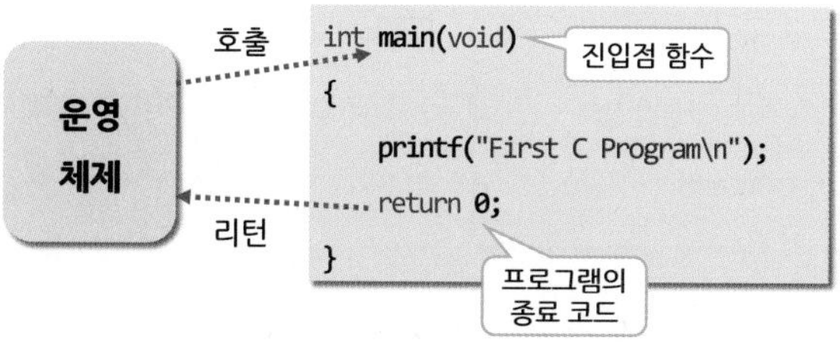

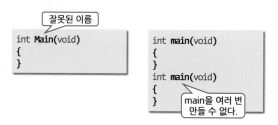

[그림 2-5] 진입점 함수

C 프로그램에는 main 함수가 반드시 필요하다. 운영체제가 main 함수를 호출하기로 약속되어 있기 때문이다. C 프로그램에 main 함수가 없으면 링크 에러가 발생한다. C에서는 프로그램에서 사용되는 이름에 대하여 대소문자를 구분해서 사용한다. 따라서 main 함수의 이름으로 Main이나 MAIN을 사용하는 것은 잘못이다. 또한 C 프로그램에 main 함수가 아예 없거나, 여러 개의 main 함수를 만드는 것도 잘못이다.

```
잘못된 이름
int Main(void)
{
}
```
```
int main(void)
{
}
int main(void)
{
}
main을 여러 번
만들 수 없다.
```

[그림 2-6] 잘못된 main 함수

main 함수의 { } 안에는 프로그램이 수행할 내용을 적어준다. main 함수 안의 문장들을 수행하다가 함수의 끝을 만나거나 return문을 만나면 리턴한다. 이때, int형의 값을 리턴하는데, 이 값을 프로그램의 **종료 코드(exit code)**라고 한다. main 함수가 리턴하면 실행의 흐름이 운영체제로 되돌아가면서 프로그램이 종료된다. 즉, main 함수의 리턴값은 운영체제로 전달되며, 프로그램의 종료 상태를 알려준다.

프로그램의 종료 코드가 0이면 정상 종료를 의미한다. 정상 종료는 프로그램이 끝까지 잘 수행되고 끝났다는 의미이다. 파일을 열 수 없거나 메모리를 할당할 수 없으면 프로그램이 제대로 수행되지 못하고 종료될 수도 있다. 이때는 종료 코드로 0이 아닌 값을 리턴한다.

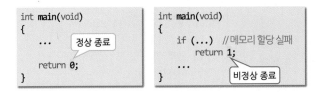

[그림 2-7] main 함수의 종료 코드

리턴형이 void가 아닌 함수에는 반드시 return문이 필요하다. 그런데 예외적으로 main 함수에서는 return문을 생략할 수 있다. **main 함수에서 return문을 생략하면 프로그램 종료 시 0이 리턴된다.** 간단한 코드 작성을 위해 이 책의 예제에서는 main 함수의 return 0; 은 생략하기로 한다.

 Further Study

main 함수만 진입점 함수일까?

main 함수는 콘솔 프로그램의 진입점 함수이다. Windows 데스크톱 응용 프로그램은 main 함수 대신 WinMain 함수를 진입점 함수로 사용한다.

리턴형이 void인 main 함수

main 함수의 리턴형으로 void형을 지정하기도 하는데, 이것은 C 표준이 아니므로 피하는 것이 좋다. main 함수는 int main(void)으로 정의해야 한다.

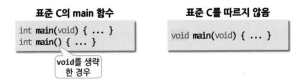

C의 문장과 들여쓰기

C에서는 한 문장을 여러 줄에 걸쳐서 작성할 수도 있고, 여러 문장을 한 줄에 작성할 수도 있다. 보통은 알아보기 쉽도록 한 줄에 한 문장씩 작성하는 것이 좋다. { }로 묶인 문장들을 블록(block)이라고 하며, 블록 안의 문장들은 알아보기 쉽게 들여쓰기 하는 것이 좋다.

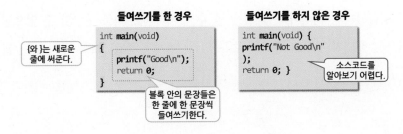

2.1.3 출력

(1) 입출력의 개념

프로그램은 주어진 입력을 처리한 다음, 결과를 내어놓는 블랙박스 모델이다. 콘솔 프로그램은 콘솔(명령 프롬프트)에서 실행되는 프로그램으로, **키보드로부터 입력을 받아서 처리한 다음, 결과를 콘솔에 텍스트로 출력한다**. C 프로그램마다 입력과 출력 기능이 공통적으로 필요하므로, 표준 C에서는 이 기능을 입출력 라이브러리로 준비해두고 있다. 콘솔에서의 키보드 입력을 **표준 입력**, 콘솔로의 텍스트 출력을 **표준 출력**이라고 한다.

[그림 2-8]   C 프로그램의 표준 입력과 표준 출력

(2) 입출력 라이브러리를 사용하기 위한 준비

입출력 라이브러리가 제공하는 출력 함수를 사용하려면 <stdio.h>를 포함해야 한다. C 프로그램에서 라이브러리를 사용하려면, 라이브러리가 제공하는 함수에 대한 정보가 필요하다. 헤더 파일(.h)은 라이브러리 함수명, 리턴형, 매개변수에 대한 정보를 제공하는 파일이다. #include를 이용해서 헤더 파일을 포함하면, 전처리기가 컴파일 전에 헤더 파일의 내용을 소스 파일로 복사해서 라이브러리 함수에 대한 정보를 제공한다. #include처럼 전처리기가 처리하는 문장은 #으로 시작한다.

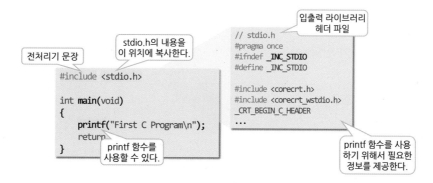

[그림 2-9]   라이브러리 헤더 파일 포함

헤더 파일을 포함하지 않고 printf 함수를 호출하면 컴파일 경고와 링크 에러가 발생한다. 컴파일 경고는 함수가 정의되지 않았으므로 int를 리턴하는 함수로 가정한다는 의미이다. 링크 에러는 printf 함수가 호출되었으나 오브젝트 코드를 찾을 수 없다는 의미이다.

! 컴파일 경고 및 링크 에러 ● ● ●

1>c:\work\chap02\ex02_01\ex02_01\first.c(6): warning C4013: 'printf'이(가) 정의되지 않았습니다. ex-tern은 int형을 반환하는 것으로 간주합니다.
1>first.obj : error LNK2019: _printf 외부 기호(참조 위치: _main 함수)에서 확인하지 못했습니다.
1>C:\work\chap02\ex02_01\Debug\ex02_01.exe : fatal error LNK1120: 1개의 확인할 수 없는 외부 참조입니다.

 Further Study

컴파일 경고(Warning)
컴파일 경고는 컴파일은 되지만 문제가 생길 수 있는 부분을 확인하도록 경고하는 것이다. 따라서 컴파일 경고가 발생하더라도 오브젝트 코드나 실행 파일이 생성된다. 하지만 컴파일 경고를 무시하고 실행하면 프로그램이 오동작할 수 있다. 따라서 소스 코드를 확인해서 컴파일 경고가 사라지도록 수정하는 것이 좋다.

(3) 콘솔 출력

C 프로그램에서 콘솔에 텍스트를 출력하려면 printf 함수를 이용한다. 이때, 출력할 내용을 " "로 묶어서 printf 함수의 ( ) 안에 써준다. "First C Program"처럼 " "로 묶인 항목을 문자열이라고 한다.

printf 함수는 콘솔의 현재 커서 위치에 문자열을 출력하고 커서를 문자열의 끝으로 이동한다. 문자열을 출력한 다음에 커서를 다음 줄로 이동하려면 문자열 안에 줄바꿈 문자('\n')를 함께 출력해야 한다.

```
printf("First C Program\n");    // 콘솔에 텍스트를 출력하고 커서를 다음 줄로 이동한다.
```

printf 함수를 여러 번 호출하면 이전 출력의 마지막 커서 위치부터 연속해서 출력한다. 따라서 다음 줄에 출력하려면 줄바꿈 문자를 사용해야 한다.

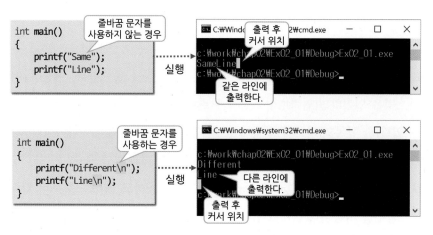

[그림 2-10] 줄바꿈 문자의 사용

    printf 함수는 문자열 출력 외에도 다양한 출력 방법을 제공하는데, 다음 절에서 살펴보도록 하자.

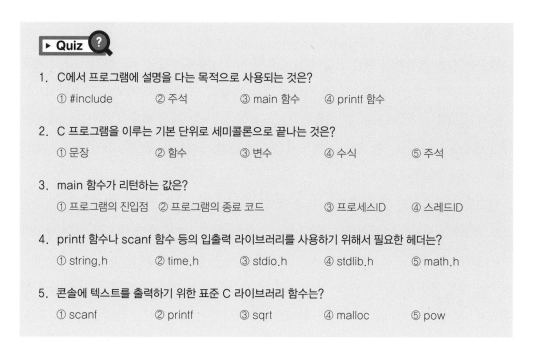

2.2 C의 입력과 출력

프로그램은 사용자로부터 입력을 받아서 처리 후 결과를 출력한다. 예를 들어 구글맵 앱에서 장소명을 입력하면(입력), 장소명과 관련된 목록을 보여주고(출력), 그중에서 사용자가 클릭(입력)한 항목의 지도를 화면에 표시(출력)한다. 모바일 앱이나 Windows 데스크톱 프로그램과는 다르게 콘솔 프로그램에서는 키보드 입력과 텍스트 출력만을 처리한다.

C 프로그램에서 콘솔에 출력하려면 printf 함수를 사용하고, 키보드로부터 입력을 받으려면 scanf 함수를 사용한다. printf 함수와 scanf 함수를 사용하려면 `<stdio.h>`를 포함해야 한다.

C에서 입력을 처리하려면 입력받은 값을 저장하기 위한 변수가 필요하다. C의 변수에 대해서 먼저 알아보자.

2.2.1 변수

(1) 변수의 개념

변수는 값을 저장하기 위한 공간이다. 컴퓨터 시스템에서는 값을 저장하기 위해서 메모리를 사용한다. 메모리는 한 바이트 단위로 값을 저장할 수 있으며, 메모리의 각 바이트를 구분하기 위한 주소(address)를 사용한다. 고급 언어에서는 직접 메모리 주소를 사용하는 대신 변수를 사용한다. 즉, 변수는 메모리 공간에 대하여 이름을 붙여 두고 이름으로 접근하는 방법을 제공한다.

변수를 사용하려면 먼저 변수 이름과 데이터형(data type)을 정해야 한다. 데이터형은 프로그램에서 사용되는 데이터의 종류이다. 변수의 데이터형에 따라 메모리 공간을 얼마나 사용할지가 정해지며, 메모리에 저장된 값의 의미가 결정된다. 예를 들어 4바이트 크기의 메모리에 정수를 저장할 수도 있고, 실수를 저장할 수도 있다. [그림 2-11]을 보면 변수 a와 b는 둘 다 4바이트 크기이다. 하지만 a에 해당하는 메모리에는 정수값이 저장되고, b에 해당하는 메모리에는 실수값이 저장된다. 변수 c는 1바이트 크기 메모리에 문자값을 저장한다.

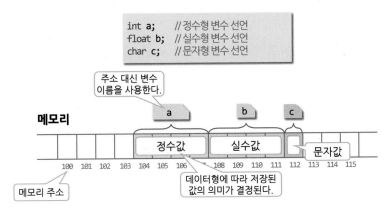

[그림 2-11] 변수의 메모리 할당

(2) 변수의 선언

변수는 선언(declaration) 후 사용해야 한다. 변수의 선언문은 컴파일러에게 변수의 이름과 데이터형을 미리 알려주고, 변수를 사용할 수 있도록 준비시킨다. 다음은 변수를 선언하는 형식이다.

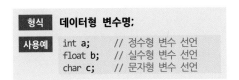

C의 데이터형에는 문자형, 정수형, 실수형, 배열, 포인터, 구조체 등이 있다. 간단한 데이터형으로 문자형은 char, 정수형은 int, 실수형은 float가 있다. char형 변수는 메모리 1바이트를 사용하고, int형 변수와 float형 변수는 4바이트를 사용한다.

변수 이름은 영문자와 숫자, 밑줄 기호(_)를 이용해서 만들 수 있으며, 첫 글자로는 반드시 영문자나 밑줄 기호가 와야 한다. 변수 이름 중간에 빈칸을 사용하거나 다른 기호를 사용해서는 안 된다.

⊘	int 2022income;	// 숫자로 시작하면 안된다. (컴파일 에러)
⊘	float tax rate;	// 빈칸이 들어가면 안된다. (컴파일 에러)

(3) 변수의 사용

변수에 값을 저장하려면 변수 이름 다음에 =을 쓰고, 값을 적어준다. 변수에 값을 저장하는 것을 '**변수에 값을 대입한다.**'라고 한다.

변수에 값을 대입하면 변수에 할당된 메모리 공간에 값이 저장된다. 변수에 값을 대입할 때는 변수의 데이터형과 같은 형식의 값을 대입해야 한다. 즉, int형 변수에는 정수를, float형 변수에는 실수를, char형 변수에는 문자를 저장해야 한다.

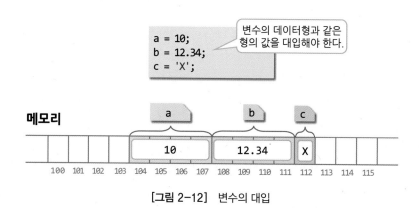

[그림 2-12] 변수의 대입

메모리에 저장된 변수의 값을 읽어올 때도 변수 이름을 사용한다.

```
printf("%d", a);      // a의 값을 읽어서 콘솔에 출력한다.
b = a + 0.1;          // a의 값을 읽어서 0.1을 더한 다음 b에 저장한다.
```

2.2.2 printf 함수

printf 함수는 문자열을 출력하는 기능 외에도, **값을 서식에 맞춰 출력하는 기능을 제공한다.** printf 함수는 첫 번째 인자로 형식 문자열을 사용한다. 형식 문자열은 " " 안에 %와 약속된 문자로 서식을 지정할 수 있다.

형식	printf(형식문자열, 출력할값, …);

사용예	printf("%d", a);
	printf("%f", b);
	printf("%c", c);
	printf("%d %x", a, a);

(1) 서식 지정자

printf 함수의 형식 문자열을 이용하면 값을 여러 가지 형식으로 출력할 수 있다. 예를 들어 정수값을 10진수로 출력하려면 %d를 지정하고, 16진수로 출력하려면 %x를 지정한다. **서식 지정자(format specifier)**는 printf 함수의 형식 문자열에서 %와 함께 사용되어 출력할 값의 형식을 알려주는 문자이다.

〈표 2-1〉은 printf 함수의 형식 문자열에서 사용할 수 있는 서식 지정자를 정리한 것이다.

〈표 2-1〉 printf 함수의 형식 문자열

서식 지정자	의미	사용 예	실행 결과
%d	정수를 10진수로 출력	int a = 10; printf("%d", a);	10
%x	정수를 16진수로 출력 (0~9, a~f 이용)	int a = 10; printf("%x", a);	a
%X	정수를 16진수로 출력 (0~9, A~F 이용)	int a = 10; printf("%X", a);	A
%f, %F	실수를 부동소수점 표기 방식으로 출력	float b = 1.23; printf("%f", b);	1.230000
%e, %E	실수를 지수 표기 방식으로 출력	float b = 1.23; printf("%e", b);	1.230000e+00
%c	문자 출력	char c = 'A'; printf("%c", c);	A

Further Study

10진수, 8진수, 16진수

수를 표현하는 방식을 진법이라고 한다. 10진법은 0~9를, 8진법은 0~7을, 16진법은 0~9와 a~f를 이용해서 숫자를 표현한다. 10진수는 10진법으로 나타낸 수를 말한다. 8진수와 16진수도 마찬가지이다. 예를 들어 10진수 10은 8진수로는 12, 16진수로는 a, 2진수로는 1010으로 나타낼 수 있다.

프로그래밍에서는 10진수, 8진수, 16진수 각각을 구분하기 위해서 **8진수일 때는 앞에 0을 붙여서 012로 표기하고, 16진수일 때는 0x를 붙여서 0xa로 표기한다.** C 소스 코드에서는 2진수 대신 16진수를 사용하므로 16진수 표기법을 알아두면 도움이 된다.

10진수	0	1	2	3	4	5	6	7	8	9	10	11	12	13	14	15
16진수	0	1	2	3	4	5	6	7	8	9	a	b	c	d	e	f

[예제 2-2]는 printf 함수의 형식 문자열을 이용해서 int형 변수, float형 변수, char형 변수의 값을 출력하는 예제이다.

📝 **예제 2-2 : 형식 문자열을 이용해서 출력하기**

```
01    #include <stdio.h>
02
03    int main()
04    {
05        int a;                          // 정수형 변수 선언
06        float b;                        // 실수형 변수 선언
07        char c;                         // 문자형 변수 선언
08
09        a = 10;                         // 정수형 변수에 값 대입
10        b = 1.23;                       // 실수형 변수에 값 대입
11        c = 'A';                        // 문자형 변수에 값 대입
12
13        printf("%d %x\n", a, a);        // 10진수, 16진수로 정수 출력
14        printf("%f %e\n", b, b);        // 부동소수점, 지수 표기로 실수 출력
15        printf("%c\n", c);              // 문자 출력
16    }
```

실행 결과 ▪▪▪

```
10 a
1.230000 1.230000e+00
A
```

형식 문자열에서 서식 지정자를 여러 개 사용할 수도 있다. 이때, 서식 지정자와 출력할 값은 순서대로 대응되며, 서식 지정자와 출력할 값의 개수가 일치해야 한다.

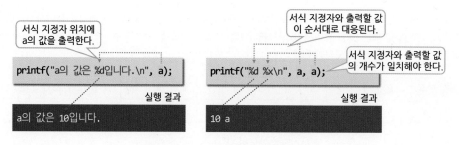

[그림 2-13] 서식 지정자와 출력할 값

정수값을 16진수로 출력할 때 %X를 사용하면 a~f 대신 A~F를 출력한다. 16진수를 출력할 때 0x 또는 0X를 함께 출력하려면 서식 지정자인 x나 X 앞에 #을 함께 써준다.

```
printf("%X\n", a);     // A~F를 사용해서 출력       ⇒ A 출력
printf("%#x\n", a);    // 16진수에 0x를 함께 출력 ⇒ 0xa 출력
```

📁➕ Further Study

float형 변수에 실수값을 대입할 때 컴파일 경고가 발생하는 이유

[예제 2-2] 10번 줄에서 float형 변수 b에 1.23을 대입하면 다음과 같은 컴파일 경고가 발생한다.

❗ 컴파일 경고   ▪▪▪

1>c:\work\chap02\ex02_02\ex02_02\printf.c(10): warning C4305: '=': 'double'에서 'float'(으)로 잘립니다.

C는 실수형으로 4바이트 크기의 float형과 8바이트 크기의 double형을 제공한다. 1.23은 double형의 값이므로 float형 변수에 저장하면 실수값이 손실될 수 있다는 컴파일 경고가 발생한다. 이 경고는 일단 무시해도 좋다. C 언어에서 실수를 어떻게 처리하는지 3장에서 자세히 살펴보도록 하자.

---

(2) 문자 폭과 정밀도

서식 지정자에 **문자 폭(width)**을 함께 지정하면 정형화된 보고서나 수치 데이터를 출력할 때 유용하다. 문자 폭을 지정하려면 %6d처럼 %와 d 사이에 정수로 써준다. 예를 들어 %6d는 6문자 폭에 맞춰 오른쪽으로 정렬해서 정수를 10진수로 출력하라는 의미이다. 왼쪽 정렬해서 출력하려면 %-6d처럼 문자 폭 앞에 -를 함께 써준다.

```
printf("%6d\n", x);     // 6문자 폭에 맞춰 오른쪽으로 정렬해서 출력한다.
printf("%-6d\n", x);    // 6문자 폭에 맞춰 왼쪽으로 정렬해서 출력한다.
```

printf 함수는 실수를 출력할 때 디폴트로 소수점 이하 6자리를 출력한다. 소수점 이하 자릿수를 **정밀도(precision)**라고 하며 실수의 정밀도를 지정하려면 %.2f처럼 %와 f 사이에 .과 정수로 지정한다. 예를 들어 %.2f는 소수점 이하 2자리로 실수를 출력하라는 의미이

다. %6.2f처럼 문자 폭을 함께 지정하면 소수점을 포함해서 전체 6문자 폭으로 출력한다.

```
printf("%.2f\n", y);     // 소수점 이하 2자리로 실수를 출력한다.(정밀도 지정)
printf("%6.2f\n", y);    // 폭과 정밀도 지정
```

[예제 2-3]은 정수와 실수를 출력할 때 문자 폭과 정밀도를 지정하는 코드이다.

📝 **예제 2-3 : 문자 폭과 정밀도를 지정해서 출력하기**

```
01    #include <stdio.h>
02
03    int main()
04    {
05        int x = 987;
06        float y = 34.5;
07
08        printf("%d\n", x);        ◁─ 문자 폭을 지정하지 않으면 왼쪽에서부터 출력한다.
09        printf("%6d\n", x);       // 6문자 폭에 맞춰 오른쪽으로 정렬해서 출력
10        printf("%-6d\n", x);      // 6문자 폭에 맞춰 왼쪽으로 정렬해서 출력
11
12        printf("%f\n", y);        ◁─ 정밀도를 지정하지 않으면 소수점 이하 6자리를 출력한다.
13        printf("%.2f\n", y);      // 소수점 이하 2자리로 실수를 출력한다.(정밀도 지정)
14        printf("%6.2f\n", y);     // 폭과 정밀도 지정
15    }
```

실행 결과

```
987
    987        ◁─ 왼쪽에 빈칸 3개 출력
987            ◁─ 오른쪽에 빈칸 3개 출력
34.500000
34.50          ◁─ 소수점 이하 2자리 출력
 34.50         ◁─ 왼쪽에 빈칸 1개 출력, 소수점 이하 2자리 출력
```

2.2.3 scanf 함수

scanf 함수는 콘솔에서 키보드로 입력한 값을 변수로 읽어온다. scanf 함수를 호출할 때는 형식 문자열과 변수 이름을 지정하며, 변수 이름 앞에는 &를 써주어야 한다. **변수 이름 앞에 &를 지정하면 '~에'라는 의미이다.** &는 8장의 포인터에서 자세히 알아볼 것이다. scanf 함수의 사용 형식은 다음과 같다.

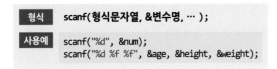

형식   **scanf(형식문자열, &변수명, …);**

사용예   scanf("%d", &num);
        scanf("%d %f %f", &age, &height, &weight);

(1) 서식 지정자

scanf 함수에서는 변수에 입력받을 값의 형식을 알려주기 위해서 형식 문자열을 이용한다. scanf 함수도 형식 문자열 안에 %와 함께 서식 지정자를 써준다. 〈표 2-2〉는 scanf 함수의 형식 문자열에서 사용할 수 있는 서식 지정자와 사용 예이다.

〈표 2-2〉 scanf 함수의 형식 문자열

서식 지정자	의미	사용 예
%d	정수를 10진수로 입력	int num; scanf("%d", &num);
%x	정수를 16진수로 입력	int num; scanf("%x", &num);
%i	정수를 10진수, 8진수, 16진수로 입력 (012는 8진수, 0x12는 16진수)	int num; scanf("%i", &num);
%f	float형 실수 입력	float x; scanf("%f", &x);
%c	문자 입력	char gender; scanf("%c", &gender);

(2) scanf 함수의 안전성 문제

Visual Studio 2022는 C11를 지원한다. 따라서 C11에서 더 이상 사용하지 않도록 권고되고 있는 scanf 함수를 사용하면, 다음과 같은 컴파일 에러가 발생한다.

> **! 컴파일 에러**　　　　　　　　　　　　　　　　　　　　　　　　　　　■ ■ ■
>
> 1>c:\work\chap02\ex02_04\ex02_04\scanf.c(10): error C4996: 'scanf': This function or variable may
> be unsafe. Consider using scanf_s instead. To disable deprecation, use _CRT_SECURE_NO_WARNINGS.
> See online help for details.

C 초기에 만들어진 scanf 함수에는 안전성 문제가 있기 때문에 C11에서는 scanf_s 함수
를 사용하도록 권고하고 있다. 하지만 ANSI C를 기준으로 C 프로그램을 작성할 때는 이
런 위험성에도 불구하고 scanf 함수를 사용하는 경우가 많다.

Visual Studio 2022에서 scanf 함수를 사용하려면, [그림 2-14]처럼 #include <stdio.h>
앞에 둘 중 한 가지 문장을 추가한다.

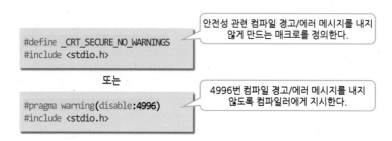

[**그림 2-14**]　Visual Studio 2022에서 scanf 함수의 사용

#define _CRT_SECURE_NO_WARNINGS과 #pragma warning(disable:4996)은 둘 다
C/C++ 컴파일러에게 scanf 함수 관련 에러 메시지를 발생시키지 않도록 지시한다. 이 책
은 Visual Studio 2022에서 ANSI C를 기준으로 예제 코드를 작성하고 있다. 따라서 안전
성 관련 컴파일 경고나 에러가 발생하지 않도록 _CRT_SECURE_NO_WARNINGS 매크로
를 소스 파일의 시작 부분에 정의해야 한다.

scanf 대신 scanf_s 함수를 사용하는 것도 그리 어렵지는 않다. 정수나 실수를 입력받을
때는 scanf 함수와 동일한 방법으로 사용한다.

```
int num;
scanf_s("%d", &num);      // 정수, 실수 입력 시 scanf 함수와 같은 방법으로 사용한다.
```

문자를 입력받을 때는 문자를 1개 입력받는다는 의미로 변수 다음에 1을 써준다.

```
char ch;
scanf_s("%c", &ch, 1);     // 문자를 1개 입력받는다는 의미로 1을 써준다.
```

 Further Study

Visual Studio의 SDL(Security Development Lifecycle) 검사 기능

Visual Studio 2022에서 프로젝트 유형을 '빈 프로젝트(C++, Window, 콘솔)'을 선택하면 자동으로 'SDL 검사' 컴파일 옵션이 선택된다. **Visual Studio 2022는 SDL 검사가 선택되면, 프로그램의 안전성을 강화하기 위하여 보안에 취약한 코드에 대하여 컴파일 경고 대신 컴파일 에러를 발생시킨다.** 대표적인 예가 scanf 함수를 사용하는 경우이다.

이미 만들어진 프로젝트에 대하여 SDL 검사 기능을 사용하지 않도록 설정하려면 [프로젝트] → [프로젝트이름 속성] 메뉴를 이용한다. 프로젝트 속성 페이지에서는 프로젝트의 컴파일 옵션, 링크 옵션을 확인하고 변경할 수 있다. 왼쪽에서 'C/C++'을 선택하고 오른쪽의 'SDL 검사'를 '아니오'로 수정하면 더 이상 Visual Studio의 SDL 검사 기능을 사용하지 않는다.

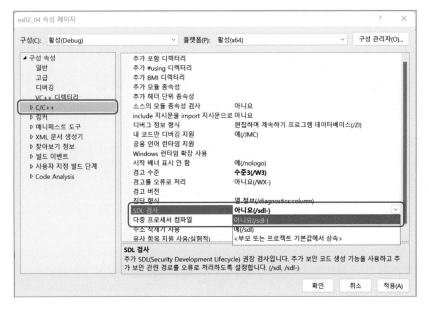

SDL 검사 기능을 해제하면 scanf 함수 사용 시 컴파일 경고가 발생하며, 이 컴파일 경고는 무시할 수 있다.

(3) 여러 개의 값 입력받기

형식 문자열 안에 서식 지정자를 여러 개 지정하면 값을 여러 개 입력받을 수 있다. 이 때, 서식 지정자와 입력받을 변수는 순서대로 대응되며, 서식 지정자와 변수의 개수가 일치해야 한다. 즉, 서식 지정자가 3개면, 형식 문자열 다음에 나오는 변수도 3개가 필요하다.

```
scanf("%d %f %f", &age, &height, &weight);    // 서식 지정자와 변수의 개수가 같아야 한다.
```

[예제 2-4]는 사용자로부터 나이는 정수로, 키와 몸무게는 실수로 입력받아서 출력하는 예제이다.

예제 2-4 : 여러 개의 서식 지정자를 사용해서 입력받기

```
01    #define _CRT_SECURE_NO_WARNINGS     // Visual Studio 2022에서 scanf 사용 시 필요
02    #include <stdio.h>
03
04    int main()
05    {
06        int age;                        // 나이를 저장하기 위한 int형 변수
07        float height;                   // 키를 저장하기 위한 float형 변수
08        float weight;                   // 몸무게를 저장하기 위한 float형 변수
09
10        printf("나이, 키, 몸무게를 입력하세요: ");
11        scanf("%d %f %f", &age, &height, &weight);  // 3개의 변수에 순서대로 입력
12
13        printf("나이  : %5d\n", age);             // 폭을 5칸에 맞춰 출력
14        printf("키    : %5.1f\n", height);
15        printf("몸무게: %5.1f\n", weight);
16    }
```

실행 결과

```
나이, 키, 몸무게를 입력하세요: 21 167.2 53.5 ◀─── 세 가지 항목을 빈칸으로 구분해서 입력
나이  :    21
키    : 167.2
몸무게: 53.5
```

---

scanf 함수에서 서식 지정자를 여러 개 지정할 때는, "%d %f %f"처럼 빈칸을 함께 사용하는 것이 좋다. 형식 문자열에 빈칸을 지정하면 이전 입력 이후의 공백 문자(빈칸, 탭, 줄바꿈 등)를 모두 무시하고 다음 입력을 읽어온다. 즉, 프로그램 실행 시 "21 167.2 53.5"처

럼 입력되는 항목 사이에 빈칸을 하나만 넣어도 되고, 여러 개를 넣어도 되고, 줄을 바꿔서
입력해도 된다.

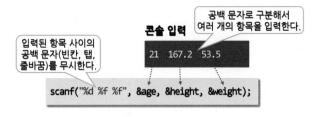

[그림 2-15] 공백 문자의 무시

연습 문제

1. 주석에 대한 설명을 읽고 잘못된 것을 모두 고르시오.

   ① 프로그램에 대해 설명이다.   ② C/C++ 컴파일러에 의해서 컴파일된다.

   ③ 여러 줄 주석을 지정하려면 /*과 */를 이용한다.   ④ 한 줄 주석을 지정하려면 //을 이용한다.

   ⑤ 이미 작성한 소스 코드를 컴파일하지 않게 만들 수 있다.   ⑥ /* */ 주석 안에 /* */ 주석을 중첩할 수 없다.

   ⑦ C 프로그램에 주석은 반드시 필요하다.

2. 함수에 대한 설명 중 잘못된 것을 모두 고르시오.

   ① 리턴형, 함수 이름, 매개변수가 필요하다.

   ② 매개변수가 없으면 void라고 써주거나 ( )안을 비워둔다.

   ③ 함수가 처리할 내용, 즉 문장들은 {과 } 안에 써준다.

   ④ 함수 안의 문장들은 순서대로 수행된다.

   ⑤ 함수의 끝())을 만나거나 return을 만나면, 함수의 시작으로 되돌아간다.

   ⑥ 문장의 끝에는 .을 써준다.

   ⑦ C 프로그램은 하나 또는 그 이상의 함수로 구성된다.

3. main 함수처럼 C 프로그램이 처음 시작될 때 호출되는 함수를 무엇이라고 하는가?

4. main 함수에 대한 설명 중 올바른 것을 모두 고르시오.

   ① main 함수의 리턴형은 int형이다.

   ② C 프로그램에는 main 함수가 있어도 되고, 없어도 된다.

   ③ main, Main, MAIN은 모두 같은 함수이다.

   ④ main 함수의 return 문은 생략할 수 있다.

   ⑤ 프로그램이 시작될 때 운영체제가 호출하는 함수이다.

   ⑥ 정상 종료면 0을 리턴하고, 비정상 종료일 때는 0이 아닌 값을 리턴한다.

5. 변수에 대한 설명 중 잘못된 것을 모두 고르시오.

   ① 변수는 값을 저장하기 위한 공간이다.

   ② 변수는 메모리에 할당된다.

   ③ 변수에 값을 저장하려면 =을 이용해서 대입한다.

   ④ 변수를 선언할 때, 데이터형을 생략할 수 있다.

   ⑤ 변수의 데이터형에 의해서 할당될 메모리의 크기가 결정된다.

   ⑥ 변수는 선언하지 않고 사용할 수 있다.

   ⑦ 변수 이름은 식별자이다.

연습 문제

6. printf 함수의 형식 문자열과 그 의미를 찾아서 맞게 연결하시오.

   (1) %d   ① 정수를 16진수로 출력한다.

   (2) %f   ② 정수를 10진수로 출력한다.

   (3) %c   ③ 실수를 부동소수점 표기로 출력한다.

   (4) %x   ④ 실수를 지수 표기로 출력한다.

   (5) %e   ⑤ 문자를 출력한다.

7. 다음 프로그램의 실행 결과를 보고 소스 코드의 빈칸에 들어갈 코드를 작성하시오.

```
#include <stdio.h>

int main(void)
{
    float pi = 3.141592;
    printf("pi = _____\n", pi);
}
```

실행 결과

```
pi = 3.14
```

8. 변수를 선언할 때 필요한 것 두 가지는 무엇인가?

9. scanf 함수와 printf 함수를 사용하기 위해서 필요한 입출력 라이브러리 헤더는 무엇인가?

10. 다음은 문자를 입력받아서 출력하는 프로그램이다. 소스 코드의 빈칸 ①②③에 들어갈 코드를 작성하시오.

```
// test.c
#define _CRT_SECURE_NO_WARNINGS    // Visual Studio 2022에서 scanf 사용 시 필요
#include ① _____

int main(void)
{
    char ch;
    scanf("%c", ② _____);
    printf("ch = ③___\n", ch);
}
```

Programming Assignment

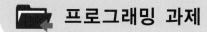 프로그래밍 과제

1. 다음과 같이 출력하는 프로그램을 작성하시오. 단, printf 문은 한번만 사용한다. [printf 활용/난이도 ★]

```
실행 결과                                              ▪ ▪ ▪
int main(void)
{
    return 0;
}
```

2. 10진수 정수를 입력받아 16진수로 변환해서 출력하는 프로그램을 작성하시오. [scanf, printf 형식 문
   자열/난이도 ★]

```
실행 결과                                              ▪ ▪ ▪
10진수 정수? 10
10진수 10은 16진수 a에 해당합니다.
```

3. 날짜를 연, 월, 일로 입력받아서 출력하는 프로그램을 작성하시오. 연, 월, 일은 정수로 입력받는
   다. [scanf, printf 활용/난이도 ★]

```
실행 결과                                              ▪ ▪ ▪
연? 2022
월? 10
일? 1
입력한 날짜는 2022년 10월 1일 입니다.
```

★ 연, 월, 일에 −500 15 55를 각각 입력하면 "−500년 15월 55일"이라고 출력한다. 우리가 작성한 프로그램은 정수를
  입력받아서 출력하는 프로그램일 뿐, 입력받은 값이 유효한 날짜인지 검사해서 출력하는 프로그램이 아니기 때문이
  다. 입력받은 값이 유효한 날짜인지 검사하려면 추가 코드가 필요하다.

4. 시간을 시, 분, 초로 입력받아서 출력하는 프로그램을 작성하시오. 예를 들어 1시 1분 1초는
   "01:01:01"로 출력한다. [scanf, printf 활용/난이도 ★★]

```
실행 결과                                              ▪ ▪ ▪
시? 1
분? 1
초? 1
입력한 시간은 01:01:01입니다.
```

★ 시, 분, 초를 2자리 정수로 출력하려면 서식 지정자로 %2d를 사용한다. 이때 문자폭의 빈칸을 0으로 채우려면 %02d
  처럼 문자 폭 앞에 0을 지정한다.

5. 달러를 입력받아서 몇 원인지 출력하는 프로그램을 작성하시오. 달러는 실수로 입력받으며, 원화는 정수로 출력한다. 1달러는 1000원으로 가정한다. [scanf, printf 활용/난이도 ★★]

```
실행 결과                                                    ▪ ▪ ▪
달러? 50.25
$50.25는 50250원입니다.
```

6. 옷 사이즈를 선택하게 하고 선택된 사이즈를 출력하는 프로그램을 작성하시오. 옷 사이즈는 S, M, L 세 가지 문자 중 하나로 입력받는다. [scanf, printf 활용/난이도 ★]

```
실행 결과                                                    ▪ ▪ ▪
옷 사이즈(S,M,L)? M
M 사이즈를 선택했습니다.
```

7. 실수 2개를 입력받아서 합과 차를 구해서 출력하는 프로그램을 작성하시오. [scanf, printf 활용/난이도 ★★]

```
실행 결과                                                    ▪ ▪ ▪
실수 2개? 12.34 0.5
12.340000 + 0.500000 = 12.840000
12.340000 - 0.500000 = 11.840000
```

8. 원주율 파이값이 3.14159265라고 할 때, 파이값을 여러 가지 방법으로 출력하는 프로그램을 작성하시오. 소수점 이하 2자리, 4자리, 6자리까지, 8자리까지 각각 출력해보고, 지수 표기로도 출력해보자. [printf 형식 문자열/난이도 ★★]

```
실행 결과                                                    ▪ ▪ ▪
pi = 3.14
pi = 3.1416
pi = 3.141593
pi = 3.14159265
pi = 3.141593e+00
```

★ 파이값을 저장하기 위해서 float형 변수를 사용하는 경우와 double형 변수를 사용하는 경우를 비교해본다.

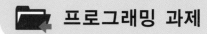
프로그래밍 과제

9. 정수를 8진수, 10진수, 16진수 중 하나로 입력받아 8진수, 10진수, 16진수 각각 얼마에 해당하는
    지 출력하는 프로그램을 작성하시오. 8진수를 입력할 때는 앞에 0을 붙여서 012처럼 입력하고, 16
    진수를 입력할 때는 앞에 0x를 붙여서 0x12처럼 입력한다. [scanf, printf 형식 문자열/난이도 ★★★]

실행 결과   ■ ■ ■

```
8진수로 입력하려면 012, 16진수로 입력하려면 0x12처럼 입력하세요.
정수? 0x12
 8진수: 022
10진수: 18
16진수: 0x12
```

3

데이터형과 변수

3.1 데이터형

3.1.1 데이터형의 개념

(1) 데이터형의 2진 표현

프로그램에서 사용되는 데이터는 다양하다. 크기를 나타내기 위해 'S', 'M', 'L' 같은 문자를 사용할 수도 있고, 가격을 나타내기 위해 5000 같은 정수를 사용할 수도 있고, 이 자율을 나타내기 위해 0.021 같은 실수를 사용할 수도 있다. C 언어는 데이터의 종류를 구분해서 사용할 수 있도록 데이터형을 제공한다. **데이터의 종류(데이터형)에 따라서 데이터를 저장하는 데 메모리가 얼마나 필요한지, 데이터를 어떤 방식으로 표현하고 저장하는지가 결정된다.**

컴퓨터 시스템에서는 모든 데이터가 0과 1, 즉 2진 데이터(binary data)로 표현되며 저장된다. 프로그램에서 사용되는 변수나 상수값도 마찬가지이다. 소스 코드에서는 10진수나 16진수를 사용하더라도 컴파일 결과로 생성되는 기계어 코드에서는 2진 데이터를 사용한다. 이처럼 컴퓨터 시스템에서 2진 데이터로 값을 표현하고 저장하는 방식을 **데이터의 2진 표현(binary representation)**이라고 한다.

모든 값에는 데이터형이 있다. 컴파일러는 데이터형에 따라 값을 저장하는 데 필요한 메모리의 크기와 2진 표현을 결정한다. 예를 들어, 10은 4바이트 크기이고, 0x0000000a에 해당하는 2진 데이터로 표현된다.

[그림 3-1] 데이터의 2진 표현

Further Study

2진 데이터를 16진수로 표기하는 이유

기계어에서는 2진 데이터만 사용한다. 하지만 고급 언어로 프로그램을 작성할 때는 2진 데이터를 직접 사용하지는 않는다. 0과 1만으로 데이터를 표현하면 알아보기도 어렵고 실수하기도 쉽기 때문이다. 따라서, **2진 데이터를 표현할 때, 2진수 대신 16진수로 표기한다.**

2진수를 16진수로 쉽게 변환하려면, 2진수를 4비트씩 묶어서 16진수 1자리로 나타내면 된다. 2진수를 4비트씩 묶은 것을 니블(nibble)이라고 하며 1바이트는 2개의 니블로 구성된다.

2진수	0000	0001	0010	0011	0100	0101	0110	0111	1000	1001	1010	1011	1100	1101	1110	1111
16진수	0	1	2	3	4	5	6	7	8	9	a	b	c	d	e	f

소스 코드에서 16진수를 사용할 때는 10진수와 구분할 수 있도록 0x를 접두사로 붙여서 사용한다. 10은 10진수 표기이고, 0x10은 16진수 표기이므로, 10과 0x10은 서로 다른 값을 나타낸다. 참고로 16진수 0x10은 10진수 16에 해당한다.

(2) 기본 데이터형

C의 데이터형은 크게 기본 데이터형, 파생 데이터형, 사용자 정의형으로 구분할 수 있다. **기본 데이터형(primitive data type)**은 C 언어 자체에서 제공하는 char, short, int, float, double 등 데이터형이다. **파생 데이터형(derived data type)**은 배열, 포인터처럼 기본형으로부터 파생된 데이터형이다. **사용자 정의형(user-defined data type)**은 구조체, 공용체, 열거체처럼 프로그래머에 의해서 만들어진 데이터형이다. 3장에서는 우선 기본 데이터형에 대해서 알아보도록 하자.

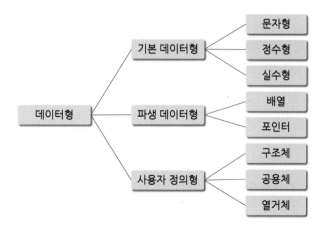

[그림 3-2] C의 데이터형

기본 데이터형(primitive data type)에는 문자형, 정수형, 실수형이 있다. 문자형으로는
char가 있고, 정수형으로는 short, int, long, long long이 있다. 문자형과 정수형은 signed
나 unsigned를 함께 적어서 부호 있는(signed) 정수형과 부호 없는(unsigned) 정수형으로
사용할 수 있다. 참고로 char형은 문자를 나타내기 위한 데이터형이지만 1바이트 크기의
정수형으로 사용할 수 있다. 실수형으로는 float, double, long double이 있다.

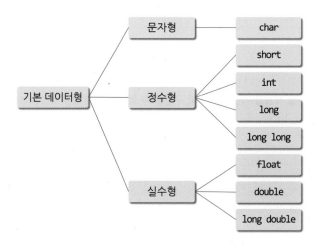

[그림 3-3]   C의 기본 데이터형

(3) 데이터형의 바이트 크기

C 언어가 제공하는 데이터형의 크기는 플랫폼에 따라 다르다. 예를 들어 int형의 크기는
16비트 플랫폼에서는 2바이트, 32비트 플랫폼이나 64비트 플랫폼에서는 4바이트이다. 따
라서 데이터형의 크기가 필요할 때는 프로그램을 실행하는 플랫폼에서 데이터형의 크기가
얼마인지 직접 확인해서 사용하는 것이 좋다. **데이터형이나 어떤 값의 바이트 크기를 구하
려면 sizeof 연산자를 이용한다.**

[예제 3-1]은 sizeof 연산자를 이용해서 기본 데이터형의 크기를 알아보는 예제이다.

예제 3-1 : 기본 데이터형의 크기

```c
01    #include <stdio.h>
02
03    int main(void)
04    {
05        printf("char    의 크기: %d\n", sizeof(char));
06        printf("short   의 크기: %d\n", sizeof(short));
07        printf("int     의 크기: %d\n", sizeof(int));
08        printf("long    의 크기: %d\n", sizeof(long));
09        printf("float   의 크기: %d\n", sizeof(float));
10        printf("double  의 크기: %d\n", sizeof(double));
11    }
```

실행 결과

```
char    의 크기: 1
short   의 크기: 2
int     의 크기: 4
long    의 크기: 4
float   의 크기: 4
double  의 크기: 8
```

sizeof 연산자는 데이터형뿐만 아니라 변수나 값에도 사용할 수 있다. 변수나 값에도 데이터형이 있기 때문이다. 정수값은 int형이므로 크기가 4바이트이고, 실수값은 double형이므로 크기가 8바이트이다.

```c
int a;
printf("size of a : %d\n", sizeof(a));        // int형 변수 a의 바이트 크기를 구한다.
printf("size of 3.14 : %d\n", sizeof(3.14));  // 실수값 3.14의 바이트 크기를 구한다.
```

 Further Study

플랫폼(platform)이란?
소프트웨어가 구동될 수 있는 컴퓨터 구조(computer architecture)와 운영체제를 플랫폼이라고 한다. 쉽게 말해서 플랫폼은 소프트웨어를 실행하기 위한 하드웨어 및 기타 환경을 의미한다. 예를 들어 64비트 플랫폼은 64비트 CPU와 64비트 운영체제에 의해 제공된다.

continued

Further Study

대표적인 플랫폼으로 Win32와 Win64가 있는데, Windows 운영체제 중 32비트 운영체제를 Win32, 64비트 운영체제를 Win64 플랫폼이라고 한다. UNIX(Linux, Mac OS X) 운영체제도 32비트와 64비트 플랫폼을 제공한다. 여러 가지 플랫폼에서 데이터형 크기를 비교해보면 다음과 같다.

플랫폼		데이터형 크기		
		int	long	포인터형
32비트 플랫폼	Win32	4	4	4
	32비트 UNIX/Linux/Mac OS X	4	4	4
64비트 플랫폼	Win64	4	4	8
	64비트 UNIX/Linux/Mac OS X	4	8	8

3.1.2 정수형

(1) 정수형의 종류

C가 제공하는 정수형으로 short, int, long, long long이 있다. 문자형인 char형도 정수형으로 사용될 수 있다. 〈표 3-1〉은 Win32 또는 Win64 플랫폼을 기준으로 정수형의 크기와 유효 범위를 정리한 것이다.

〈표 3-1〉 Win32/Win64 플랫폼에서의 정수형의 크기와 유효 범위

	데이터형	크기	유효 범위
부호 있는 정수형	char	1바이트	−128~127
	short	2바이트	−32768~32767
	int	4바이트	−2147483648~2147483647
	long	4바이트	−2147483648~2147483647
	long long	8바이트	−9223372036854775808 ~ 9223372036854775807
부호 없는 정수형	unsigned char	1바이트	0~255
	unsigned short	2바이트	0~65535
	unsigned int	4바이트	0~4294967295
	unsigned long	4바이트	0~4294967295
	unsigned long long	8바이트	0~18446744073709551615

C 언어는 프로그래머가 용도에 따라 데이터형을 선택할 수 있도록 다양한 크기의 정수형을 제공한다. 저장해야 할 정수의 범위가 작으면 int형 대신 char형나 short형을 사용하고, 매우 큰 정수를 저장할 때는 int형 대신 long long형을 사용한다. 각 데이터형의 크기는 플랫폼에 의해서 결정되며, 항상 sizeof(short) ≤ sizeof(int) ≤ sizeof(long) ≤ sizeof(long long)이 성립된다. long long형은 C99에 추가된 데이터형으로 아주 큰 정수를 나타내야 하는 경우에만 사용된다.

정수형은 부호 있는 정수형과 부호 없는 정수형으로 나눌 수 있다. 부호 있는 정수형과 부호 없는 정수형을 구분하기 위해 signed나 unsigned 수식어를 데이터형 앞에 사용하며, 생략하면 signed가 된다. 또한 short과 long은 각각 short int와 long int에서 int를 생략한 것이며, unsigned형은 unsigned int형을 의미한다. [그림 3-4]는 C의 여러 가지 정수형과 그 대표형을 정리한 것이다.

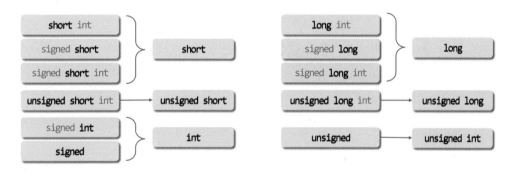

[그림 3-4] 여러 가지 정수형

(2) 정수의 2진 표현

부호 있는 정수형은 최상위 비트(most significant bit)를 부호 비트(sign bit)로 사용한다. 즉, 부호 비트가 1이면 음수, 0이면 양수이다. **컴퓨터 시스템에서는 음수를 나타내기 위해 2의 보수(2's compliment)를 사용한다.** −n을 2의 보수로 표현하려면, 먼저 n을 2진수로 나타낸 다음 각 비트를 0은 1로, 1은 0으로 반전시키고, 그 결과에 1을 더한다.

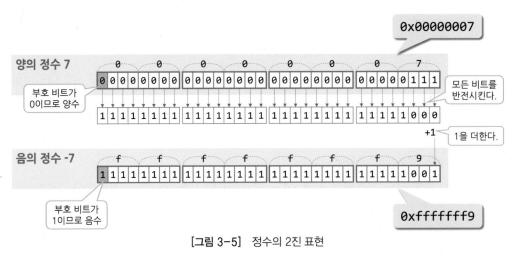

[그림 3-5] 정수의 2진 표현

[그림 3-5]에서 보면 양의 정수 7은 16진수 0x00000007에 해당하며, 부호 비트가 0이다. 음의 정수 −7을 나타내려면, 먼저 0x00000007의 각 비트를 반전시키고 1을 더한다. 즉, 0xfffffff9가 2의 보수로 표현된 음의 정수 −7에 해당한다.

부호 없는 정수형은 최상위 비트를 값을 저장하는 용도로 사용한다. 즉, unsigned short 형의 최상위 비트는 2^{15}을 의미하고, unsigned int형의 최상위 비트는 2^{31}을 의미한다.

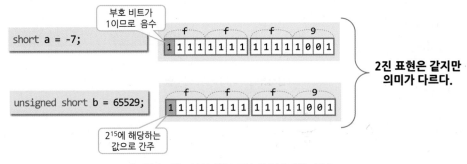

[그림 3-6] 부호 있는 정수와 부호 없는 정수

[그림 3-6]에서 보면 2바이트 크기의 2진 데이터 0xfff9은 short형일 때는 −7에 해당하는 값이 되고, unsigned short형일 때는 65529에 해당하는 값이 된다. 이처럼 **변수의 데이터형이 변수에 저장된 값의 의미를 결정한다.**

[예제 3-2]는 부호 있는 정수와 부호 없는 정수의 2진 표현을 비교해보는 예제이다.

예제 3-2 : 부호 있는 정수와 부호 없는 정수

```
01    #include <stdio.h>
02
03    int main(void)
04    {
05        short x = -7;                    // 부호 있는 정수
06        unsigned short y = 65529;        // 부호 없는 정수
07                         %08x는 8문자 폭에 맞춰서 16진수로 출력하면서, 빈칸에는 0을 출력한다.
08        printf("x = %5d, %08x\n", x, x);    // short형 변수는 출력 시 4바이트로 변환된다.
09        printf("y = %5d, %08x\n", y, y);    // short형 변수는 출력 시 4바이트로 변환된다.
10    }
```

실행 결과

```
x =    -7, fffffff9
y = 65529, 0000fff9
```
printf 함수는 short형 변수를 출력할 때 4바이트 크기로 변환하므로 하위 2바이트만 비교해야 한다.

[예제 3-2]에서 short형인 x와 unsigned short형인 y의 값을 16진수로 출력하면 0xfffffff9와 0x0000fff9가 출력된다. printf 함수는 2바이트 크기인 x, y 변수의 값을 읽어 올 때 4바이트 크기로 변환하기 때문에 4바이트 크기인 것처럼 출력된다. 16진수로 출력된 값의 하위 2바이트만 비교하면, x, y 둘 다 0xfff9이다. 즉, -7과 65529의 2진 표현이 같다.

 Further Study

왜 short형의 변수를 사용하면 4바이트 크기의 정수값으로 변환되는 걸까?

메모리에 저장된 변수는 항상 CPU 레지스터로 로드되어 사용된다. short형의 변수는 메모리에 2바이트 크기로 저장되지만, CPU 레지스터로 로드될 때 4바이트 크기로 변환된다. CPU 레지스터가 4바이트 크기이기 때문이다. 이것을 **정수의 승격(integral promotion)**이라고 한다. int형보다 크기가 작은 정수형 변수는 사용 시 int형으로 승격된다.

short형 변수를 4바이트 크기로 변환할 때는, **부호 확장(sign extension)**이 수행된다. 즉, 부호를 그대로 유지하기 위해서 부호 비트로 상위 2바이트를 모두 채운다. 반면에 unsigned short형 변수를 4바이트 크기로 변환할 때는, 상위 2바이트를 0으로 채운다.

continued

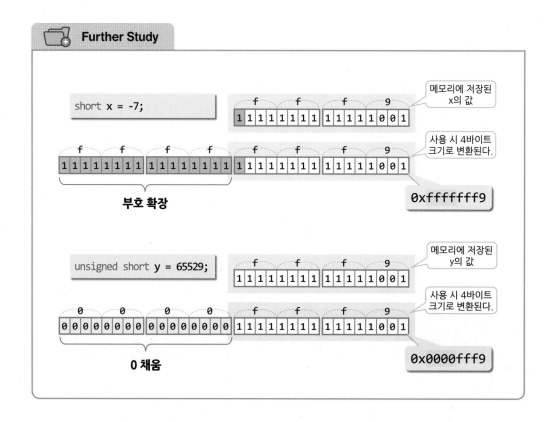

(3) 정수형으로 사용되는 char형

char형은 문자형이지만 1바이트 크기의 정수형으로도 사용될 수 있다. char형도 부호 없는 정수형(unsigned char)으로 사용될 수 있다. 이때, char형의 유효 범위는 −128~127이고 unsigned char형의 유효 범위는 0~255이므로 작은 크기의 정수를 저장할 때 유용하다.

char형 변수에 저장된 정수값을 출력할 때도 %d나 %x를 이용하며, 정수처럼 덧셈이나 뺄셈 연산을 할 수 있다.

```
char n = 97;                  // 정수형으로 사용되는 char형
printf("n    = %d\n", n);     // 정수처럼 10진수로 출력할 수 있다.
printf("n+1 = %d\n", n + 1);  // 정수처럼 덧셈 연산을 할 수 있다.
```

unsigned char형은 1바이트 크기의 2진 데이터를 저장할 때 주로 사용된다.

```
unsigned char flags = 0x81;   // 1바이트 크기의 2진 데이터 1000 0001
```

(4) 정수형의 유효 범위

정수형의 크기에 따라 표현 가능한 정수의 범위가 달라진다. 예를 들어 2바이트 크기인 short형의 유효 범위는 $-2^{15} \sim (2^{15}-1)$, 즉 $-32768 \sim 32767$이다. unsigned short형의 유효 범위는 $0 \sim (2^{16}-1)$, 즉 $0 \sim 65535$이다.

유효 범위를 벗어나는 값을 변수에 저장하면 어떻게 될까? [예제 3-3]은 char형 변수에 유효 범위를 벗어나는 값을 저장하면 어떻게 되는지 알아보기 위한 예제이다.

예제 3-3 : char형의 오버플로우

```
01    #include <stdio.h>
02
03    int main(void)
04    {
05        char n = 128;              // n에 유효 범위를 벗어나는 값을 저장한다.
06        unsigned char red = 300;   // 0~255내의 값으로 설정된다.
07
08        printf("n = %d\n", n);
09        printf("red = %d\n", red);
10    }
```

실행 결과

```
n = -128       오버플로우 발생
red = 44
```

---

char형 변수 n에 128을 저장하면, 128이 4바이트 크기이므로 128(0x00000080)의 상위 3바이트는 버리고 하위 1바이트(0x80)만 n에 저장된다. 이때 128의 2^7에 해당하는 값이 char형 변수 n에서는 부호 비트로 간주되므로 이 값은 −128(0x80)이 된다.

unsigned char형의 변수 red도 유효 범위가 0~255이므로, 이 변수에 300을 저장하면 300(0x0000012c)의 상위 3바이트는 버리고 하위 1바이트(0x2c)만 red에 저장하므로 실제로는 44(0x2c)가 저장된다.

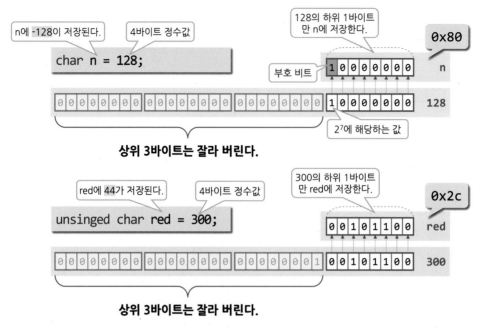

[그림 3-7]   정수형 변수의 오버플로우

이처럼 정수형 변수에 유효 범위를 벗어나는 값을 저장하면 정수형의 크기에 맞춰 나머지 부분을 잘라 버리기 때문에 변수에는 항상 유효 범위 내의 값만 저장된다. 이처럼 **유효 범위 밖의 값을 저장할 때 유효 범위 내의 값으로 설정되는 것**을 **오버플로우(overflow)**라고 한다.

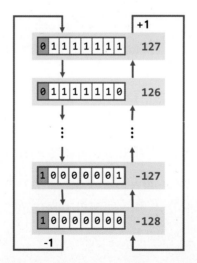

[그림 3-8]   char형의 유효 범위와 오버플로우

[그림 3-8]을 보면 char형 변수의 오버플로우가 어떤 식으로 일어나는지 알 수 있다. char형 뿐만 아니라 short형, int형, long형 변수에 대해서도 오버플로우가 발생한다. 정수형 변수에 정수형의 최대값보다 1만큼 큰 수를 저장하면 실제로는 정수형의 최소값이 저장된다. 정수형 변수에 정수형의 최소값보다 1만큼 작은 수를 저장하면 실제로는 정수형의 최대값이 저장된다.

3.1.3 문자형

(1) 문자의 2진 표현

문자를 2진 데이터로 나타내기 위해서 각 문자에 대응되는 문자 코드를 사용한다. 문자 코드로는 ASCII 코드, EBCDIC 코드, 한글 완성형 코드 등이 있으며, **ASCII 코드가 가장 기본적인 문자 코드이다.**

ASCII 코드는 33개의 제어 문자들과 95개의 출력 가능한 문자들로 구성되어 있다. 제어 문자(control character)은 프린터 같은 장치를 제어하기 위한 목적의 문자로 출력할 수 없으며, 대부분은 현재 사용되지 않는다.

예를 들어 char형의 변수에 'A' 문자를 저장하면, 실제로는 'A' 문자의 ASCII 코드인 65(0x41)가 저장된다. 〈표 3-2〉는 문자를 저장할 때 사용되는 ASCII 코드 표이다. ASCII 코드 중 10진수 0~31, 127에 해당하는 문자가 제어 문자이다.

〈표 3-2〉 ASCII 코드 표

DEC	HEX	CHAR	DEC	HEX	CHAR	DEC	HEX	CHAR	DEC	HEX	CHAR
0	00	NULL	32	20		64	40	@	96	60	`
1	01	SOH	33	21	!	65	41	A	97	61	a
2	02	STX	34	22	"	66	42	B	98	62	b
3	03	ETX	35	23	#	67	43	C	99	63	c
4	04	EOT	36	24	$	68	44	D	100	64	d
5	05	ENQ	37	25	%	69	45	E	101	65	e
6	06	ACK	38	26	&	70	46	F	102	66	f
7	07	BEL	39	27	'	71	47	G	103	67	g

DEC	HEX	CHAR	DEC	HEX	CHAR	DEC	HEX	CHAR	DEC	HEX	CHAR
8	08	BS	40	28	(	72	48	H	104	68	h
9	09	HT	41	29	)	73	49	I	105	69	i
10	0A	LF	42	2A	*	74	4A	J	106	6A	j
11	0B	VT	43	2B	+	75	4B	K	107	6B	k
12	0C	FF	44	2C	,	76	4C	L	108	6C	l
13	0D	CR	45	2D	−	77	4D	M	109	6D	m
14	0E	SO	46	2E	.	78	4E	N	110	6E	n
15	0F	SI	47	2F	/	79	4F	O	111	6F	o
16	10	DLE	48	30	0	80	50	P	112	70	p
17	11	DC1	49	31	1	81	51	Q	113	71	q
18	12	DC2	50	32	2	82	52	R	114	72	r
19	13	DC3	51	33	3	83	53	S	115	73	s
20	14	DC4	52	34	4	84	54	T	116	74	t
21	15	NAK	53	35	5	85	55	U	117	75	u
22	16	SYN	54	36	6	86	56	V	118	76	v
23	17	ETB	55	37	7	87	57	W	119	77	w
24	18	CAN	56	38	8	88	58	X	120	78	x
25	19	EM	57	39	9	89	59	Y	121	79	y
26	1A	SUB	58	3A	:	90	5A	Z	122	7A	z
27	1B	ESC	59	3B	;	91	5B	[	123	7B	{
28	1C	FS	60	3C	⟨	92	5C	\	124	7C		
29	1D	GS	61	3D	=	93	5D	]	125	7D	}
30	1E	RS	62	3E	⟩	94	5E	^	126	7E	~
31	1F	US	63	3F	?	95	5F	_	127	7F	DEL

[예제 3-4]는 입력된 문자와 이전 문자, 다음 문자의 ASCII 코드를 10진수와 16진수로 출력한다. 이전 문자와 다음 문자를 구하기 위해서 char형 변수에 1을 빼거나 더한다. ASCII 코드를 16진수로 출력할 때는, 형식 문자열에 %#02x을 지정해서 0x를 함께 출력한다.

예제 3-4 : 입력된 문자의 ASCII 코드 출력

```
01   #define _CRT_SECURE_NO_WARNINGS        // Visual Studio 2022에서 scanf 사용 시 필요
02   #include <stdio.h>
03
04   int main(void)
05   {
06       char ch, prev_ch, next_ch;
07
08       printf("문자? ");
09       scanf("%c", &ch);                    // 문자 입력
10
11       prev_ch = ch - 1;                    // char형도 정수형이므로 덧셈이나 뺄셈을 할 수 있다.
12       next_ch = ch + 1;
13
14       printf("prev_ch = %c, %d, %#02x\n", prev_ch, prev_ch, prev_ch);
15       printf("ch      = %c, %d, %#02x\n", ch, ch, ch);
16       printf("next_ch = %c, %d, %#02x\n", next_ch, next_ch, next_ch);
17   }
```

> ASCII 코드를 0x와 함께 16진수로 출력

실행 결과

```
문자? M
prev_ch = L, 76, 0x4c
ch      = M, 77, 0x4d
next_ch = N, 78, 0x4e
```

(2) 이스케이프 시퀀스

ASCII 코드 중 제어 문자는 출력할 수 없는 문자로 프린터 등의 장치를 제어하기 위해서 사용된다. 제어 문자는 출력할 수 없기 때문에 ASCII 코드를 직접 사용하거나 **이스케이프 시퀀스(escape sequence)**로 나타낸다. 이스케이프 시퀀스는 ' ' 안에 역슬래시(\)와 정해진 문자를 이용해서 나타낸다. printf 함수에서 사용된 줄바꿈 문자인 '\n'가 바로 이스케이프 시퀀스이다.

문자열 안에서 특별하게 표기해야 하는 문자도 이스케이프 시퀀스로 나타낸다. 예를 들어 문자열 안에서 큰따옴표(")나 작은따옴표('), 역슬래시(\) 문자를 나타낼 때도 역슬래시와 함께 표기한다. ⟨표 3-3⟩은 이스케이프 시퀀스를 정리한 것이다.

〈표 3-3〉 이스케이프 시퀀스

10진수	8진수	16진수	특수 문자	의미
0	000	00	'\0'	널 문자(null)
7	007	07	'\a'	경고음(bell)
8	010	08	'\b'	백스페이스(backspace)
9	011	09	'\t'	수평 탭(horizontal tab)
10	012	0A	'\n'	줄바꿈(newline)
11	013	0B	'\v'	수직 탭(vertical tab)
12	014	0C	'\f'	폼 피드(form feed)
13	015	0D	'\r'	캐리지 리턴(carriage return)
34	042	22	'\"'	큰따옴표
39	047	27	'\''	작은따옴표
92	134	5C	'\\'	역슬래시(back slash)

이스케이프 시퀀스를 표현하는 또 다른 방법은 '\007'처럼 ASCII 코드값을 '\' 다음에 8진수로 적어주거나 '\x' 다음에 16진수로 적어주는 것이다.

```
char separator = '\xa';        // separator에 '\n'을 저장한다.
```

 Further Study

한글 문자 코드

한글 문자를 표현할 때는 한글 완성형 코드를 사용한다. 한글 한 문자를 표현할 때는 2바이트를 사용한다. 예를 들어 'A'를 저장하려면 1바이트가 필요한 반면에, '가'를 저장하려면 2바이트가 필요하다. 따라서 문자열에 "가나abc"처럼 한글 문자와 영문자이 섞여 있을 때 문자수와 바이트수가 맞지 않아 처리가 복잡해진다. 이 문제를 해결하기 위해 등장한 것이 바로 **유니코드(Unicode)**이다.

유니코드는 영문자와 한글 문자를 모두 2바이트로 표현한다. 유니코드를 다룰 수 있도록 표준 C 라이브러리에서는 2바이트 크기의 문자형인 wchar_t형과 유니코드용 문자열 처리 함수를 제공한다.

3.1.4 실수형

(1) 실수의 2진 표현

컴퓨터 시스템에서는 실수를 **부동소수점(floating point) 방식**으로 표현한다. 부동소수점 방식은 실수를 지수(mantissa) 부분과 가수(exponent) 부분으로 나누어 2진 데이터로 저장한다.

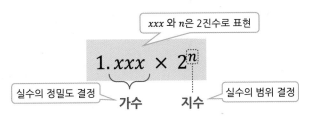

[그림 3-9] 부동소수점 방식의 실수 표현

부동소수점 방식에서 0.314×10^1, 3.14×10^0, 31.41×10^{-1}은 모두 같은 값이다. 이처럼 같은 값이 여러 가지로 표현되는 것을 막기 위해서 실수를 $1.xxx \times 2^n$로 나타낸다. 이때 가수 부분인 $1.xxx$ 중 xxx와 지수 부분인 2^n 중 n은 2진수로 표현된다. 부동소수점으로 표현된 **실수의 정밀도는 실수의 가수 부분에 의해서 결정되고, 실수의 범위는 지수 부분에 의해서 결정된다.**

실수의 정밀도에는 단정도(single precision)와 배정도(double precision)가 있다. **단정도 실수를 나타낼 때는 float형을, 배정도 실수를 나타낼 때는 double형을 사용한다.**

부동소수점 방식에서는 주어진 비트로 가수를 정확히 표현할 수 없으면 반올림해서 표현하기 때문에 실수값에 오차가 생길 수 있다. float형은 가수 부분에 23비트를 사용하고, double형은 52비트를 사용하므로 실수 표현에서 발생하는 오차를 줄이려면 double형을 사용하는 것이 좋다.

[그림 3-10] float형과 double형

[예제 3-5]는 float형 변수와 double형 변수의 정밀도를 비교해보기 위한 예제이다. 실행 결과를 보면 double형의 rate2는 소수점 이하 15자리까지 올바르게 출력되는 반면 float형의 rate1은 유효 숫자가 7자리이므로 소수점 이하 6자리까지만 올바르게 출력된다. 따라서 float형은 실수값을 정확하게 표현하는 데 한계가 있다.

예제 3-5 : float형과 double형의 정밀도 비교

```
01    #include <stdio.h>
02
03    int main(void)
04    {
05        float   rate1 = 9.876543210987654;
06        double  rate2 = 9.876543210987654;
07
08        printf("float  rate1 = %.15f\n", rate1);  // 소수점 이하 15자리 출력
09        printf("double rate2 = %.15f\n", rate2);  // 소수점 이하 15자리 출력
10    }
```

실행 결과

```
float   rate1 = 9.876543045043945
double rate2 = 9.876543210987654
```
> float형은 소수점 이하 6자리까지 올바르게 출력된다.

---

(2) 실수형의 유효 범위

실수형도 정해진 바이트 크기로 실수를 표현하기 때문에, 표현 가능한 실수의 유효 범위가 존재한다. 〈표 3-4〉는 실수형의 바이트 크기와 유효 범위를 정리한 것이다. long double형은 80비트 확장 정밀도를 지원한다.

〈표 3-4〉 Win32/Win64 플랫폼에서의 실수형의 크기와 유효 범위

데이터형		크기	유효 범위
실수형	float	4바이트	$\pm 1.17549 \times 10^{-38} \sim \pm 3.40282 \times 10^{38}$
	double	8바이트	$\pm 2.22507 \times 10^{-308} \sim \pm 1.79769 \times 10^{308}$
	long double	8바이트	$\pm 2.22507 \times 10^{-308} \sim \pm 1.79769 \times 10^{308}$

실수형에 대해서도 **오버플로우**가 발생할 수 있다. 실수형 변수에 표현 가능한 최대값보다 큰 값을 저장하려고 하면 무한대를 의미하는 INF로 설정된다. 또, 실수형 변수에 표현 가능한 최소값보다 작은 값을 저장하려고 하면, 가수 부분을 줄이고 지수 부분을 늘려서 실수를 표현하거나, 만일 그것이 불가능해지면 0으로 만들어 버린다. 이것을 **언더플로우**(underflow)라고 한다.

[예제 3-6]은 float형 변수에서 오버플로우와 언더플로우가 발생하는 상황을 알아보기 위한 예제이다. printf 함수의 형식 문자열을 %e로 지정하면, 지수 표기 방식으로 출력한다.

예제 3-6 : float형의 오버플로우와 언더플로우

```
01  #include <stdio.h>
02
03  int main(void)
04  {
05      float num = 3.40282e38;  // float형의 최대값 저장
06      printf("num = %.15e\n", num);    지수 표시 방식으로 소수점 이하
07                                        15자리까지 출력
08      num = 3.40282e40;        // float형의 오버플로우 발생 --> INF로 설정
09      printf("num = %.15e\n", num);
10
11      num = 1.17549e-38;       // float형의 최소값 저장
12      printf("num = %.15e\n", num);
13
14      num = 1.17549e-42;       // 가수부를 줄여서 실수 표현
15      printf("num = %.15e\n", num);
16
17      num = 1.17549e-46;       // float형의 언더플로우 발생 --> 0으로 설정
18      printf("num = %.15e\n", num);
19  }
```

실행 결과

```
num = 3.402820018375656e+38    오버플로우 발생
num = inf
num = 1.175490006797048e-38
num = 1.175689411568522e-42
num = 0.000000000000000e+00    언더플로우 발생
```

[예제 3-6]의 실행 결과를 보면 num에 float형의 최대값보다 큰 3.40282×10^{40}을 저장하려고 하면 오버플로우가 발생해서 num이 INF로 설정된다. 또 num에 float의 최소값보다 작은 1.17549×10^{-42}을 저장하려고 하면 가수 부분을 줄여서 실수를 표현하려고 하기 때문에 오차가 커진다. 또, num에 1.17549×10^{-46}을 저장하려고 하면 더 이상 실수를 표현할 수 없으므로 언더플로우가 발생해서 num이 0으로 설정된다.

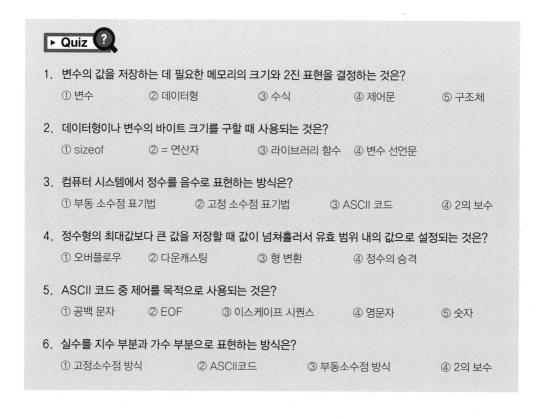

▶ **Quiz**

1. 변수의 값을 저장하는 데 필요한 메모리의 크기와 2진 표현을 결정하는 것은?
   ① 변수   ② 데이터형   ③ 수식   ④ 제어문   ⑤ 구조체

2. 데이터형이나 변수의 바이트 크기를 구할 때 사용되는 것은?
   ① sizeof   ② = 연산자   ③ 라이브러리 함수   ④ 변수 선언문

3. 컴퓨터 시스템에서 정수를 음수로 표현하는 방식은?
   ① 부동 소수점 표기법   ② 고정 소수점 표기법   ③ ASCII 코드   ④ 2의 보수

4. 정수형의 최대값보다 큰 값을 저장할 때 값이 넘쳐흘러서 유효 범위 내의 값으로 설정되는 것은?
   ① 오버플로우   ② 다운캐스팅   ③ 형 변환   ④ 정수의 승격

5. ASCII 코드 중 제어를 목적으로 사용되는 것은?
   ① 공백 문자   ② EOF   ③ 이스케이프 시퀀스   ④ 영문자   ⑤ 숫자

6. 실수를 지수 부분과 가수 부분으로 표현하는 방식은?
   ① 고정소수점 방식   ② ASCII코드   ③ 부동소수점 방식   ④ 2의 보수

3.2 변수와 상수

프로그램에서 사용되는 데이터에는 변수와 상수가 있다. **변수는 값을 변경할 수 있는 데이터이고, 상수는 값을 변경할 수 없는 데이터이다.** 그러면 변수와 상수에 대하여 자세히 알아보자.

3.2.1 변수

(1) 변수의 필요성

간단한 동영상 플레이어를 프로그래밍하면서, 재생할 파일 이름을 직접 소스 코드에 지정한다고 해보자. 이 프로그램은 항상 지정된 파일("InfinityWar.mp4")을 열어서 재생한다. 즉 일반적인 동영상 플레이어가 아니라 "InfinityWar.mp4" 전용 플레이어가 된다. 다른 동영상 파일을 재생하려면 소스 파일을 수정해서 프로그램을 새로 만들어야 하므로 매우 비효율적이다.

변수를 이용하면 이런 비효율성을 간단히 해결할 수 있다. 프로그램에서 동영상 파일 이름을 입력받아서 변수에 저장하고, 변수에 저장된 파일 이름으로 동영상을 재생하도록 프로그램을 작성하면 된다. 이처럼 변수를 이용하면 '특정값을 처리하는 프로그램'이 아니라, '어떤 값이 될지 모르는 값을 처리하는 프로그램'을 작성할 수 있다.

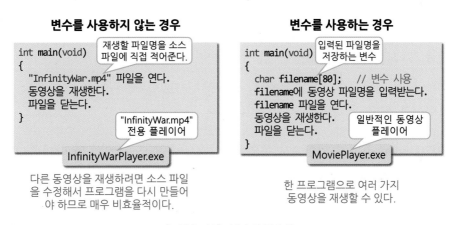

[그림 3-11] 변수의 필요성

어떤 값을 저장하려면 먼저 메모리에 공간을 할당하고 이름을 붙여 두어야 한다. 이처럼 **변수를 사용하기 위해서 컴파일러에게 변수의 데이터형과 변수 이름을 알려주는 것을 변수의 선언이라고 한다.** 컴파일러는 변수의 데이터형에 따라 메모리 공간을 얼마나 사용할지 결정하고, 메모리를 주소 대신 변수 이름으로 접근할 수 있게 한다.

(2) 변수의 선언

변수를 선언하려면 변수의 데이터형과 이름이 필요하다. 변수의 선언 형식은 다음과 같다.

형식	데이터형 변수명; 데이터형 변수명1, 변수명2, … ;

사용예	`int length;`
	`double height, weight;`
	`unsigned char red, green, blue;`

변수를 선언할 때는 데이터형 다음에 변수 이름을 적어주는데, 같은 형의 변수를 여러 개 선언할 때는 콤마(,) 다음에 변수 이름을 나열한다.

```
double height, weight;          // 같은 형의 변수를 여러 개 선언할 수 있다.
```

변수 이름, 함수 이름처럼 프로그래머가 만들어서 사용하는 이름을 **식별자(identifier)**라고 한다. C 언어에서는 식별자를 만드는 규칙은 다음과 같다.

- 반드시 영문자, 숫자, 밑줄 기호(_)만을 사용해야 한다.
- 첫 글자는 반드시 영문자 또는 밑줄 기호(_)로 시작해야 한다.
- 밑줄 기호(_)를 제외한 다른 기호를 사용할 수 없다.
- 대소문자를 구분해서 만들어야 한다. length와 Length는 서로 다른 이름이다.
- C 언어의 키워드는 식별자로 사용할 수 없다.

키워드(keyword)는 C 언어에서 특별한 의미로 사용되도록 약속된 단어로, 예약어(reserved word)라고도 한다. C 언어의 키워드를 정리하면 다음과 같다.

〈표 3-5〉 C 언어의 키워드

auto	break	case	char	const	continue
default	do	double	else	enum	extern
float	for	goto	if	inline[C99]	int
long	register	restrict[C99]	return	short	signed
sizeof	static	struct	switch	typedef	union
unsigned	void	volatile	while		

변수 이름은 의미가 명확하도록 충분히 긴 이름을 사용하는 것이 좋다. 예를 들어 a, b 보다는 length, weight처럼 변수의 용도를 명확히 알 수 있는 이름이 좋다. 하나 이상의

단어를 이용해서 변수 이름을 만들 때는 tax_rate처럼 밑줄 기호( )로 단어 사이를 연결하거나, taxRate처럼 연결되는 단어의 첫글자를 대문자로 지정해서 알아보기 쉽게 만든다.

다음은 모두 올바른 변수 선언의 예이다.

```
int usage2022;      // 변수 이름의 첫 글자 외에는 숫자를 사용할 수 있다.
double _amount;     // 변수 이름은 _로 시작할 수 있다.
double tax_rate;    // 여러 단어를 연결할 때는 _를 사용한다.
double taxRate;     // 연결되는 단어의 첫 글자를 대문자로 지정한다.
```

다음은 잘못된 변수 선언의 예이다.

```
Ⓞ  long annual-salary; // 변수 이름에 - 기호를 사용할 수 없다.
Ⓞ  int total amount;   // 변수 이름에 빈칸을 포함할 수 없다.
Ⓞ  int 2022income;     // 변수 이름은 숫자로 시작할 수 없다.
Ⓞ  char case;          // C 키워드는 변수 이름으로 사용할 수 없다.
```

 Further Study

변수 선언문의 위치

ANSI C에서는 변수의 선언문이 다른 문장보다 앞쪽에 위치해야 한다. 즉 함수의 시작 부분에 변수의 선언문이 모여 있어야 한다. 하지만 C99에서 이런 제약이 사라졌기 때문에 변수를 필요한 곳에서 언제든지 선언할 수 있다. Visual Studio 2022는 기본적으로 C99를 지원하고 있으므로, 함수나 블록의 시작 부분이 아닌 곳에서도 변수를 선언할 수 있다.

참고로 이 책은 ANSI C를 기준으로 예제 소스를 작성하고 있으므로 변수는 함수나 블록의 시작 부분에서 선언하는 방식을 따르고 있다.

ANSI C

```
int main(void)
{                        변수 선언문이
    int num;             함수 시작 부분에
    float sum;           모여 있어야 한다.

    scanf("%d", &num);
    sum = num * (num + 1) * 0.5;
    printf("sum = %.1f\n", sum);
}
```

C99

```
int main(void)
{
    int num;
    scanf("%d", &num);
                                변수를 필요한 곳에서
    float sum;                  선언할 수 있다.
    sum = num * (num + 1) * 0.5;
    printf("sum = %.1f\n", sum);
}
```

(3) 변수의 초기화

변수가 메모리에 할당될 때 값을 지정하는 것은 **변수의 초기화**(initialization)라고 한다. 변수를 초기화하려면 변수 선언 시 변수 이름 다음에 =과 초기값을 써준다.

형식	데이터형 변수명 = 초기값 데이터형 변수명1 = 초기값1, 변수명2 = 초기값2, … ;

사용예	`double tax_rate = 0.2;`
	`char gender = 'F';`
	`int price = 0, total_price = 0;`

변수를 초기화할 때 변수의 데이터형과 같은 형의 값으로 초기화해야 한다. 데이터형이 일치하지 않으면 컴파일러는 데이터형에 맞춰서 값을 변환해서 초기화한다. 이때, 값이 손실되면 컴파일 경고를 발생시킨다.

⊘　`float rate = 0.2;`   // 0.2은 double형이므로 float 변수를 초기화할 때 컴파일 경고 발생
⊘　`int weight = 50.5;`   // 정수형 변수를 실수값으로 초기화하므로 컴파일 경고 발생

변수를 초기화하지 않으면 변수는 쓰레기값을 가진다. 변수를 초기화하지 않으면, 메모리에 원래 들어있던 값이 변수의 초기값이 된다. 이 값은 의미 없는 값이므로 쓰레기값이라고 한다.

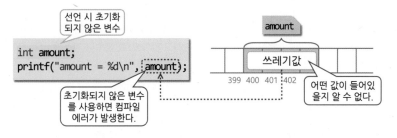

[그림 3-12]　초기화되지 않은 변수의 사용

초기화되지 않은 변수를 사용하는 것은 위험하다. 어떤 값을 가졌는지 알 수 없는 변수가 사용되기 때문이다. Visual C++은 초기화되지 않은 변수를 사용하면 컴파일 에러나 컴파일 경고를 발생시킨다. Visual Studio의 'SDL 검사' 기능이 선택된 경우에는 컴파일 에러가, 그렇지 않으면 컴파일 경고가 발생한다.

변수를 어떤 값으로 초기화할지 알 수 없으면 0으로 초기화한다.

```
int price = 0;                  // 어떤 값으로 초기화할지 알 수 없으면 0으로 초기화한다.
```

(4) 변수의 사용

변수의 값을 읽어오거나 변경하려면 변수 이름을 이용한다. 컴파일러는 소스 코드에서 변수 이름이 사용되면, 변수에 할당된 메모리에서 값을 읽어온다. 예를 들어 printf("price = %d", price);는 price가 int형이므로 price가 할당된 메모리에서 4바이트 크기의 정수값을 읽어온다.

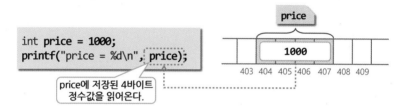

[그림 3-13] 변수의 값 읽어오기

변수에 값을 저장하려면 대입 연산자(=)의 왼쪽에 변수 이름을 적고, =의 다음에 값을 적어준다. 이처럼 변수에 값을 저장하는 것을 **대입(assignment)**이라고 한다. 변수에 값을 대입하는 형식은 다음과 같다.

형식
변수명 = 값;
변수명 = 수식;

사용예
```
tax_rate = 0.1;
price = 2000;
total_price = amount * price;
```

변수에 대입을 하면 =의 우변에 있는 값을 =의 좌변에 있는 변수에 저장한다. 이때, 우변에 수식이 있으면 수식의 값을 먼저 계산한 다음 그 결과를 좌변에 있는 변수에 저장한다. 변수에 값을 대입하면 변수의 이전 값은 사라지고, 마지막에 저장한 값만 남아있게 된다.

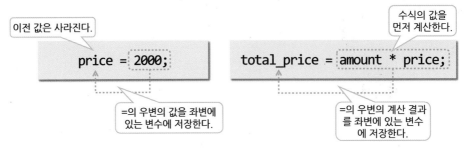

이전 값은 사라진다.

price = 2000;

=의 우변의 값을 좌변에
있는 변수에 저장한다.

수식의 값을
먼저 계산한다.

total_price = amount * price;

=의 우변의 계산 결과
를 좌변에 있는 변수
에 저장한다.

[그림 3-14]   변수의 대입

변수에 값을 대입할 때는 변수의 데이터형과 같은 형의 값을 대입해야 한다. 데이터형이 같지 않으면 컴파일러는 데이터형에 맞춰서 값을 변환해서 저장한다. 예를 double형 변수에 정수값을 대입하면 정수값을 실수로 변환해서 저장한다. 반대로, int형 변수에 실수값을 대입하면 실수값을 정수로 변환해서 저장한다.

```
double weight;
weight = 50;                    // 50을 50.0으로 변환해서 weight에 대입
```

변수의 데이터형에 맞춰서 값을 저장하면서 데이터가 손실되는 경우에는 컴파일 경고가 발생한다.

```
int length;
length = 12.5;                  // 12.5를 12로 변환하므로 데이터가 손실된다. (컴파일 경고 발생)
```

[예제 3-7]은 변수를 선언하고 사용하는 간단한 예제이다. 이 프로그램은 수량 (amount)과 단가(price)를 입력받아서 합계 금액(total_price)을 구해서 출력한다.

예제 3-7 : 변수의 선언 및 사용

```
01    #define _CRT_SECURE_NO_WARNINGS        // Visual Studio 2022에서 scanf 사용 시 필요
02    #include <stdio.h>
03
04    int main(void)
05    {
06        int amount;                        // 수량 --> 초기화되지 않았으므로 쓰레기값
```

```
07          int price = 1000;                // 단가 --> 1000으로 초기화
08          int total_price = 0;             // 합계 금액 --> 정수형 변수는 0으로 초기화
09
10          //printf("amount = %d, price = %d\n", amount, price);     초기화되지 않은 변수를 사용하면
11                                                                    컴파일 에러 발생
12          printf("수량? ");
13          scanf("%d", &amount);            // amount 입력
14
15          printf("단가? ");
16          scanf("%d", &price);             // price 입력
17                        변수의 대입
18          total_price = amount * price;    // 계산 결과를 total_price에 대입
19          printf("합계 금액 = %d\n", total_price);
20      }
```

실행 결과

```
수량? 2
단가? 2000
합계 금액 = 4000
```

[예제 3-7]의 10번째 줄에서 amount를 초기화하지 않고 사용하면 컴파일 에러가 발생하므로 10번째 줄을 주석 처리해야 한다.

3.2.2 상수

상수(constant)는 프로그램에서 값이 변경되지 않는 요소이다. 상수는 값이 메모리에 저장되지 않고, 한 번만 사용된 다음 없어져 버리는 **임시값(temporary value)**이다. 상수에는 값을 직접 사용하는 리터럴 상수(literal constant)와 이름이 있는 기호 상수(symbolic constant)가 있다.

(1) 리터럴 상수

소스 코드에서 직접 사용되는 값을 리터럴 상수라고 한다. 리터럴 상수에도 문자형 상수, 정수형 상수, 실수형 상수가 있다. 〈표 3-6〉은 여러 가지 리터럴 상수를 정리한 것이다.

〈표 3-6〉 여러 가지 리터럴 상수

상수의 종류	구분	예	데이터형
문자형 상수	일반 문자	'x', 'y'	int
	이스케이프 시퀀스	'\b', '\t', '\xa'	int
정수형 상수	10진수 정수	-10, 10	int
	16진수 정수	0xa, 0XA	int
	8진수 정수	012	int
	unsigned형 정수	65536u, 65536U	unsigned int
	long형 정수	2147483647l, 2147483647L	long
	unsigned long형 정수	2147483647ul, 2147483647UL	unsigned long
실수형 상수	부동소수점 표기 실수	56.78, .5	double
	지수 표기 실수	5.678e1, .5e0	double
	float형 실수	0.25f, 0.25F	float
문자열 상수	문자열 상수	"apple", "x"	char[ ]

문자형 상수는 'x'처럼 작은따옴표(' ') 안에 문자를 적어주거나, '\b'처럼 역슬래시와 함께 정해진 문자를 적어서 이스케이프 시퀀스로 나타낸다. 참고로 C에서 문자 상수의 데이터형은 int형이므로 주의하자.

```
char ch = '\b';                 // 문자 상수 (백스페이스 문자)
```

정수형 상수는 10진수, 8진수, 16진수로 나타낼 수 있는데, 8진수일 때는 012처럼 0을 앞에 붙이고, 16진수일 때는 0xa처럼 0x나 0X를 앞에 붙인다. 부호 없는 정수형 상수에는 65536u처럼 u 또는 U를 끝에 붙이고, long형 상수에는 2147483647L처럼 l 또는 L을 끝에 붙여 구분한다. 정수형 상수가 unsigned long형일 때는, ul 또는 UL을 끝에 붙인다.

```
unsigned long max = 2147483647UL;   // unsigned long형의 최대값
```

실수형 상수는 56.78처럼 부동소수점 표기 방식이나, 5.678e1처럼 지수 표기 방식으로 표현한다. 5.678e1은 5.678×10^1이라는 의미이다. 실수형 상수를 나타낼 때 소수점 앞부분

을 생략하면 0이 생략된 것으로 간주된다. 즉 .5은 0.5을 의미한다.

실수형 상수는 디폴트로 double형이다. float형 상수를 나타내려면 0.25F처럼 f 또는 F 를 끝에 붙인다.

```
float ratio = .5;      // float형 변수를 double형 상수로 초기화한다. (값의 손실 컴파일 경고)
ratio = 0.25F;         // float형 변수에 float형 상수 0.25F를 대입한다.
```

문자열 리터럴은 "apple"처럼 큰따옴표("") 안에 문자들을 적어준다. 'x'는 문자 상수 지만 "A"는 문자열 상수이다. 문자열 상수에는 문자열의 끝을 나타내는 널 문자('\0')가 함께 저장된다. 즉, "x"는 'x'와 '\0'라는 2개의 문자로 구성된다. 널 문자는 ASCII 코드 0으로 정의되어 있다.

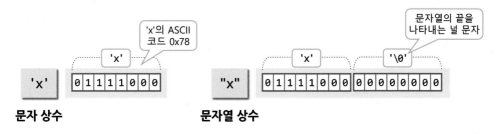

[그림 3-15] 문자 상수와 문자열 상수

[예제 3-8]은 여러 가지 리터럴 상수의 바이트 크기를 알아보기 위한 예제이다.

예제 3-8 : 리터럴 상수의 크기

```
01   #include <stdio.h>
02
03   int main(void)          작은따옴표를 출력하려면   문자 상수는 int형으로
04   {                       " " 안에 \'로 표기한다.   간주한다.
05       printf("sizeof(\'x\') = %d\n", sizeof('x'));
06       printf("sizeof(0xa) = %d\n", sizeof(0xa));
07       printf("sizeof(65536U) = %d\n", sizeof(65536U));
08       printf("sizeof(0.25F) = %d\n", sizeof(0.25F));
09       printf("sizeof(.5) = %d\n", sizeof(.5));
10       printf("sizeof(\"x\") = %d\n", sizeof("x"));      "x"를 저장하는 데 필요한
11   }                                                    문자의 개수(널 문자 포함)
```

실행 결과

```
sizeof('x') = 4
sizeof(0xa) = 4
sizeof(65536U) = 4
sizeof(0.25F) = 4
sizeof(.5) = 8
sizeof("x") = 2
```

(2) 매크로 상수

매크로 상수는 #define문으로 정의되는 상수이다. 프로그램에서 여러 번 사용되는 상수 값은 매크로 상수로 정의해두고 사용하면 편리하다. 매크로 상수를 정의하는 방법은 다음과 같다.

매크로 이름은 다른 식별자와 쉽게 구별할 수 있도록 모두 대문자로 된 이름을 주로 사용한다. 여러 단어로 된 매크로 이름은 밑줄 기호(_)를 이용해서 단어들을 연결한다.

#define처럼 **#으로 시작하는 문장은 전처리기 문장이다.** 전처리기는 C/C++ 컴파일러에 내장된 프로그램으로, 소스 파일을 컴파일할 수 있도록 변환해서 준비한다. 따라서 전처리기가 수행되고 나면 소스 파일에 있던 전처리기 문장은 모두 사라진다. **즉 #include문과 #define문은 C문장이 아니다.** [그림 3-16]은 프로그램 개발 주기에서 전처리기의 역할을 보여준다.

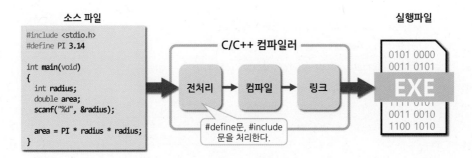

[그림 3-16]   전처리기의 역할

전처리기는 #define으로 정의된 매크로 상수를 특정값으로 대치(replace)한다. 즉, 문서편
집기의 바꾸기 기능처럼 소스 파일 내의 특정 단어(매크로 이름)를 다른 단어(값)로 바꾼다.

[예제 3-9]는 매크로 상수를 정의하고 사용하는 예이다.

📄 **예제 3-9 : 매크로 상수**

```
01    #define _CRT_SECURE_NO_WARNINGS           // Visual Studio 2022에서 scanf 사용 시 필요
02    #include <stdio.h>
03    #define HOURLY_WAGE 8350                   // 시간당 급여
04
05    int main(void)
06    {
07        int working_hours = 0;
08        int wage = 0;
09
10        printf("working hours? ");
11        scanf("%d", &working_hours);           // 근무 시간 입력
12        wage = HOURLY_WAGE * working_hours;     // 임금 계산
13                        ┌─────────────┐
                          │ 8350으로 대치 │
14        printf("HOURLY_WAGE : %6d\n", HOURLY_WAGE);  ┌──────────────────────┐
                                                       │ 문자열에 포함된 HOURLY_WAGE는 │
15        printf("your wage   : %6d\n", wage);         │ 대치되지 않는다.         │
16    }                                                └──────────────────────┘
```

실행 결과 ▪ ▪ ▪

```
working hours? 5
HOURLY_WAGE :   8350
your wage    : 41750
```

전처리기는 프로그램에서 HOURLY_WAGE가 사용되는 곳마다 8350를 대신 넣어준다.
하지만 "HOURLY_WAGE : %d\n"처럼 문자열 상수 안에 포함된 HOURLY_WAGE는 문
자열의 일부이므로 대치되지 않는다.

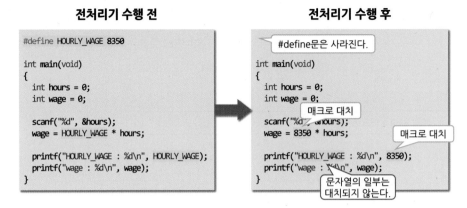

[그림 3-17] 전처리기의 매크로 대치

#define문은 C의 문장이 아니기 때문에 #define문의 끝에는 세미콜론(;)이 필요 없다. 오히려 #define문에 ;을 쓰면 문자열을 대치할 때 엉뚱한 위치에 ;이 들어갈 수 있기 때문에 주의해야 한다.

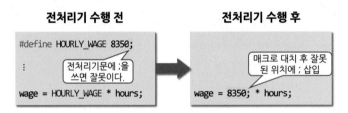

[그림 3-18] 잘못된 매크로 상수의 정의

매크로 상수는 변수가 아니므로, **매크로 상수의 값은 변경할 수 없다.** 매크로 상수에 값을 대입하려고 하면 컴파일 에러가 발생한다.

```
#define HOURLY_WAGE 8350
HOURLY_WAGE = 9000;                    // 매크로 상수인 HOURLY_WAGE에는 값을 대입할 수 없다.
```

정수값이나 실수값 외에 문자나 문자열도 매크로 상수로 정의할 수 있다.

```
#define SEPARATOR '\t'                  // 문자를 매크로 상수로 정의한다.
#define GREETING "hello"                // 문자열을 매크로 상수로 정의한다.


int month = 5, day = 10;
printf("%d %c %d\n", month, SEPARATOR, day);   // 5 / 10 출력
printf(GREETING);                              // hello 출력
```

Further Study

표준 C 라이브러리가 제공하는 매크로 상수

표준 C 라이브러리는 유용한 매크로 상수를 미리 정의해두고 있다. 그중 대표적인 것이 <limits.h>에 정의된 정수형의 최대값, 최소값을 나타내는 매크로 상수이다. 예를 들어 short형의 최대값인 32767과 최소값인 -32768은 SHRT_MAX, SHRT_MIN으로 정의되어 있다. 마찬가지로 int형의 최대값과 최소값은 INT_MAX과 INT_MIN으로 정의되어 있다.

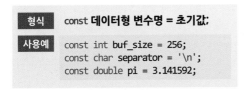

```
#include <limits.h>

int main(void)
{
    short data = SHRT_MAX + 1;
    printf("data = %d\n", data);    // 오버플로우 발생
}
```

매크로 상수가 정의된 헤더 파일 포함

short형의 최대값을 나타내는 매크로 상수

(3) const 변수

const 변수는 값을 변경할 수 없는 변수이다. const 변수를 선언하려면 변수 선언 시 맨 앞에 const 키워드를 써준다.

형식	const 데이터형 변수명 = 초기값;

사용예	const int buf_size = 256;
	const char separator = '\n';
	const double pi = 3.141592;

const 변수의 값을 변경하려고 하면 컴파일 에러가 발생한다.

```
const int buf_size = 256;
buf_size = 128;              // const 변수는 변경할 수 없으므로 컴파일 에러 발생
```

const 변수를 초기화하지 않으면, 값을 저장할 수 있는 방법이 없다. 따라서 **const 변수는 선언 시 초기화하는 것이 좋다.**

```
const int buf_size;          // const 변수를 초기화하지 않으면 buf_size에 값을 저장할 수 없다.
```

[예제 3-10]은 부가가치세율을 나타내는 vat_rate를 const 변수로 선언하고 사용하는 예이다.

> 📖 **예제 3-10** : const 변수

```
01    #define _CRT_SECURE_NO_WARNINGS    // Visual Studio 2022에서 scanf 사용 시 필요
02    #include <stdio.h>
03
04    int main(void)
05    {
06        int amount = 0, price = 0;        const 변수 선언
07        const double vat_rate = 0.1;    // 부가가치세율
08        int total_price = 0;            // 합계 금액
09
10        printf("amount? ");
11        scanf("%d", &amount);
12        printf("price?  ");
13        scanf("%d", &price);            const 변수 사용
14        total_price = amount * price * (1 + vat_rate);
15        printf("total price = %d\n", total_price);
16
17        //vat_rate = 0.15;    const 변수를 변경하려고 하면 컴파일 에러가
18    }                         발생하므로 주석 처리한다.
```

실행 결과 ■ ■ ■

```
amount? 5
price? 3000
total price = 16500
```

[예제 3-10]의 17번째 줄처럼 const 변수에 값을 대입을 하려고 하면, 다음과 같은 컴파일 에러가 발생한다. 여기서 l-value는 대입 연산자(=)의 좌변을 의미하며, 대입 연산자의 좌변에는 const 변수를 사용할 수 없다는 의미이다.

> ❗ **컴파일 에러** ■ ■ ■
>
> 1>c:\work\chap03\ex03_10\ex03_10\const.c(16): error C2166: l-value가 const 개체를 지정합니다.

(4) 기호 상수를 사용해야 하는 이유

매크로 상수와 const 변수처럼 이름이 있는 상수를 기호 상수라고 한다. 같은 값이 프로그램에서 여러 번 사용된다면, 리터럴 상수 대신 기호 상수를 사용하는 것이 좋다.

리터럴 상수 대신 기호 상수를 사용해야 하는 이유는 무엇 때문일까? 어떤 상수값이 프로그램에서 여러 번 사용된다고 해보자. 기호 상수를 사용하는 경우에는 상수값을 변경할 필요가 있을 때, 매크로 상수를 정의하는 #define 문이나 const 변수의 선언문만 변경하면 된다. 반면에 리터럴 상수를 사용하는 경우에는, 리터럴 상수가 사용되는 모든 곳을 찾아서 변경해야 한다. 따라서 **기호 상수를 사용하면 프로그램이 수정하기 쉬워진다.**

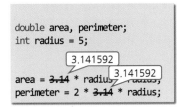

리터럴 상수를 사용하는 경우

```
double area, perimeter;
int radius = 5;


area = 3.14 * radius * radius;
perimeter = 2 * 3.14 * radius;
```
3.141592
3.141592

리터럴 상수를 사용하는
모든 곳을 수정해야 한다.

기호 상수를 사용하는 경우

```
#define PI 3.14
                  3.141592
double area, perimeter;
int radius = 5;
                    PI를 사용하는 곳은
                    수정할 필요 없다.
area = PI * radius * radius;
perimeter = 2 * PI * radius;
```

기호 상수를 정의하는 곳만
수정하면 된다.

[그림 3-19] 기호 상수를 사용하면 프로그램을 수정하기 쉽다.

기호 상수를 사용해야 하는 또 다른 이유는, **프로그램의 가독성** 때문이다. 예를 들어 0.1라는 리터럴 상수를 사용하면 이 값의 의미를 정확히 알 수 없지만, const double vat_rate = 0.1;라고 선언하고 vat_rate라는 이름을 사용하면 의미가 명확해진다. 따라서 **기호 상수를 사용하면 프로그램이 이해하기 쉬워진다.**

리터럴 상수를 사용하는 경우

```
int amount, price, total;
scanf("%d %d", &amount, &price);

total = amount * price * (1 + 0.1);
```

0.1이 어떤 의미인지
알 수 없다.

기호 상수를 사용하는 경우

```
const double vat_rate = 0.1;

int amount, price, total;
scanf("%d %d", &amount, &price);

total = amount * price * (1 + vat_rate);
```

vat_rate를 사용하면
의미를 명확히 알 수 있다.

[그림 3-20] 기호 상수를 사용하면 프로그램을 이해하기 쉽다.

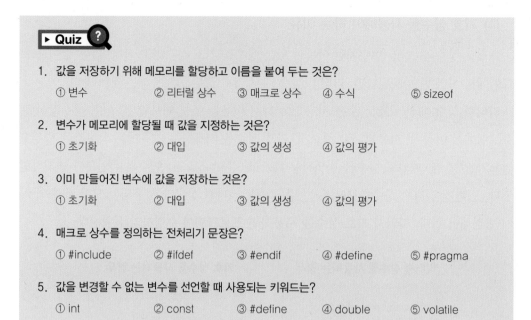

▶ **Quiz** ?

1. 값을 저장하기 위해 메모리를 할당하고 이름을 붙여 두는 것은?

   ① 변수   ② 리터럴 상수   ③ 매크로 상수   ④ 수식   ⑤ sizeof

2. 변수가 메모리에 할당될 때 값을 지정하는 것은?

   ① 초기화   ② 대입   ③ 값의 생성   ④ 값의 평가

3. 이미 만들어진 변수에 값을 저장하는 것은?

   ① 초기화   ② 대입   ③ 값의 생성   ④ 값의 평가

4. 매크로 상수를 정의하는 전처리기 문장은?

   ① #include   ② #ifdef   ③ #endif   ④ #define   ⑤ #pragma

5. 값을 변경할 수 없는 변수를 선언할 때 사용되는 키워드는?

   ① int   ② const   ③ #define   ④ double   ⑤ volatile

1. **데이터형에 대한 설명 중 잘못된 것을 모두 고르시오.**

   ① 플랫폼에 관계없이 데이터형의 크기는 정해져 있다.

   ② 문자형으로는 char형이 있고, 크기는 2바이트이다.

   ③ 실수형도 부호 있는 실수형과 부호 없는 실수형이 있다.

   ④ 정수형은 데이터형의 크기가 클수록 유효 범위가 커진다.

   ⑤ char형도 정수형으로 볼 수 있다.

   ⑥ 정수형 변수에 데이터형의 최대값보다 큰 값을 저장하면 변수의 크기가 늘어난다.

   ⑦ 정수형 변수에 데이터형의 최소값보다 작은 값을 저장하면 유효 범위 내의 값으로 설정된다.

   ⑧ 실수형 변수에 표현 가능한 실수보다 큰 값을 저장하면 0으로 설정된다.

   ⑨ 실수의 정밀도는 지수 부분에 의해서 결정된다.

   ⑩ 실수는 항상 정확한 값의 표현이 가능하다.

2. **이스케이프 시퀀스와 그 의미를 찾아서 연결하시오.**

(1) '\0'	① 줄바꿈(newline)
(2) '\a'	② 널 문자(null)
(3) '\b'	③ 수평 탭(horizontal tab)
(4) '\t'	④ 경고음(bell)
(5) '\n'	⑤ 역슬래시(back slash)
(6) '\\'	⑥ 백스페이스(backspace)

3. **변수에 대한 설명이 올바른 것을 모두 고르시오.**

   ① 데이터형이 없는 변수를 선언할 수 있다.   ② 변수는 값을 읽어올 수 있다.

   ③ 변수는 메모리에 할당된다.   ④ 이름 없는 변수를 선언할 수 있다.

   ⑤ 변수는 값을 변경할 수 없다.   ⑥ 변수에 값을 저장하는 것을 초기화라고 한다.

   ⑦ 변수를 따로 초기화하지 않으면 0으로 초기화된다.

4. **다음 중 올바른 변수 선언문을 모두 고르시오.**

   ① `char default;`   ② `int %_of_market;`

   ③ `unsigned short maxCount;`   ④ `int num;        double num;`

   ⑤ `int x = 100, y, z = 200;`   ⑥ `int elapsed sec;`

5. **상수에 대한 설명 중 잘못된 것을 모두 고르시오.**

   ① 상수는 값을 변경할 수 없으므로 =의 좌변에 올 수 없다.

   ② 상수는 값이 메모리에 저장되지 않고 한 번만 사용된 다음 없어져 버린다.

   ③ 이름이 있는 상수를 리터럴 상수라고 한다.

   ④ 리터럴 상수를 이용하면 코드가 알아보기 쉽고 수정하기 쉽다.

⑤ 매크로 상수를 정의할 때는 데이터형이 필요하다.

⑥ 문자열 안에 포함된 매크로 상수는 대치되지 않는다.

⑦ const 변수는 값을 변경할 수 없으므로 메모리에 할당되지 않는다.

⑧ const 변수를 변경하면 컴파일 에러가 발생한다.

6. 리터럴 상수 대신 기호 상수를 사용할 때의 장점을 두 가지 쓰시오.

7. 다음 소스 코드에서 컴파일 에러가 발생하는 줄을 모두 찾으시오.

```
01    #include <stdio.h>
02    #define MAX 1000
03    #define MIN 0;
04
05    int main(void)
06    {
07        int x = 10;
08        const int y = 20;
09
10        MAX = 2000;
11        x = MAX - 1;
12        y = MAX - 2;
13        printf("range: %d ~ %d\n", MIN, MAX);
14    }
```

8. 다음 프로그램의 실행 결과는?

```
#include <stdio.h>
#include <limits.h>

int main(void)
{
    char a = CHAR_MIN - 1;      // CHAR_MIN는 –128로 정의
    short b = SHRT_MIN - 1;     // SHRT_MIN는 –32768로 정의
    char ch = '\t';

    printf("%d, %d, %x\n", a, b, ch);
}
```

Programming Assignment

1. 한 변의 길이를 입력받아 정사각형의 넓이와 둘레를 구하는 프로그램을 작성하시오. [정수형/난이도 ★]

```
실행 결과

한 변의 길이 ? 5
정사각형의 넓이: 25
정사각형의 둘레: 20
```

2. 가로의 길이와 세로의 길이를 입력받아 직사각형의 넓이와 둘레를 구하는 프로그램을 작성하시오.
   [정수형/난이도 ★]

```
실행 결과

가로의 길이? 10
세로의 길이? 20
직사각형의 넓이: 200
직사각형의 둘레: 60
```

3. 질량과 높이를 입력받아 위치 에너지를 구하는 프로그램을 작성하시오. 질량은 kg 단위, 높이는 m
   단위로 입력받는다. [실수형/난이도 ★★]

위치 에너지 = 9.8 × 질량 × 높이

```
실행 결과

질량(kg)? 10
높이(m)? 5
위치에너지: 490.00 J
```

★ 질량과 높이는 실수로 입력받을 수도 있다. float형 변수를 입력받을 때는 서식 지정자로 %f를, double형 변수를 입력
  받을 때는 %lf를 사용한다. 입력 시 소수점 이하를 생략하면 소수점 이하를 0으로 간주한다.

4. 밑변과 높이를 입력받아 직각삼각형의 넓이를 구하는 프로그램을 작성하시오. [데이터형/난이도 ★★]

```
실행 결과

밑변과 높이? 3 7
직각삼각형의 면적: 10.50
```

5. 원/달러 환율과 달러를 입력받아 몇 원인지 출력하는 프로그램을 작성하시오. [데이터형/난이도 ★]

```
실행 결과

USD? 150
원/달러 환율? 1210
USD 150 = KRW 181500.00
```

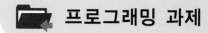

6. 원/달러 환율과 원화를 입력받아 몇 달러인지 출력하는 프로그램을 작성하시오. [데이터형/난이도 ★★]

> **실행 결과**
>
> ```
> KRW? 500000
> 원/달러 환율? 1210
> KRW 500000 = USD 413.22
> ```

7. 길이를 야드(yd)로 입력받아 미터(m)로 변환해서 출력하는 프로그램을 작성하시오. 1yd는 0.9144m에 해당한다. [리터럴 상수/난이도 ★]

> **실행 결과**
>
> ```
> 길이(yd)? 100
> 100 yd = 91.440000 m
> ```

8. 길이를 인치(in)로 입력받아 센티미터(cm)로 변환하는 프로그램을 작성하시오. 1in는 2.54cm에 해당한다. 프로그램을 작성할 때 매크로 상수를 이용한다 [매크로 상수/난이도 ★★]

> **실행 결과**
>
> ```
> 길이(in)? 10
> 10.00 in = 25.40 cm
> ```

9. 아파트의 면적을 제곱미터(m^2)로 입력받아 몇 평인지 출력하는 프로그램을 작성하시오. $1m^2$는 0.3025평에 해당한다. 프로그램을 작성할 때 기호 상수를 이용한다. [기호 상수/난이도 ★★]

> **실행 결과**
>
> ```
> 아파트의 면적(제곱미터)? 113
> 113.00 제곱미터 = 34.18 평
> ```

10. 실수값을 입력받아 그 값의 제곱과 세제곱을 출력하는 프로그램을 작성하시오. 실수값을 입력받을 때는 12.34처럼 소수 표기 방법이나 1.234e2처럼 지수 표기 방법을 둘 다 사용할 수 있게 하고 제곱과 세제곱을 출력할 때는 지수 표기 방법으로 출력하시오. [실수형, printf 형식 문자열/난이도 ★★★]

> **실행 결과**
>
> ```
> 실수? 3.0e-1
> 제곱: 9.000000e-02
> 세제곱: 2.700000e-02
> ```

C H A P T E R

4

연산자

4.1 연산자의 기본 개념

4.1.1 수식

수학에서 사용되는 +, −, ×, ÷, >, <, ≥, ≤, =, ≠ 기호처럼 C 프로그램에서도 +, −, *, /, >, <, >=, <=, ==, != 등의 기호를 여러 가지 연산에 사용한다. 이처럼 C에서 연산에 사용되는 기호를 연산자라고 한다. C에서는 특별한 의미가 있는 문자 하나 또는 2개를 연산자로 사용한다. 예를 들어 +, −, *, /는 문자 1개로 된 연산자이고, +=, −=, >=, <=, ==, !=는 문자 2개로 된 연산자이다. 문자 2개로 연산자를 나타낼 때는 문자 사이에 공백이 있어서는 안된다.

C에서는 값이 있는 요소를 **수식**(**expression**)이라고 한다. 수식의 값을 구하는 것을 '**수식을 평가**(**evaluate**)**한다**'라고 한다.

상수나 변수는 값이 있으므로 수식이다. 연산자와 피연산자의 조합으로 만들어진 코드를 **연산식**이라고 하며, 연산식도 수식이다. 5 * 10 연산식에서 *를 연산자(operator), 연산의 대상이 되는 5와 10을 피연산자(operand)라고 한다. 5 * 10의 값은 50이다.

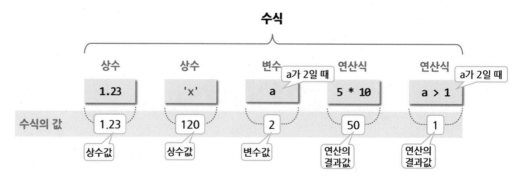

[그림 4-1] 수식의 평가

4.1.2 연산자와 피연산자

연산식은 연산자와 하나 이상의 피연산자로 이루어진다. C 언어는 다양한 종류의 연산자를 제공하며, 연산자의 종류에 따라 1~3개의 피연산자를 사용한다.

[그림 4-2] 연산자와 피연산자

연산자는 피연산자의 개수에 따라서 단항 연산자(unary operator), 이항 연산자(binary operator), 삼항 연산자(ternary operator)로 분류할 수 있다. 단항 연산자는 피연산자가 1개, 이항 연산자는 2개, 삼항 연산자는 3개이다.

⟨표 4-1⟩은 피연산자의 개수로 연산자를 분류한 것이다. 대부분의 연산자가 이항 연산자이며, 조건 연산자인 ?:이 유일한 삼항 연산자이다.

⟨표 4-1⟩ 피연산자의 개수로 분류한 연산자의 종류

종류	피연산자의 개수	연산자	
단항 연산자	1개	+x -x x++ ++x x-- --x !x &x ~x sizeof(x)	
이항 연산자	2개	산술	x+y x-y x*y x/y x%y
		대입	x=y x+=y x-=y x*=y x/=y x%=y x>>=y x<<=y x&=y x|=y x^=y
		관계	x>y x<y x>=y x<=y x==y x!=y
		논리	x&&y x||y
		비트	x&y x|y x^y x<<y x>>y
삼항 연산자	3개	x?y:z	

⟨표 4-2⟩는 연산자의 기능에 따라 연산자를 분류한 것이다.

⟨표 4-2⟩ 연산자의 기능에 따라 분류한 연산자의 종류

연산자의 종류	연산자
산술 연산자	x+y x-y x*y x/y x%y +x -y
증감 연산자	x++ ++x x-- --y
관계 연산자	x>y x<y x>=y x<=y x==y x!=y

연산자의 종류	연산자
논리 연산자	x&&y x‖y !x
비트 연산자	x&y x‖y x^y ~x x<<y x>>y
대입 연산자	x=y x+=y x-=y x*=y x/=y x%=y x&=y x‖=y x^=y x>>=y x<<=y
멤버 접근 연산자	*x &x x[y] x.y x->y
그 밖의 연산자	x?y:z x,y sizeof(x) (type)x

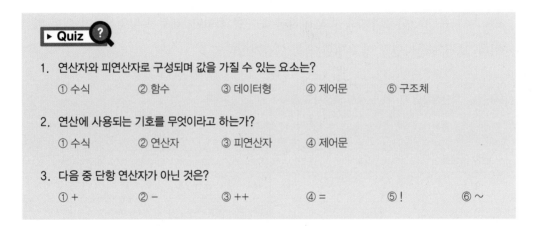

▶ Quiz

1. 연산자와 피연산자로 구성되며 값을 가질 수 있는 요소는?

   ① 수식   ② 함수   ③ 데이터형   ④ 제어문   ⑤ 구조체

2. 연산에 사용되는 기호를 무엇이라고 하는가?

   ① 수식   ② 연산자   ③ 피연산자   ④ 제어문

3. 다음 중 단항 연산자가 아닌 것은?

   ① +   ② -   ③ ++   ④ =   ⑤ !   ⑥ ~

4.2 연산자의 종류

4.2.1 산술 연산자

(1) 산술 연산자의 기본

산술 연산자(arithmetic operator)에는 더하기(+), 빼기(-), 곱하기(*), 나누기(/), 나머지(%), 부호(+, -) 연산자가 있다. 〈표 4-3〉은 산술 연산자를 정리한 것이다.

〈표 4-3〉 산술 연산자

산술 연산자	의미	사용 예	연산의 결과
+x	플러스(부호)	+5	5
-x	마이너스(부호)	-5	-5
x + y	더하기	5 + 7	12
x - y	빼기	5 - 7	-2
x * y	곱하기	5 * 7	35
x / y	나누기	13 / 5	2
x % y	나머지 구하기	13 % 5	3

산술 연산자 중 부호 연산자인 +와 -는 단항 연산자이다.

```
int num = 123;
printf("%d", -num);      // 수식의 값은 -123
```

산술 연산자는 정수와 실수에 대해서 사용할 수 있다. 참고로 '정수/정수' 연산의 결과는 정수이다. 나머지 연산자(%)는 피연산자가 모두 정수인 경우에만 사용할 수 있다.

```
printf("quotient = %d\n", 123 / 50);    // 몫을 정수로 구하므로 수식의 값은 2가 된다.
printf("remainder = %d\n", 123 % 50);   // 나머지를 구하므로 수식의 값은 23이 된다.
printf("remainder = %f\n", 12.34 % 5);  // 실수에 대하여 %를 사용할 수 없다.(컴파일 에러)
```

[예제 4-1]은 2개의 정수를 입력받아서 산술 연산자로 연산한 결과값을 출력하는 코드이다.

📄 **예제 4-1 : 정수의 산술 연산**

```
01    #define  _CRT_SECURE_NO_WARNINGS          // Visual Studio 2022에서 scanf 사용 시 필요
02    #include <stdio.h>
03
04    int main(void)
05    {
06        int x = 0, y = 0;                     // 같은 형의 변수를 여러 개 선언할 수 있다.
07
```

```
08        printf("Input two integers: ");
09        scanf("%d %d", &x, &y);
10
11        printf("+%d = %d\n", x, +x);           // 플러스 부호
12        printf("-%d = %d\n", y, -y);           // 마이너스 부호
13        printf("%d + %d = %d\n", x, y, x + y);  // 더하기
14        printf("%d - %d = %d\n", x, y, x - y);  // 빼기
15        printf("%d * %d = %d\n", x, y, x * y);  // 곱하기
16        printf("%d / %d = %d\n", x, y, x / y);  // 나누기
17        printf("%d %% %d = %d\n", x, y, x % y); // 나머지
18    }
```

> % 문자를 출력하려면 " " 안에 %%로 지정해야 한다.

실행 결과

```
Input two integers: 123 50
+123 = 123
-50 = -50
123 + 50 = 173
123 - 50 = 73
123 * 50 = 6150
123 / 50 = 2
123 % 50 = 23
```

printf 함수의 형식 문자열에서 %는 서식 지정자를 지정하는 데 사용된다. % 문자를 출력하려면 " " 안에 %%로 적어주어야 한다.

(2) 피연산자의 형 변환

이항 연산자를 사용하는 연산식에서 피연산자의 데이터형이 서로 다르면 피연산자를 같은 형으로 형 변환한 다음 연산을 수행한다. 이때, 피연산자 중 하나가 실수형이면 실수형으로 형 변환한다.

```
int income = 3000000;
printf("tax = %f\n", 0.35 * income);    // income을 double로 변환해서 연산
```

피연산자가 같은 형일 때도 형 변환이 일어나는 경우도 있다. 예를 들어 피연산자가 둘 다 char형이거나 short형일 때는 int형으로 형 변환 후 연산한다. 이런 형 변환을 **정수의**

승격이라고 한다.

```
short w = 2000, h = 4000;
printf("sizeof(w * h) = %d\n", sizeof(w * h));  // w와 h은 int로 변환되므로 sizeof(w * h)는 4
```

정수의 승격은 피연산자가 1개인 단항 연산자에 대해서도 수행된다.

```
short num = 123;
printf("sizeof(-num) = %d\n", sizeof(-num));  // num은 int로 변환되므로 sizeof(-num)은 4
```

4.2.2 증감 연산자

증감 연산자(increment/decrement operator)는 변수의 값을 1만큼 증가/감소시키는 단항 연산자이다. 증감 연산자는 변수에만 사용할 수 있고, 상수나 수식에는 사용할 수 없다.

```
int count = 0;
++count;          // count는 증가되어 1이 된다.
10++;             // 10은 상수이므로 ++ 연산자를 사용할 수 없다.(컴파일 에러)
(count + 1)--;    // (count + 1)은 수식이므로 -- 연산자를 사용할 수 없다.(컴파일 에러)
```

증감 연산자는 **전위형**(prefix)과 **후위형**(postfix)으로 사용될 수 있다. 전위형은 증감 연산자를 피연산자의 앞에 사용하고, 후위형은 증감 연산자를 피연산자의 뒤에 사용한다. 증감 연산식이 단일 문장일 때는 전위형과 후위형의 수행 결과가 같다. 즉, 증감 연산 후 변수의 값이 1만큼 증가되거나 감소된다.

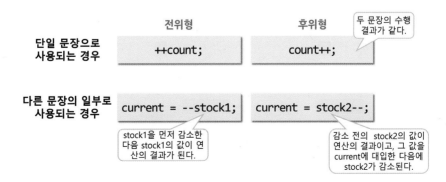

[그림 4-3] 전위형과 후위형 증감 연산자

　　증감 연산식을 다른 문장의 일부로 사용했을 때는 전위형과 후위형 연산의 결과가 다르다. 전위형을 사용하면 먼저 변수의 값을 증가/감소시킨 후, 변수의 값이 연산의 결과가 된다. 후위형을 사용하면 증가/감소되기 전 변수의 값이 연산의 결과가 되고, 다음 문장으로 넘어가기 전에 변수가 증가/감소된다.

〈표 4-4〉 증감 연산자

구분	증감 연산자	수식의 값
전위형	++x	증가된 변수 x의 값
	--x	감소된 변수 x의 값
후위형	x++	증가되기 전 변수 x의 값
	x--	감소되기 전 변수 x의 값

　　[예제 4-2]는 전위형과 후위형 증감 연산자의 차이점을 알아보기 위한 예제이다.

예제 4-2 : 전위형과 후위형 증감 연산자의 비교

```
01    #include <stdio.h>
02
03    int main(void)
04    {
05        int stock1 = 10, stock2 = 10;
06        int current;
07
08        current = --stock1;      // 감소 후의 stock1을 current에 대입한다.(전위형)
09        printf("current = %d, stock1 = %d\n", current, stock1);
10
11        current = stock2--;      // 감소 전의 stock2를 current에 대입한다.(후위형)
12        printf("current = %d, stock2 = %d\n", current, stock2);
13    }
```

실행 결과　　　　■ ■ ■

```
current = 9, stock1 = 9
current = 10, stock2 = 9
```

증감 연산자는 실수형 변수에도 사용할 수 있다. 실수형 변수에 ++나 -- 연산자를 사용하면 변수의 값이 1.0만큼 증가/감소된다.

```
double area = 89.25;
area++;                    // area를 1.0만큼 증가하므로 90.25가 된다.
```

4.2.3 대입 연산자

(1) 대입 연산자의 기본

대입 연산자(assignment operator)는 좌변에 있는 변수에 우변의 값을 저장한다. 대입 연산자를 사용하는 형식은 다음과 같다.

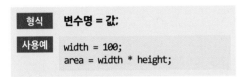

대입 연산자의 좌변에는 lvalue만 사용할 수 있다. lvalue(locator value)는 메모리 주소가 있어서 값을 변경할 수 있는 요소이다. 메모리에 할당되는 변수가 바로 lvalue이다. 대입 연산자의 우변에는 수식(상수, 변수, 연산식 등)을 사용할 수 있다. lvalue와 비교해서, 값이 있는 수식을 rvalue라고 한다.

```
int width;
width = 100;      // width는 lvalue이므로 대입 연산의 좌변으로 사용할 수 있다
100 = width;      // 100은 lvalue가 아니므로 대입 연산의 좌변으로 사용할 수 없다.(컴파일 에러)
```

매크로 상수나 const 변수는 값을 변경할 수 없으므로 lvalue로 사용할 수 없다.

```
const double tax_rate = 0.1;
tax_rate = 0.15;    // tax_rate는 lvalue가 아니므로 대입 연산의 좌변으로 사용할 수 없다.(에러)
```

대입 연산식도 수식이므로 값이 있다. rvalue를 lvalue 변수에 저장한 다음 lvalue 변수의 값이 대입 연산식의 결과값이 된다. 대입 연산식도 다른 수식의 일부로 이용할 수 있다.

[그림 4-4] 대입 연산식의 결과값

[예제 4-3]은 대입 연산의 결과값을 알아보기 위한 예제이다.

📑 **예제 4-3** : 대입 연산의 결과값

```
01    #include <stdio.h>
02
03    int main(void)
04    {
05        int width, height, area;
06
07        printf("width  = %d\n", width = 100);    // width = 100의 결과값을 출력한다.
08        printf("height = %d\n", height = 50);    // height = 50의 결과값을 출력한다.
09        area = width * height;  // width * height의 연산 결과값을 구해서 area에 대입한다.
10        printf("area   = %d\n", area);
11    }
```

실행 결과

```
width  = 100
height = 50
area   = 5000
```

대입 연산자는 다른 연산자보다 우선순위가 낮다. 따라서 다른 연산자와 함께 사용될 때, 다른 연산을 먼저 수행한 다음 대입 연산이 수행된다.

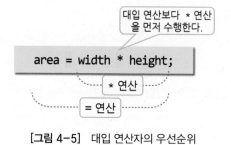

[그림 4-5] 대입 연산자의 우선순위

(2) 복합 대입 연산자

복합 대입 연산자(compound assignment operator)는 산술/비트 연산자와 대입 연산자를 결합한 것이다. 복합 대입 연산자의 좌변과 우변으로 산술/비트 연산을 수행한 다음, 연산의 결과를 좌변의 변수에 대입한다. 즉, x += y;는 x = x + y;와 같은 의미이다.

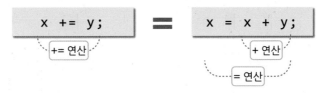

[그림 4-6] 복합 대입 연산자의 의미

〈표 4-5〉는 복합 대입 연산자와 그 의미를 정리한 것이다.

〈표 4-5〉 복합 대입 연산자

복합 대입 연산자	의미	복합 대입 연산자	의미
x += y	x = x + y	x &= y	x = x & y
x -= y	x = x - y	x |= y	x = x | y
x *= y	x = x * y	x ^= y	x = x ^ y
x /= y	x = x / y	x <<= y	x = x << y
x %= y	x = x % y	x >>= y	x = x >> y

[예제 4-4]는 복합 대입 연산의 결과값을 알아보기 위한 예제이다.

📑 **예제 4-4 : 복합 대입 연산의 결과값**

```
01    #include <stdio.h>
02
03    int main(void)
04    {
05        int w = 10, x = 20, y = 10, z = 7;
06        int result = 0;     // result의 초기값은 0
07
```

```
08        result += w;              // result = result + w; ==> 0 + 10를 result에 대입한다.
09        printf("result = %d\n", result);
10
11        result *= x;              // result = result * x; ==> 10 * 20를 result에 대입한다.
12        printf("result = %d\n", result);
13
14        result /= y;              // result = result / y; ==> 200 / 10을 result에 대입한다.
15        printf("result = %d\n", result);
16
17        result %= z;              // result = result % z; ==> 20 % 7을 result에 대입한다.
18        printf("result = %d\n", result);
19
20        result *= 2 + 1;          // result = result * (2 + 1); ==> 6 * 3을 result에 대입한다.
21        printf("result = %d\n", result);
22    }
```

실행 결과   ■ ■ ■

```
result = 10
result = 200
result = 20
result = 6
result = 18
```

[예제 4-4]의 20번째 줄을 보면 *= 연산자와 + 연산자가 함께 사용되었는데, 이때 연산 순서에 주의해야 한다. 복합 대입 연산자는 산술 연산자보다 우선순위가 낮기 때문에 + 연산이 먼저 수행된다.

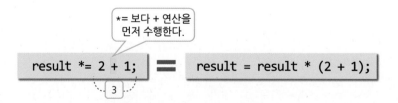

[그림 4-7]   복합 대입 연산자의 우선순위

4.2.4 관계 연산자

(1) 관계 연산자의 기본

관계 연산자(comparison operator)는 두 수의 값을 비교하기 위한 연산자이다. 'x와 y 가 같은가?'라는 질문의 답이 '예/아니오'인 것처럼 **관계 연산식의 값은 항상 참 또는 거짓 이 된다.** C에서 참(true)은 1이고, 거짓(false)은 0이다. 즉, 관계 연산식의 값은 항상 0 또 는 1이다. 관계 연산식은 if문, for문, while문 등의 조건식으로 주로 사용된다. if문은 ( ) 안의 조건식이 참이면 다음 문장을 수행하고, 거짓이면 다음 문장을 수행하지 않는다.

```
int x;
scanf("%d", &x);
if (x < 0)      // 관계 연산식인 x < 0가 참이면 다음 문장을 수행한다.
    x = -x;     // x가 음수면 x를 양수로 만든다.
```

〈표 4-6〉은 관계 연산자의 의미와 x = 5, y = 3일 때 연산의 결과를 정리한 것이다.

〈**표 4-6**〉 관계 연산자

관계 연산자	의미	x = 5, y = 3 일 때 연산의 결과
x > y	x가 y보다 큰가?	1
x >= y	x가 y보다 크거나 같은가?	1
x < y	x가 y보다 작은가?	0
x <= y	x가 y보다 작거나 같은가?	0
x == y	x가 y와 같은가?	0
x != y	x가 y와 같지 않은가?	1

[예제 4-5]는 관계 연산의 결과값을 알아보기 위한 예제이다.

📑 **예제 4-5** : 관계 연산의 결과값

```
01    #define _CRT_SECURE_NO_WARNINGS      // Visual Studio 2022에서 scanf 사용 시 필요
02    #include <stdio.h>
03
04    int main(void)
05    {
06        int x, y;
07
08        printf("Input two numbers: ");
09        scanf("%d %d", &x, &y);
10
11        printf("%d > %d  = %d\n", x, y, x > y);
12        printf("%d < %d  = %d\n", x, y, x < y);
13        printf("%d >= %d = %d\n", x, y, x >= y);
14        printf("%d <= %d = %d\n", x, y, x <= y);
15        printf("%d == %d = %d\n", x, y, x == y);
16        printf("%d != %d = %d\n", x, y, x != y);
17    }
```

실행 결과   ■ ■ ■

```
Input two numbers: 3 3
3 > 3  = 0
3 < 3  = 0
3 >= 3 = 1        ┌─────────────────┐
                 │ 관계 연산의 결과는 참(1) │
3 <= 3 = 1        │   또는 거짓(0)이다.    │
                 └─────────────────┘
3 == 3 = 1
3 != 3 = 0
```

(2) 관계 연산자 사용 시 주의 사항

■ **=와 ==을 혼동하지 않도록 주의한다.**

두 값이 같은지 비교할 때, == 대신 =을 사용하면 대입 연산이 수행된다. 두 값이 같은지 비교할 때는 반드시 ==을 사용해야 한다.

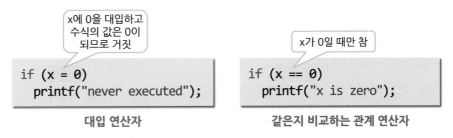

[그림 4-8] = 연산자와 == 연산자

■ 관계 연산식을 조합할 때는 논리 연산자를 함께 사용한다.

관계 연산자는 이항 연산자이므로 한 번에 2개의 값만 비교할 수 있다. score가 90과 100 사이의 값인지 검사하기 위해서 90 <= score <= 100과 같은 수식을 사용하는 것은 잘못이다. 올바른 수식을 작성하려면 [그림 4-9]에서처럼 관계 연산자와 논리 연산자(&&)를 함께 이용해야 한다.

score가 90과 100 사이의 값인지 검사하는 수식

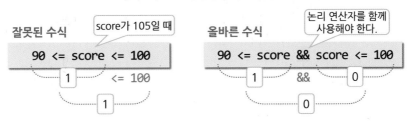

[그림 4-9] 잘못된 관계 연산자의 사용

■ *expr* != 0과 *expr*는 같은 의미이다.

!= 연산자는 수식을 0과 비교하는 데 자주 사용된다. C에서는 0이 아닌 값을 참으로 간주한다. 따라서 수식이 0이 아닌지 검사하는 조건식은 그 값이 참인가 검사하는 조건식이 된다. 따라서, 관계 연산식인 *expr* != 0 대신 *expr*을 사용할 수 있다.

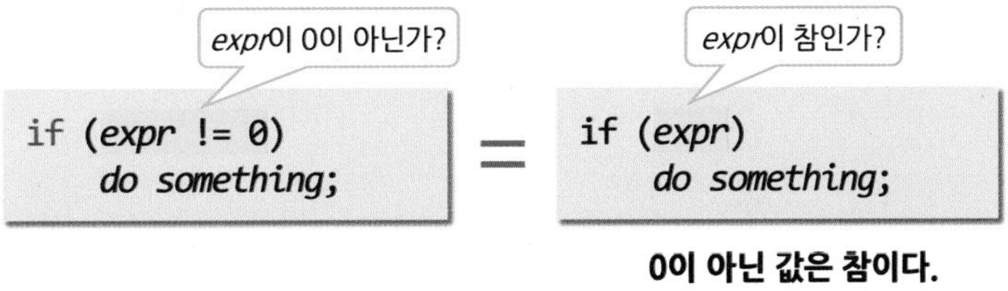

```
if (expr != 0)          =          if (expr)
    do something;                      do something;
```

0이 아닌 값은 참이다.

[그림 4-10] != 0의 생략

4.2.5 논리 연산자

(1) 논리 연산자의 기본

논리 연산자(logical operator)는 참/거짓을 이용한 논리 연산 기능을 제공한다. 논리 연산자로는 이항 연산자인 &&(AND), ||(OR)와 단항 연산자인 !(NOT)이 있다.

〈표 4-7〉 논리 연산자의 의미

논리 연산자	부울 대수	의미
x && y	논리 AND	x와 y가 둘 다 참이면 1, 그렇지 않으면 0
x || y	논리 OR	x와 y중 하나라도 참이면 1, x와 y가 둘 다 거짓이면 0
! x	논리 NOT	x가 거짓이면 1, x가 참이면 0

논리 연산식의 값은 항상 0 또는 1이다. 〈표 4-8〉은 여러 가지 논리 연산의 결과이다. 논리 연산식에서 피연산자가 0이 아니면 참(1)으로 간주한다.

〈표 4-8〉 논리 연산의 결과

x	y	x && y	x || y	! x	! y
0	0	0	0	1	1
0	1	0	1	1	0
1	0	0	1	0	1
1	1	1	1	0	0

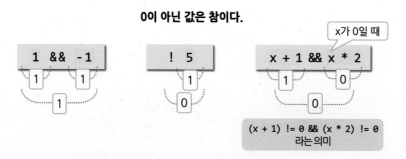

[그림 4-11] 논리 연산식에서 피연산자의 의미

논리 연산자는 관계 연산자와 함께 사용되는 경우가 많다. 사용량이 1000~2000 사이의 값인지 검사하는 조건식은 && 연산자를 이용해서 논리 연산식으로 작성해야 한다.

```
usage >= 1000 && usage <= 2000      // usage가 1000~2000 사이의 값인지 검사한다.
```

[예제 4-6]은 사용량을 입력받아 1000~2000 범위 내에 있는지 검사하는 코드이다. 논리 연산식을 if문의 조건식으로 사용해서 조건식이 참이면 다음 문장을 수행한다.

예제 4-6 : 논리 연산식의 이용

```
01   #define _CRT_SECURE_NO_WARNINGS      // Visual Studio 2022에서 scanf 사용 시 필요
02   #include <stdio.h>
03
04   int main(void)
05   {
06       int usage;
07
08       printf("usage? ");
09       scanf("%d", &usage);
10
11       if (usage >= 1000 && usage <= 2000)   // usage가 1000~2000 사이의 값인지 검사한다.
12           printf("usage in range\n");       // 위의 조건식이 참일 때만 수행된다.
13
14       if (usage < 1000 || usage > 2000)     // usage가 1000~2000 범위 밖의 값인지 검사한다.
15           printf("out of range\n");         // 위의 조건식이 참일 때만 수행된다.
16   }
```

실행 결과

```
usage? 1200
usage in range
```

(2) 논리 연산자 사용 시 주의 사항

■ &&, || 연산보다 관계 연산을 먼저 수행한다.

논리 연산자인 &&, ||를 관계 연산자과 함께 사용하면 관계 연산자부터 수행된다. &&, || 연산자의 우선순위가 관계 연산자보다 낮기 때문이다.

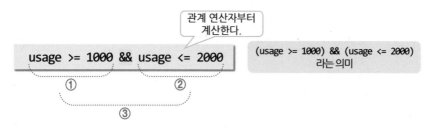

[그림 4-12] 논리 연산자의 우선순위

■ **! 연산은 관계 연산보다 먼저 수행된다.**

단항 연산자는 이항 연산자보다 우선순위가 높다. ! 연산자와 관계 연산자를 함께 사용
하면 ! 연산이 먼저 수행된다.

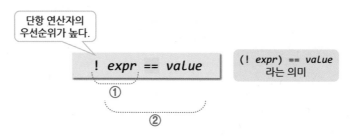

[그림 4-13] ! 연산자의 우선순위

■ **&& 연산이 || 연산보다 먼저 수행된다.**

&& 연산자와 || 연산자를 함께 사용하면 && 연산자의 우선순위가 더 높기 때문에 &&
연산이 먼저 수행된다.

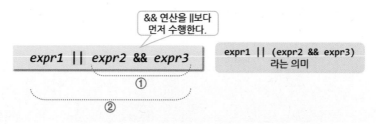

[그림 4-14] && 연산자와 || 연산자의 우선순위

■ **0인지 비교하는 대신 ! 연산자를 사용할 수 있다.**

수식이 0인지 비교하는 대신 논리 NOT 연산자인 !을 이용하면 어떤 값이 거짓인지 검사
할 수 있다. 즉, *expr* == 0은 항상 !*expr*과 같은 의미이다.

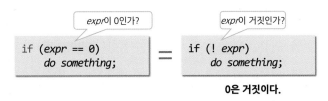

[그림 4-15] ! 연산자의 활용

4.2.6 비트 연산자

비트 연산자는 피연산자의 각 비트 단위로 연산을 수행한다. 예를 들어 피연산자가 4바이트 크기의 int형이면 4바이트 정수값에 대한 연산을 수행하는 것이 아니라 32비트의 2진 데이터 비트들에 대한 연산을 수행한다. **비트 연산자는 피연산자로 정수형만 사용할 수 있다.**

비트 연산자에는 비트 논리 연산자(bitwise logic operator)와 비트 이동 연산자(bitwise shift operator)가 있다.

〈표 4-9〉 비트 연산자의 의미

구분	비트 연산자	의미
비트 논리 연산자	x & y	x와 y의 각 비트 단위로 논리 AND 연산
	x | y	x와 y의 각 비트 단위로 논리 OR 연산
	x ^ y	x와 y의 각 비트 단위로 논리 XOR 연산
	~x	x의 각 비트 단위로 논리 NOT 연산
비트 이동 연산자	x ≪ y	x의 각 비트를 y만큼 왼쪽으로 이동
	x ≫ y	x의 각 비트를 y만큼 오른쪽으로 이동

(1) 비트 논리 연산자

비트 논리 연산자는 각 비트에 대하여 논리 연산을 수행한다.

〈표 4-10〉 비트 논리 연산의 결과

x의 비트	y의 비트	x & y	x | y	x ^ y	~x
0	0	0	0	0	1
0	1	0	1	1	1
1	0	0	1	1	0
1	1	1	1	0	0

&, |, ^ 연산자는 피연산자의 각 비트끼리 연산을 수행하므로, 피연산자의 데이터형이 같지 않으면 형 변환을 수행한 다음 논리 연산을 수행한다. 피연산자의 데이터형이 같아도 int형보다 작은 형이면 int형으로 승격 후 연산을 수행한다. ~ 연산자는 피연산자를 int형 으로 승격시킨 후, 피연산자의 각 비트를 반전시킨다.

```c
unsigned short a = 0x1234;        // a는 2바이트 크기
unsigned short b = 0x5678;        // b는 2바이트 크기
printf("%d", sizeof(a & b));      // a, b를 int로 변환 후 연산하므로 a & b는 4바이트 크기
printf("%d", sizeof(~a));         // a를 int로 변환 후 연산하므로 ~a는 4바이트 크기
```

[그림 4-16]은 unsigned int형의 변수 x, y에 대하여 비트 AND 연산이 수행되는 과정 이다. 변수 x, y가 같은 형이므로 형 변환 없이 같은 자리의 비트끼리 AND 연산을 수행한 다. 비트 AND 연산은 피연산자의 비트가 둘 다 1인 경우에만 해당 비트가 1이 된다.

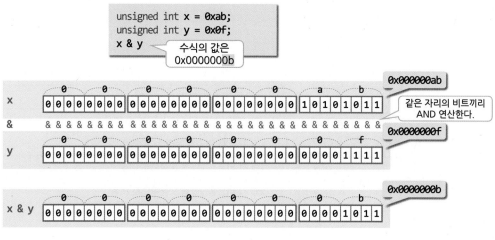

[그림 4-16] 비트 AND 연산의 수행 과정

[그림 4-17]은 비트 AND 연산의 의미를 알아보기 위해서 [그림 4-16]의 최하위 바이트 부분만 자세히 살펴본 것이다. x와 y를 비트 AND 연산하면 x의 비트 중에 y의 비트가 1 인 부분은 x의 비트값이 유지되고, 나머지 비트는 모두 0이 된다. 이처럼 비트 논리 연산에 서 이용되어 특정 비트값을 조작하기 위한 목적의 데이터를 **비트마스크(bitmask)** 또는 **마 스크(mask)**라고 한다. 비트 AND 연산자를 이용하면 특정 위치의 비트를 검사하는 마스 크를 만들 수 있다.

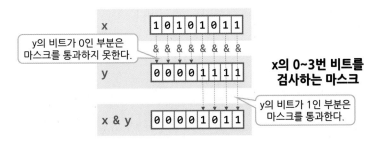

[그림 4-17] 비트 AND 연산자로 만든 마스크

[그림 4-18]은 비트 OR 연산이 수행되는 과정이다. 비트 OR 연산은 피연산자의 비트 중 하나라도 1이면 해당 비트가 1이 된다.

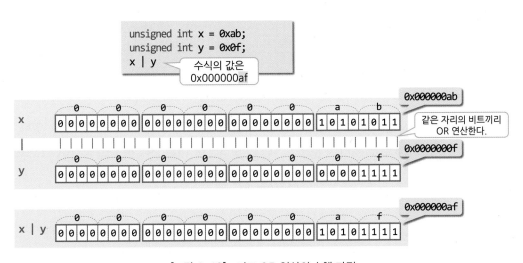

[그림 4-18] 비트 OR 연산의 수행 과정

비트 OR 연산자를 이용하면 특정 위치의 비트를 1로 만드는 마스크를 만들 수 있다. [그림 4-19]를 보면 x의 비트 중 y의 비트가 1인 부분은 모두 1이 되고, 0인 부분은 x의 비트 값이 통과한다.

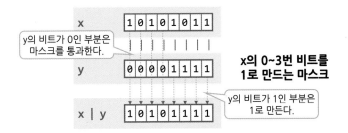

[그림 4-19] 비트 OR 연산자로 만든 마스크

[그림 4-20]은 비트 XOR 연산이 수행되는 과정이다. 비트 XOR 연산은 피연산자의 비트가 서로 다른 경우에 해당 비트가 1이 된다.

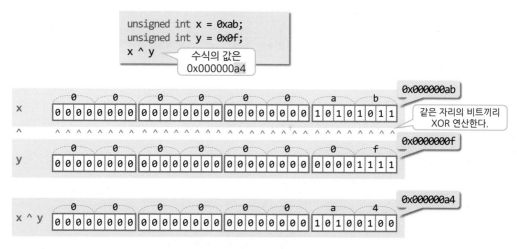

[그림 4-20] 비트 XOR 연산의 수행 과정

비트 XOR 연산자를 이용하면 특정 비트를 토글(toggle)시키는 마스크를 만들 수 있다. 즉, 0은 1로, 1은 0으로 만든다. [그림 4-21]을 보면 x의 비트 중 y의 비트가 1인 부분은 토글되고, 0인 부분은 x의 비트값이 통과한다.

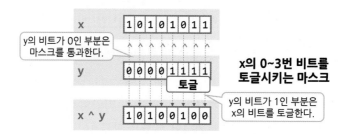

[그림 4-21] 비트 XOR 연산자로 만든 마스크

[그림 4-22]는 비트 NOT 연산이 수행되는 과정이다. 비트 NOT 연산자는 피연산자의 각 비트를 반전시킨다. 즉, 0은 1로, 1은 0으로 만든다.

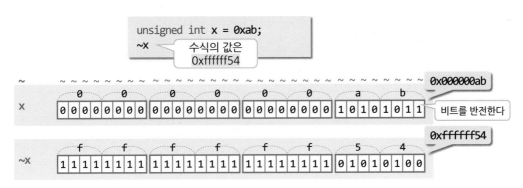

[그림 4-22] 비트 NOT 연산의 수행 과정

[예제 4-7]은 비트 논리 연산의 결과값을 알아보기 위한 코드이다.

📄 **예제 4-7** : 비트 논리 연산의 결과값

```
01    #include <stdio.h>
02
03    int main(void)
04    {
05        unsigned int x = 0xab;                     // 0x000000ab
06        unsigned int y = 0x0f;                     // 0x0000000f
07
08        printf("%08x & %08x = %08x\n", x, y, x & y);     // 비트 AND
09        printf("%08x | %08x = %08x\n", x, y, x | y);     // 비트 OR
10        printf("%08x ^ %08x = %08x\n", x, y, x ^ y);     // 비트 XOR
11        printf("~%08x = %08x\n", x, ~x);                 // 비트 NOT
12    }
```

> %08x는 8문자 폭에 맞춰서 16진수로 출력하면서, 빈칸에는 0을 출력한다.

실행 결과 ▪ ▪ ▪

```
000000ab & 0000000f = 0000000b
000000ab | 0000000f = 000000af
000000ab ^ 0000000f = 000000a4
~000000ab = ffffff54
```

(2) 비트 이동 연산자

비트 이동 연산자(<<, >>)는 좌변에 있는 피연산자의 비트들을 우변에 지정한만큼 왼쪽 또는 오른쪽으로 이동(shift)하는 연산자이다.

>> 연산자는 비트들을 오른쪽으로 이동시킨다. 이때, 오른쪽으로 밀려난 비트는 사라지고 왼쪽 빈 자리를 부호 비트로 채운다. 즉, 양수는 0으로, 음수는 1로 채운다. >> 연산자의 좌변이 unsigned형이면 왼쪽 빈 자리를 0으로 채운다. 오른쪽으로 1만큼 이동하면 값은 1/2배가 된다. 즉, **n비트 오른쪽 이동은 2^n으로 나누는 것과 같다.**

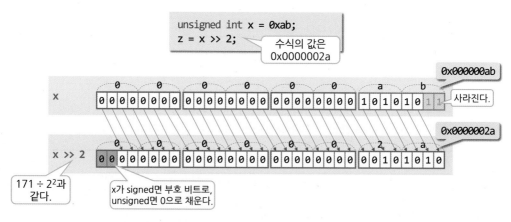

[그림 4-23] 비트 오른쪽 이동 연산의 수행 과정

<< 연산자는 비트들을 왼쪽으로 이동시킨다. 이때, 왼쪽으로 밀려난 비트는 사라지고 오른쪽 빈 자리를 0으로 채운다. 왼쪽으로 1만큼 이동하면 값은 2배가 된다. 즉, **n비트 왼쪽 이동은 2^n을 곱하는 것과 같다.**

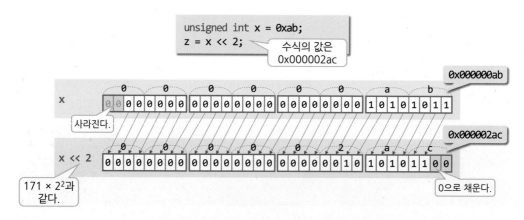

[그림 4-24] 비트 왼쪽 이동 연산의 수행 과정

[예제 4-8]은 비트 이동 연산의 결과값을 알아보기 위한 코드이다.

> 📑 **예제 4-8 : 비트 이동 연산의 결과값**

```
01    #include <stdio.h>
02
03    int main(void)
04    {
05        unsigned int x = 0xab;                  // 0x000000ab
06        unsigned int z;
07
08        printf("x = %#08x, %d\n", x, x);        // 0x000000ab, 171
09
10        z = x >> 2;                             // 비트 오른쪽 이동
11        printf("z = %#08x, %d\n", z, z);        // 0x0000002a, 42 (171 / 4)
12
13        z = x << 2;                             // 비트 왼쪽 이동
14        printf("z = %#08x, %d\n", z, z);        // 0x000002ac, 684 (171 * 4)
15    }
```

실행 결과

```
x = 0x0000ab, 171
z = 0x00002a, 42
z = 0x0002ac, 684
```

4.2.7 조건 연산자

조건 연산자(?:)는 피연산자가 3개인 삼항 연산자이다. 조건 연산자를 사용하는 형식은 다음과 같다.

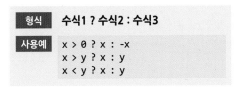

형식	수식1 ? 수식2 : 수식3
사용예	x > 0 ? x : -x x > y ? x : y x < y ? x : y

expr1 ? *expr2* : *expr3*에서 *expr1*이 참(1)이면 *expr2*가 연산의 결과가 된다. *expr1*이 거짓(0)이면 *expr3*가 연산의 결과가 된다. 조건 연산식도 다른 수식의 일부분으로 사용될 수 있다.

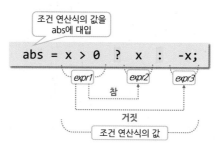

[그림 4-25] 조건 연산식의 값

조건 연산식으로 작성한 문장은 if문으로도 작성할 수 있다. if문에 대해서는 다음 장에 서 자세히 알아보기로 하자.

[예제 4-9]는 조건 연산자를 이용해서 두 수의 절대값, 두 수 중 최소값, 최대값을 구해 서 출력하는 코드이다.

📝 **예제 4-9** : 조건 연산자의 이용 예

```
01    #define  _CRT_SECURE_NO_WARNINGS        // Visual Studio 2022에서 scanf 사용 시 필요
02    #include <stdio.h>
03
04    int main(void)
05    {
06        int x, y;
07        int abs, min, max;
08
09        printf("Input two numbers: ");
10        scanf("%d %d", &x, &y);
11
12        abs = x > 0 ? x : -x;              // x의 절대값을 구한다.
13        printf("absolute value of x   = %d\n", abs);
14
15        abs = y > 0 ? y : -y;              // y의 절대값을 구한다.
16        printf("absolute value of y   = %d\n", abs);
17
18        min = x < y ? x : y;              // x, y중 최소값을 구한다.
19        printf("minimum value of x, y = %d\n", min);
20
21        max = x > y ? x : y;              // x, y중 최대값을 구한다.
22        printf("maximum value of x, y = %d\n", max);
23    }
```

실행 결과

```
Input two numbers: 53 -12
absolute value of x   = 53
absolute value of y   = 12
minimum value of x, y = -12
maximum value of x, y = 53
```

4.2.8 형 변환 연산자

형 변환(type conversion)이란 값의 데이터형을 변경하는 것이다. 형 변환에는 자동으로 수행되는 암시적인 형 변환과 직접 형 변환을 지정하는 명시적인 형 변환이 있다. 명시적인 형 변환에 형 변환 연산자를 이용한다.

(1) 암시적인 형 변환

따로 지정하지 않아도 자동으로 수행되는 형 변환을 **암시적인 형 변환(implicit type conversion)** 또는 **자동 형 변환**이라고 한다. 암시적인 형 변환은 서로 다른 데이터형의 값을 혼합 연산할 때 일어난다. 피연산자의 데이터형이 다르면, 피연산자의 데이터형이 같아지도록 형 변환한 후에 연산을 수행한다.

산술 연산에서 암시적인 형 변환이 일어나는 상황을 정리하면 다음과 같다.

- 피연산자 중 하나가 double이면 나머지를 double로 형 변환한다.
- float와 정수형을 연산하면 정수형을 float로 형 변환한다.
- char나 short은 연산 시 int로 형 변환한다. (정수의 승격)

암시적인 형 변환은 변수의 초기화나 대입에서도 일어난다. 이때는 우변의 값을 좌변의 변수형에 맞춰 형 변환하며, 형 변환 시 값이 손실되면 컴파일러는 경고 메시지를 표시한다.

```
int num = 12.5;        // 실수값을 int으로 형 변환하면서 값이 손실된다.(컴파일 경고)
```

(2) 명시적인 형 변환

프로그래머가 직접 형 변환을 수행하게 하려면 수식 앞에 ( ) 안에 데이터형을 써준다. 이것을 **형 변환 연산자(type cast operator)**라고 한다.

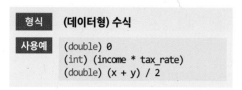

형식	(데이터형) 수식
사용예	(double) 0 (int) (income * tax_rate) (double) (x + y) / 2

/ 연산자는 피연산자가 정수형이면 몫을 정수로 구한다. 이때, 피연산자 중 하나를 double로 형 변환하면 몫을 실수로 구할 수 있다.

[예제 4-10]은 명시적인 형 변환이 필요한 경우를 알아보기 위한 예제이다.

예제 4-10 : 명시적인 형 변환이 필요한 경우

```
01    #define  _CRT_SECURE_NO_WARNINGS      // Visual Studio 2022에서 scanf 사용 시 필요
02    #include <stdio.h>
03
04    int main(void)
05    {
06        int x, y;
07        double ave;
08
09        printf("Input two numbers: ");
10        scanf("%d %d", &x, &y);
11
12        ave = (x + y) / 2;                // int / int의 몫을 int로 구한다.
13        printf("average = %f\n", ave);
14        ave = (double) (x + y) / 2;       // 명시적인 형 변환으로 몫을 double로 구한다.
15        printf("average = %f\n", ave);
16    }
```

실행 결과   ■ ■ ■

```
Input two numbers: 10 11
average = 10.000000
average = 10.500000
```

형 변환 연산자를 사용할 때 형 변환이 언제 수행되는지에 따라 연산의 결과가 달라진다. 형 변환 연산자는 단항 연산자이므로 다른 이항 연산자보다 우선순위가 높다. 따라서 연산의 결과를 형 변환을 하려면 형 변환할 연산식을 ( )로 감싸주어야 한다.

```
tax = (int) income * tax_rate;        // income을 int로 변환해서 * 연산을 수행한다.
tax = (int)(income * tax_rate);       // * 연산 결과를 int로 변환한다.
```

Further Study

콤마 연산자

콤마(,)도 연산자이다. 콤마를 중심으로 좌변과 우변에 각각 수식이 올 수 있는데, 좌변의 수식부터 계산하고 우변에 있는 수식의 값이 연산의 결과가 된다.

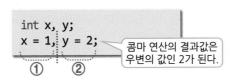

콤마 연산의 결과값은 우변의 값인 2가 된다.

▶ Quiz

1. 산술 연산자 중 나머지를 구하는 연산자는?

   ① +   ② −   ③ *   ④ /   ⑤ %

2. 연산 결과가 int형인 것을 모두 고르시오.

   ① int + int   ② double * int   ③ float / int   ④ short * short   ⑤ short + char

3. 다음 수식 중 증가된 변수의 값이 수식의 값인 것은?

   ① ++x   ② x++   ③ --x   ④ 1 + x   ⑤ x + 1

4. 대입 연산자의 좌변에 올 수 있는 것은?

   ① 상수   ② 변수   ③ 연산식   ④ 매크로 상수   ⑤ const 변수

5. x = x / 2;와 같은 의미의 복합 대입 연산자는?

   ① x += 2;   ② x >>= 2;   ③ x /= 2;   ④ x <<= 2;

6. 관계 연산식의 값이 아닌 것은?

   ① 1   ② 0   ③ −1

7. 피연산자의 비트가 서로 다른 경우에만 1이 되는 비트 연산자는?

    ① &&   ② || ③ !   ④ &   ⑤ | ⑥ ~   ⑦ ^

8. 수식1이 참이면 수식2가 연산의 결과가 되고, 거짓이면 수식3이 연산의 결과가 되는 연산자는?

    ① *=   ② &&   ③ ?:   ④ /=   ⑤ 《

9. 다음 중 형 변환 연산자에 의해서 수행되는 형 변환은?

    ① 암시적인 형 변환   ② 자동 형 변환   ③ 변수의 승격   ④ 명시적인 형 변환

4.3 연산자의 우선순위와 결합 규칙

4.3.1 연산자의 우선순위

수식에서 여러 연산자가 함께 사용될 때, **연산자의 우선순위(precedence)에 의해서 연산자의 수행 순서가 결정된다.** 일반적인 연산자의 우선순위는 다음과 같다.

[그림 4-26] 일반적인 연산자의 우선순위

〈표 4-11〉은 연산자의 우선순위와 결합 방향을 정리한 것이다. 표의 위쪽에서 아래쪽으로 내려갈수록 우선순위가 낮아지며, 같은 칸에 있는 연산자의 우선순위는 같다. 연산자의 우선순위가 같을 때는 결합 방향 순서대로 연산을 수행한다.

〈표 4-11〉 연산자 우선순위와 결합 방향

우선순위	연산자	의미	결합 방향
1	x++ x--	후위형 증감	→
	x( )	함수 호출	
	x[y]	배열 인덱스	
	x.y	멤버 접근	
	x->y	간접 멤버 접근	

우선순위	연산자	의미	결합 방향
2	++x --x	전위형 증감	←
	+x -x	부호	
	!x ~x	논리 NOT, 비트 NOT	
	(type)x	형 변환	
	*x	역참조	
	&x	주소 구하기	
	sizeof(type) sizeof x	바이트 크기 구하기	
3	x*y x/y x%y	곱하기, 나누기, 나머지	→
4	x+y x-y	더하기, 빼기	→
5	x<<y x>>y	비트 왼쪽 이동, 비트 오른쪽 이동	→
6	x<y x<=y	작다, 작거나 같다	→
	x>y x>=y	크다, 크거나 같다	
7	x==y x!=y	같다, 같지 않다	→
8	x&y	비트 AND	→
9	x^y	비트 XOR	→
10	x|y	비트 OR	→
11	x&&y	논리 AND	→
12	x||y	논리 OR	→
13	x?y:z	조건	←
14	x=y	대입	←
	x+=y x-=y	복합 대입(더하기, 빼기)	
	x*=y x/=y x%=y	복합 대입(곱하기, 나누기, 나머지)	
	x<<=y x>>=y	복합 대입(비트 이동)	
	x&=y x^=y x|=y	복합 대입(비트 AND, XOR, OR)	
15	x,y	콤마	→

단항 연산자는 이항 연산자보다 우선순위가 높기 때문에 단항 연산식에는 ( )를 생략할 수 있다.

```
++x * 2                    // (++x) * 2로 계산된다.
```

산술 연산자는 관계 연산자보다 우선순위가 높기 때문에 산술 연산의 결과를 비교할 때
는 ( )를 생략할 수 있다.

```
x + 1 > 0                    // (x + 1) > 0으로 계산된다
```

대입 연산자는 우선순위가 낮으므로 '변수 = 수식'의 형태인 경우 항상 수식의 값을 먼
저 계산한다.

```
result = x << y;             // x << y를 먼저 계산한 다음 = 연산을 수행한다.
```

연산자의 우선순위를 모두 외울 필요는 없다. [그림 4-26]의 일반적인 우선순위만 기억
하고, 혼동될 때는 ( )를 사용하는 것이 좋다.

```
result = (x + y) / 2;        // 우선순위가 혼동되면 ( )로 묶어준다.
```

4.3.2 연산자의 결합 규칙

**연산자의 결합 규칙은 같은 우선순위의 연산자에 대해서 어느 방향으로 연산을 수행할
지를 결정한다.** 예를 들어 x + y + z는 ((x + y) + z)으로 처리되는데, 이처럼 문장을 읽는
순서대로 처리되는 경우에는 → 방향으로 결합된다. 대부분의 연산자는 → 방향으로 결합
된다. 예외적으로 단항 연산자와 대입 연산자는 ← 방향으로 결합된다.

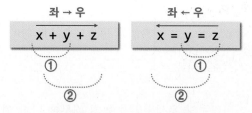

[그림 4-27] 연산자의 결합 규칙

[예제 4-11]은 연산자의 우선순위와 결합 규칙을 알아보기 위한 예제이다.

예제 4-11 : 연산자의 우선순위와 결합 규칙

```
01    #include <stdio.h>
02
03    int main(void)
04    {
05        int x = 5, y = 1, z = 15;
06        int result;
07
08        result = ++x * 2;        // (++x) * 2로 계산된다. x는 증가되어 6이 된다.
09        printf("result = %d\n", result);
10
11        result = x + 1 > 0;      // (x + 1) > 0으로 계산된다.
12        printf("result = %d\n", result);
13
14        result = x << y;         // x << y를 먼저 계산한 다음 = 연산을 수행한다.
15        printf("result = %d\n", result);
16
17        result = (x + y) / 2;    // 우선순위가 혼동되면 ( )로 묶어준다.
18        printf("result = %d\n", result);
19
20        result = x = y;          // =는 왼쪽 방향으로 결합되므로 result=(x=y)로 계산된다.
21        printf("result = %x\n", y);
22    }
```

실행 결과
```
result = 12
result = 1
result = 12
result = 3
result = 1
```

1. 수식에서 여러 연산자가 함께 사용될 때 연산자의 수행 순서를 결정하는 것은?
   ① 연산자의 우선순위　　　② 연산자의 결합 규칙　　　③ 피연산자의 형 변환 규칙

2. 같은 우선순위의 연산자에 대해서 어느 방향으로 연산을 수행할지에 대한 규칙은?
   ① 연산자의 우선순위　　　② 연산자의 결합 규칙　　　③ 피연산자의 형 변환 규칙

1. **연산자에 대한 설명 중 잘못된 것을 모두 고르시오.**

    ① 연산자는 연산에 사용되는 기호이다.   ② 연산의 대상이 되는 값을 피연산자라고 한다.

    ③ 연산자를 포함하는 수식에는 항상 값이 있다.   ④ 피연산자가 없는 연산자도 있다.

    ⑤ #을 연산자로 정의해서 사용할 수 있다.   ⑥ ^는 단항 연산자이다.

    ⑦ 콤마(,)도 연산자이다.   ⑧ 연산식을 다른 수식에 일부로 사용할 수 없다.

2. **다음 중 단항 연산자를 모두 고르시오.**

    ① +   ② −   ③ ++   ④ !   ⑤ sizeof

    ⑥ ⟨⟨   ⑦ &&   ⑧ ~   ⑨ *=   ⑩ ==

3. **산술 연산자에 대한 설명 중 잘못된 것을 모두 고르시오.**

    ① 더하기(+), 빼기(−), 곱하기(*), 나누기(/), 나머지(%) 연산자가 있다.

    ② +, −는 부호 연산자로 사용될 수 있다.

    ③ 정수 / 정수는 몫을 실수로 구한다.

    ④ 나머지(%) 연산자는 실수에도 사용할 수 있다.

    ⑤ 정수와 실수를 혼합 연산하면 실수형으로 형 변환한다.

    ⑥ 피연산자의 데이터형이 같을 때는 형 변환하지 않는다.

    ⑦ +, − 연산자보다 *, / 연산자의 우선순위가 높다.

4. **다음 연산식의 결과가 어떤 형인지 쓰시오.**

    (1) 1 + 0.5   (   )   (2) 1.01F + 0.5   (   )

    (3) 0.5F * 2.4   (   )   (4) 12 + 56   (   )

    (5) char ch = 'a';   (6) short a = 10, b = 20;

         ch + 1   (   )   a − b   (   )

5. **다음과 같이 선언된 변수에 대하여 연산 후 연산식과, x, y, z 변수의 값을 쓰시오. (1)~(12) 각각에 대하여 x, y, z 변수가 다음과 같이 선언된 걸로 간주한다.**

    ```
    int x = 1, y = 2, z = 3;
    ```

    (1)   z % y   (2)   ++y;

    (3)   z = x--;   (4)   z = y = x;

    (5)   z *= x;   (6)   z *= y + 1;

    (7)   x > z && y < z   (8)   ! x || y < z

    (9)   x && y   (10) z << y

    (11) x |= z   (12) y = x + 1 > z ? y : y − 1;

6. 관계 연산자와 논리 연산자에 대한 설명 중 잘못된 것을 모두 고르시오.

   ① 두 수의 값을 비교하는 연산자를 관계 연산자라고 한다.

   ② =은 두 수가 같은지 비교하는 연산자이다.

   ③ 논리 연산식의 값은 항상 0 또는 1이다.

   ④ 관계 연산자과 논리 연산자를 함께 사용하면 관계 연산자부터 수행한다.

   ⑤ ~은 논리 NOT 연산자이다.

   ⑥ 논리 연산자의 피연산자의 값이 1일 때만 참으로 간주한다.

   ⑦ expr != 0 대신 ! expr을 사용할 수 있다.

   ⑧ && 연산이 ||보다 먼저 수행된다.

7. 비트 논리 연산에서 이용되어 특정 비트값을 조작하기 위한 목적의 데이터를 무엇이라고 하는가?

8. 다음 연산식에 대하여 연산이 수행되는 순서대로 ( )로 묶어서 표시하시오.

   (1) x - y / 3

   (2) x < 0 || x > 100

   (3) x == 0 || y == 0 && z == 1

   (4) x = a > b

   (5) !x && !y

   (6) x += y * 2

   (7) ~x & y

   (8) x < 0 || ! y && z

   (9) x = x > 0 ? y + 1 : z + 2

   (10) z = (double) x / y

9. 다음은 입장료를 계산하는 코드이다. 입장료가 성수기(6~8월)에는 70,000원이고, 성수기가 아닌 경우에는 35,000원이 되도록 조건 연산자를 이용해서 코드의 빈칸을 채우시오.

```c
#define  _CRT_SECURE_NO_WARNINGS    // Visual Studio 2022에서 scanf 사용 시 필요
#include <stdio.h>

int main(void)
{
    int month;
    int fee;

    printf("what month? ");
    scanf("%d", &month);            // 몇 월인지 입력받는다.
    fee = _____;

    printf("entrance fee = %d\n", fee);
}
```

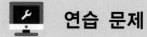

10. 다음 프로그램의 실행 결과는?

```c
#include <stdio.h>

int main(void)
{
    unsigned char a = 0xcd;
    unsigned char b = 0xf0;
    unsigned char c;

    c = a ^ b;
    printf("z = %02x\n", c);

    c = ~a | b << 2;
    printf("z = %02x\n", c);
}
```

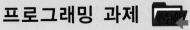

1. 질량과 부피를 실수로 입력받아 밀도를 구하는 프로그램을 작성하시오. 질량은 g 단위로 입력받고, 부피는 cm³ 단위로 입력받는다. [산술 연산자/난이도 ★]

$$밀도(g/cm^3) = \frac{질량(g)}{부피(cm^3)}$$

실행 결과
```
질량(g)? 33
부피(세제곱센티미터)? 400
밀도: 0.082500
```

2. 월 사용량(kWh)을 입력받아 전기 요금을 계산하는 프로그램을 작성하시오. 사용량에 따른 요금은 190원/hWh이다. [산술, 대입 연산자/난이도 ★]

전기요금 = 월사용량(kWh)×190원/kWh

실행 결과
```
월 사용량(kWh)? 375
전기 요금: 71250원
```

3. 기본 요금과 월 사용량(kWh)을 입력받아 전기 요금을 계산하는 프로그램을 작성하시오. 사용량에 따른 요금은 190원/hWh이다. [산술, 복합 대입 연산자/난이도 ★]

전기요금 = 기본요금 + 월사용량(kWh)×190원/kWh

실행 결과
```
기본 요금? 2500
월 사용량(kWh)? 375
전기 요금: 73750원
```

★ 기본 요금을 저장할 변수를 별도로 선언하지 않고 복합 대입 연산자를 이용해서 연산식을 만들 수 있다.

4. 날짜 중 월을 입력받아서 1~12 사이의 값이 입력되면 올바른 값이라고 출력하고, 아니면 잘못된 값이라고 출력하는 프로그램을 작성하시오. [관계, 논리, 조건 연산자/난이도 ★]

실행 결과
```
몇 월? 15
잘못된 값입니다.
```

★ expr1 ? expr2 : expr3에서 expr1, expr2, expr3 위치에 printf 함수 호출문을 사용할 수 있다. printf 함수는 리턴값이 있는 함수이기 때문이다.

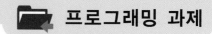

프로그래밍 과제

5. 화씨 온도(℉)를 실수로 입력받아 섭씨 온도(℃)로 변환해서 출력하는 프로그램을 작성하시오. 화씨 온도를 섭씨 온도로 변환하는 공식은 다음과 같다. [산술, 대입 연산자/난이도 ★★]

$$섭씨\ 온도 = (화씨\ 온도 - 32) \times \frac{5}{9}$$

> **실행 결과**   ...
>
> 화씨온도? `72`
> 72 F = 22.22 C

★ '정수 / 정수'는 몫을 정수로 구하므로 5/9는 0이 된다. 따라서 5.0/9.0를 구해서 사용해야 한다.

6. 질량과 속력을 실수로 입력받아 운동 에너지를 구하는 프로그램을 작성하시오. 질량은 kg 단위, 속력은 m/s 단위로 입력받는다. [산술, 대입 연산자/난이도 ★★]

$$운동\ 에너지 = \frac{1}{2} \times 질량 \times (속력)^2$$

> **실행 결과**   ...
>
> 질량(kg)? `5.5`
> 속력(m/s)? `4`
> 운동에너지: 44.00 J

7. 용매의 질량과 용질의 질량을 정수로 입력받아 용액의 퍼센트 농도를 구하는 프로그램을 작성하시오. 용매의 질량와 용질의 질량은 g 단위로 입력받는다. [산술 연산자, 형 변환 연산자/난이도 ★★]

$$퍼센트\ 농도(\%) = \frac{용질의\ 질량}{용매의\ 질량 + 용질의\ 질량} \times 100$$

> **실행 결과**   ...
>
> 용매(g)? `200`
> 용질(g)? `24`
> 농도: 10.71 %

8. 동영상의 재생 시간을 초 단위로 입력받아 몇 시간 몇 분 몇 초인지 출력하는 프로그램을 작성하시오. [나머지 연산자/난이도 ★]

> **실행 결과**   ...
>
> 재생 시간(초)? `3750`
> 재생 시간은 1시간 2분 30초입니다.

★ 조건 연산자를 이용하면 "재생 시간은 0시간 5분 0초입니다." 라고 출력하는 대신 "재생 시간은 5분입니다."라고 출력하도록 프로그램을 개선할 수 있다. 즉, 시, 분, 초값이 0이 아닌 경우에만 출력하도록 처리할 수 있다.

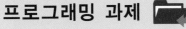

9. 제품의 가격과 할인율(%)을 입력받아서 할인가와 에누리 금액을 출력하는 프로그램을 작성하시오.
   [형 변환 연산자 /난이도 ★]

> **실행 결과**
>
> ```
> 제품의 가격? 12000
> 할인율(%)? 25
> 할인가: 9000원 (3000원 할인)
> ```

10. 부호 없는 정수를 16진수로 입력받아 최하위 바이트부터 순서대로 각 바이트의 값을 16진수로 출력
    하는 프로그램을 작성하시오. & 연산자를 이용한 비트마스크를 이용하시오. [비트 연산자/난이도 ★★]

> **실행 결과**
>
> ```
> 16진수로 데이터를 입력하세요: 0xa1b2c3d4
> byte 0 : d4
> byte 1 : c3
> byte 2 : b2
> byte 3 : a1
> ```

11. 24비트 트루컬러를 나타내는 RGB 표기법은 red, green, blue에 각각 8비트를 사용해서 색상
    을 표현한다. RGB 색상은 32비트로 저장되는데, 최하위 바이트부터 red, green, blue의 순
    서로 색상 정보를 저장하고 최상위 바이트는 사용하지 않는다. red, green, blue를 입력받아서
    RGB 색상을 만들어서 출력하는 프로그램을 작성하시오. RGB 색상을 출력할 때는 바이트 단위로
    값을 알아보기 쉽도록 16진수로 출력한다. [비트 연산자/난이도 ★★★]

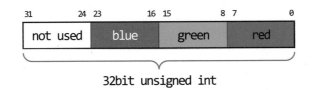

$$\text{32bit unsigned int}$$

> **실행 결과**
>
> ```
> red? 256          ← 256이 아니라 0으로
> green? 128           저장되어야 한다.
> blue? 255
> RGB 색상: FF8000
> ```

★ red, green, blue 값으로 255보다 큰 값을 입력하면 오버플로우로 처리해야 한다. 즉, red 값으로 256이 입력되면
  red에는 0이 저장되어야 한다.

C

Warming-up

C H A P T E R

5

제어문

제어문(control statement)은 프로그램의 수행 순서를 제어한다. 제어문의 종류에는 **조건문, 반복문, 분기문**이 있다. 조건문은 조건에 따라 문장을 선택적으로 수행하게 만든다. 조건문을 선택문이라고도 한다. 반복문은 조건에 따라 문장을 반복해서 수행하게 만든다. 분기문은 실행의 흐름을 변경한다.

〈표 5-1〉 제어문의 종류

제어문의 종류	C 구문	설명
조건문	if	조건식이 참이면 문장을 수행한다.
	switch	정수식의 값에 따라 수행할 문장을 선택한다.
반복문	for	조건식이 참인 동안 문장을 반복 수행한다.
	while	
	do while	
분기문	break	switch나 반복문을 빠져나간다.
	continue	반복문의 처음이나 끝으로 이동한다.
	goto	지정된 레이블의 문장으로 이동한다.
	return	함수를 호출한 곳으로 돌아간다.

5.1 조건문

같은 프로그램도 사용자의 선택에 따라 다르게 동작할 수 있다. 예를 들어 동영상 플레이어에서 한글 자막이나 영문 자막을 선택적으로 보여주거나 아예 자막을 표시하지 않을 수도 있다.

조건문은 조건에 따라 프로그램이 선택적으로 특정 문장을 수행하게 만드는 기능을 제공한다.

5.1.1 if

(1) if의 기본

if문은 ( ) 안에 있는 조건식이 참이면 주어진 문장을 수행하고, 거짓이면 수행하지 않는다. if문의 형식은 다음과 같다.

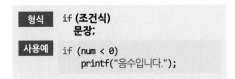

형식	if (조건식) 문장;
사용예	if (num < 0) printf("음수입니다.");

if문을 순서도로 나타내면 [그림 5-1]과 같다. if문은 조건식의 참/거짓에 따라서 실행의 흐름이 나누어졌다가 if의 다음 문장에서 다시 합쳐진다.

[그림 5-1]   if의 순서도와 수행 순서

if의 조건식은 수식이며, 관계 연산식이 주로 사용된다.

```
if (num < 0)            // 조건식인 num < 0이 참일 때만 다음 문장을 수행한다.
    printf("음수입니다.");
```

[예제 5-1]은 if를 사용하는 간단한 예제이다. 점수를 입력받아 70점 미만이면 재시라고 출력한다.

📝 **예제 5-1** : if의 사용 예

```
01    #define  _CRT_SECURE_NO_WARNINGS    // Visual Studio 2022에서 scanf 사용 시 필요
02    #include <stdio.h>
03
04    int main(void)
05    {
06        int score;
07
08        printf("점수? ");              // 점수를 입력받는다.
09        scanf("%d", &score);
10
```

```
11        if (score < 70)
12            printf("재시!!!\n");          // score < 70인 경우에만 수행된다.
13
14        // if문의 다음 문장에서 실행의 흐름이 다시 합쳐진다.
15        printf("다음 수업은 일주일 후입니다.\n");
16    }
```

실행 결과

점수? 67   ◁ if의 조건식이 참인 경우
재시!!!
다음 수업은 일주일 후입니다.

실행 결과

점수? 99   ◁ if의 조건식이 거짓인 경우
다음 수업은 일주일 후입니다.

if의 조건식이 참일 때 수행할 문장이 여러 개면, 수행할 문장들을 { }로 묶어주어야 한다.
이처럼 { }으로 묶인 문장을 **복합문**(compound statement) 또는 **블록**(block)이라고 한다.

```
if (score < 70)           // 조건이 참일 때 수행할 문장이 2개 이상이면 { }로 묶어준다.
{
    printf("재시!!!\n");
    printf("재시는 90점 이상이어야 통과입니다.\n");
}
```

{ } 없이 들여쓰기만 하면 복합문이 아니므로 주의해야 한다.

```
if (score < 70)
    printf("재시!!!\n");                         // 여기까지 if문으로 간주된다.
    printf("재시는 90점 이상이어야 통과입니다.\n");   // if의 다음 문장으로 간주된다.
```

if에서 수행할 문장이 하나일 때도 { }를 써주는 것이 좋다. { }을 사용하는 편이 코드를
더 알아보기 쉽고 나중에 코드를 추가하기도 쉽기 때문이다.

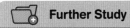
Further Study

복합문 작성 방법

C의 복합문(블록)은 { }로 표시한다. 복합문을 작성할 때는 빈 줄에 { 과 }을 적어주고 { } 안의 문장들을 들여쓰기한다. 소스 코드의 줄 수를 줄이기 위해서 {을 제어문의 ( ) 다음에 써줄 수도 있다. 둘 중 어떤 방법을 사용해도 좋지만 일관성 있게 작성하는 것이 좋다.

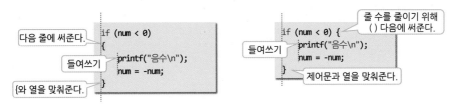

복합문은 if, while같은 제어문에서만 사용되는 것이 아니라 단일문이 사용되는 위치에는 언제든지 사용될 수 있다.

(2) if else

if else문은 if의 조건식이 참이면 if 다음의 문장을 수행하고, 거짓이면 else 다음의 문장를 수행한다.

| 형식 | ```
if (조건식)
    문장1;
else
    문장2;
``` |
|---|---|
| 사용예 | ```
if (num < 0)
    printf("음수입니다.");
else
    printf("양수입니다.");
``` |

if else문을 순서도로 나타내면 [그림 5-2]와 같다. if else는 조건식이 참일 때와 거짓일 때 각각 다른 문장을 수행한 다음 if의 다음 문장에서 실행의 흐름이 합쳐진다.

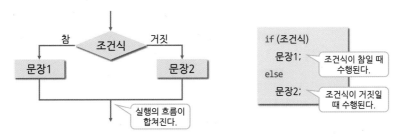

[그림 5-2] if else의 순서도와 수행 순서

num % 2가 0이면 짝수, 그렇지 않으면 홀수라고 출력하는 문장을 if else로 작성하면 다음과 같다. num은 짝수가 아니면 홀수이다. else는 if의 조건식에 대하여 '그렇지 않으면' 이라는 의미로 사용된다.

```
if (num % 2 == 0)        // 2로 나눈 나머지가 0이면 짝수이다.
    printf("짝수입니다.");
else                     // 그렇지 않으면 홀수이다.
    printf("홀수입니다.");
```

이 문장을 if else를 사용하는 대신 2개의 if문으로 작성할 수도 있다. 이 경우에는 num이 짝수인지 검사하는 조건문과 홀수인지 검사하는 조건문을 2번 수행하므로 비효율적이다.

```
if (num % 2 == 0)        // num이 짝수인지 검사하는 조건문을 수행한다.
    printf("짝수입니다.");
if (num % 2 == 1)        // num이 홀수인지 검사하는 조건문을 다시 수행하므로 비효율적이다.
    printf("홀수입니다.");
```

[예제 5-2]는 if else를 사용하여 입력받은 정수의 절대값을 구하는 코드이다.

📃 **예제 5-2 : if else를 이용한 절대값 구하기**

```
01   #define  _CRT_SECURE_NO_WARNINGS      // Visual Studio 2022에서 scanf 사용 시 필요
02   #include <stdio.h>
03
04   int main(void)
05   {
06       int num;                 // 입력받은 정수를 저장할 변수
07       int abs;                 // 구한 절대값을 저장할 변수
08
09       printf("정수? ");
10       scanf("%d", &num);
11
12       if (num < 0)             // num이 음수면
13           abs = -num;
14       else                     // 그렇지 않으면
```

```
15          abs = num;
16
17      printf("%d의 절대값 = %d\n", num, abs);
18  }
```

실행 결과

```
정수? -12
-12의 절대값 = 12
```

if else 대신 조건 연산자를 이용해서 같은 코드를 작성할 수도 있다.

[그림 5-3] if else와 조건 연산자

(3) else if

if else의 else 블록 안에 다른 문장 없이 또 다른 if문만 들어있을 때, else if로 작성할 수 있다. **else if는 여러 가지 조건을 순서대로 검사한다.** else if의 형식은 다음과 같다.

형식
```
if (조건식1)
    문장1;
else if (조건식2)
    문장2;
else
    문장3;
```

사용예
```
if (num < 0)
    printf("음수입니다.");
else if (num > 0)
    printf("양수입니다.");
else
    printf("0입니다.");
```

else if는 항상 if문과 함께 되며, else 앞에 있는 if문의 조건식이 거짓일 때만 else if 다음의 조건식을 검사한다. else if문에 또 다른 else if문을 여러 번 연결할 수 있으며 마지막에 else가 사용될 수 있다.

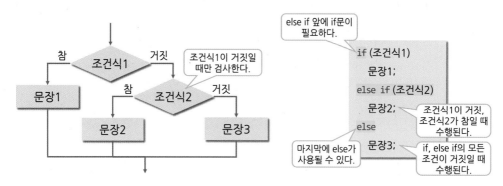

[그림 5-4]   else if의 순서도와 수행 순서

[예제 5-3]은 else if를 사용하여 입력받은 정수가 음수인지 양수인지 0인지 출력하는 코드이다.

📝 **예제 5-3** : else if를 이용한 음수, 양수, 0 판단

```
01    #define  _CRT_SECURE_NO_WARNINGS        // Visual Studio 2022에서 scanf 사용 시 필요
02    #include <stdio.h>
03
04    int main(void)
05    {
06        int num;
07
08        printf("정수? ");
09        scanf("%d", &num);
10
11        if (num < 0)
12            printf("음수입니다.\n");
13        else if (num > 0)                    // num < 0이 거짓이면
14            printf("양수입니다.\n");
15        else                                 // num < 0과 num > 0이 둘 다 거짓이면
16            printf("0입니다.\n");
17    }
```

실행 결과   ■ ■ ■

정수? 0
0입니다.

Further Study

중첩된 if와 다중 if

if문 안에 포함된 if문을 **중첩된 if(nested if)**라고 한다. if 다음 블록에 중첩된 if는 바깥쪽 if가 참일 때만 수행된다. 반대로 else 다음 블록에 중첩된 if는 바깥쪽 if가 거짓일 때만 수행된다.

else 블록 안에 중첩된 if문만 있을 때는 else if로 만들 수 있다. 아래 그림에서 중첩된 if와 else if는 입장료를 계산하는 방법이 같다.

반면에 **다중 if(multiple if)**는 서로 독립적인 여러 개의 조건을 검사할 때 사용한다. 아래 그림에서 65세 이상 할인과 지역 주민 할인은 서로 독립적인 조건이므로 각각의 if문으로 검사해야 한다.

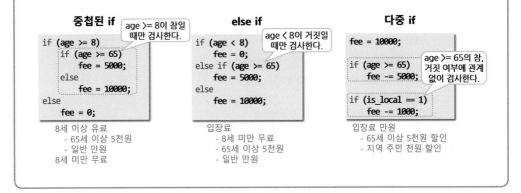

(4) else if의 활용

else if문은 여러 가지 중에서 한 가지를 선택할 때 유용하다. [예제 5-4]는 else if를 이용한 간단한 계산기 프로그램이다. 이 프로그램은 계산할 수식을 '1.2 * 0.5'처럼 입력받은 다음 연산의 결과를 구해서 출력한다.

📄 **예제 5-4 : else if를 이용한 계산기 프로그램**

```
01    #define  _CRT_SECURE_NO_WARNINGS      // Visual Studio 2022에서 scanf 사용 시 필요
02    #include <stdio.h>
03
04    int main(void)
05    {
06        double x, y;                      // 피연산자를 저장할 실수형 변수
07        char op;                          // 연산자 기호를 문자로 저장할 변수
08        double result = 0;                // 계산 결과를 저장할 변수
09
```

```
10        printf("수식? ");
11        scanf("%lf %c %lf", &x, &op, &y);   // 1.2 * 0.5 형태로 입력 받는다.
12
13        if (op == '+')
14            result = x + y;
15        else if (op == '-')
16            result = x - y;
17        else if (op == '*')
18            result = x * y;
19        else if (op == '/')
20            result = x / y;
21        else {                           // +, -, *, /가 아닌 경우
22            printf("잘못된 수식입니다.\n");
23            return 1;                    // 비정상 종료 시 0이 아닌 값을 리턴한다.
24        }
25        // 올바른 수식이 입력된 경우에만 계산 결과를 출력한다.
26        printf("%f %c %f = %f\n", x, op, y, result);
27    }
```

> double형 변수를 입력받으려면
> 서식 지정자로 %lf를 이용한다.

실행 결과

```
수식? 1.2 * 0.5
1.200000 * 0.500000 = 0.600000
```

[예제 5-4]에서 +, -, *, /가 아닌 연산자가 입력되면 "잘못된 수식입니다."라고 에러 메시지를 출력한 다음, return 1;을 수행한다. 이 경우에 계산을 할 수 없으므로 비정상 종료라는 뜻으로 1을 리턴한다. 따라서 26번째 줄의 출력문은 올바른 수식을 입력한 경우에만 수행된다.

5.1.2 switch

(1) switch의 기본

switch문은 ( )의 정수식의 값에 따라 여러 가지 case 중 하나를 선택하여 문장을 수행한다. switch문의 사용 형식은 다음과 같다.

```
형식    switch (정수식)
        {
        case 정수값1:
            문장1; break;
        case 정수값2:
            문장2; break;
                    ⋮
        default:
            문장n; break;
        }
```

```
사용예   switch (menu)
        {
        case 1:
            printf("1번 메뉴 선택");
            break;
        case 2:
            printf("2번 메뉴 선택");
            break;
        default:
            printf("잘못 선택하셨습니다.\n");
            break;
        }
```

switch문의 ( ) 안에 써주는 수식의 값은 반드시 정수여야 한다. switch의 { } 안에는 여러 개의 case를 사용할 수 있다. case문을 작성할 때는, case 다음에 정수값, 콜론(:), 수행할 문장을 순서대로 써준다. case문에서 수행할 문장이 여러 개일 때도, { }를 써줄 필요가 없다. 이미 switch 전체에 { }가 사용되었기 때문이다.

case에서 수행할 문장의 끝에는 break를 써준다. switch 안에서 break를 만나면 switch를 탈출한다. break가 없으면 switch의 끝(})을 만날 때까지 나열된 모든 문장을 수행한다.

일치하는 case가 없을 때 수행할 문장은 default 다음에 써준다. default에서 수행할 문장의 끝에도 break가 필요하다.

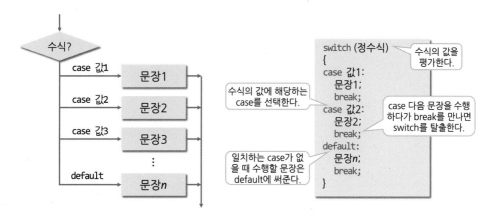

[그림 5-5] switch의 순서도와 수행 순서

콘솔 프로그램에서는 텍스트 기반의 메뉴를 사용하는 경우가 많다. [예제 5-5]는 간단한 메뉴를 보여주고, 메뉴 번호를 입력받아서 처리하는 프로그램이다. 메뉴 선택 시 어떤 메뉴가 선택되었는지를 화면에 출력한다.

예제 5-5 : 텍스트 기반의 메뉴 처리 프로그램

```
01    #define  _CRT_SECURE_NO_WARNINGS       // Visual Studio 2022에서 scanf 사용 시 필요
02    #include <stdio.h>
03
04    int main(void)
05    {
06        int menu;                         // 선택된 메뉴 번호
07
08        printf("1.파일 열기\n");           // 메뉴를 출력한다.
09        printf("2.파일 편집\n");
10        printf("3.파일 저장\n");
11        printf("선택: ");
12
13        scanf("%d", &menu);                // 메뉴 번호를 입력받는다.
14        switch (menu) {                    // menu의 값에 따라 case를 선택한다.
15        case 1:
16            printf("파일 열기 메뉴를 선택했습니다.\n");
17            break;                         // case 다음 나열된 문장의 끝에 break가 필요하다.
18        case 2:
19            printf("파일 편집 메뉴를 선택했습니다.\n");
20            break;
21        case 3:
22            printf("파일 저장 메뉴를 선택했습니다.\n");
23            break;
24        default:                           // 1~3이외의 메뉴 번호 입력 시
25            printf("잘못 선택하셨습니다.\n");
26            break;
27        }
28    }
```

실행 결과

```
1.파일 열기
2.파일 편집
3.파일 저장
선택: 2
파일 편집 메뉴를 선택했습니다.
```

실행 결과

```
1.파일 열기
2.파일 편집
3.파일 저장
선택: 0
잘못 선택하셨습니다.
```

(2) switch와 else if

switch로 작성한 코드는 else if를 이용해서 다시 작성할 수 있다. [예제 5-5]의 메뉴 처리 코드를 else if로 작성하면 다음과 같다.

```
if (menu == 1)
    printf("파일 열기 메뉴를 선택했습니다.\n");
else if (menu == 2)
    printf("파일 편집 메뉴를 선택했습니다.\n");
else if (menu == 3)
    printf("파일 저장 메뉴를 선택했습니다.\n");
else
    printf("잘못 선택하셨습니다.\n");
```

switch와 else if 중 어떤 것을 사용할지는 프로그래머가 결정할 수 있다. 일반적으로 menu == 1처럼 정수값을 비교하고 비교할 값이 2개 이상이면, switch를 사용하는 것이 좋다.

반면에, 조건식이 단순한 정수값 비교가 아닌 경우에는 else if를 사용하는 것이 좋다. 예를 들어 값의 범위를 비교해야 하거나 실수나 문자열을 비교해야 하는 경우에는 else if를 사용하는 것이 좋다.

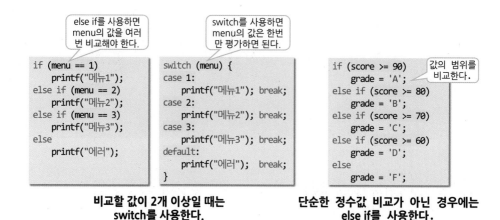

[그림 5-6]　switch와 else if의 선택

(3) switch 사용 시 주의 사항

switch문에서 break는 생략할 수 있다. 특정 case에 대한 break를 생략하면 break나 switch의 끝(})를 만날 때까지 연속된 case의 문장들을 모두 수행한다. [그림 5-7]은 break를 생략했을 때 switch문의 수행 순서이다.

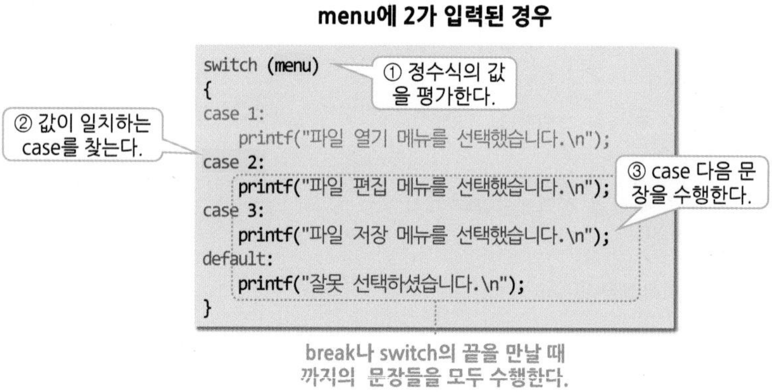

menu에 2가 입력된 경우

```
switch (menu)          ① 정수식의 값
{                         을 평가한다.
case 1:
    printf("파일 열기 메뉴를 선택했습니다.\n");
case 2:
    printf("파일 편집 메뉴를 선택했습니다.\n");
case 3:
    printf("파일 저장 메뉴를 선택했습니다.\n");
default:
    printf("잘못 선택하셨습니다.\n");
}
```

② 값이 일치하는 case를 찾는다.

③ case 다음 문장을 수행한다.

break나 switch의 끝을 만날 때
까지의 문장들을 모두 수행한다.

[그림 5-7]　break 생략 시 switch의 수행 순서

switch문이 올바르게 수행되도록 하려면 case마다 break를 써주어야 하며, default에도 break를 써주는 것이 좋다.

switch문에서 default도 생략할 수 있다. switch의 정수식과 값이 일치하는 case가 없고 default도 없으면, 바로 switch를 빠져나간다. switch문 안에서 default의 위치는 상관없지만, 일반적으로 switch문의 끝부분에 써준다.

menu에 5가 입력된 경우

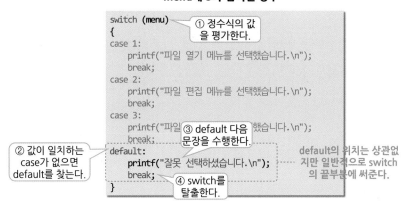

[그림 5-8] default의 수행 순서

5.2 반복문

앞에서 작성한 계산기 프로그램은 입력된 수식을 계산하고 바로 종료한다. 계산기 프로그램이 한번만 계산하고 종료하는 대신 여러 번 반복 계산을 할 수 있으면 더 유용할 것이다. 실제로 우리가 사용하는 대부분의 프로그램은 반복적으로 기능을 수행한다.

반복문은 조건이 만족하는 동안 주어진 문장을 반복해서 수행한다. 반복문을 **루프 (loop)**라고도 부르며, C의 반복문에는 for, while, do while 세 가지가 있다.

5.2.1 for

for문은 정해진 횟수만큼 반복 수행할 때 주로 사용된다. for문은 세 가지 반복문 중에서 가장 정형화된 반복문이다.

(1) for의 기본

기본적인 for문의 사용 형식은 다음과 같다.

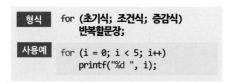

```
형식    for (초기식; 조건식; 증감식)
          반복할문장;
사용예   for (i = 0; i < 5; i++)
          printf("%d ", i);
```

for문은 초기식, 조건식, 증감식과 반복할 문장으로 구성된다. 반복할 문장이 여러 개일 때는 { }로 묶어준다.

for에서는 먼저 초기식을 수행한 다음에 조건식을 검사한다. 조건식이 참이면 반복할 문장을 수행하고 나서 증감식을 수행한다. 여기까지가 반복 1회차에 해당한다. 초기식은 반복 1회차에서만 수행하고, 반복 2회차부터는 '조건식 → 반복할 문장 → 증감식' 순으로 수행한다. 조건식이 거짓이면 더 이상 수행하지 않고 for문을 빠져나간다.

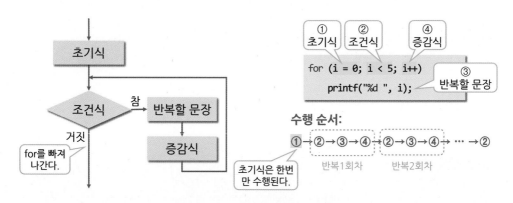

[그림 5-9] for의 순서도와 수행 순서

[예제 5-6]은 for를 이용해서 0~4와 입력받은 정수~0을 출력하는 간단한 예제이다.

예제 5-6 : for의 사용 예

```
01    #define  _CRT_SECURE_NO_WARNINGS        // Visual Studio 2022에서 scanf 사용 시 필요
02    #include <stdio.h>
03
04    int main(void)
05    {
06        int i;
07        int num;
08          [초기식] [조건식] [증감식]
09        for (i = 0; i < 5; i++)              // i가 5가 되면 for 탈출
10            printf("%d ", i);                // 0 ~ 4를 출력한다.
11        printf("\n");
12
13        printf("정수? ");
14        scanf("%d", &num);
15
16        for (i = num; i >= 0; i--)           // i가 -1이 되면 for 탈출
17            printf("%d ", i);                // num ~ 0을 출력
18        printf("\n");
19    }
```

실행 결과

```
0 1 2 3 4
정수? 12
12 11 10 9 8 7 6 5 4 3 2 1 0
```

for문은 어떤 문장을 N번 반복 수행하는 용도로 사용되는 경우가 많다. N번 반복 수행하는 코드는 다음과 같은 형태가 된다.

```
for (i = 0; i < N; i++) {    // 다음 문장을 N번 반복한다. i++ 대신 ++i를 사용해도 된다.
    do something;            // 반복 수행할 문장
}
```

N번 반복 수행하는 대신 다른 방법으로 for문을 사용할 수도 있다. i를 증가하는 대신 감소할 수도 있고, 2씩 더하거나 10씩 곱할 수도 있다. 이때도 조건식이 참인 동안 반복 수행된다.

```
for (i = num; i >= 0; i--)          // 루프 제어 변수를 1씩 감소시킨다.
   printf("%d ", i);                // num ~ 0 출력

for (j = 1; j < 100; j += 2)        // 루프 제어 변수를 2씩 증가시킨다.
   printf("%d ", j);                // 1, 3, 5, ..., 99 출력

for (k = 1; k <= 100000; k *= 10)   // 루프 제어 변수를 10배씩 증가시킨다.
   printf("%d ", k);                // 1, 10, 100, ..., 100000 출력
```

for의 초기식, 조건식, 증감식에서 사용되는 변수를 **루프 제어 변수**라고 한다. 루프 제어 변수의 값은 for의 반복 회차마다 변경되어야 하며, 특정 시점에는 조건식이 거짓이 되어 루프를 탈출할 수 있어야 한다.

 Further Study

루프 제어 변수의 선언

일부 C 코드에서는 for문의 루프 제어 변수를 초기식에서 선언하기도 한다. 단, 이 방법은 C99를 지원하는 C/C++ 컴파일러에서만 사용할 수 있다. ANSI C에서는 변수를 블록의 시작 부분에서만 선언할 수 있다고 제한하고 있기 때문에 for문의 초기식에서 변수를 선언할 수 없다.

Visual Studio 2022도 C99를 지원하는 컴파일러이므로 for의 초기식에서 루프 제어 변수를 선언해도 컴파일 에러가 발생하지는 않는다. 하지만 이 책의 코드는 ANSI C를 기준으로 작성되었으므로, for문이 사용된 함수의 시작 부분에 루프 제어 변수를 선언하는 방식을 따르고 있다.

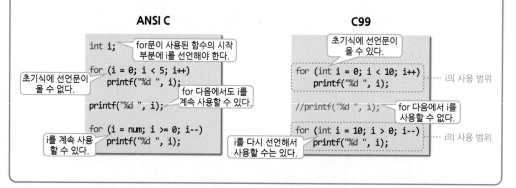

[예제 5-7]은 for문을 이용해서 5개의 정수를 입력받아 합계를 구하는 코드이다.

> **예제 5-7 : 입력된 정수들의 합계 구하기**

```
01    #define   _CRT_SECURE_NO_WARNINGS      // Visual Studio 2022에서 scanf 사용 시 필요
02    #include <stdio.h>
03
04    int main(void)
05    {
06        int num = 0;                      // 입력받은 정수를 저장할 변수
07        int sum = 0;                      // 합계를 저장할 변수 (0으로 초기화)
08        int i;                            // 루프 제어 변수
09
10        printf("정수 5개를 입력하세요: ");
11        for (i = 0; i < 5; i++) {         // i가 5가 되면 루프 탈출
12            scanf("%d", &num);            // i가 0~4일 때 반복 수행
13            sum += num;                   // 입력받은 정수를 더한다.
14        }
15        printf("합계: %d\n", sum);
16    }
```

실행 결과

```
정수 5개를 입력하세요: 76 34 2 12 91
합계: 215
```

(2) for의 여러 가지 변형

for문에서 루프 제어 변수를 여러 개 사용할 수 있다. for의 초기식은 한 문장이지만, 콤마 연산자를 이용해서 i = 0, j = 100처럼 여러 개의 수식을 나열할 수 있다. 증감식도 마찬가지이다.

```
int i, j;                       // 루프 제어 변수를 여러 개 사용할 수 있다.
for (i = 0, j = 100; i < 10 && j > 0; i++, j /= 2)   // 콤마 연산자를 이용한다.
    printf("i = % d, j = % d\n", i, j);
```

처음부터 조건식이 거짓인 경우에는 바로 for를 탈출한다. 이 경우에 반복할 문장과 증감식은 한번도 수행되지 않는다.

```
for (i = 0; i > 5; i++)        // 처음부터 조건식이 거짓인 경우 바로 for를 탈출한다.
    printf("never executed");   // 이 문장은 한번도 수행되지 않는다.
```

for문을 구성하는 초기식, 조건식, 증감식과 반복할 문장은 모두 생략할 수 있다.

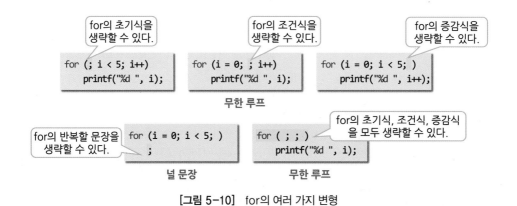

[그림 5-10] for의 여러 가지 변형

for의 초기식, 조건식, 증감식을 생략하더라도 세미콜론은 반드시 써주어야 한다.

```
for ( )                        // 세미콜론을 생략하면 컴파일 에러
    printf("error");
```

for에서 조건식을 생략하면 **무한 루프(infinite loop)**가 된다. 무한 루프는 무한히 실행되므로, 프로그램이 일단 무한 루프로 들어가면 Ctrl+C로 프로그램을 강제 종료해야 한다.

```
for (;;)                       // 조건식을 생략하면 무한 루프
    printf("%d ", i++);        // 무한히 반복 수행하므로 Ctrl+C로 강제 종료해야 한다.
```

for의 반복할 문장도 생략할 수 있다. 따라서, 실수로 for의 ( )다음에 세미콜론을 쓰지 않도록 주의해야 한다.

```
for (i = 0; i < 5; i++);       // for의 반복할 문장이 생략된 것으로 간주된다.
    printf("%d", i);           // printf문은 for문의 다음 문장이 된다.
```

위의 for문을 의미에 맞추어 다시 써보면 다음과 같다. 처리할 내용 없이 세미콜론(;)만

으로 이루어진 문장을 **널 문장(null statement)**이라고 한다.

```
for (i = 0; i < 5; i++)
    ;                           // 널 문장
printf("%d", i);                // printf문은 for문의 다음 문장이 된다.
```

for문의 초기식, 조건식, 증감식에서 필요한 기능을 모두 수행해서 반복할 문장을 따로 지정할 필요가 없을 경우에 널 문장을 사용한다.

```
for (i = 0; i < 10; sum += i++)     // 증감식에서 반복할 연산도 함께 수행하는 경우
    ;   // 세미콜론을 다음 줄에 적어서 널 문장을 명확하게 표시하는 것이 좋다.
```

(3) 중첩된 for

for문 안에 포함된 for문을 **중첩된 for(nested for)**라고 한다. 중첩된 for에서 바깥쪽 for 가 N번, 안쪽 for가 M번 반복 수행하는 경우에 전체 반복 횟수는 M * N이 된다.

```
for (i = 0; i < height; i++) {    // 바깥쪽 for는 height번 반복한다.
    for (j = 0; j < width; j++)   // 안쪽 for(중첩된 for)는 width번 반복한다.
        printf("%c", ch);
    printf("\n");
}
```

중첩된 for의 수행 순서는 다음과 같다. 먼저 바깥쪽 for의 i가 0일 때 안쪽 for가 width 번 반복 수행된다. 안쪽 for를 빠져나가면 printf("\n");이 수행되고 여기까지가 바깥쪽 for 의 반복 1회차가 된다. 이와 같은 수행을 바깥쪽 for에 대해서 height번 반복한다.

[예제 5-8]은 중첩된 for문을 이용해서 직사각형을 그리는 코드이다. 가로로 width개, 세로로 height줄만큼 입력받은 문자(ch)를 출력한다.

📋 **예제 5-8** : 입력된 문자로 직사각형 그리기

```
01    #define  _CRT_SECURE_NO_WARNINGS        // Visual Studio 2022에서 scanf 사용 시 필요
02    #include <stdio.h>
03
04    int main(void)
05    {
06        int width, height;
07        char ch;
08        int i, j;
09
10        printf("직사각형의 폭과 높이? ");
11        scanf("%d %d", &width, &height);    // %d와 %d 사이에 빈칸 지정 (공백 문자 무시)
12        printf("직사각형을 그릴 문자? ");
13        scanf(" %c", &ch);                  // %c 앞에 빈칸 지정 (공백 문자 무시)
14
15        for (i = 0; i < height; i++) {      // 바깥쪽 for는 height번 반복한다.
16            for (j = 0; j < width; j++)     // 안쪽 for(중첩된 for)는 width번 반복한다.
17                printf("%c", ch);
18            printf("\n");
19        }
20    }
```

실행 결과   ▪▪▪

```
직사각형의 폭과 높이? 10 3
직사각형을 그릴 문자? @
@@@@@@@@@@
@@@@@@@@@@
@@@@@@@@@@
```

[예제 5-8]의 13번째 줄에서 문자를 입력받은 부분을 주의해야 한다. 문자를 입력받을 때 " %c" 대신 "%c"를 사용하면 프로그램이 올바르게 수행되지 않는다.

```
scanf("%c", &ch);        // 형식 문자열에 빈칸이 없는 경우
```

이 경우 프로그램이 오동작하는 이유는 다음과 같다. 콘솔 입력에서는 사용자가 키보드를 누르면 입력된 문자를 입력 버퍼에 보관했다가 Enter 키를 눌렀을 때 한꺼번에 프로그

램으로 전달한다. scanf 함수는 이 입력 버퍼에서 값을 읽어온다.

[예제 5-8]을 실행해서 직사각형의 폭과 높이로 "10 3"을 입력하고 Enter 키를 눌렀다고 가정해보자. 이때의 입력 버퍼는 [그림 5-11]처럼 "10 3"과 줄바꿈 문자('\n')가 연속된 문자로 저장된 상태가 된다. scanf("%d %d", &width, &height);는 정수 10을 width로 읽어온 다음, 공백 문자를 모두 무시하고 그 다음 정수 3을 height로 읽어온다. 이때, 입력 버퍼에는 아직 '\n'이 남아있게 된다.

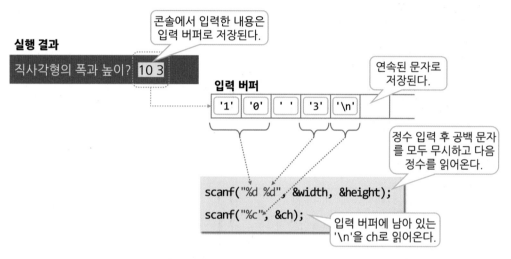

[그림 5-11] 입력 버퍼와 scanf 함수

scanf 함수는 입력 버퍼가 비어있을 때만 새로운 입력을 기다리기 때문에, scanf("%c", &ch);는 입력 버퍼에 남아있던 '\n'을 ch로 읽어오게 된다. 줄바꿈 문자를 읽어오는 대신 문자를 새로 입력받게 하려면 scanf(" %c", &ch);처럼 %c 앞에 빈칸을 추가한다. **scanf의 형식 문자열에서 빈칸을 지정하면 이전 입력에서 입력 버퍼에 남아있는 공백 문자('\n', ' ', '\t')를 무시하고 입력을 처리한다.**

정수나 실수 입력에서는 입력 버퍼의 공백 문자를 무시하고 정수, 실수를 입력받기 때문에 이런 현상이 발생하지 않는다. 하지만 문자 입력의 경우에는 '\n'도 문자로 읽어올 수 있기 때문에, 입력 버퍼의 공백 문자를 무시하려면 형식 문자열에 빈칸을 지정해야 한다.

```
scanf("%d%d", &width, &height);   // 정수, 실수 입력에서는 빈칸이 없어도 공백 문자를 무시한다.
scanf(" %c", &ch);                // 문자 입력에서는 빈칸이 있을 때만 공백 문자를 무시한다.
```

5.2.2 while

(1) while의 기본

기본적인 while의 사용 형식은 다음과 같다.

| 형식 | ```
while (조건식)
    반복할문장;
``` |
|------|------|
| 사용예 | ```
i = 0;
while (i < 5)
    printf("%d ", i++);
``` |

while문은 조건식과 반복할 문장으로 구성되며, 반복할 문장이 여러 개일 때는 { } 안에 적어준다. **while문은 조건식이 참인 동안 반복할 문장을 수행한다.** 조건식이 거짓이 되면 while문을 빠져나가 while문의 다음 문장을 수행한다.

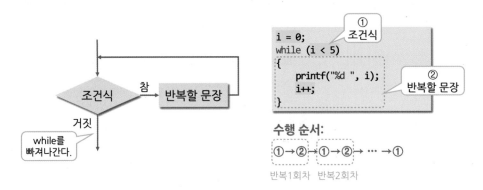

[그림 5-12] while의 순서도와 수행 순서

[예제 5-9]는 while을 이용하여 1~입력받은 정수 사이의 홀수를 모두 출력하는 코드이다.

📄 **예제 5-9** : while을 이용한 홀수 출력

```
01    #define  _CRT_SECURE_NO_WARNINGS     // Visual Studio 2022에서 scanf 사용 시 필요
02    #include <stdio.h>
03
04    int main(void)
05    {
06        int i = 1;                       // 루프 제어 변수 선언 및 초기화
07        int num;
08
```

```
09      printf("정수? ");
10      scanf("%d", &num);
11
12      while (i <= num) {              // i가 num보다 커지면 루프 탈출
13          printf("%d ", i);          // 홀수 출력 (1, 3, 5, …)
14          i += 2;                    // 루프 제어 변수 i는 2씩 증가
15      }
16      printf("\n");
17  }
```

실행 결과

```
정수? 15
1 3 5 7 9 11 13 15
```

while의 조건식은 생략할 수 없다. 따라서, while로 무한 루프를 만들 때는 조건식으로 항상 참인 값을 사용한다.

```
while ()                // 조건식을 생략하면 컴파일 에러
    printf("%d ", i++);


while (1)               // 항상 참인 값을 조건식으로 사용하면 무한 루프가 된다.
    printf("%d ", i++); // 무한히 반복 수행하므로 Ctrl+C로 강제 종료해야 한다.
```

while문의 조건식이 처음부터 거짓이면 반복할 문장은 한번도 수행되지 않는다.

```
i = 0;
while (i > 5) {                     // 처음부터 조건식이 거짓인 경우 바로 while를 탈출한다.
    printf("never executed");       // 이 문장은 한번도 수행되지 않는다.
    i++;
}
```

for문을 while문으로 바꿔서 작성할 수도 있고, 반대로 while문을 for문으로 바꿔서 작성할 수도 있다. while문은 사용 형식이 for문에 비해 간단하다. for문을 while문으로 변경하려면, 먼저 for의 초기식은 while문 앞에 써준다. 조건식은 그대로 사용하고, for의 증

감식은 while 블록의 맨 끝에 써준다. for와 while 중에서 어떤 것을 사용할지는 프로그래머가 마음대로 선택할 수 있다.

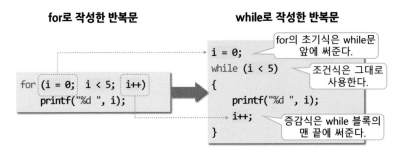

[그림 5-13]　for문과 while문 변환

(2) while의 활용

반복문을 이용하면 프로그램을 유용하게 만들 수 있다. [예제 5-4]에서 작성한 계산기 프로그램은 입력받은 수식을 한번만 계산하고 바로 종료한다. while을 이용하면 반복적으로 수식을 입력받고 계산하게 만들 수 있다.

[예제 5-10]은 while을 이용하여 반복 수행되는 계산기 프로그램이다.

예제 5-10 : 반복 수행되는 계산기 프로그램

```
01    #define  _CRT_SECURE_NO_WARNINGS      // Visual Studio 2022에서 scanf 사용 시 필요
02    #include <stdio.h>
03
04    int main(void)
05    {
06        double x, y;
07        char op;
08        double result = 0;
09        char yesno = 'Y';                // 계속할지 여부 나타내는 변수 ('Y'로 초기화해야 한다.)
10
11        while (yesno == 'Y' || yesno == 'y') {
12            printf("수식? ");
13            scanf("%lf %c %lf", &x, &op, &y);
14
15            if (op == '+')
16                result = x + y;
```

```
17          else if (op == '-')
18              result = x - y;
19          else if (op == '*')
20              result = x * y;
21          else if (op == '/')
22              result = x / y;
23          else {
24              printf("잘못된 수식입니다.\n");
25              return 1;                      // 잘못된 수식이 입력되면 프로그램 종료 (비정상 종료)
26          }
27          printf("%f %c %f = %f\n", x, op, y, result);
28
29          printf("계속 하시겠습니까(Y/N)? ");
30          scanf(" %c", &yesno);              // 계속할지 여부를 입력받는다. %c 앞에 빈칸 필요
31      }
32  }
```

실행 결과

```
수식? 12.5 + 0.12
12.500000 + 0.120000 = 12.620000
계속 하시겠습니까(Y/N)? y      ← 프로그램을 계속할지 여부를
수식? 1.23 * 0.89                 입력받는다.
1.230000 * 0.890000 = 1.094700
계속 하시겠습니까(Y/N)? n
```

프로그램을 반복 수행하려면 우선 프로그램의 종료 조건을 정해야 한다. 예를 들어 프로그램을 종료하기 전에 사용자에게 프로그램을 계속할지 물어볼 수 있다. [예제 5-10]은 프로그램을 계속할지 여부를 yesno 변수에 문자로 입력받는다. 'Y'나 'y'가 입력되면 프로그램을 반복 수행하고, 그렇지 않으면 프로그램을 종료한다.

[예제 5-10]에서 주의할 부분은 yesno 변수의 초기화이다. while의 조건식에서 yesno 변수의 값을 비교하므로 선언 시 yesno를 'Y'나 'y'로 초기화해야 한다. yesno 변수를 초기화하지 않으면 while의 조건식이 거짓이 되므로 while을 한번도 수행하지 않고 루프를 탈출한다.

[예제 5-10]은 잘못된 수식이 입력되면 return 1;로 프로그램을 비정상 종료시킨다.

5.2.3 do while

(1) do while의 기본

do while문은 반복할 문장을 먼저 수행한 다음, 반복문의 끝부분에서 조건식을 검사해서 루프를 탈출할지 결정한다. do while문의 사용 형식은 다음과 같다.

```
형식    do
            반복할문장;
        while (조건식);

사용예   i = 0;
        do
            printf("%d ", i++);
        while (i < 5);
```

do 다음에는 반복할 문장을 적어주는데, 반복할 문장이 여러 개일 때는 { } 안에 적어준다. 반복할 문장 다음에는 while(조건식)을 쓰고, ( ) 다음에는 세미콜론(;)을 써준다. 세미콜론을 빠뜨리면 컴파일 에러이므로 주의해야 한다.

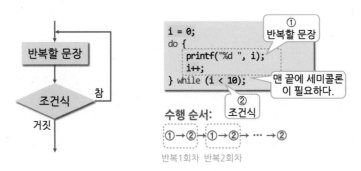

[그림 5-14]   do while의 순서도와 수행 순서

[예제 5-11]은 do while을 이용하여 입력받은 정수를 1/2씩 줄여가면서 1이 될 때까지 출력하는 코드이다. 예를 들어 입력받은 정수가 8이면 8, 4, 2, 1을 출력한다.

📝 **예제 5-11** : do while의 사용 예

```
01    #define  _CRT_SECURE_NO_WARNINGS     // Visual Studio 2022에서 scanf 사용 시 필요
02    #include <stdio.h>
03
04    int main(void)
05    {
```

```
06        int x;
07
08        printf("정수? ");
09        scanf("%d", &x);
10
11        do {                          // do 다음 문장을 반드시 한번은 수행한다.
12            printf("%d ", x);         // x, x/2, x/4, x/8, ... 출력
13            x /= 2;                   // x을 1/2배씩 감소시킨다.
14        } while (x > 0);
15        printf("\n");
16    }
```

실행 결과

```
정수? 100
100 50 25 12 6 3 1
```

(2) for, while, do while의 비교

for나 while은 조건식을 먼저 검사해서 조건식이 참일 때만 반복할 문장을 수행한다. 반면에, do while은 일단 반복할 문장을 수행한 다음에 조건식을 검사한다. 따라서 **for나 while에서는 반복할 문장이 한 번도 수행되지 않을 수 있다. 반면에 do while에서는 반드시 한 번은 수행된다.**

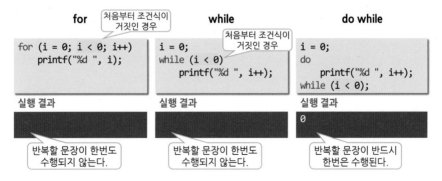

[그림 5-15] for, while, do while의 차이점

반복문의 끝부분에서 반복문을 탈출할지 결정해야 하는 프로그램에서는 while보다 do while을 사용하는 것이 자연스럽다.

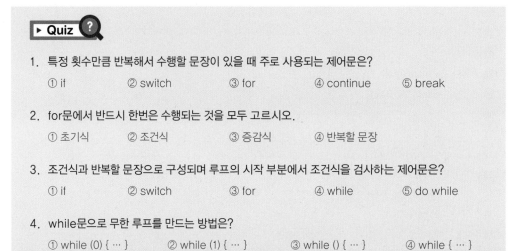

5.3 분기문

분기문을 이용하면 문장의 실행 순서를 변경할 수 있다. 분기문에는 break, continue, goto, return 네 가지가 있다. break와 continue는 반복문과 함께 사용되어 반복문의 수행 순서를 변경하고, goto는 제약 없이 실행의 흐름을 특정 위치로 이동시킨다. return은 함수를 호출한 곳으로 되돌아가게 만든다. break는 switch를 탈출하기 위한 목적으로도 사용된다.

5.3.1 break

(1) break의 기본

break문은 switch나 반복문을 탈출한다. switch 안에서 break를 만나면 switch를 빠져나가서 switch의 다음 문장으로 이동한다. 반복문 안에서 break를 만나면 반복문을 빠져나간다.

[예제 5-12]는 break로 for문을 빠져나가는 예제 코드이다.

📝 **예제 5-12 : break로 for문을 빠져나가는 경우**

```
01    #include <stdio.h>
02
03    int main(void)
04    {
05       int i;
06
07       for (i = 10; i > 0; i--) {       // i > 0이 거짓이 되면 for 탈출 (루프 탈출 조건1)
08          if (i % 3 == 0)               // i % 3 == 0이 참이 되면 for 탈출 (루프 탈출 조건2)
09             break;
10          printf("%d ", i);
11       }
12       printf("\n");
13    }
```

실행 결과   • • •

| 10 | i가 9일 때, i % 3 == 0이 참이 되어 break로 for문을 빠져나간다. |

[예제 5-12]의 반복문은 루프 탈출 조건이 두 가지이다. 첫 번째는 for의 시작 부분에서 조건식(i > 0)이 거짓이 되면 for를 탈출한다. 두 번째는 for 안의 if에서 i % 3 == 0이 참이 되면 break로 for를 탈출한다.

[예제 5-12]의 실행 결과를 보면 10만 출력된다. 먼저 i가 10일 때, if의 조건식이 거짓이므로 for의 나머지 문장(printf문, i--)이 수행된다. 그 다음, i가 9일 때, if의 조건식이 참이 되므로 break로 for문을 빠져나간다.

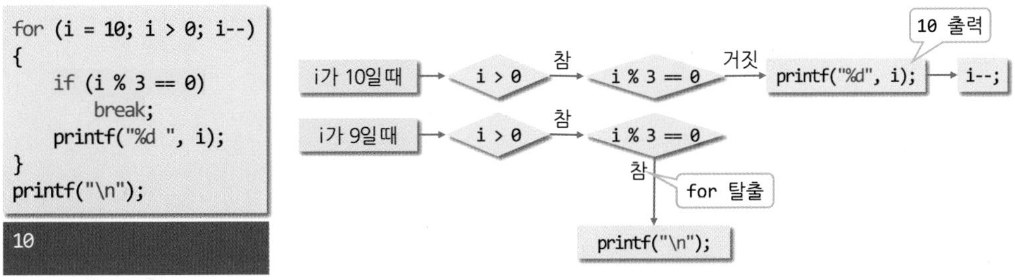

[그림 5-16] [예제 5-12]의 수행 순서

(2) 무한 루프와 break

for나 while은 루프의 시작 부분, do while은 루프의 끝부분에서 조건식을 검사해서 루프를 탈출한다. 루프의 시작이나 끝부분이 아닌 위치에서 루프를 탈출하려면, 무한 루프와 break를 사용한다.

먼저 for의 조건식을 생략하거나, 항상 참인 조건식으로 반복문을 무한 루프로 만든다. 그 다음, 원하는 위치에서 if로 루프 탈출 조건을 검사해서 break로 루프를 탈출한다.

[그림 5-17]   반복문의 루프 탈출 위치

[예제 5-13]은 [예제 5-5]의 메뉴 처리 프로그램을 종료 메뉴가 선택될 때까지 반복 수행하도록 수정한 것이다.

📋 **예제 5-13 : 종료 메뉴가 있는 메뉴 처리 프로그램**

```
01   #define  _CRT_SECURE_NO_WARNINGS     // Visual Studio 2022에서 scanf 사용 시 필요
02   #include <stdio.h>
03
04   int main(void)
05   {
06       int menu;
07
08       while (1) {                      // 무한 루프
09           printf("0.종료\n");           // 종료 메뉴를 추가한다.
10           printf("1.파일 열기\n");
11           printf("2.파일 편집\n");
12           printf("3.파일 저장\n");
13           printf("선택: ");
14
```

```
15        scanf("%d", &menu);,
16        if (menu == 0)              // menu 입력 후 if문으로 루프 탈출 조건을 검사한다.
17            break;                  // 종료 메뉴 선택 시 무한 루프 탈출
18
19        switch (menu) {
20        case 1:
21            printf("파일 열기 메뉴를 선택했습니다.\n");
22            break;
23        case 2:
24            printf("파일 편집 메뉴를 선택했습니다.\n");
25            break;
26        case 3:
27            printf("파일 저장 메뉴를 선택했습니다.\n");
28            break;
29        default:
30            printf("잘못 선택하셨습니다.\n");
31            break;
32        }
33    }
34    printf("프로그램을 종료합니다.\n");
35 }
```

실행 결과

```
0.종료
1.파일 열기
2.파일 편집
3.파일 저장
선택: 1
파일 열기 메뉴를 선택했습니다.
0.종료
1.파일 열기
2.파일 편집
3.파일 저장
선택: 0
프로그램을 종료합니다.
```

[예제 5-13]을 보면 무한 루프 안에서 menu를 입력받은 다음에 루프 탈출 조건(menu == 0)을 검사한다. 종료 메뉴인 0번이 선택된 경우에 while을 빠져나가서 프로그램을 안전하게 종료할 수 있다.

종료 메뉴인 0번 메뉴는 switch에서 처리할 수 없으므로 주의해야 한다. 아래 코드처럼 case 0에서 break를 사용하면 switch만 빠져나갈 뿐 while을 탈출할 수 없다. 따라서, 종료 메뉴는 switch문 앞에서 별도의 if문으로 처리해야 한다.

```
while (1) {
    ⋮
    scanf("%d", &menu);
    switch (menu) {          // 선택된 메뉴 번호
    case 0:                  // 종료 메뉴 선택 시
        break;               // switch를 탈출할 뿐 while을 탈출할 수 없다.
        ⋮
    }
}
```

5.3.2 continue

반복문 안에서 continue를 만나면 루프의 시작이나 끝부분으로 이동한다. for문 안에서 continue를 만나면 for의 시작 부분으로 이동해서 증감식을 수행한 다음, 다시 루프를 반복한다. while문 안에서 continue를 만나면 while의 시작 부분으로 이동해서 루프를 반복한다. do while문 안에서 continue를 만나면 do while의 끝부분으로 이동해서 루프를 반복한다.

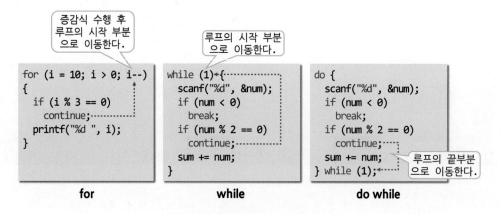

[그림 5-18] 반복문과 continue

[예제 5-14]는 break 대신 continue를 사용하도록 [예제 5-12]를 수정한 것이다. 반복문 안에서 continue를 만나면 for 루프를 빠져나가는 대신 for의 시작 부분으로 이동해서 루프를 반복한다.

예제 5-14 : continue로 for문의 시작 부분으로 이동하는 경우

```
01   #include <stdio.h>
02
03   int main(void)
04   {
05       int i;
06
07       for (i = 10; i > 0; i--) {
08           if (i % 3 == 0)
09               continue;           // 루프의 시작 부분으로 이동한다.
10           printf("%d ", i);
11       }
12       printf("\n");
13   }
```

실행 결과

```
10 8 7 5 4 2 1
```

[예제 5-14]의 실행 결과를 보면 i가 10일 때부터 시작해서 i > 0인 동안 i를 감소시키면서 출력한다. 이때, i가 3의 배수면 continue를 만나 for의 시작 부분으로 이동하므로 i가 출력되지 않는다.

이번에는 continue가 유용하게 사용되는 경우를 알아보자. [예제 5-15]는 입력받은 정수 중 홀수의 합계를 구하는 프로그램이다. num이 음수이면 무한 루프를 탈출한다. num이 짝수일 때는 sum에 더하지 않고 while의 시작 부분으로 이동하며, num이 홀수일 때만 sum에 더한다.

📖 **예제 5-15** : continue를 이용하여 입력된 정수 중 홀수의 합계 구하기

```
01    #define  _CRT_SECURE_NO_WARNINGS       // Visual Studio 2022에서 scanf 사용 시 필요
02    #include <stdio.h>
03
04    int main(void)
05    {
06        int num = 0;
07        int sum = 0;
08
09        while (1) {                         // 무한 루프
10            printf("정수?(음수 입력시 종료) ");
11            scanf("%d", &num);
12            if (num < 0)                     // 음수 입력 시 무한 루프 탈출
13                break;
14            if (num % 2 == 0)                // num이 짝수인 경우 while의 시작 부분으로 이동
15                continue;                    // (짝수는 sum에 더하지 않는다.)
16            sum += num;
17        }
18        printf("홀수의 합계: %d\n", sum);
19    }
```

실행 결과

```
정수?(음수 입력시 종료) 1
정수?(음수 입력시 종료) 200
정수?(음수 입력시 종료) 3
정수?(음수 입력시 종료) 12
정수?(음수 입력시 종료) 5
정수?(음수 입력시 종료) -1
홀수의 합계: 9
```

5.3.3 goto

goto문은 제어의 흐름을 프로그램의 특정 위치로 이동시킨다. goto문을 사용하려면 먼저 이동할 문장을 가리키는 **레이블(label)**이 필요하다. 레이블을 정의할 때는 레이블 이름과 콜론(:)이 필요하다. 레이블도 C 언어의 식별자 규칙에 따라서 이름을 정한다.

```
    x = -1;
    if (x < 0)
        goto error;           // error라는 이름의 레이블 위치로 이동한다.
    printf("이 문장은 실행되지 않는다.");
error:                        // 레이블 이름과 콜론으로 레이블을 정의한다.
    printf("에러 발생");       // goto error;에 의해 다음에 수행되는 문장
```

[예제 5-16]은 goto를 사용하도록 [예제 5-12]를 수정한 것이다.

📄 **예제 5-16 : goto의 사용 예**

```
01    #include <stdio.h>
02
03    int main(void)
04    {
05        int i;
06
07        for (i = 10; i > 0; i--) {
08            if (i % 3 == 0)
09                goto quit;        // quit 레이블이 지정하는 문장으로 이동한다.
10            printf("%d ", i);
11        }
12    quit:                         // 레이블을 만들려면 식별자와 콜론이 필요하다.
13        printf("\n");
14    }
```

실행 결과 ● ● ●

```
10
```

goto문으로 제어의 흐름을 갑자기 임의의 위치로 이동하게 되면, 프로그램이 이해하기 어려워진다. 따라서 꼭 필요한 경우가 아니면 goto문을 사용하지 않는 것이 좋다. goto는 중첩된 루프의 안쪽 루프에서 한꺼번에 여러 개의 루프를 탈출할 때 유용하게 사용된다.

5.3.4 return

return문은 함수를 호출한 곳으로 되돌아가게 만든다. main 함수 안에서 return문을 만나면 main 함수가 리턴되면서 프로그램이 종료된다.

리턴값이 있는 함수에서는 return 다음에 값을 써주고, 리턴값이 없는 함수에서는 return만 써준다.

1. 루프의 시작 부분으로 이동해서 조건문 검사부터 다시 계속하도록 만드는 분기문은?

① break   ② continue   ③ goto   ④ return

2. 조건이 만족할 때 루프를 탈출하기위한 목적으로 사용되는 분기문은?

① break   ② continue   ③ goto   ④ return

연습 문제

1. **if에 대한 설명 중 잘못된 것을 모두 고르시오.**

   ① if의 조건식이 참이면 if 다음의 문장을 수행한다.

   ② if에는 반드시 else가 필요하다.

   ③ if문을 중첩해서 사용할 수 있다.

   ④ 조건 연산자 대신 if else를 사용할 수 있다.

   ⑤ if의 조건식을 생략할 수 있다.

   ⑥ if의 조건식이 참일 때 수행할 문장이 여러 개여도 { }로 묶어줄 필요가 없다.

   ⑦ if else에서 else 다음에 if문만 있을 때는 else if로 만들 수 있다.

2. **if의 조건식이 거짓일 때 수행할 문장을 기술하기 위해서 필요한 키워드를 쓰시오.**

3. **다음 코드에서 조건 연산자를 이용한 문장을 if로 다시 작성하시오.(빨간색 박스 부분)**

```c
#define _CRT_SECURE_NO_WARNINGS        // Visual Studio 2022에서 scanf 사용 시 필요
#include <stdio.h>
int main(void)
{
    int x, y, max;

    printf("두 수를 입력하세요: ");
    scanf("%d %d", &x, &y);
    max = x > y ? x : y;
    printf("큰 수: %d\n", max);
}
```

4. **switch에 대한 설명 중 잘못된 것을 모두 고르시오.**

   ① switch의 ( ) 안에는 정수식을 써주어야 한다.

   ② 정수식의 값과 일치하는 case를 찾을 수 없으면 default에 지정된 문장을 수행한다.

   ③ case문을 빠져나가기 위한 break는 생략할 수 없다.

   ④ case 다음에 실수값이나 문자열을 지정할 수 있다.

   ⑤ case문에서 break가 없으면 break를 만나거나 switch의 끝을 만날 때까지 나오는 모든 문장을 수행한다.

   ⑥ switch에서 default는 생략할 수 있다.

   ⑦ switch 대신 if else로 작성할 수 있다.

   ⑧ case문에서 수행할 문장이 여러 개여도 { }로 묶어줄 필요 없다.

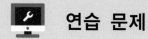

5. 다음의 switch문을 if else로 다시 작성하시오.(빨간색 박스 부분)

```c
#define _CRT_SECURE_NO_WARNINGS        // Visual Studio 2022에서 scanf 사용 시 필요
#include <stdio.h>
int main(void)
{
    int month;
    int fee;
    printf("몇 월? ");
    scanf("%d", &month);
    switch (month) {
    case 7:                            // 7~8월 극성수기 요금
    case 8:
        fee = 70000;
        break;
    case 6:                            // 6월, 9월 성수기 요금
    case 9:
        fee = 55000;
        break;
    default:                           // 나머지 정상 요금
        fee = 40000;
        break;
    }
    printf("입장료 : %d\n", fee);
}
```

6. for에 대한 설명 중 잘못된 것을 모두 고르시오.

① for의 초기식은 for문이 처음 시작될 때 한번만 수행된다.

② for의 초기식, 조건식, 증감식은 생략할 수 없다.

③ for의 반복할 문장은 반드시 한번은 수행된다.

④ for에서 반복할 문장을 생략할 수 있다.

⑤ for의 조건식을 생략하면 무한 루프가 된다.

⑥ for에서 반복할 문장이 여러 개면 { }로 묶어준다.

⑦ for에서 루프 제어 변수를 여러 개 사용할 수 있다.

⑧ for 안에 for를 중첩할 수 없다.

⑨ 초기식이나 증감식에서 여러 문장을 결합하기 위해서 콤마 연산자를 사용한다.

7. 다음의 for문으로 작성된 코드를 while로 다시 작성하시오.(빨간색 박스 부분)

```c
#include <stdio.h>
int main(void)
{
    int i;
    int sum = 0;
    int times = 1;
    for (i = 1; i <= 10; i++) {
        sum += i;
        times *= i;
    }
    printf("합:%d, 곱:%d\n", sum, times);
}
```

8. while과 do while에 대한 설명 중 잘못된 것을 모두 고르시오.

① while의 조건식이 참이면 문장을 수행한다.

② while의 조건식은 루프의 시작 부분에서 검사한다.

③ do while문의 조건식은 루프의 시작 부분에서 검사한다.

④ while은 반복할 문장을 반드시 한번은 수행한다.

⑤ do while은 반복할 문장을 반드시 한번은 수행한다.

⑥ while과 do while의 조건식은 생략할 수 없다.

⑦ while은 for에 비해 정형화된 루프를 구현하는 데 적당하다.

⑧ while문의 조건식이 참일 때 수행할 문장이 여러 개면 { }로 묶어준다.

9. 분기문과 분기문의 역할을 찾아서 연결하시오.

(1) break   ① 루프의 시작이나 끝부분으로 이동한다.

(2) continue   ② switch나 반복문을 탈출한다.

(3) goto   ③ 함수를 호출한 곳으로 돌아간다.

(4) return   ④ 레이블이 지정한 위치로 이동한다.

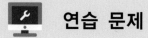

연습 문제

10. 분기문에 대한 설명 중 잘못된 것을 모두 고르시오.

① return문에는 반드시 값을 지정해야 한다.

② break는 if문을 탈출한다.

③ goto문은 제어의 흐름을 특정 위치로 이동한다.

④ for문 안에서 continue를 만나면 루프의 시작 부분으로 제어의 흐름을 이동한다.

⑤ do while문 안에서 continue를 만나면 루프의 끝부분으로 제어의 흐름을 이동한다.

⑥ 반복문 안에 switch문이 포함된 경우에 break를 이용해서 switch문과 반복문을 한번에 탈출할 수 있다.

⑦ goto를 이용하면 중첩된 루프를 한번에 탈출할 수 있다.

⑧ continue를 이용하면 루프의 시작 부분이나 끝부분이 아닌 위치에서 루프를 탈출할 수 있다.

11. 다음 중 무한 루프를 모두 고르시오.

① for(; ;) { printf("a"); }   ② for(i = 0 ; i > 1 ; i++) { printf("%d", i); }

③ while ( ) { printf("a"); }   ④ while (2) { printf("a"); }

⑤ while (0) { printf("a"); }   ⑥ do { printf("a"); } while (1);

⑦ do { printf("a"); } while ( );

12. 다음 프로그램의 실행 결과는?

```c
#include <stdio.h>
int main(void)
{
    int n = 1;
    if (n > 0) {
        n *= 2;
        if (n < 5)
            n += 5;
        else
            n -= 5;
    }
    else
        n++;
    printf("n = %d\n", n);
}
```

13. 다음 프로그램의 실행 결과는?

```c
#include <stdio.h>
int main(void)
{
    int i;
    int n = 0;
    for (i = 1; i < 10; i += 2) {
        if (i % 3 == 0)
            continue;
        n += i;
    }
    printf("n = %d\n", n);
}
```

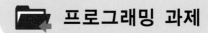

프로그래밍 과제

Programming Assignment

1. 절대 평가로 학점을 계산하려고 한다. 시험 점수(0~100점)를 입력받아서 90점 이상은 A, 80점 이상은 B, 70점 이상은 C, 60점 이상은 D, 60점 미만은 F로 학점을 계산하는 프로그램을 작성하시오. [조건문/난이도 ★]

실행 결과

점수? 91
학점: A

2. 상대 평가로 학점을 계산하려고 한다. 등수와 전체 인원수를 입력받아서 상위 10%까지는 A, 상위 30%까지는 B, 상위 60%까지는 C, 상위 90%까지는 D, 하위 10%는 F로 학점을 계산하는 프로그램을 작성하시오. [조건문/난이도 ★]

실행 결과

등수? 10
전체 인원수? 80
학점: B

3. 이차원 평면에 있는 점의 좌표 (x, y)를 입력받아 어느 사분면의 점인지 출력하는 프로그램을 작성하시오. [조건문/난이도 ★]

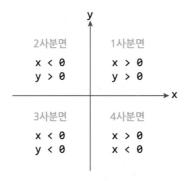

실행 결과

점의 좌표 (x, y)? 10 -10
4사분면에 있습니다.

★ if else를 사용하는 경우와 다중 if를 사용하는 경우를 비교해보자.

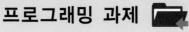
4. 연도를 입력받아 윤년인지 검사하는 프로그램을 작성하시오. 윤년이 되는 조건은 다음과 같다. [조건문/난이도 ★]

- 4로 나누어 떨어지는 해는 윤년이다.
- 4로 나누어 떨어지는 해 중에서 100으로 나누어 떨어지는 해는 윤년이 아니다.
- 100으로 나누어 떨어지는 해 중에서 400으로 나누어 떨어지는 해는 윤년이다.

> **실행 결과**　　　　　　　　　　　　　　　　　　　　■ ■ ■
>
> 연도? 2020
> 2020년은 윤년입니다.

5. 온도를 입력받아 섭씨 온도는 화씨 온도로, 화씨 온도는 섭씨 온도로 변환하는 프로그램을 작성하시오. "27 C" 또는 "27 F"처럼 섭씨인지 화씨인지 구분할 수 있는 문자를 함께 입력받는다. 함께 입력된 문자가 'C'면 섭씨 온도이므로 화씨 온도를 구해서 출력하고, 입력된 문자가 'F'면 화씨 온도이므로 섭씨 온도를 구해서 출력한다. [조건문/난이도 ★★]

$$섭씨\ 온도 = (화씨\ 온도 - 32) \times \frac{5}{9}$$

$$화씨\ 온도 = (섭씨\ 온도 \times \frac{9}{5}) + 32$$

> **실행 결과**　　　　　　　　　　　　　　　　　　　　■ ■ ■
>
> 온도? 27 C
> 27.00 C == 80.60 F

6. 전기 요금은 기본 요금과 월 사용량에 의한 요금으로 합으로 계산된다. 월 사용량에 따라 누진제가 적용되어 단계별로 적용되는 기본 요금과 월 사용량 요금이 달라진다. 다음의 누진제 요금표를 참고하여 입력받은 월 사용량으로 전기 요금을 계산하는 프로그램을 작성하시오. [조건문/난이도 ★★]

기본요금(원/호)		전력량 요금(원/hWh)	
300kWh 이하 사용	1,000	300kWh까지	100
300kWh 초과 사용	5,000	300kWh 초과	200

> **실행 결과**　　　　　　　　　　　　　　　　　　　　■ ■ ■
>
> 월 사용량 (kWh)? 350
> 전기 요금 합계: 45000원
> - 기본요금:　　5000원
> - 전력량요금: 40000원

★ 예를 들어 월 사용량이 350kWh인 경우, 기본 요금은 5,000원이고, 전력량 요금은 300×100+(350-300)×200원으로 계산된다.

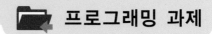

프로그래밍 과제

7. 비트 연산을 수행하는 계산기를 프로그램하시오. &는 비트 AND, |는 비트 OR, ^는 비트 XOR 연산을 처리한다. "0xAB & 0xCC"처럼 연산식을 입력받아 연산 결과를 구해서 출력한다. 비트 연산이므로 16진수로 입력을 받고, 연산의 결과도 16진수로 출력한다. [조건문/난이도 ★★]

```
실행 결과                                                    ■ ■ ■

비트 연산식? 0xabcdef12 & 0xF0F0F0F0
ABCDEF12 & F0F0F0F0 = A0C0E010
```

8. ASCII 코드를 이용해서 문자를 출력하는 프로그램을 작성하시오. ASCII 코드 중 0~31번, 127번은 제어 문자이므로 32~126번에 할당된 문자들만 출력하는데, 한 줄에 24개씩 출력하시오. [반복문/난이도 ★]

```
실행 결과                                                    ■ ■ ■

  ! " # $ % & ' ( ) * + , - . / 0 1 2 3 4 5 6 7
8 9 : ; < = > ? @ A B C D E F G H I J K L M N O
P Q R S T U V W X Y Z [ \ ] ^ _ ` a b c d e f g
h i j k l m n o p q r s t u v w x y z { | } ~
```

9. 정수의 배수를 출력하는 프로그램을 작성하시오. 양의 정수와 배수의 개수를 입력받아 정수의 배수를 입력받은 개수만큼 출력하는 프로그램을 작성하시오. [반복문/난이도 ★]

```
실행 결과                                                    ■ ■ ■

양의 정수? 11
배수의 개수? 20
11 22 33 44 55 66 77 88 99 110 121 132 143 154 165 176 187 198 209 220
```

10. 6번의 전기 요금 계산 프로그램을 월 사용량으로 0이 입력될 때까지 반복 수행하도록 수정하시오. [반복문/난이도 ★★]

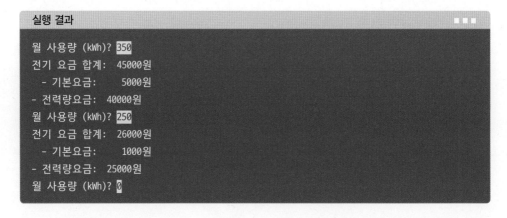

11. 소수는 1과 자기 자신만으로 나누어 떨어지는 1보다 큰 양의 정수이다. 정수를 입력받아 정수가 소수인지 검사하는 프로그램을 작성하시오. [조건문,반복문,분기문/난이도 ★★]

> **실행 결과** ···
>
> 양의 정수? 12
> 12는 소수가 아닙니다.

12. 정수 N을 입력받아 1~N 사이의 소수를 모두 구해서 출력하는 프로그램을 작성하시오. 소수는 한 줄에 10개씩 출력한다. [조건문,반복문,분기문/난이도 ★★★]

> **실행 결과** ···
>
> 양의 정수? 100
> ```
>  2   3   5   7  11  13  17  19  23  29
> 31  37  41  43  47  53  59  61  67  71
> 73  79  83  89  97
> ```

C
Warming-up

CHAPTER

6

함수

6.1 함수의 개념

6.1.1 함수의 필요성

함수(function)는 특정 기능을 제공하는 코드를 묶어서 이름을 붙인 것이다. 함수는 일종의 블랙박스 모델로 볼 수 있다. 블랙박스 모델은 입력을 주면 특정 기능을 수행한 다음, 결과를 출력한다. 처리 과정은 보이지 않는다는 뜻에서 블랙박스라고 한다.

예를 들어 scanf나 printf 함수를 호출하려면, 함수의 인자, 함수의 기능, 처리 결과만 알면 될 뿐, 함수가 어떻게 입력과 출력을 처리하는지 자세히 알 필요가 없다.

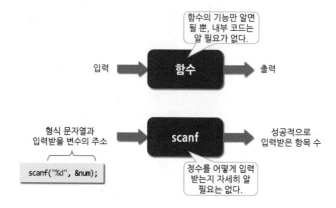

[그림 6-1] 함수는 블랙박스 모델이다.

같은 일을 하는 코드가 여러 번 필요할 때, 코드를 복사해서 적당히 고쳐줄 수 있다. 그런데 코드를 여러 번 복사해서 사용하면, 코드가 길고 복잡해지므로 알아보기 힘들다. 또한 코드를 수정하려면, 코드가 복사된 모든 곳을 수정해야 하므로 수정하는 데 시간과 노력이 많이 필요하다.

함수를 이용하면, 코드를 함수로 한 번만 작성해두고 여러 번 호출해서 사용할 수 있다. **함수를 사용할 때의 장점**을 정리해보면 다음과 같다.

- 코드가 중복되지 않으므로 간결하고 알아보기 쉽다.
- 한 번 작성해둔 코드를 여러 번 사용하므로 코드의 재사용성이 높다.
- 기능 위주로 함수를 작성해서 사용하므로 프로그램의 모듈화가 증대된다.
- 함수 코드를 수정하더라도 함수를 호출하는 부분은 수정할 필요가 없으므로 프로그램을 유지 보수하기 쉽다.

6.1.2 함수의 종류

프로그램에서 사용할 수 있는 함수로는 진입점 함수, 라이브러리 함수, 사용자 정의 함수가 있다.

진입점 함수(entry point function)는 프로그램이 시작될 때 운영체제에 의해서 호출되는 특별한 함수로, main 함수가 바로 진입점 함수이다. 진입점 함수는 프로그래머가 작성하지만 직접 호출하지는 않는다.

라이브러리 함수(library function)는 C 프로그램에서 자주 사용되는 기능을 미리 함수로 준비해둔 것이다. 입출력에 사용된 scanf, printf가 바로 라이브러리 함수이다. 그 밖에도 표준 C에서는 다양한 함수를 준비해두고 있으며, 이 함수들을 **표준 C 라이브러리 함수**라고 한다. 표준 C 라이브러리 함수 외에도 특정 컴파일러가 제공하는 라이브러리 함수도있다. 라이브러리 함수는 코드가 이미 만들어져 있으므로 프로그래머는 라이브러리 헤더를 포함하고 호출하면 된다.

사용자 정의 함수(user-defined function)는 프로그래머가 직접 정의하고 호출하는 함수이다. 6장에서는 사용자 정의 함수를 만들고 사용하는 방법에 대하여 알아보도록 하자.

〈표 6-1〉 함수의 종류

종류	특징	예

진입점
함수
	• 프로그램이 시작될 때 운영체제에 의해 호출된다.
	• 프로그래머가 작성하지만 호출하지는 않는다.
		`int main(void) {`
		
		`}`

라이브러리
함수
	• 입출력과 같은 고유의 기능을 제공한다.
	• 이미 코드가 만들어져 있으므로 프로그래머는 라이브러리 헤더를 포함하고 호출하면 된다.
		`#include <stdio.h>`
		`char ch;`
		`scanf("%c", &ch);`
		`printf("%c", ch);`

사용자 정의
함수
	• 프로그래머가 직접 정의하고 호출하는 함수이다.
	• 프로그램에서 특정 기능을 제공하는 코드 부분을 묶어서 함수로 만들어두고 사용한다.
		`int add(int x, int y) {`
		`    return x + y;`
		`}`
		`printf("%d", add(10, 20));`

C 프로그램은 main 함수와 여러 함수들로 구성되며, 프로그램이 실행되는 동안 수시로함수들을 호출한다. 이처럼 함수 단위로 프로그램을 작성하는 방식을 **절차적 프로그래밍**이라고 한다. C 언어는 대표적인 절차적 프로그래밍 언어이다.

6.1.3 함수의 요건

함수를 사용하기 위해서는 함수의 정의, 함수의 호출, 함수의 선언이 필요하다. **함수의 정의(definition)**는 함수가 실제로 수행할 내용을 기술하는 것이다. **함수의 호출(call)**은 정의된 함수를 사용하는 것이다. **함수의 선언(declaration)**은 함수에 대한 정보를 제공하는 것이다. 함수의 요건 중에서 함수의 선언은 생략할 수 있다.

〈표 6-2〉 함수의 요건

구분	내용	예
함수의 정의	• 리턴형, 함수 이름, ( ) 안에 매개변수 목록을 써준 다음 { } 안에 실제로 함수가 실제로 수행할 내용을 기술한다.	```double get_area(double radius) { const double pi = 3.14; return pi * radius * radius; }```
함수의 호출	• 앞에서 선언되거나 정의된 함수를 이용한다. • 인자를 넘겨주고 리턴값을 받아올 수 있다.	```printf("%f", get_area(i));```
함수의 선언	• 함수에 대한 정보(리턴형, 함수 이름, 매개변수 목록)를 제공한다.	```double get_area(double radius);```

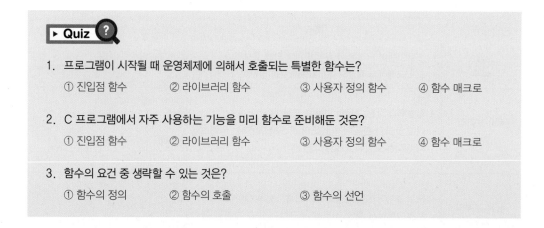

▶ Quiz ❓

1. 프로그램이 시작될 때 운영체제에 의해서 호출되는 특별한 함수는?
   ① 진입점 함수   ② 라이브러리 함수   ③ 사용자 정의 함수   ④ 함수 매크로

2. C 프로그램에서 자주 사용하는 기능을 미리 함수로 준비해둔 것은?
   ① 진입점 함수   ② 라이브러리 함수   ③ 사용자 정의 함수   ④ 함수 매크로

3. 함수의 요건 중 생략할 수 있는 것은?
   ① 함수의 정의   ② 함수의 호출   ③ 함수의 선언

6.2 함수의 기본

6.2.1 함수의 정의

함수를 정의하는 기본적인 형식은 다음과 같다.

형식	리턴형 함수명(매개변수목록)
	{
	    함수가 처리할 내용
	}

사용예	int add(int x, int y)
	{
	    return x + y;
	}

함수를 정의할 때는 **리턴형과 함수 이름, 매개변수 목록**이 필요하다. 매개변수 목록은 데이터형과 매개변수가 한 쌍이며, 하나 이상인 경우 콤마(,)로 나열한다. 매개변수가 없을 때는 void라고 적거나 비워둔다. 함수가 처리할 내용은 { } 안에 적어준다.

(1) 리턴형

리턴형은 함수가 처리 결과로 리턴하는 값의 데이터형이다. 리턴형이 int이면 정수값을 리턴하고, 리턴형이 double이면 실수값을 리턴한다.

```
int add(int x, int y) { … }          // 정수값을 리턴하는 함수
double get_area(int radius) { … }    // 실수값을 리턴하는 함수
```

리턴값이 없을 때는 리턴형에 void라고 적어준다. 리턴형이 생략되면 int로 간주하므로 주의해야 한다. 리턴형이 int일 때도, 생략하지 말고 써주는 것이 좋다.

```
void draw_line(char ch, int len) { … }   // 리턴값이 없는 함수는 void라고 써준다.
draw_rect(int width, int height) { … }   // int draw_rect(int width, int height)라는 의미
```

함수는 반드시 하나의 값만 리턴할 수 있다. 함수의 처리 결과가 둘 이상일 때는 함수의 리턴값 대신 매개변수를 이용해야 한다.

(2) 함수의 이름

함수 이름을 정할 때도 식별자 규칙을 따라야 한다. 즉, 영문자, 숫자, 밑줄 기호(_)만을 사용해야 하고, 첫 글자로는 반드시 영문자나 밑줄 기호(_)를 사용해야 한다. 그런데 f1, f2같은 이름은 어떤 일을 하는 함수인지 알 수 없으므로 좋은 이름이 아니다. 따라서, **어떤 일을 하는 함수인지 명확하게 알 수 있는 이름**을 선택하는 것이 좋다.

```
int f1(int n) { … }                       // 어떤 일을 하는 함수인지 알 수 없다.
int get_factorial(int n) { … }            // 팩토리얼을 구하는 함수라는 것을 알 수 있다.
```

일반적으로 함수 이름은 '동사+목적어'의 형태로 정하는 경우가 많다. 함수 이름에 하나 이상의 단어를 사용할 때는 연결되는 단어의 첫 글자를 대문자로 지정하거나 밑줄 기호(_)로 연결한다. 예를 들어 팩토리얼을 구하는 함수의 이름은 GetFactorial이나 get_factorial 라고 정할 수 있다.

```
int GetFactorial(int n) { … }             // 팩토리얼을 구하는 함수       ┌──────────────┐
void DrawRect(int width, int heigt) { … } // 직사각형을 그리는 함수       │ 대소문자를 함께 │
                                                                      │ 사용하는 경우  │
                                                                      └──────────────┘

int get_factorial(int n) { … }            // 팩토리얼을 구하는 함수       ┌──────────────┐
void draw_rect(int width, int heigt) { … } // 직사각형을 그리는 함수       │ 모두 소문자로 된 │
                                                                      │ 이름을 사용하는 경우 │
                                                                      └──────────────┘
```

참고로 표준 C 라이브러리에서는 bsearch, qsort, strcpy처럼 모두 소문자로 된 함수 이름을 사용한다. 반면에 Visual C++의 Windows API 라이브러리에서는 GetDC, CreateWindow, BeginPaint처럼 대소문자를 혼용하는 이름을 사용한다. 이 책에서는 표준 C 라이브러리처럼 모두 소문자로 된 함수 이름을 사용하며, 여러 단어를 연결할 때는 밑줄 기호(_)를 사용한다.

함수 이름은 함수를 구별하는 수단이므로 서로 다른 함수가 같은 이름을 사용할 수 없다.

```
void line(char ch, int len) { … }         // 선 그리는 함수
double line(int x, int y) { … }           // 원점~(x, y)까지 직선의 길이를 구하는 함수
                                          // line이라는 이름을 다시 사용하므로 컴파일 에러
```

(3) 매개변수 목록

매개변수(parameter)는 함수를 호출한 곳에서 함수 안으로 전달되는 값을 저장하는 변수이다. 함수를 호출하는 쪽과 함수 내부를 연결하는 역할을 하므로 '매개변수'라고 부른다. 함수를 호출할 때 실제로 전달되는 값은 **인자(argument)** 또는 인수라고 부른다.

( ) 안에 매개변수를 선언하려면 데이터형과 변수 이름이 필요하다. 매개변수가 하나 이상일 때는 콤마(,)로 나열한다. 매개변수가 없을 때는 void라고 써주거나 ( ) 안을 비워둔다. 매개변수의 개수에는 제한이 없다.

매개변수는 함수가 호출될 때 생성되어 함수 안에서 사용되는 변수이며, 함수를 호출할 때 넘겨주는 인자의 값으로 초기화된다.

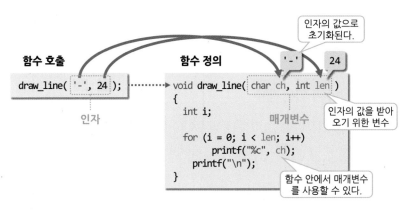

[그림 6-2] 인자와 매개변수

매개변수의 데이터형을 생략하면 int로 간주한다. 매개변수의 이름을 생략하거나, 같은 이름으로 여러 번 선언하면 컴파일 에러가 발생한다.

```
  void test1(count) { … }          // 매개변수의 데이터형을 생략하면 int로 간주한다.
⊘ void test2(int) { … }            // 매개변수의 이름을 생략할 수 없다. (컴파일 에러)
⊘ void test3(int x, char x) { … }  // 같은 이름으로 여러 번 선언할 수 없다. (컴파일 에러)
```

(4) 함수의 내용

함수의 정의는 헤더(header)와 바디(body)로 구성된다. 헤더는 리턴형, 함수명, 매개변수 목록을 적어주는 부분이다. 바디는 { } 안에 함수가 처리할 내용을 적어주는 부분이다.

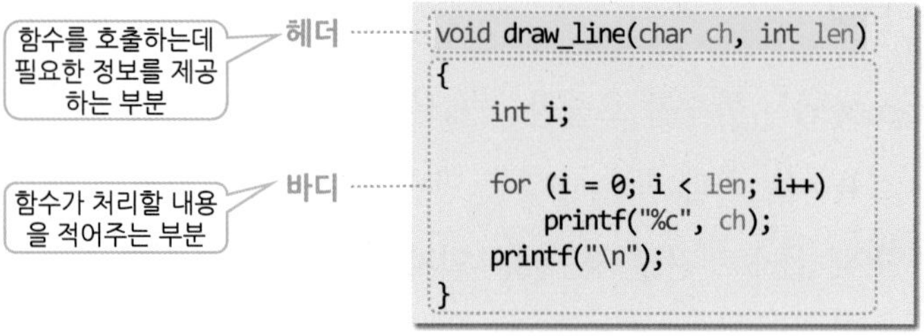

```
                              헤더 ········    void draw_line(char ch, int len)
  함수를 호출하는데                              {
  필요한 정보를 제공                                  int i;
  하는 부분

                              바디 ········        for (i = 0; i < len; i++)
  함수가 처리할 내용                                      printf("%c", ch);
  을 적어주는 부분                                   printf("\n");
                                            }
```

[그림 6-3] 함수의 헤더와 바디

함수의 바디도 블록이므로, { } 안에 문장들을 나열해서 필요한 코드를 작성한다.

(5) 여러 가지 함수의 정의

리턴값과 매개변수의 유무에 따라서 함수를 정의하는 방법을 구체적인 예를 통해서 알아보도록 하자.

■ 리턴값과 매개변수가 없는 함수

hi와 bye는 간단한 인사말을 출력하는 함수이다. 이 함수들은 리턴값과 매개변수가 필요 없으므로, 리턴형과 매개변수 목록에 void를 써준다. 매개변수 목록의 void는 생략할 수 있다.

```
void hi(void)                    // 리턴값과 매개변수가 없으므로 void라고 써준다.
{
    printf("Hi! Let's enjoy C prgramming.\n");
    return;                      // 리턴형이 void인 함수는 리턴값 없이 리턴한다.
    printf("never executed");    // 이 문장은 수행되지 않는다.
}

void bye() { printf("Bye!\n"); }    // 간단한 함수는 한 줄로 작성할 수 있다.
                                    // 매개변수 목록의 void는 생략할 수 있다.
```

리턴형이 void인 함수는 정해진 코드를 수행하고, 함수의 끝(})을 만나면 리턴한다. 함수 중간에 return문을 만나면, 그 이후의 문장은 수행하지 않고 바로 리턴한다.

간단한 함수는 한 줄로 작성하기도 하지만, 나누어 써주는 편이 코드를 알아보기 쉽고 디버깅하기도 편한다.

■ 리턴값은 없고 매개변수만 있는 함수

draw_line은 문자(*ch*)와 개수(*len*)를 매개변수로 전달받아 *ch*를 *len*개만큼 출력해서 선을 그리는 함수이다. 이 함수는 리턴값이 없으므로 리턴형은 void로 지정한다. 매개변수는 함수 안에 선언된 변수처럼 함수 안에서 얼마든지 사용할 수 있다.

```c
void draw_line(char ch, int len)      // ch는 선 그릴 때 사용할 문자,
{                                     // len은 선 그릴 때 출력할 문자의 개수
    int i;
    for (i = 0; i < len; i++)         // 매개변수는 함수 안에서 사용할 수 있다.
        printf("%c", ch);
    printf("\n");
}
```

■ 리턴값과 매개변수가 있는 함수

get_factorial 함수는 정수(*num*)를 매개변수로 전달받아 *num* 팩토리얼을 구해서 리턴한다. *num* 팩토리얼도 정수이므로 리턴형은 int가 된다.

```c
int get_factorial(int num)            // 정수인 num을 매개변수로 전달받는다.
{
    int i;
    int result = 1;

    for (i = 1; i <= num; i++)
        result *= i;
    return result;                    // 팩토리얼값 num!을 구해서 리턴한다. (int형)
}
```

리턴값이 있는 함수에서 return문을 생략하면 컴파일 경고가 발생하므로 반드시 써주어야 한다.

> **! 컴파일 경고**   ■ ■ ■
>
> 1>C:\work\chap06\ex06_04\ex06_04\factorial.c(11) : warning C4716: 'get_factorial': 값을 반환해야 합니다.

get_area 함수는 반지름(*radius*)를 매개변수로 전달받아, 원의 면적을 구해서 리턴한다. 매개변수인 반지름과 리턴값인 원의 면적은 모두 실수이므로 double형으로 지정한다.

```
double get_area(double radius)      // 실수인 radius를 매개변수로 전달받는다.
{
    const double pi= 3.14;
    return pi * radius * radius;    // 원의 면적을 구해서 리턴한다. (double형)
}
```

(6) 함수를 정의하는 방법

지금까지 여러 가지 함수를 직접 정의해보았다. **필요한 기능을 함수로 정의하는 방법**을 정리해보면 다음과 같다.

① 어떤 기능을 제공하는 함수인지 명확히 알 수 있도록 함수의 이름을 정한다.

② 함수의 기능을 수행하기 위해서 함수를 호출한 곳에서 받아올 값을 정하고, 그 값으로 매개변수 목록을 작성한다.

③ 함수의 처리 결과로 어떤 값이 생성될지 결정하고, 그 값의 데이터형을 리턴형으로 정한다.

④ 함수 코드를 작성한다. 이때, 매개변수를 함수 안에 마음대로 사용할 수 있다. 필요하면 함수 안에서 다른 변수를 선언할 수도 있다.

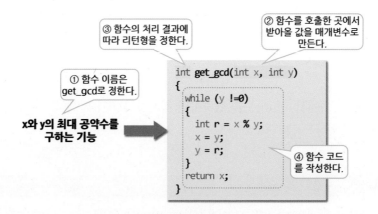

[그림 6-4]   필요한 기능을 함수로 정의하는 방법

이미 작성해둔 코드 중 특정 기능을 수행하는 부분을 뽑아서 함수로 만들 수도 있다. **기존의 코드로부터 함수를 정의하는 방법**은 다음과 같다.

① 코드에서 특정 기능을 수행하는 부분을 추출해서 함수의 이름을 정한다.

② 함수를 호출한 곳에서 받아올 값을 정하고, 그 값으로 매개변수 목록을 작성한다.

③ 함수의 처리 결과로 어떤 값이 생성될지 결정하고, 그 값의 데이터형을 리턴형으로 정한다.

④ 특정 기능을 수행하는 코드를 함수 정의로 옮기고, 적절히 수정한다. 함수 안에서만 사용되는 변수가 있으면 변수의 선언문도 함수 정의로 옮긴다.

⑤ 기존의 코드에서 함수를 호출하고 리턴값을 받아오도록 코드를 수정한다.

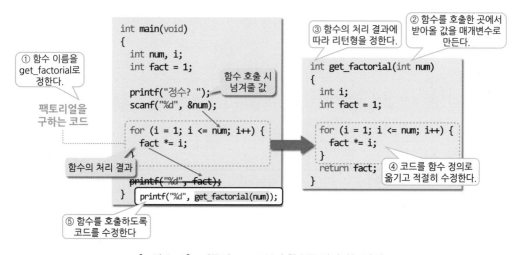

[그림 6-5] 기존의 코드로부터 함수를 정의하는 방법

6.2.2 함수의 호출

이미 만들어진 함수를 불러 쓰는 것을 함수의 호출이라고 한다. 함수 정의는 한번만 작성하고 필요한 만큼 여러 번 호출할 수 있다.

함수를 호출하려면 함수 이름 다음에 ( )를 쓰고, ( ) 안에 함수의 인자를 써준다. **함수를 호출할 때 넘겨준 인자가 함수 정의에 있는 매개변수로 전달된다.**

함수를 호출하면 함수 내부의 코드를 수행하다가, 함수의 끝을 만나거나 return문을 만나면 함수를 호출한 곳으로 돌아온다. 이때, 리턴값을 함수를 호출한 곳으로 전달한다. 이처럼 함수를 호출하는 쪽과 함수의 정의는, 서로 데이터를 주고받는다.

[그림 6-6]   함수의 인자와 리턴값

이제 앞에서 만든 여러 가지 함수를 호출하는 방법을 알아보자.

(1) 리턴값과 매개변수가 없는 함수의 호출

매개변수가 없는 함수를 호출할 때는 hi();처럼 함수 이름 다음에 빈 괄호를 적어준다. ( )가 없으면 함수 호출이 아니므로 주의해야 한다.

```
hi();        // 매개변수가 없으므로 ( )만 써준다.
hi;          // ( )가 없으면 함수 호출이 아니다. (컴파일 에러는 아님)
```

[예제 6-1]은 리턴값과 매개변수가 없는 hi 함수와 bye 함수를 정의하고 호출하는 코드이다.

예제 6-1 : 리턴값과 매개변수가 없는 hi, bye 함수의 정의 및 호출

```
01    #include <stdio.h>
02
03    void hi(void)                    // 리턴형과 매개변수가 없는 함수
04    {
05        printf("Hi! Let's enjoy C prgramming.\n");
06    }                                // 함수의 끝을 만나면 리턴한다.
07
08    void bye() { printf("Bye!\n"); }  // 간단한 함수는 한 줄로 작성할 수 있다.
09                                     // 매개변수 목록의 void는 생략할 수 있다.
10
11    int main(void)
12    {
13        hi();                        // 매개변수가 없으므로 ( )만 써준다.
14        bye();
```

```
15
16      hi();                              // 같은 함수를 여러 번 호출할 수 있다.
17      bye();
18   }
```

실행 결과

```
Hi! Let's enjoy C prgramming.
Bye!
Hi! Let's enjoy C prgramming.  ◀── 같은 함수를 여러 번 호출할 수 있다.
Bye!
```

매개변수가 없는 함수의 호출 과정을 정리하면 다음과 같다.

① 함수 호출문을 만나면 지금까지 수행하던 문장의 위치를 보관해두고 함수 정의로 이동한다.

② 함수 정의 안에 있는 코드를 순서대로 수행한다.

③ return문이나 함수의 끝을 만나면, 함수를 호출한 곳으로 돌아온다.

④ 함수 호출문의 다음 문장을 계속해서 수행한다.

(2) 매개변수가 있는 함수의 호출

매개변수가 있는 함수를 호출할 때는 ( ) 안에 함수의 인자를 콤마(,)로 나열한다. 함수 호출문에 지정된 인자는 순서대로 함수의 매개변수로 전달된다.

우선은 리턴값은 없고 매개변수만 있는 draw_line, print_sum 함수가 호출되는 과정을 알아보자.

■ draw_line 함수의 호출

*ch*를 *len*개만큼 출력해서 선을 그리는 draw_line 함수를 호출하려면, 문자와 정수를 순서대로 인자로 넘겨준다. 함수의 인자를 전달할 때는 매개변수의 데이터형과 같은 형의 값을 사용해야 한다. 인자와 매개변수의 데이터형이 일치하지 않으면 암시적인 형 변환이 일어난다.

```
draw_line('-', 24);          // 매개변수의 데이터형이 같은 형의 값을 인자로 사용해야 한다.

draw_line(101, 30);          // int형인 101을 char형으로 변환해서 인자로 사용한다.
```

[예제 6-2]는 매개변수가 있는 draw_line 함수를 정의하고 호출하는 코드이다.

예제 6-2 : 매개변수가 있는 draw_line 함수의 정의 및 호출

```
01    #include <stdio.h>
02
03    void draw_line(char ch, int len)      // ch  : 선 그릴 때 사용할 문자
04    {                                     // len : 출력할 문자의 개수
05        int i;
06        for (i = 0; i < len; i++)         // ch를 len개만큼 출력한다.
07            printf("%c", ch);
08        printf("\n");
09    }
10
11    int main(void)
12    {
13        int amount = 10, price = 1000;
14        int total = 0, width = 0;
15
16        draw_line('-', 24);               // '-'를 24개만큼 출력해서 선을 그린다.
17
18        printf("수량    단가     합계\n");
19        width = 3 + 8 + 8 + 2;            // 헤더 폭을 계산한다.(%3d+%8d+%8d+빈칸2개)
20        draw_line('=', width);            // '='를 width개만큼 출력해서 선을 그린다.
21        total = amount * price;
22        printf("%3d %8d %8d\n", amount, price, total);
23
24        draw_line('-', 24);               // '-'를 24개만큼 출력해서 선을 그린다.
25    }
```

실행 결과

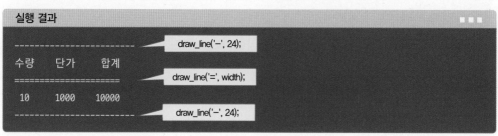

매개변수가 있는 함수의 호출 과정은 다음과 같다.

① 함수 호출문에 지정된 인자를 순서대로 함수 정의에 있는 매개변수로 전달한다.

② 지금까지 수행하던 문장의 위치를 보관해두고 함수 정의로 이동한다.

③ 함수 정의 안에 있는 코드를 순서대로 수행한다.

④ return문이나 함수의 끝을 만나면, 함수를 호출한 곳으로 돌아온다.

⑤ 함수 호출문의 다음 문장을 계속해서 수행한다.

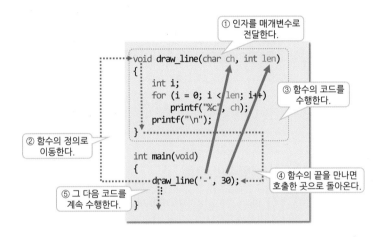

[그림 6-7] 매개변수가 있는 함수의 호출 과정

매개변수가 있는 함수를 호출할 때는 항상 **인자와 매개변수의 개수가 같아야 한다.**

```
draw_line('-');      // 인자와 매개변수의 개수가 다르므로 컴파일 에러
```

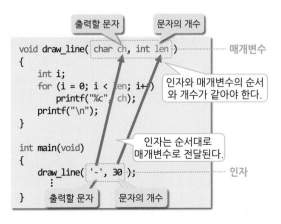

[그림 6-8] 함수 호출 시 인자와 매개변수

매개변수가 2개 이상인 함수에서는 **인자와 매개변수의 순서도 같아야 한다.** 그런데 실수로 인자의 순서를 바꾸어서 호출해도 컴파일 에러가 발생하지는 않는다. 컴파일러는 인자와 매개변수의 개수와 데이터형이 같은지만 검사하기 때문이다. 따라서 매개변수의 의미에 맞게 순서대로 인자를 전달하도록 주의해야 한다.

```
draw_line(24, '-');   // 24가 ch로, '-'을 len으로 전달하므로 잘못된 함수 호출이 된다.
                      // 컴파일 에러가 발생하지 않으므로 인자와 매개변수의 순서를 주의해야 한다.
```

draw_line 함수는 함수 안에서 출력을 수행하지만 리턴값이 없으므로 리턴형이 void형이다. 리턴형이 void형인 함수는 값이 없으므로 수식이 아니다.

```
⊘  result = draw_line('-', 24);  // 리턴형이 void인 함수 호출문은 수식으로 사용할 수 없다.
```

(3) 리턴값과 매개변수가 있는 함수의 호출

리턴값이 있는 함수를 호출할 때는 그 값을 받아와서 다른 수식에 이용할 수 있다. 리턴값과 매개변수가 있는 get_factorial, get_area 함수가 호출되는 과정을 예제를 통해서 알아보자.

■ get_factorial 함수의 호출

함수의 리턴값은 변수에 대입할 수도 있고, 연산식의 피연산자로 이용하거나 다른 함수를 호출할 때 인자로 사용할 수도 있다. 즉, **리턴값이 있는 함수의 호출문도 수식이다.**

```
result = get_factorial(3);        // 리턴값을 변수에 대입할 수 있다.(result는 int형 변수)

if (get_factorial(num) > 100)     // 리턴값을 연산식의 피연산자로 사용할 수 있다.
    printf("big enough");

printf("%d", get_factorial(5));   // 리턴값을 다른 함수를 호출할 때 인자로 사용할 수 있다.
```

함수의 리턴값은 사용할 수도 있고 사용하지 않을 수도 있다. 물론 리턴값을 사용하지 않을 때도 함수 호출 과정은 모두 수행된다. 함수의 리턴값도 연산의 결과처럼 임시값이므로, 사용하지 않으면 다음 문장으로 넘어갈 때 사라진다.

```
get_factorial(5);                          // 함수의 리턴값을 사용하지 않으면 자동으로 사라진다.
```

[예제 6-3]은 get_factorial 함수를 정의하고 호출하는 코드이다.

예제 6-3 : 리턴값과 매개변수가 있는 get_factorial 함수의 정의 및 호출

```
01    #include <stdio.h>
02
03    int get_factorial(int num)        // 정수인 num을 매개변수로 전달받는다.
04    {
05        int i;
06        int result = 1;
07
08        for (i = 1; i <= num; i++)
09            result *= i;
10        return result;                // 팩토리얼값 num!을 구해서 리턴한다. (int형)
11    }
12
13    int main(void)
14    {
15        int i;
16        int fact;
17
18        for (i = 0; i <= 5; i++) {
19            fact = get_factorial(i);   // get_factorial(i)의 리턴값을 fact에 저장한다.
20            printf("%2d! = %3d\n", i, fact);
21        }
22        get_factorial(5);              // 함수의 리턴값을 사용하지 않을 수도 있다.
23    }
```

실행 결과

```
 0! =   1
 1! =   1
 2! =   2
 3! =   6
 4! =  24
 5! = 120
```

리턴값과 매개변수가 있는 함수의 호출 과정은 다음과 같다.

① 먼저 인자를 순서대로 매개변수로 전달한다.

② 지금까지 수행하던 문장의 위치를 보관해두고 함수 정의로 이동한다.

③ 함수 정의 안에 있는 코드를 순서대로 수행한다.

④ 함수 안에서 만들어진 리턴값을 함수를 호출한 곳으로 전달한다.

⑤ return문을 만나면, 함수를 호출한 곳으로 돌아온다.

⑥ 함수 호출문의 다음 문장을 계속해서 수행한다.

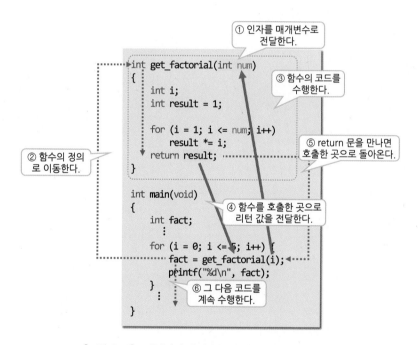

[그림 6-9] 리턴값과 매개변수가 있는 함수의 호출 과정

리턴값은 인자와 반대로 함수 안에서 함수를 호출한 곳으로 전달된다. 함수 호출문도 수식이며, 함수 안에서 return문이 넘겨주는 값이 함수 호출문의 값이 된다.

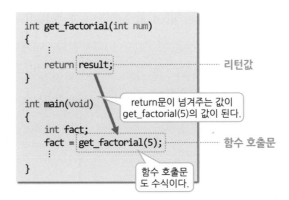

[그림 6-10] 리턴값의 전달

■ get_area 함수의 호출

[예제 6-4]는 원의 면적을 구해서 리턴하는 get_area 함수를 정의하고 호출하는 코드이다.

예제 6-4 : 리턴값과 매개변수가 있는 get_area 함수의 정의 및 호출

```
01   #include <stdio.h>
02
03   double get_area(double radius)      // 실수인 radius를 매개변수로 전달받는다.
04   {
05       const double pi = 3.14;
06       return pi * radius * radius;    // 원의 면적을 구해서 리턴한다. (double형)
07   }
08
09   int main(void)
10   {
11       int r;
12       for (r = 1; r <= 5; r++) {
13           printf("r=%d, 원의 면적= %.2f\n", r, get_area(r));
14       }          // get_area(r)은 r을 double로 변환해서 매개변수로 전달한다.
15   }
```

실행 결과　　　　　　　　　　　　　　　　　　　　　　　　　■■■

```
r=1, 원의 면적= 3.14
r=2, 원의 면적= 12.56
r=3, 원의 면적= 28.26
r=4, 원의 면적= 50.24
r=5, 원의 면적= 78.50
```

[예제 6-4]는 for문을 이용해서 get_area 함수를 5번 호출한다. get_area(r);을 호출할 때 인자가 매개변수로 전달되는 과정은 [그림 6-11]과 같다. **매개변수는 함수가 호출될 때 생성되며, 인자의 값으로 초기화된다.** 즉, double radius = r;처럼 수행된다. 이 과정에서 인자와 매개변수의 데이터형이 같지 않으면, 인자를 매개변수의 데이터형으로 형 변환해서 전달한다.

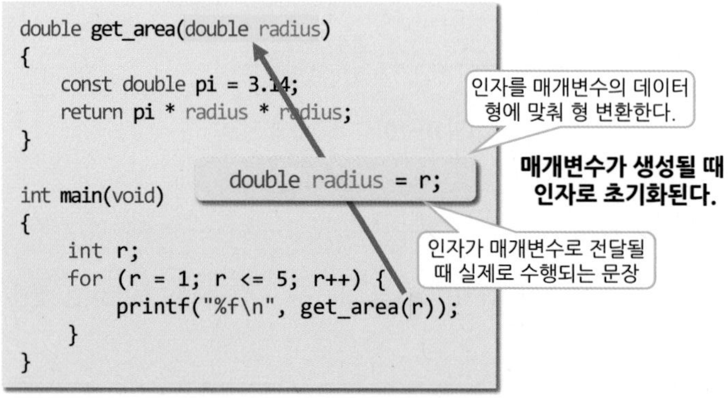

```
double get_area(double radius)
{
    const double pi = 3.14;
    return pi * radius * radius;
}
                        ┌─────────────────────────┐
                        │ 인자를 매개변수의 데이터  │
                        │ 형에 맞춰 형 변환한다.     │
                        └─────────────────────────┘
int main(void)
{                   double radius = r;    매개변수가 생성될 때
    int r;                                인자로 초기화된다.
    for (r = 1; r <= 5; r++) {
        printf("%f\n", get_area(r));   ┌─────────────────────┐
    }                                  │ 인자가 매개변수로 전달될 │
}                                      │ 때 실제로 수행되는 문장  │
                                       └─────────────────────┘
```

[그림 6-11] 인자 전달 과정의 의미

(4) 함수 호출 시 주의 사항

■ 함수의 인자도 수식이다.

함수의 인자도 수식이므로, 상수, 변수, 연산식, 함수 호출문을 함수의 인자로 사용할 수 있다. **함수를 호출하려면 항상 인자의 값을 먼저 평가한다.** 즉, 인자가 변수면 변수의 값을 읽어오고, 인자가 수식이면 수식의 값을 평가하고, 인자가 함수 호출문이면 먼저 함수를 호출해서 리턴값을 받아온다.

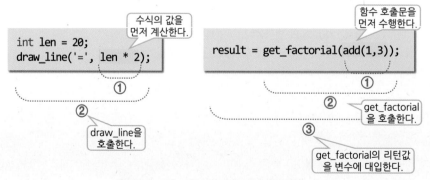

[그림 6-12] 인자의 값을 먼저 평가한다.

■ 인자의 개수와 데이터형이 매개변수와 일치해야 한다.

인자의 개수가 매개변수보다 부족하면 컴파일 에러가 발생한다. 반면에 인자의 개수가 더 많으면 컴파일 경고만 발생한다. 따라서, 함수를 호출할 때는 인자를 매개변수의 개수만큼 전달해야 한다.

매개변수가 3개인 함수

```
int get_max(int a, int b, int c)
{
    int max = a > b ? a : b;
    max = c > max ? c : max;
    return max;
}
```

인자가 매개변수보다 부족하면 컴파일 에러 발생

```
get_max(10, 20);
```

인자가 매개변수보다 많으면 컴파일 경고 발생

```
get_max(10, 20, 30, 40);
```

[그림 6-13] 인자와 매개변수의 개수가 같아야 한다.

인자를 매개변수로 전달할 때 데이터형이 같지 않으면, 암시적인 형 변환이 일어난다. 즉, 인자를 매개변수의 데이터형으로 형 변환해서 전달한다. 이때, 형 변환할 수 없으면 컴파일 에러가 발생한다. 매개변수가 int형인 get_max 함수를 호출하면서 실수값을 전달하면, double형의 인자를 int형으로 형 변환한다.

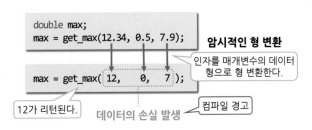

[그림 6-14] 인자 전달 시 암시적인 형 변환

리턴값을 리턴할 때도 암시적인 형 변환이 일어난다. 리턴값의 데이터형이 리턴형과 다르면 리턴형으로 형 변환해서 전달한다.

■ 함수는 이름으로 구분한다.

정의되지 않은 함수나 잘못된 이름으로 함수를 호출하면, 링크 에러가 발생한다.

```
get_ma(1, 2, 3);          // 잘못된 이름으로 호출하면 링크 에러
```

컴파일러는 정의되지 않은 함수를 int형을 리턴하는 함수라고 가정하고 컴파일 경고를 발생시킨다. 그리고 나서 링크 단계에서 다른 오브젝트 파일에 그 함수를 찾으려고 시도한다. 만일 링크 단계에서도 함수를 찾을 수 없으면, 링커가 외부 기호를 찾을 수 없다는 에러를 발생시킨다. 따라서 **함수를 호출할 때는 대소문자까지 정확히 일치하는 이름으로 함수를 호출해야 한다.**

⚠ 컴파일 에러   ▪▪▪

1>C:\work\chap06\ex06_06\ex06_06\max.c(24,11): warning C4013: 'get_ma'이(가) 정의되지 않았습니다. extern은 int형을 반환하는 것으로 간주합니다.
1>max.obj : error LNK2019: _get_ma 외부 기호(참조 위치: _main 함수)에서 확인하지 못했습니다.
1>C:\work\chap06\ex06_06\Debug\ex06_06.exe : fatal error LNK1120: 1개의 확인할 수 없는 외부 참조입니다.

[예제 6-5]는 정수 3개를 비교해서 가장 큰 값을 구하는 get_max 함수를 정의하고 호출하는 코드이다.

📝 **예제 6-5** : 3개의 정수 중 가장 큰 값을 구하는 get_max 함수의 정의 및 호출

```
01    #include <stdio.h>
02
03    int get_max(int x, int y, int z)        // 매개변수가 3개인 함수
04    {
05        int max = x > y ? x : y;
06        max = z > max ? z : max;
07        return max;
08    }
09
10    int main(void)
11    {
12        //get_max(10, 20);                  // 인자의 개수가 부족하면 컴파일 에러
13        //get_max(10, 20, 30, 40);          // 인자의 개수가 많으면 컴파일 경고
14
15        double max;
16        max = get_max(12.34, 0.5, 7.9);     // 인자를 매개변수의 데이터형으로 형 변환
```

```
17        printf("max = %f\n", max);
18
19        //get_ma(1, 2, 3);                    // 잘못된 이름으로 호출하면 링크 에러
20    }
```

실행 결과

```
max = 12.000000
```

6.2.3 함수의 선언

(1) 함수 선언의 필요성

함수를 호출하려면 먼저 함수가 정의되어 있어야 한다. 지금까지 작성한 예제에서는 main 함수보다 앞쪽에 정의된 함수를 main 함수에서 호출했기 때문에 아무 문제가 없었다. 그런데 함수의 순서를 변경하면 어떻게 될까? 컴파일러는 항상 소스 코드를 위에서 아래쪽으로 순차적으로 컴파일하므로, 아직 정의되지 않은 함수를 호출하면 컴파일 에러가 발생한다.

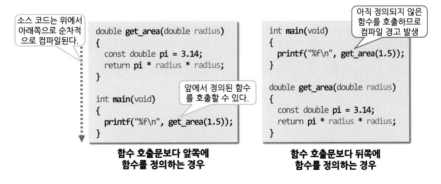

[그림 6-15] 함수 정의의 위치

이 문제를 해결하려면 항상 함수 호출문보다 앞쪽에 함수를 정의해야 한다. 그런데 함수의 개수가 많고 함수들 사이의 호출 관계가 복잡할 때는, 함수 호출문보다 앞쪽에 함수를 정의하는 것이 생각보다 어렵다. 이런 경우에 함수 선언이 유용하게 사용된다. **함수의 선언이 있으면 함수가 정의된 위치에 관계없이 함수를 호출할 수 있다.**

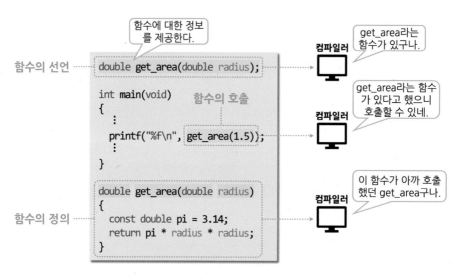

[그림 6-16] 함수 선언문의 역할

함수 선언문의 역할은 [그림 6-16]과 같다. 함수 선언문은 컴파일러에게 "get_area라는 함수가 있어."라고 미리 알려준다. 함수의 선언문 다음에서 함수 호출문을 만나면, 컴파일러는 함수 호출문에 대해서 "get_area라는 함수가 있다고 했으니 호출할 수 있네."라고 판단해서 컴파일 에러를 발생시키지 않는다. 그리고 계속해서 소스 코드를 컴파일하다가 함수 정의를 만나면, "이 함수가 아까 호출했던 get_area구나."라고 판단해서 함수 호출문과 함수 정의를 연결한다.

함수의 정의는 함수가 구체적으로 어떤 일을 하는지 함수의 내용을 기술하는 부분이다. 반면에 함수의 선언은 함수를 호출할 때 필요한 정보(리턴형, 함수 이름, 매개변수 목록)를 제공한다.

(2) 함수 선언문

함수를 선언하는 기본 형식은 다음과 같다.

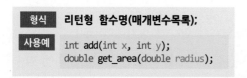

함수를 선언할 때는 리턴형, 함수 이름, ( ) 안에 매개변수 목록을 적어준다. 함수 선언문의 끝에는 세미콜론(;)을 써주어야 한다. 함수 정의의 헤더 부분을 복사해서 맨 끝에 세

미콜론(;)을 붙이면 함수 선언문이 된다.

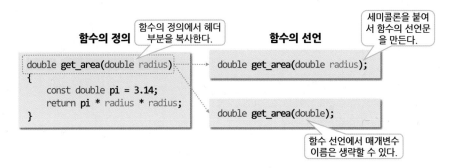

[그림 6-17] 함수 선언문을 작성하는 방법

함수의 선언에서 매개변수의 이름은 생략할 수 있다. 함수를 호출할 때는 매개변수의 개수와 데이터형만 필요하기 때문이다. 매개변수의 이름을 생략할 때는 매개변수의 데이터형만 콤마(,)로 나열한다.

```
void draw_line(char, int);        // 함수 선언에서 매개변수 이름은 생략할 수 있다.
```

함수 선언에서 중요한 부분은 리턴형, 함수 이름, 매개변수의 개수와 데이터형이다. 따라서, 함수 선언을 **함수의 원형(prototype),** 또는 **함수의 시그니처(signature)**라고 한다. **함수 선언문은 일반적으로 소스 파일의 시작 부분에 넣어준다.** 소스 파일의 시작 부분에 함수 선언문이 있으면, 함수가 정의된 위치에 관계없이 함수를 호출할 수 있다.

[예제 6-6]은 원의 면적을 구하는 get_area 함수와 선을 그리는 draw_line 함수를 함께 이용하는 코드이다. 함수가 정의된 위치에 관계없이 호출할 수 있도록, 소스 파일의 시작 부분에 함수 선언을 넣어준다.

📄 **예제 6-6 :** draw_line, get_area 함수의 선언

```
01   #include <stdio.h>
02
03   // 함수의 선언을 소스 파일의 시작 부분에 써준다.
04   void draw_line(char, int);            // 함수 선언에서 매개변수 이름은 생략할 수 있다.
05   double get_area(double radius);
06
```

```
07    int main(void)
08    {
09        int r;
10
11        draw_line('-', 40);
12        for (r = 5; r <= 20; r+=5)
13            printf("r=%d, 원의 면적: %.2f\n", r, get_area(r));
14        draw_line('-', 40);
15    }
16
17    double get_area(double radius)        // 원의 면적을 구하는 함수
18    {
19        const double pi = 3.14;
20        return pi * radius * radius;
21    }
22
23    void draw_line(char ch, int len)        // ch를 len개 출력해서 선을 그리는 함수
24    {
25        int i;
26        for (i = 0; i < len; i++)
27            printf("%c", ch);
28        printf("\n");
29    }
```

실행 결과

```
----------------------------------------
r=5, 원의 면적: 78.50
r=10, 원의 면적: 314.00
r=15, 원의 면적: 706.50
r=20, 원의 면적: 1256.00
----------------------------------------
```

함수 선언이 없을 때 어떤 문제가 생기는지 알아보기 위해서 [예제 6-6]의 4~5번째 줄을 주석 처리하고 컴파일하면, 컴파일 경고와 컴파일 에러가 발생한다.

선언되지 않은 함수를 호출하면 컴파일러는 int형을 리턴하는 함수로 간주한다. 즉, get_area 함수가 다음과 같이 선언된 것으로 보고 컴파일 경고를 발생시킨다.

```
int get_area();      // 암시적인 함수 선언
```

하지만 get_area 함수의 정의는 암시적인 함수 선언과 다르므로 get_area가 재정의되었다는 컴파일 에러가 발생한다.

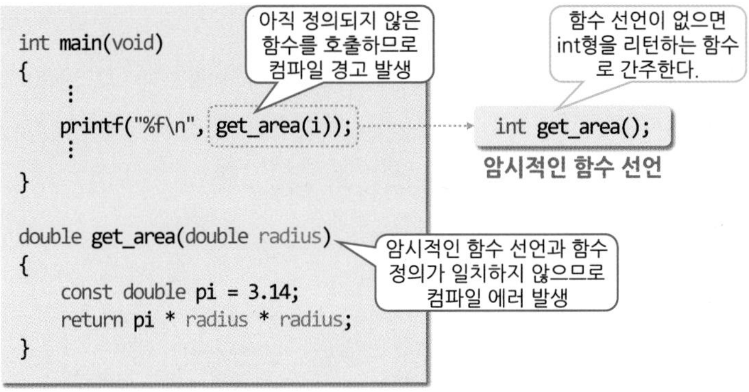

```
int main(void)
{
    ⋮
    printf("%f\n", get_area(i));
    ⋮
}

double get_area(double radius)
{
    const double pi = 3.14;
    return pi * radius * radius;
}
```

> 아직 정의되지 않은 함수를 호출하므로 컴파일 경고 발생

> 함수 선언이 없으면 int형을 리턴하는 함수로 간주한다.

`int get_area();`
암시적인 함수 선언

> 암시적인 함수 선언과 함수 정의가 일치하지 않으므로 컴파일 에러 발생

[그림 6-18] 함수 선언을 생략하는 경우

 Further Study

재귀 함수

재귀 함수(recursive function)는 자기 자신을 다시 호출하는 함수이다. 프로그래밍 기법 중 재귀 기법(recursion)은 어떤 문제를 비슷한 유형의 다른 문제로 바꾸어 처리하는 방법이다. 재귀 함수는 큰 문제를 비슷한 종류의 작은 문제들로 나누어 처리하는 분할 정복 알고리즘(divide and conquer)을 구현할 때 주로 사용된다.

팩토리얼 구하는 get_factorial 함수를 재귀 함수로 정의하면 다음과 같다.

```
int get_factorial(int num)
{
    if (num <= 1)                          // 재귀 함수의 종료 조건
        return 1;
    return num * get_factorial(num - 1);   // get_factorial 함수를 다시 호출한다.
}
```

재귀 함수는 무한히 자기 자신을 호출해서는 안되며 반드시 종료 조건이 필요하다. get_factorial의 종료 조건은 num ≤ 1이다.

성능 측면에서 보면 재귀 함수보다는 반복문으로 구현하는 것이 더 좋다. 재귀 함수를 호출하면 함수가 리턴되기 전에 여러 번 반복적으로 호출되므로, 함수 호출 시 오버헤드가 크다. 성능 상의 오버헤드가 있긴 하지만 **재귀 기법은 문제를 해결하기 위한 알고리즘을 단순화하는 장점이 있으므로 의미 있게 사용할 수 있다.**

▶ Quiz ❓

1. 함수를 호출한 곳에서 함수 안으로 전달되는 값을 저장하는 변수는?
   ① 인자   ② 매개변수   ③ 지역 변수   ④ 전역 변수   ⑤ extern 변수

2. 다음 중 함수를 정의할 때 해야 하는 일이 아닌 것은?
   ① 함수를 호출한 곳에서 받아올 값을 정하고 그 값으로 매개변수 목록을 작성한다.
   ② 어떤 기능을 제공하는 함수인지에 따라 적당한 이름을 정한다.
   ③ 함수 안에서 처리 결과로 생성되는 값을 결정하고 그 값의 데이터형을 함수의 리턴형으로 정한다.
   ④ 인자를 지정해서 함수를 호출한다.

3. 함수를 호출할 때 실제로 전달되는 값을 무엇이라고 하는가?
   ① 매개변수   ② 인자   ③ 리턴값   ④ 수식   ⑤ 데이터형

4. 함수를 호출할 때 주의사항이 아닌 것은?
   ① 이름이 같은 함수가 여러 개 정의되어 있어도 구분해서 호출할 수 있다.
   ② 인자와 매개변수의 데이터형이 다르면 형 변환이 일어난다.
   ③ 리턴값의 데이터형과 리턴형이 다르면 형 변환이 일어난다.
   ④ 함수 호출 전에 인자의 값을 먼저 계산한다.
   ⑤ 인자의 개수와 매개변수의 개수가 같아야 한다.

5. 함수의 리턴형, 함수 이름, 매개변수에 대한 정보만 미리 알려주는 것을 무엇이라고 하는지 모두 고르시오.
   ① 함수의 정의   ② 함수의 선언   ③ 함수의 원형   ④ 함수의 호출   ⑤ 함수의 시그니처

6.3 지역 변수와 전역 변수

지금까지는 변수를 항상 함수 안에서 선언하였다. 이처럼 **함수나 블록 안에 선언되는 변수를 지역 변수(global variable)**라고 한다. 반면에 **전역 변수(global variable)은 함수 밖에 선언되는 변수**로 소스 파일 전체에서 사용할 수 있다.

〈표 6-3〉 지역 변수와 전역 변수

구분	지역 변수	전역 변수
선언 위치	함수나 블록 안	함수 밖
사용 범위	변수가 선언된 함수나 블록 안	소스 파일 전체
생존 기간	변수가 선언된 블록에 들어갈 때 생성되고 블록을 빠져나갈 때 소멸	프로그램이 시작될 때 생성되고 프로그램이 종료될 때 소멸
초기화하지 않는 경우	쓰레기값	0으로 초기화

6.3.1 지역 변수

(1) 지역 변수의 사용 범위

지역 변수의 사용 범위는 지역 변수가 선언된 위치에 따라 결정된다. 함수 블록에 선언된 지역 변수는 함수 전체에서 사용될 수 있는 반면에, if나 while 같은 제어문의 블록 안에 선언된 변수는 해당 블록 안에서만 사용될 수 있다.

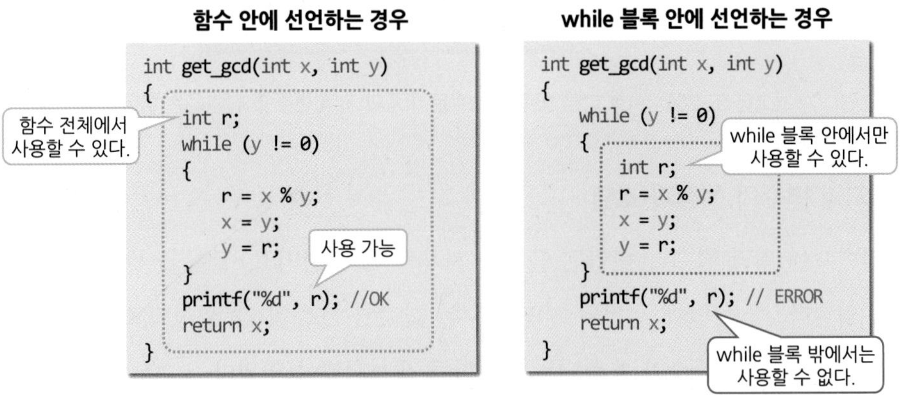

[그림 6-19] 지역 변수의 사용 범위

함수 안에 선언된 지역 변수는 다른 함수에서는 사용할 수 없다.

```
void test(void)
{
    num = 100;      // 다른 함수에 선언된 변수는 사용할 수 없다. (컴파일 에러)
}
```

```
int main(void)
{
    int num = 0;    // main 함수 안에 선언된 지역 변수이므로 main에서만 사용할 수 있다.
    test();
}
```

서로 다른 함수에서 같은 이름의 지역 변수를 선언하면, 이름은 같지만 서로 다른 변수가 된다. 이때, 함수는 자신 안에 선언된 변수만 사용할 수 있다.

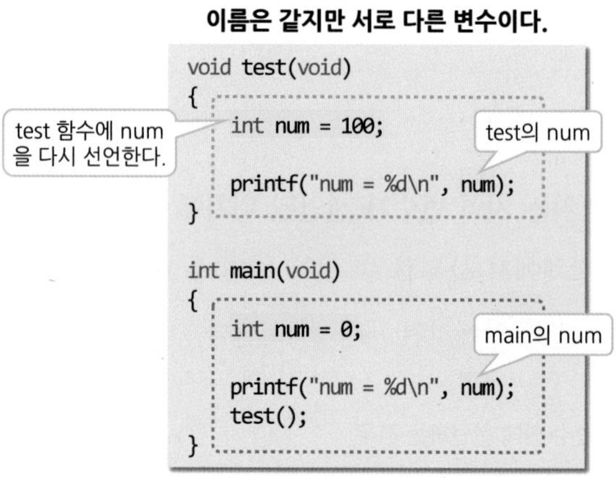

이름은 같지만 서로 다른 변수이다.

[그림 6-20]   서로 다른 함수에서 같은 이름의 지역 변수를 선언하는 경우

(2) 지역 변수의 생성과 소멸

지역 변수는 지역 변수가 선언된 블록이 시작될 때 생성되고, 블록을 빠져나갈 때 자동으로 소멸된다. 함수 안에 선언된 지역 변수는 함수가 호출될 때 생성되고 함수가 리턴할 때 소멸된다. 따라서 **함수가 호출되는 횟수만큼 생성되고 소멸된다.**

```
void test(void)
{
    int num = 100;              // 함수가 호출될 때 매번 다시 생성되고 100으로 초기화된다.
    printf("num = %d\n", num++);  // num = 100을 출력한다.
}                              // 함수가 리턴할 때 num이 소멸된다.


int main(void)
{
    int i;
```

```
    for (i = 0; i < 10; i++)
        test();                        // num = 100을 10번 출력한다.
}
```

블록 안에 선언된 지역 변수도 마찬가지이다. 예를 들어 for 블록 안에 선언된 지역 변수는 for 블록을 시작할 때 생성되고, for문의 끝을 만나 for문의 시작 부분으로 돌아가기 전에 소멸된다. **반복문의 블록 안에 선언된 지역 변수는 반복문이 수행되는 횟수만큼 생성되고 소멸된다.**

```
for (i = 0; i < 10; i++) {
    int num = 100;                     // 블록을 시작할 때 생성된다. (num은 10번 생성된다.)
    printf("num = %d\n", num--);       // num = 100을 10번 출력한다.
}                                      // 블록의 끝을 만나면 소멸된다. (num은 10번 소멸된다.)
```

(3) 매개변수도 지역 변수이다.

매개변수도 함수가 호출될 때 생성되고 함수가 리턴할 때 소멸된다. 따라서 함수 안에서 매개변수의 값을 변경해도 그 값은 함수가 리턴할 때 소멸되므로 아무 의미가 없다.

예를 들어 매개변수의 값을 2배로 만드는 double_it 함수를 다음과 같이 정의하려고 한다. 이 함수는 매개변수 *num*을 2배로 만드는데, 이 값은 함수가 리턴할 때 사라진다. 따라서, double_it(x);를 호출해도 x의 값은 변경되지 않는다.

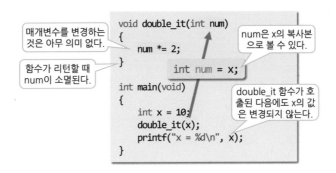

[그림 6-21] 매개변수를 변경하는 것은 아무 의미가 없다.

함수 안에서 만들어진 값을 함수를 호출하는 쪽에 넘겨주려면, 매개변수를 변경하는 대신 리턴값을 이용해야 한다.

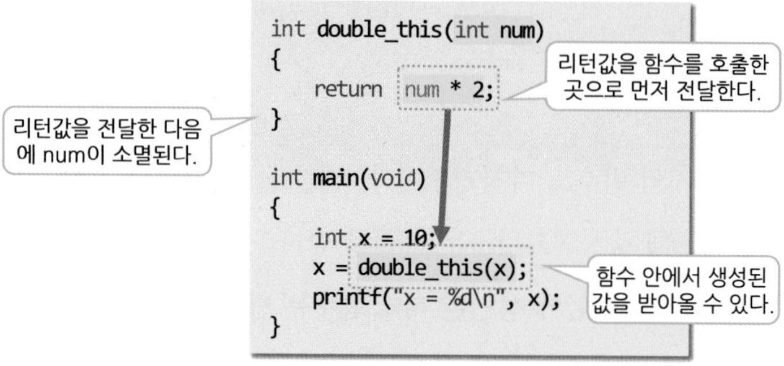

```
int double_this(int num)
{
    return num * 2;
}

int main(void)
{
    int x = 10;
    x = double_this(x);
    printf("x = %d\n", x);
}
```

리턴값을 함수를 호출한 곳으로 먼저 전달한다.

리턴값을 전달한 다음에 num이 소멸된다.

함수 안에서 생성된 값을 받아올 수 있다.

[그림 6-22] 함수 안에서 생성된 값을 넘겨주려면 리턴값을 이용한다.

[예제 6-7]은 매개변수도 지역 변수라는 것을 알아보기 위한 코드이다.

예제 **6-7** : 지역 변수로서의 매개변수

```
01    #include <stdio.h>
02
03    void double_it(int num)
04    {
05        num *= 2;                 // 매개변수 num은 함수가 리턴할 때 소멸된다.
06    }
07
08    int double_this(int num)
09    {
10        return num * 2;           // num * 2를 리턴한 다음에 num이 소멸된다.
11    }
12
13    int main(void)
14    {
15        int x = 10;
16
17        double_it(x);             // 함수 호출 후에도 x는 변경되지 않는다.
18        printf("double_it   호출 후 x = %d\n", x);
19
20        x = double_this(x);       // 함수의 리턴값을 받아와서 x에 저장한다.
21        printf("double_this 호출 후 x = %d\n", x);
22    }
```

실행 결과

```
double_it   호출 후 x = 10
double_this 호출 후 x = 20
```

6.3.2 전역 변수

(1) 전역 변수의 사용 범위

전역 변수는 프로그램 전체에서 사용되는 변수이다. 전역 변수는 여러 함수에서 사용되어야 하므로 함수 밖에 선언한다. 전역 변수는 따로 초기화하지 않으면 0으로 초기화된다.

```c
int count;          // 전역 변수는 함수 밖에 선언하며, 초기화하지 않으면 0으로 초기화된다.


int main(void)
{
}
```

전역 변수는 보통 소스 파일의 시작 부분에 선언한다. 소스 파일의 시작 부분에 전역 변수를 선언하면, 같은 소스 파일의 모든 함수에서 전역 변수를 사용할 수 있다.

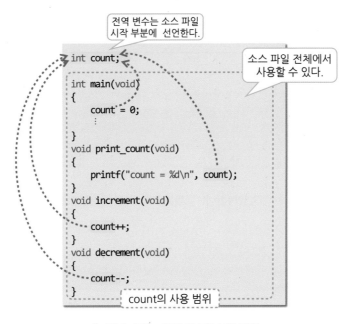

[그림 6-23] 전역 변수의 사용 범위

소스 파일의 시작 부분이 아니라 함수 정의 사이에 전역 변수를 선언하면, 전역 변수의 선언문 다음에 있는 함수에서만 전역 변수를 사용할 수 있다. 따라서 전역 변수는 소스파일의 시작 부분에서 선언하는 것이 좋다.

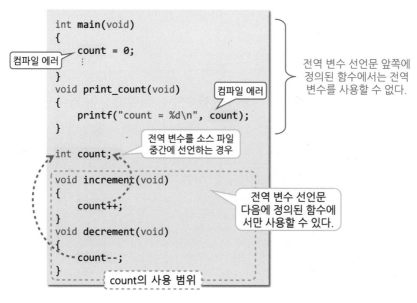

[그림 6-24] 전역 변수 선언문의 위치

[예제 6-8]은 전역 변수을 사용하는 간단한 코드이다.

예제 6-8 : 전역 변수의 선언 및 사용

```
01    #include <stdio.h>
02
03    void print_count(void);
04    void increment(void);
05    void decrement(void);
06
07    int count;          // 전역 변수는 소스 파일 시작 부분에 선언한다.(0으로 초기화)
08
09    int main(void)
10    {
11        int i;
12
```

```
13        count = 0;                        // 전역 변수를 사용할 수 있다.
14        print_count();
15
16        for (i = 0; i < 5; i++)
17            increment();
18        print_count();
19
20        for (i = 0; i < 5; i++)
21            decrement();
22        print_count();
23    }
24
25    void print_count(void)
26    {
27        printf("count = %d\n", count);     // 전역 변수를 사용할 수 있다.
28    }
29
30    void increment(void)
31    {
32        count++;                          // 전역 변수를 사용할 수 있다.
33    }
34
35    void decrement(void)
36    {
37        count--;                          // 전역 변수를 사용할 수 있다.
38    }
```

실행 결과

```
double_it  호출 후 x = 10
double_this 호출 후 x = 20
```

전역 변수에 잘못된 값을 저장하거나 전역 변수를 사용하는 코드를 수정하면, 프로그램 전체에 영향을 미치기 때문에 전역 변수는 주의해서 사용해야 한다. 함수 사이의 정보 공유가 목적일 때는, 전역 변수보다 매개변수를 사용하는 것이 좋다.

(2) 전역 변수의 생성과 소멸

전역 변수는 프로그램이 시작될 때 생성되어, 프로그램이 수행되는 동안 여러 함수에서 사용되다가, 프로그램이 종료될 때 소멸된다. 따라서 함수 안에서 전역 변수를 변경하면 그 값이 함수가 리턴한 다음에도 계속 사용된다.

6.3.3 변수의 영역 규칙

블록 안에 같은 이름의 변수를 여러 번 선언하면 컴파일 에러가 된다. 하지만 **블록 범위가 다를 때는 같은 이름의 변수를 여러 번 선언할 수 있다.**

[그림 6-25]의 전역 변수 x, main의 x, while 블록의 x는 이름은 같지만 서로 다른 변수이다. C에서는 **변수의 영역 규칙(scope rule)**에 따라서 어떤 변수가 사용될지 결정한다. 변수의 영역 규칙에 의하면 **가까운 블록 안에 선언된 변수가 우선적으로 사용된다.**

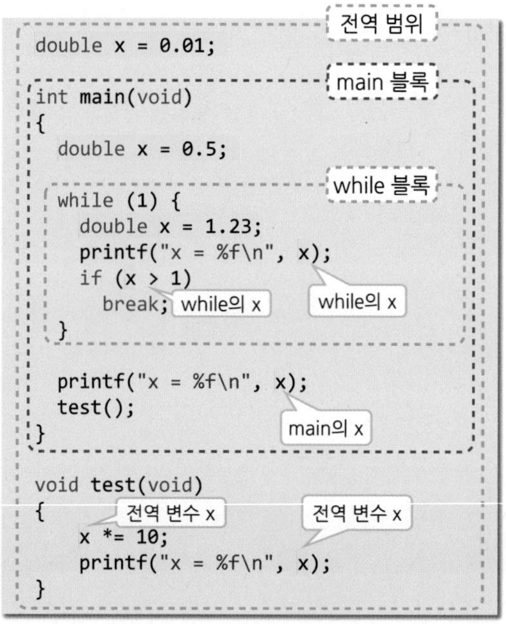

```
                                        ┌─ 전역 범위 ─┐
  double x = 0.01;
                                        ┌─ main 블록 ─┐
  int main(void)
  {
    double x = 0.5;
                                        ┌─ while 블록 ─┐
    while (1) {
      double x = 1.23;
      printf("x = %f\n", x);
      if (x > 1)
        break;  while의 x        while의 x
    }

    printf("x = %f\n", x);
    test();
                              main의 x
  }

  void test(void)
  {       전역 변수 x          전역 변수 x
    x *= 10;
    printf("x = %f\n", x);
  }
```

[그림 6-25] 변수의 영역 규칙

▶ Quiz ❓

1. 지역 변수의 사용 범위는?

   ① 프로그램 전체   ② 소스 파일 전체   ③ 지역 변수가 선언된 블록 안

2. 전역 변수를 따로 초기화하지 않았을 때의 값은?

   ① 1   ② 0   ③ 알 수 없다.   ④ 0xFF

3. 전역 변수의 소멸 시점은?

   ① 프로그램 종료 시   ② 선언된 블록을 빠져나갈 때   ③ 더 이상 사용되지 않을 때

4. 지역 변수와 전역 변수가 이름이 같을 때 우선적으로 사용되는 것은?

   ① 지역 변수   ② 전역 변수

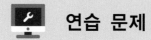

1. **함수의 개념에 대한 설명 중 잘못된 것을 모두 고르시오.**

   ① 특정 기능을 제공하는 코드를 묶어서 이름을 붙인 것이다.

   ② 함수는 입력을 주면 특정 기능을 수행한 다음, 결과를 출력하는 블랙박스 모델로 볼 수 있다.

   ③ 함수를 호출하려면 함수의 내부 코드를 구체적으로 알아야 한다.

   ④ 함수를 호출할 때마다 함수의 코드가 복사된다.

   ⑤ 이미 작성한 코드 중 일부를 함수로 정의할 수도 있다.

2. **다음 중 함수를 사용할 때의 장점을 모두 고르시오.**

   ① 코드가 중복되므로 실행 파일의 크기가 커진다.

   ② 코드의 재사용성이 증가된다.

   ③ 프로그램을 유지 보수하기 쉽다.

   ④ 코드가 길고 복잡해서 알아보기 힘들다.

   ⑤ 기능 위주로 함수를 작성해서 사용하므로 프로그램의 모듈화가 증대된다.

3. **함수에 대한 설명 중 잘못된 것을 모두 고르시오.**

   ① 함수의 정의는 생략할 수 없다.

   ② 리턴값이 없는 함수는 리턴형을 생략한다.

   ③ 함수의 선언은 함수가 실제로 수행할 내용을 기술하는 것이다.

   ④ 함수를 호출할 때는 인자를 넘겨주고 리턴값을 받아온다.

   ⑤ 함수를 호출할 때는 인자가 매개변수보다 부족하면 0을 대신 전달한다.

   ⑥ 함수를 호출하려면 반드시 함수의 선언 또는 정의가 필요하다.

   ⑦ 함수를 호출하면 인자의 값을 먼저 계산한다.

   ⑧ 이름이 같은 함수를 여러 번 정의할 수 있다.

   ⑨ 함수 선언 시 매개변수의 이름은 생략할 수 있다.

   ⑩ 함수의 선언은 생략할 수 있다.

   ⑪ 같은 함수를 여러 번 선언할 수 있다.

4. **함수의 리턴형과 매개변수에 대한 설명 중 잘못된 것을 모두 고르시오.**

   ① 함수의 리턴형은 함수가 처리 결과로 리턴하는 값의 데이터형이다.

   ② 함수가 처리 결과로 리턴하는 값이 없을 때는 void라고 적어준다.

   ③ 리턴형을 생략하면 void형으로 간주된다.

   ④ 함수의 처리 결과가 둘 이상일 때는 함수의 리턴값 대신 매개변수를 이용해야 한다.

   ⑤ 매개변수는 함수를 호출한 곳에서 함수 안으로 전달되는 값을 저장하는 변수이다.

   ⑥ 함수의 매개변수가 없으면 void라고 써주거나 ( ) 안을 비워둔다.

⑦ 함수의 매개변수는 최대 8개만 사용할 수 있다.

⑧ 함수의 매개변수도 함수가 호출될 때 생성되는 일종의 지역 변수이다.

5. 함수의 요건 세 가지를 모두 쓰시오.

6. 리턴값과 매개변수가 있는 함수의 호출에 대한 설명 중 잘못된 것을 모두 고르시오.

① 함수 호출 시 인자의 값이 매개변수로 전달된다.

② 인자와 매개변수의 데이터형이 다르면 매개변수를 인자의 데이터형으로 형 변환한다.

③ 함수의 리턴값을 사용하지 않으면 함수가 호출되지 않는다.

④ 함수의 인자가 수식인 경우 수식의 값을 먼저 계산한다.

⑤ 함수의 인자가 함수 호출문이면 함수 호출 후 리턴값을 인자로 사용한다.

⑥ 함수의 리턴값이 리턴형과 일치하지 않으면 형 변환한다.

⑦ 인자와 매개변수의 개수가 같아야 한다.

⑧ 인자와 매개변수의 순서는 서로 달라도 상관없다.

7. 지역 변수와 전역 변수에 대한 설명 중 잘못된 것을 모두 고르시오.

① 지역 변수는 함수나 블록 안에 선언되는 변수이다.

② 서로 다른 함수에서 같은 이름의 지역 변수를 선언할 수 없다.

③ 다른 함수에 선언된 지역 변수를 사용할 수 없다.

④ 함수의 매개변수도 지역 변수이다.

⑤ if나 while 블록 안에 선언된 변수는 해당 블록을 빠져나온 다음에도 사용할 수 있다.

⑥ 함수 안에 선언된 지역 변수는 함수가 호출되는 횟수만큼 생성되고 소멸된다.

⑦ 전역 변수는 함수 밖에 선언된 변수이다.

⑧ 소스 파일에서 전역 변수가 선언된 위치에 관계없이 전역 변수를 사용할 수 있다.

⑨ 전역 변수와 이름이 같은 지역 변수가 있으면 전역 변수를 사용할 수 없다.

⑩ 전역 변수는 프로그램이 시작할 때 생성되고, 프로그램이 종료될 때 소멸된다.

8. 가로와 세로의 길이를 매개변수로 전달받아 직사각형의 둘레를 구하는 함수의 원형을 작성하시오.
   (단, 가로와 세로의 길이, 직사각형의 둘레는 모두 정수이다.)

9. 문자를 매개변수로 전달받아 영문자인지 검사하는 함수의 원형을 작성하시오.

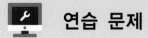

연습 문제

10. 제품의 가격과 할인율을 매개변수로 전달받아 할인 가격을 구하는 함수의 원형을 작성하시오.

11. 정수 2개를 매개변수로 전달받아 두 수의 최대공약수를 구하는 함수의 원형을 작성하시오.

12. 다음 코드에서 박스로 표시된 부분을 함수로 정의하시오. 함수의 리턴형, 함수 이름, 매개변수는 직접 정한다. 그 다음, 정의한 함수를 호출하도록 코드를 수정하시오.

```c
#define _CRT_SECURE_NO_WARNINGS        // Visual Studio 2022에서 scanf 사용 시 필요
#include <stdio.h>

int main(void)
{
    int x, y;                       // 피연산자
    char op;                        // 연산자 기호를 문자로 저장할 변수
    printf("수식 ? ");
    scanf("%d %c %d", &x, &op, &y);   // 10 + 30 형태로 입력받는다.

    switch (op) {
    case '+':   printf("%d + %d = %d\n", x, y, x + y);      break;
    case '-':   printf("%d - %d = %d\n", x, y, x - y);      break;
    case '*':   printf("%d * %d = %d\n", x, y, x * y);      break;
    case '/':   printf("%d / %d = %d\n", x, y, x / y);      break;
    default:    printf("잘못된 수식입니다.\n");      break;
    }
}
```

13. 다음 프로그램에서 _____에 필요한 코드를 작성하시오.

```c
#define _CRT_SECURE_NO_WARNINGS        // Visual Studio 2022에서 scanf 사용 시 필요
#include <stdio.h>

_____

int main(void)
{
    int hour, min, sec;
    printf("시간 분 초? ");
    scanf("%d %d %d", &hour, &min, &sec);
    printf("%d시간 %d분 %d초 = %d초\n", hour, min, sec, get_seconds(hour, min, sec));
}
```

```
int get_seconds(int hours, int minutes, int seconds)
{
    int result = 0;
    result += (hours * 60 * 60);
    result += (minutes * 60);
    result += seconds;
    return result;
}
```

14. 다음 프로그램의 실행 결과를 쓰시오.

```
#include <stdio.h>

int data = 100;

int main(void)
{
    int data = 10;
    int i;
    for (i = 0; i < data; i++) {
        int data = 1;
        data += 3;
        if (data > 10)
            break;
    }
    printf("data = %d\n", data);
}
```

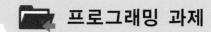

1. 정수와 배수의 개수를 매개변수로 전달받아 정수의 배수를 출력하는 함수를 작성하시오. 이 함수를 이용해서 입력받은 정수의 배수를 20개씩 출력하는 프로그램을 작성하시오. 정수로 0보다 작거나 같은 값이 입력되면 프로그램을 종료한다. [리턴값은 없고 매개변수만 있는 함수/난이도 ★]

2. 가로와 세로의 길이를 매개변수로 전달받아 직사각형의 둘레를 구하는 함수를 작성하시오. 이 함수를 이용해서 입력받은 가로, 세로의 길이로 직사각형의 둘레를 구하는 프로그램을 작성하시오. [리턴 값과 매개변수가 있는 함수/난이도 ★]

3. 두 점의 x, y 좌표를 매개변수로 전달받아 두 점 사이의 직선 거리를 구하는 함수를 작성하시오. 이 함수를 이용해서 입력받은 시작점부터 끝점 사이의 직선 거리를 구하는 프로그램을 작성하시오. [리턴값과 매개변수가 있는 함수/난이도 ★]

실행 결과

```
직선의 시작점 좌표? 0 0
직선의 끝점 좌표? 3 4
(0, 0)~(3, 4) 직선의 길이: 5.000000
```

4. 제품의 가격과 할인율을 매개변수로 전달받아 할인 가격을 구하는 함수를 작성하시오. 이 함수를 이용해서 할인율을 먼저 입력받은 다음, 입력받은 제품의 가격에 대하여 할인 가격을 구해서 출력하는 프로그램을 작성하시오. 제품의 가격으로 0이 입력되면 프로그램을 종료한다. [리턴값과 매개변수가 있는 함수/난이도 ★]

실행 결과

```
할인율(%)? 20
제품의 가격? 10000
할인가: 8000원
제품의 가격? 5000
할인가: 4000원
제품의 가격? 0
```

5. 다음과 같이 메뉴를 출력하는 함수를 작성하시오. 이 함수를 이용해서 메뉴를 출력하고 메뉴 번호를 입력받아 선택된 메뉴를 표시하는 프로그램을 작성하시오. [리턴값과 매개변수가 없는 함수/난이도 ★]

실행 결과

```
[1.파일 열기  2.파일 저장  3.인쇄  0.종료] 선택? 1
파일 열기를 수행합니다.
[1.파일 열기  2.파일 저장  3.인쇄  0.종료] 선택? 2
파일 저장을 수행합니다.
[1.파일 열기  2.파일 저장  3.인쇄  0.종료] 선택? 0
```

6. RGB 색상으로부터 red 값을 구하는 함수, green 값을 구하는 함수, blue 값을 구하는 함수를 정의하시오. 이 함수들을 이용해서 16진수로 입력받은 RGB 색상의 red, green, blue 값을 10진수로 출력하는 프로그램을 작성하시오. [리턴값과 매개변수가 있는 함수/난이도 ★]

실행 결과

```
RGB 색상? 0xff0080
RGB FF0080의 red: 128, green: 0, blue: 255
```

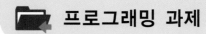

프로그래밍 과제

7. 연도를 매개변수로 전달받아 윤년인지 구하는 함수를 작성하시오. 이 함수를 이용해서 2000년부터 2100년 사이에 있는 윤년을 모두 구해서 출력하는 프로그램을 작성하시오. [리턴값과 매개변수가 있는 함수/난이도 ★]

```
실행 결과                                                                    ■ ■ ■

2000 2004 2008 2012 2016 2020 2024 2028 2032 2036
2040 2044 2048 2052 2056 2060 2064 2068 2072 2076
2080 2084 2088 2092 2096
```

8. 연, 월, 일을 매개변수로 전달받아 유효한 날짜인지 검사하는 함수를 작성하시오. 매개변수로 전달받은 날짜가 유효한 날짜면 1을, 아니면 0을 리턴한다. 이 함수를 이용해서 날짜를 입력받는 프로그램을 작성하시오. 잘못된 날짜를 입력되면 유효한 날짜가 입력될 때까지 계속해서 다시 입력받도록 처리한다. [리턴값과 매개변수가 있는 함수/난이도 ★★]

```
실행 결과                                                                    ■ ■ ■

날짜 (연 월 일)? 2022 13 1
잘못 입력하셨습니다. 유효한 날짜를 입력하세요.
날짜 (연 월 일)? 2022 6 31
잘못 입력하셨습니다. 유효한 날짜를 입력하세요.
날짜 (연 월 일)? 2022 5 1
입력한 날짜는 2022년 5월 1일입니다.
```

9. 정수를 매개변수로 전달받아 2진수로 출력하는 함수를 작성하시오. 이 함수를 이용해서 16진수로 입력받은 정수를 2진수로 출력하는 프로그램을 작성하시오. [리턴값은 없고 매개변수만 있는 함수/난이도 ★★]

```
실행 결과                                                                    ■ ■ ■

정수? 0xabcd1234
16진수 ABCD1234: 1010 1011 1100 1101 0001 0010 0011 0100
```

프로그래밍 과제

Programming Assignment

10. 정수를 매개변수로 전달받아 정수의 약수와 약수의 개수를 구해서 출력하는 함수를 작성하시오. 이 함수를 이용해서 입력받은 정수의 약수를 구해서 출력하는 프로그램을 작성하시오. 정수로 0이 입력되면 프로그램을 종료한다. [리턴값은 없고 매개변수만 있는 함수/난이도 ★★]

실행 결과
```
양의 정수? 100
100의 약수: 1 2 4 5 10 20 25 50 100 => 총 9개
양의 정수? 56
56의 약수: 1 2 4 7 8 14 28 56 => 총 8개
양의 정수? 0
```

11. 정수를 매개변수로 전달받아 소수인지 검사하는 함수를 정의하시오. 이 함수를 이용해서 1에서 N 사이의 소수를 모두 구해서 출력하는 프로그램을 작성하시오. N은 사용자로부터 입력받는다. [리턴값과 매개변수가 있는 함수/난이도 ★★]

실행 결과
```
1~N 사이의 소수를 구합니다. N은? 100
   2   3   5   7  11  13  17  19  23  29
  31  37  41  43  47  53  59  61  67  71
  73  79  83  89  97
```

12. 누산기는 이전 연산의 결과에 연속적으로 계산을 수행하는 계산기이다. 연산자와 피연산자 하나를 매개변수로 전달받아 이전 연산의 결과와 계산을 수행하고 결과를 출력하는 함수를 정의하시오. 이 함수를 이용해서 입력받은 수식의 계산 결과를 출력하는 프로그램을 작성하시오. "0 0"이 입력되면 프로그램을 종료한다. [전역 변수, 함수/난이도 ★★★]

실행 결과
```
0 + 22
= 22 * 5
= 110 / 10
= 11 - 5
= 6 0 0
```

C
Warming-up

C H A P T E R

7

배열

7.1 배열의 기본

7.1.1 배열의 개념

5개의 정수를 입력받아서 합계를 구하는 코드를 작성하려고 한다. 정수 5개를 저장하기 위해서 이름이 다른 int형 변수 5개를 선언한다고 해보자. 이 경우에는 변수의 이름이 다르기 때문에 비슷한 일을 하는 코드에 대해서 반복문을 사용할 수가 없다. 변수가 10개, 100개가 되면 문제는 더 심각해진다.

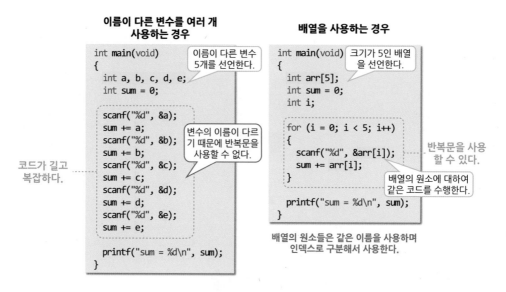

[그림 7-1] 배열의 필요성

이런 상황에서 배열을 이용하면 문제점을 해결할 수 있다. **배열(array)은 같은 데이터형의 변수를 메모리에 연속적으로 할당하고 같은 이름으로 사용하는 기능이다.** 배열 안에 있는 변수 하나하나를 배열의 **원소(element)**라고 한다. 배열 전체가 같은 이름의 변수이므로 배열의 원소를 구분하기 위해서 **인덱스(index)**를 사용한다. 인덱스를 **첨자**라고도 한다. 이름이 같은 사람이 여러 명일 때 박지민1, 박지민2, …처럼 번호를 붙여서 구분하듯이 인덱스로 배열의 원소를 구분한다. **배열의 인덱스는 0부터 시작한다.** 즉, arr[0], arr[1], …과 같은 방식으로 배열의 원소를 구분한다.

배열의 각 원소도 변수이다. 따라서 원소마다 따로따로 값을 저장할 메모리 공간이 할당되며, 독립적인 변수로 사용할 수 있다. 하지만 일반 변수와는 다르게 배열의 원소는 항상 연속된 메모리에 할당된다. 예를 들어 크기가 5인 배열 arr의 원소는 arr[0], arr[1], arr[2], arr[3], arr[4]가 된다. 배열의 원소는 메모리에 연속적으로 할당되기 때문에 arr[0] 다음에는 항상 arr[1]이 할당되고, arr[1] 다음에는 arr[2]가 할당된다. 나머지 원소도 마찬가지이다.

배열의 이름은 배열 전체에 대한 이름이 된다. 배열의 원소를 개별적인 변수로 사용하려면 배열 이름과 인덱스를 함께 사용해야 한다. 즉, arr[0], arr[1], …이 배열 원소의 이름이 된다.

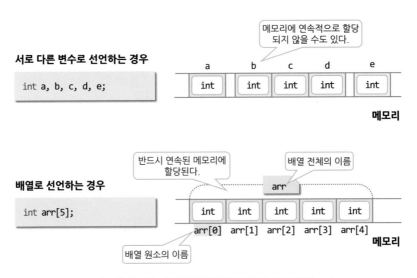

[그림 7-2] 일반 변수와 배열의 원소의 차이점

배열은 주로 for나 while 같은 반복문과 함께 사용된다. 반복문을 이용하면 배열의 원소에 대하여 같은 코드를 반복적으로 수행할 수 있다.

7.1.2 배열의 선언

배열을 선언하려면 배열 원소의 데이터형과 배열의 이름을 쓰고 [ ] 안에 배열의 크기를 지정한다. 배열의 크기는 배열에 들어있는 원소의 개수이다.

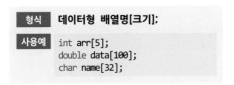

형식	데이터형 배열명[크기];
사용예	int arr[5]; double data[100]; char name[32];

컴파일러는 지정된 데이터형의 변수를 배열의 크기만큼 메모리에 연속적으로 할당하고, 그 전체에 배열 이름을 붙인다. 예를 들어 원소가 N개인 *type*형 배열을 선언하면 *type*형의 변수 N개를 메모리에 연속적으로 할당한다. 이때 할당되는 메모리의 크기는 'sizeof(*type*) × N'바이트이다.

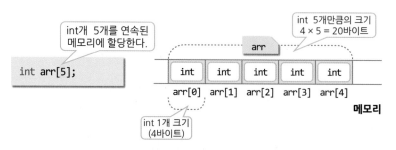

[그림 7-3] 배열의 메모리 할당

배열의 크기는 반드시 0보다 큰 정수형 상수로 지정해야 한다. 배열의 크기는 변수나 변수를 포함한 수식으로 지정할 수 없다. 또한 배열의 크기를 생략할 수도 없다.

```
⊘   double x[0];      // 배열의 크기는 0이 될 수 없다.(컴파일 에러)
    int size = 10;
⊘   short y[size];     // 배열의 크기를 변수로 지정할 수 없다.(컴파일 에러)
⊘   int z[];           // 배열의 크기를 생략할 수 없다.(컴파일 에러)
```

매크로 상수는 배열의 크기를 지정하는 데 사용할 수 있다. 하지만 const 변수는 변수이므로 배열의 크기를 지정하는 데 사용할 수 없다.

```
    #define MAX 5        // 매크로 상수의 정의
    int arr[MAX];        // 배열의 크기를 매크로 상수로 지정할 수 있다.

    const int max = 10;  // max는 값을 변경할 수 없는 변수이다.
⊘   int arr[max];        // 배열의 크기를 지정할 때 const 변수를 사용할 수 없다.(컴파일 에러)
```

배열 이름이 *arr*일 때 sizeof(*arr*)는 배열 전체의 바이트 크기를 구한다. 반면에 sizeof(*arr*[i])는 배열 원소의 바이트 크기를 구한다.

```
int arr[5];
printf("%d\n", sizeof(arr));    // 배열 전체의 바이트 크기를 구한다. ==> 20바이트
printf("%d\n", sizeof(arr[0])); // 배열 원소(int형)의 바이트 크기를 구한다. ==> 4바이트
```

sizeof 연산자를 이용하면 배열의 크기(원소의 개수)를 구할 수 있다. 'sizeof(*arr*)/ sizeof(*arr*[0])'는 *arr* 배열의 크기가 된다.

```
int arr[5];
int size = sizeof(arr) / sizeof(arr[0]);    // 배열의 크기(원소의 개수)를 구한다.
```

[예제 7-1]은 배열의 바이트 크기와 배열의 크기를 구하는 코드이다.

예제 7-1 : 배열의 바이트 크기와 배열의 크기 구하기

```
01    #include <stdio.h>
02
03    int main(void)
04    {
05        int arr[5];        // 크기가 5인 int 배열을 선언한다.
06        int size = 0;      // 배열의 크기(원소의 개수)를 저장할 변수
07        int i;
08
09        printf("배열의 바이트 크기: %d\n", sizeof(arr));    // 배열 전체의 바이트 크기
10
11        size = sizeof(arr) / sizeof(arr[0]);        // 배열의 크기(원소의 개수)
12        printf("배열의 크기: %d\n", size);
13
14        for (i = 0; i < size; i++)                  // 배열은 주로 for문과 함께 사용된다.
15            arr[i] = 0;                             // 배열의 원소에 0을 저장한다.
16
17        for (i = 0; i < size; i++)
18            printf("%d ", arr[i]);                  // 배열의 원소를 출력한다.
19        printf("\n");
20    }
```

배열은 반복문, 특히 for문과 함께 사용되는 경우가 많다. 배열의 모든 원소에 대하여 동일한 문장을 수행하려면 다음과 같은 for문을 사용한다.

```
for (i = 0; i < size; i++)      // 배열은 주로 for문과 함께 사용된다.
    arr[i] = 0;                 // 배열의 원소(arr[i])에 0을 대입한다.
```

배열의 크기를 구해서 변수에 저장하는 코드는 왜 필요할까? [그림 7-4]처럼 크기가 5인 배열을 사용하는 코드에서 배열의 크기를 10으로 변경하려면 배열의 선언문과 함께 배열의 크기가 사용되는 곳을 모두 찾아서 수정해야 한다. 반면에 배열의 크기를 구해서 size 변수에 저장해둔 경우에는 배열의 선언문에서 크기가 변경되더라도 size 변수를 이용하는 코드는 수정할 필요가 없다.

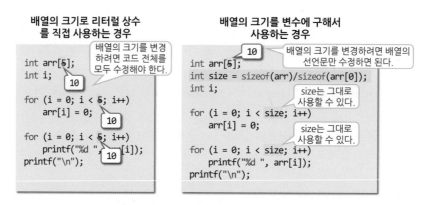

[그림 7-4] 배열의 크기를 변수에 구해서 사용하는 이유

배열의 크기를 변수에 구해두고 사용하는 대신 매크로 상수를 이용할 수도 있다. 이 경우에도 배열의 크기를 변경하려면 매크로 정의만 수정하면 된다.

```
#define ARR_SIZE 5

int arr[ARR_SIZE];
int i;

for (i = 0; i < ARR_SIZE; i++)
    arr[i] = 0;

for (i = 0; i < ARR_SIZE; i++)
    printf("%d ", arr[i]);
printf("\n");
```

배열의 크기를 변경하려면 매크로 정의만 수정하면 된다.

10

나머지 코드는 수정할 필요가 없다.

[그림 7-5] 배열의 크기를 매크로 상수로 지정하는 경우

7.1.3 배열의 초기화

배열의 초기화는 배열 원소의 초기화를 의미한다. 배열의 원소도 초기화하지 않으면 쓰레기값을 가진다. **배열을 초기화하려면 배열 이름 다음에 =을 쓰고 { } 안에 배열 원소의 초기값을 콤마(,)로 나열한다.**

형식 **데이터형 배열명[크기] = {초기값목록};**

사용예
```
int arr[5] = {1, 2, 3, 4, 5};
double data[100] = {0};
char name[32] = "Jin";
```

{ } 안에 나열된 초기값은, 배열의 0번째 원소부터 순서대로 초기화하는 데 사용된다.

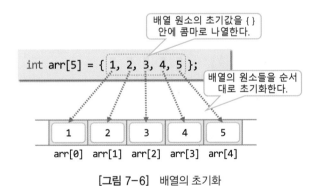

배열 원소의 초기값을 { } 안에 콤마로 나열한다.

int arr[5] = { 1, 2, 3, 4, 5 };

배열의 원소들을 순서대로 초기화한다.

| 1 | 2 | 3 | 4 | 5 |

arr[0] arr[1] arr[2] arr[3] arr[4]

[그림 7-6] 배열의 초기화

배열의 크기보다 초기값을 부족하게 지정하면, 앞에서부터 순서대로 배열의 원소를 초기화하고 초기값이 모자란 나머지 원소는 0으로 초기화한다.

```
int x[5] = { 1, 2, 3 };          // {1, 2, 3, 0, 0}으로 초기화
```

초기값을 원소의 개수보다 많이 지정하면 컴파일 에러가 된다.

```
⊘    int x[5] = { 1, 2, 3, 4, 5, 6 };     // 초기값이 더 많으면 컴파일 에러
```

배열을 초기화하기 위해서 { }를 사용할 때는 반드시 초기값을 하나 이상 지정해야 한다. { } 안을 비워 두면 컴파일 에러가 발생한다.

```
⊘    int y[5] = {};                   // { } 안을 비워두면 컴파일 에러
```

배열 전체를 0으로 초기화하려면 { } 안에 0을 써준다. 배열도 초기화한 다음에 사용하는 것이 안전하므로, 초기값이 따로 없으면 0으로 초기화하는 것이 좋다.

```
int y[5] = { 0 };                // 배열 전체를 0으로 초기화한다.
```

배열의 초기값을 지정하는 경우에는 배열의 크기를 생략할 수 있다. 초기값의 개수로부터 배열의 크기를 유추할 수 있기 때문이다. 배열의 크기를 생략하면, 초기값의 개수가 배열의 크기가 된다.

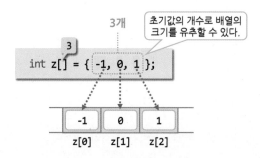

[그림 7-7]   초기값의 개수로 배열의 크기를 유추할 수 있다.

[예제 7-2]는 배열을 초기화하는 여러 가지 경우를 알아보기 위한 코드이다.

예제 7-2 : 배열의 초기화

```c
01   #include <stdio.h>
02   #define ARR_SIZE 5              // 배열의 크기를 나타내는 매크로 상수
03
04   int main(void)
05   {
06       int arr[ARR_SIZE] = { 1, 2, 3, 4, 5 };   // 배열의 크기만큼 초기값을 지정한다.
07       int x[ARR_SIZE] = { 1, 2, 3 };      // 초기값이 부족하면 나머지 원소는 0으로 초기화된다.
08       int y[ARR_SIZE] = { 0 };            // 배열 전체를 0으로 초기화한다.
09       int z[] = { -1, 0, 1 };             // 초기화하는 경우에는 배열의 크기를 생략할 수 있다.
10       int i, size;
11
12       printf("arr = ");
13       for (i = 0; i < ARR_SIZE; i++)      // arr 배열의 원소를 순서대로 출력한다.
14           printf("%3d ", arr[i]);
15       printf("\n");
16
17       printf("x   = ");
18       for (i = 0; i < ARR_SIZE; i++)      // x 배열의 원소를 순서대로 출력한다.
19           printf("%3d ", x[i]);
20       printf("\n");
21
22       printf("y   = ");
23       for (i = 0; i < ARR_SIZE; i++)      // y 배열의 원소를 순서대로 출력한다.
24           printf("%3d ", y[i]);
25       printf("\n");
26
27       printf("z   = ");
28       size = sizeof(z) / sizeof(z[0]);    // z 배열의 크기를 구한다.
29       for (i = 0; i < size; i++)          // z 배열의 원소를 순서대로 출력한다.
30           printf("%3d ", z[i]);
31       printf("\n");
32   }
```

실행 결과

```
arr =   1   2   3   4   5
x   =   1   2   3   0   0
y   =   0   0   0   0   0
z   =  -1   0   1
```

7.1.4 배열의 사용

(1) 배열 원소의 사용

배열의 원소도 변수이다. 따라서 일반 변수처럼 값을 대입하거나 읽어올 수도 있고, 다른 수식의 일부로 사용하거나 함수의 인자로 전달할 수도 있다. 즉, *type*형 배열의 원소는 ***type*형 변수가 사용되는 모든 곳에서 사용될 수 있다.**

```
arr[0] = 5;               // 배열의 원소에 대입할 수 있다.
arr[1] = arr[0] + 10;     // 배열의 원소를 수식에 이용할 수 있다.
scanf("%d", &arr[2]);     // 배열의 원소에 값을 입력받을 수 있다.
y[0] = absolute(x[0]);    // 배열의 원소를 함수의 인자로 전달할 수 있다.
```

[예제 7-3]은 배열의 원소가 변수로서 사용되는 경우를 알아보기 위한 코드이다. 이 예제는 정수의 절대값을 구하는 absolute 함수의 인자로 x 배열의 원소를 전달한다. 그리고 absolute 함수의 리턴값을 y 배열의 원소에 저장한다. 프로그램의 실행 결과는 y 배열의 원소를 순서대로 출력한 것이다.

> 예제 7-3 : 배열 원소의 사용

```
01    #include <stdio.h>
02    #define ARR_SIZE 5
03
04    unsigned int absolute(int x)          //  절대값을 구하는 함수
05    {
06        return x > 0 ? x : -x;
07    }
08
09    int main(void)
10    {
11        int x[ARR_SIZE] = { -4, 0, 28, 3, -12 };
12        unsigned int y[ARR_SIZE] = { 0 };   // 배열 전체를 0으로 초기화한다.
13        int i;
14
```

```
15        for (i = 0; i < ARR_SIZE; i++)
16            y[i] = absolute(x[i]);              // 배열의 원소를 함수의 인자로 전달한다.
17                                                 // 함수의 리턴값을 배열의 원소에 대입한다.
18
19        for (i = 0; i < ARR_SIZE; i++)
20            printf("%d ", y[i]);                // y 배열을 출력한다.
21        printf("\n");
22    }
```

실행 결과

```
4 0 28 3 12
```

배열의 인덱스에는 변수나 변수를 포함한 수식을 사용할 수 있다. 배열의 인덱스로 사용되는 수식의 값은 정수이여야 한다. 다음 코드는 앞에 있는 두 수의 합이 그 다음 수가 되는 피보나치 수열을 구해서 배열의 원소로 저장한다. 즉, arr[0]과 arr[1]의 합을 구해서 arr[2]에 저장한다.

```
for (i = 2; i < ARR_SIZE; i++)
    arr[i] = arr[i - 2] + arr[i - 1];   // 인덱스로 정수식을 사용할 수 있다.
```

배열 원소를 사용할 때는 잘못된 인덱스를 사용하지 않도록 주의해야 한다. 인덱스의 유효 범위는 0~(배열의 크기−1)이다. 예를 들어 크기가 5인 배열의 인덱스로는 0~4 사이의 값을 사용해야 한다.

배열에 대하여 잘못된 인덱스를 사용해도 컴파일 에러가 발생하지 않으므로 주의해야 한다. 예를 들어 크기가 5인 arr 배열에 대해서 arr[5]을 사용하면 arr[4]의 다음 위치를 int형 변수인 것처럼 접근한다. arr는 arr[0]~arr[4]만 메모리에 할당되어 있으므로 arr[5] 위치에는 무엇이 들어있는지 알 수 없다. 따라서, arr[5]를 읽어오면 쓰레기값이 된다.

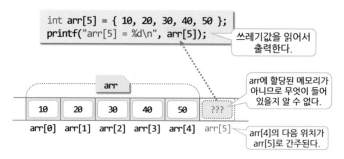

[그림 7-8]   잘못된 인덱스로 배열의 원소를 읽어오는 경우

더 심각한 문제는 arr[5]에 값을 저장하려고 할 때 발생한다. arr[5] 위치에 무엇이 있을지 알 수 없으므로 arr[5]에 값을 저장하면 엉뚱한 변수의 값이 변경될 수 있다. 물론 arr[5]에 해당하는 위치가 할당되지 않은 메모리일 수도 있다. 엉뚱한 변수의 값을 변경하거나 할당되지 않은 메모리에 값을 저장하는 것은 프로그램이 죽거나 오동작하는 원인이므로 주의해야 한다.

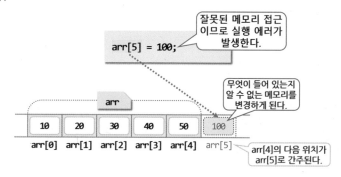

[그림 7-9]   잘못된 인덱스로 배열의 원소를 변경하는 경우

[예제 7-4]는 피보나치 수열을 구해서 int 배열에 저장하고 출력하는 코드이다. 피보나치 수열의 처음 두 항이 1이므로 arr 배열을 {1, 1}로 초기화하고, arr[2]부터 구한다.

예제 7-4 : 피보나치 수열 구하기

```
01    #include <stdio.h>
02    #define ARR_SIZE 10
03
04    int main(void)
05    {
06        int arr[ARR_SIZE] = {1, 1};              // {1, 1, 0, 0, ...}으로 초기화한다.
```

```
07      int i;
08
09      for (i = 2; i < ARR_SIZE; i++)
10          arr[i] = arr[i - 2] + arr[i - 1];    // 배열의 인덱스로 정수식을 사용할 수 있다.
11
12      for (i = 0; i < ARR_SIZE; i++)
13          printf("%d ", arr[i]);
14      printf("\n");
15
16      printf("arr[10] = %d\n", arr[10]);        // 잘못된 인덱스로 배열의 원소를 읽어온다.
17      arr[10] = 100;                           // 잘못된 인덱스로 배열의 원소를 변경한다. (실행 에러)
18  }
```

실행 결과

```
1 1 2 3 5 8 13 21 34 55
arr[10] = -858993460 ──── 잘못된 인덱스로 배열의 원소를
                          출력하면 쓰레기값을 출력한다.
```

[예제 7-4]의 16~17번째 줄처럼 잘못된 인덱스를 사용하는 경우에 문제가 발생한다. 잘못된 인덱스로 arr[10]을 읽어오면, 그 값이 쓰레기값이 된다. 잘못된 인덱스로 arr[10]을 변경하려고 하면 실행 에러가 발생한다.

[그림 7-10] 잘못된 인덱스 사용 시 실행 에러

(2) 배열의 복사

데이터형과 크기가 같은 경우에도 배열에 다른 배열을 대입할 수 없다. 즉, 배열 이름으로 배열 전체를 대입할 수 없다.

```
int x[ARR_SIZE] = { 10, 20, 30, 40, 50 };
int y[ARR_SIZE] = { 0 };      // x와 y는 데이터형과 크기가 같다.

⊘  y = x;                      // 배열에 다른 배열을 대입할 수 없다.(컴파일 에러)
```

배열에 다른 배열을 대입할 수는 없지만, for문을 이용해서 배열 원소에 다른 배열의 원소를 대입할 수는 있다. 배열의 모든 원소에 대하여 원소끼리 대입하는 것을 **배열의 복사**라고 한다.

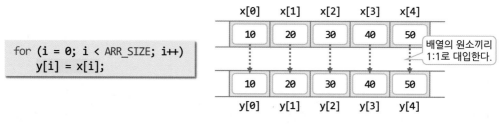

```
for (i = 0; i < ARR_SIZE; i++)
    y[i] = x[i];
```

[그림 7-11] 배열의 복사

[예제 7-5]는 데이터형과 크기가 같은 배열을 다른 배열로 복사하는 코드이다.

📋 **예제 7-5** : 배열의 복사

```
01    #include <stdio.h>
02    #define ARR_SIZE 5
03
04    int main(void)
05    {
06        int x[ARR_SIZE] = { 10, 20, 30, 40, 50 };
07        int y[ARR_SIZE] = { 0 };     // x와 y는 데이터형과 크기가 같은 배열이다.
08        int i;
09
10        for (i = 0; i < ARR_SIZE; i++)
11            y[i] = x[i];             // 배열의 원소끼리 1:1로 대입한다. (배열의 복사)
12
13        for (i = 0; i < ARR_SIZE; i++)
14            printf("%d ", y[i]);
15        printf("\n");
16    }
```

```
10 20 30 40 50
```

(3) 배열의 비교

두 배열이 같은지 비교하기 위해서 == 연산자로 직접 배열을 비교하면 배열의 시작 주소를 비교한다. 배열의 이름은 배열의 시작 주소이기 때문이다.

```
int x[ARR_SIZE] = { 10, 20, 30, 40, 50 };
int y[ARR_SIZE] = { 10, 20, 30, 40, 50 };

if (x == y)              // x와 y의 주소가 같은지 비교한다. (x와 y의 주소가 다르므로 거짓)
    printf("두 배열의 주소가 같습니다.\n");
```

배열의 내용이 같은지 비교하려면 for문을 이용해서 원소끼리 비교해야 한다. 원소 중 하나라도 다르면 두 배열의 내용은 같지 않다. 모든 원소의 값이 같으면, 배열 전체의 내용이 같다고 볼 수 있다.

[예제 7-6]은 데이터형과 크기가 같은 배열의 내용이 같은지 비교하는 코드이다.

예제 7-6 : 배열의 비교

```
01    #include <stdio.h>
02    #define ARR_SIZE 5
03
04    int main(void)
05    {
06        int x[ARR_SIZE] = { 10, 20, 30, 40, 50 };
07        int y[ARR_SIZE] = { 10, 20, 30, 40, 50 };
08        int i;
09        int is_equal;                    // 배열이 같은지를 나타내는 변수
10
11        if (x == y)                      // x와 y의 주소가 같은지 비교한다.
12            printf("두 배열의 주소가 같습니다.\n");
13        else
```

```
14          printf("두 배열의 주소가 다릅니다.\n");
15
16      is_equal = 1;                   // 배열의 내용이 같은지를 나타내는 변수
17      for (i = 0; i < ARR_SIZE; i++) {
18          if (x[i] != y[i]) {         // 배열의 원소끼리 비교한다.
19              is_equal = 0;           // 서로 다른 원소가 있으면 더 이상 비교할 필요가 없다.
20              break;
21          }
22      }
23      if (is_equal == 1)              // 모든 원소가 같으면 is_equal은 1이다.
24          printf("두 배열의 내용이 같습니다.\n");
25      else
26          printf("두 배열의 내용이 다릅니다.\n");
27  }
```

실행 결과   ● ● ●

```
두 배열의 주소가 다릅니다.
두 배열의 내용이 같습니다.
```

▶ **Quiz** ❓

1. 같은 데이터형의 변수를 메모리에 연속적으로 할당하고 같은 이름으로 사용하는 기능은?
   ① 배열   ② 포인터   ③ 구조체   ④ 공용체   ⑤ 비트필드

2. 배열의 크기는 무엇으로 지정해야 하는가?
   ① 0보다 큰 정수형 상수   ② 변수   ③ 수식   ④ 0   ⑤ 실수

3. 크기가 10인 배열에서 유효한 인덱스의 범위는?
   ① 0~9   ② 1~10   ③ 0~10   ④ -1~9   ⑤ -1~10

7.2 다차원 배열

7.2.1 다차원 배열의 개념

다차원 배열은 원소에 접근할 때 2개 이상의 인덱스를 사용한다. 다차원 배열은 행렬이나 표, 폭과 높이가 있는 이미지 데이터 등을 나타내는 데 이용할 수 있다.

다차원 배열이 필요한 경우를 알아보기 위해서 간단한 성적 처리 프로그램을 생각해보자. 중간고사 점수, 기말고사 점수, 과제 점수를 정수로 저장하려면 먼저 int scores[3];처럼 원소가 3개인 int 배열이 필요하다.

```
int scores[3];      // 점수 3개를 저장하기 위한 배열
```

학생이 5명이면 학생 1명당 scores 배열이 하나씩 필요하다. 이것을 2차원 배열로 선언하면 다음과 같다.

```
int scores[5][3];    // 점수 3개를 저장하는 배열이 5개 필요하다. (점수 3개 × 5명)
```

다차원 배열 중 **2차원 배열은 행(row)과 열(column)의 개념으로 이해할 수 있다.** [그림 7-12]처럼 점수의 개수가 열이 되고 학생수가 행이 되므로, 필요한 원소의 개수는 '열×행'으로 구할 수 있다. 다차원 배열도 1차원 배열처럼 메모리에 연속적으로 할당된다. int scores[5][3];은 int를 3개씩 5번, 3×5=15개 할당하라는 의미이다.

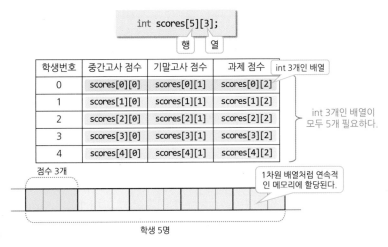

[그림 7-12] 2차원 배열의 행과 열 개념

2차원 배열의 행 크기와 열 크기 순서에 주의해야 한다. 다음 두 문장은 할당되는 메모리의 크기는 같지만 그 의미가 다르다.

```
int x[5][3];    // int를 3개씩 5번 할당한다. (열 크기 3 x 행 크기 5)
int y[3][5];    // int를 5개씩 3번 할당한다. (열 크기 5 x 행 크기 3)
```

다차원 배열의 차수에는 제한이 없다. 하지만 주로 2차원 배열만 사용되고 3차원 이상의 배열은 거의 사용되지 않는다.

(1) 2차원 배열의 선언 및 사용

2차원 배열을 선언할 때는 배열 이름 다음에 [ ] 안에 배열의 행 크기와 열 크기를 써준다. 이때 **원소의 개수는 '(열 크기)×(행 크기)'개가 된다.**

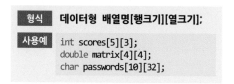

2차원 배열의 원소도 메모리에 연속적으로 할당된다. 예를 들어 int data[3][2];는 먼저 data[0][0], data[0][1]가 순서대로 메모리에 할당되고, 그 다음에 data[1][0], data[1][1]의 순서로 할당된다.

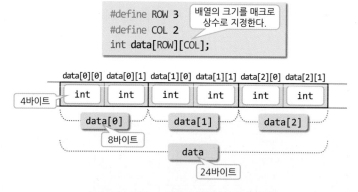

[그림 7-13] 2차원 배열의 메모리 할당

sizeof(data)는 2차원 배열 전체의 바이트 크기를 구하는 반면에, sizeof(data[0])은 data 배열의 0번 원소, 즉 int 2개인 배열의 크기를 구한다.

```
printf("sizeof(data)       = %d\n", sizeof(data));        // 배열 전체의 바이트 크기
printf("sizeof(data[0])    = %d\n", sizeof(data[0]));     // int 2개인 data[0]의 바이트 크기
printf("sizeof(data[0][0]) = %d\n", sizeof(data[0][0]));  // int인 data[0][0]의 바이트 크기
```

2차원 배열의 원소에 접근할 때는 인덱스를 2개 사용한다. 2차원 배열에서는 열 인덱스가 먼저 증가되고, 그 다음에 행 인덱스가 증가된다.

[그림 7-14] 2차원 배열 원소의 순차적인 접근

2차원 배열은 중첩된 for와 함께 사용할 수 있다. 안쪽 for문을 이용해서 열 인덱스를 증가시키고, 바깥쪽 for문을 이용해서 행 인덱스를 증가시키면 2차원 배열의 원소가 메모리에 할당된 순서대로 접근할 수 있다.

```
for (i = 0, k = 0; i < ROW; i++)    // 행 인덱스를 증가시킨다.
    for (j = 0; j < COL; j++)       // 열 인덱스를 증가시킨다.
        data[i][j] = ++k;           // 배열의 원소에 0부터 1씩 커지는 값을 저장한다.
```

[예제 7-7]은 2차원 배열을 선언하고 사용하는 코드이다.

📄 **예제 7-7** : 2차원 배열의 선언 및 사용

```
01    #include <stdio.h>
02    #define ROW 3
03    #define COL 2
04
05    int main(void)
06    {
07        int data[ROW][COL];              // int[2]를 3개 메모리에 할당한다.
```

```
08        int i, j, k;
09
10        for (i = 0, k = 0; i < ROW; i++)     // 행 인덱스를 증가시킨다.
11            for (j = 0; j < COL; j++)        // 열 인덱스를 증가시킨다.
12                data[i][j] = ++k;            // 배열의 원소에 0부터 1씩 커지는 값을 저장한다.
13
14        for (i = 0; i < ROW; i++) {
15            for (j = 0; j < COL; j++)
16                printf("%3d ", data[i][j]);
17            printf("\n");
18        }
19
20        printf("sizeof(data)      = %d\n", sizeof(data));
21        printf("sizeof(data[0])   = %d\n", sizeof(data[0]));
22        printf("sizeof(data[0][0]) = %d\n", sizeof(data[0][0]));
23    }
```

실행 결과

```
  1   2
  3   4
  5   6
sizeof(data)      = 24
sizeof(data[0])   = 8
sizeof(data[0][0]) = 4
```

(2) 2차원 배열의 초기화

2차원 배열을 초기화할 때는 초기값을 열 크기의 개수만큼씩 { }로 묶어서 다시 { } 안에 나열한다. 안쪽 { }를 나열할 때는 { }와 { } 사이에 콤마(,)가 필요하다.

```
int data[3][2] = {
    {10, 20}, {30, 40}, {50, 60},       // data[0]은 {10, 20}으로, data[1]은 {30, 40}으로,
};                                      // data[2]는 {50, 60}으로 초기화
```

2차원 배열을 초기화할 때 1차원 배열처럼 { } 안에 값만 나열할 수도 있다. 이때는 2차원 배열의 원소가 메모리에 할당된 순서대로 초기화한다.

```
int data[3][2] = { 10, 20, 30, 40, 50, 60 };     // data[0][0]부터 할당된 순서대로 초기화
```

2차원 배열을 초기화할 때도 초기값을 생략하면 나머지 원소를 0으로 초기화한다.

```
int x[4][3] = {              // {{1, 2, 3}, {4, 5, 0}, {6, 0, 0}, {0, 0, 0}}으로 초기화
    {1, 2, 3},
    {4, 5},
    {6}
};
int y[3][2] = { 1, 2, 3 };   // {{1, 2}, {3, 0}, {0, 0}}으로 초기화
```

2차원 배열을 초기화할 때는, 배열의 행 크기를 생략할 수 있다.

```
int w[][3] = {               // { }이 3개이므로, int w[3][3];으로 할당된다.
    {1, 2}, {3}, {4, 5}       // {{1, 2, 0}, {3, 0, 0}, {4, 5, 0}}으로 초기화
};
int z[][2] = {               // int 2개씩 4개이므로 int z[4][2];로 할당된다.
    1, 2, 3, 4, 5, 6, 7       // {{1, 2}, {3, 4}, {5, 6}, {7, 0}}으로 초기화
};
```

2차원 배열의 열 크기는 생략할 수 없는데, 열 크기가 있어야 주어진 초기값을 몇 개씩 묶을지 알 수 있기 때문이다. 배열의 열 크기를 생략하면 컴파일 에러가 된다. v 배열은 행 크기가 3이라는 것만 알 수 있고 int가 몇 개씩 3개 필요한지 유추할 수가 없으므로, 이런 식으로 배열을 선언할 수 없다.

```
int v[3][] = {               // 열 크기를 유추할 수 없으므로 컴파일 에러
    {1, 2}, {3}, {4, 5, 6}
};
```

[예제 7-8]은 2차원 배열을 초기화하는 코드이다.

예제 7-8 : 2차원 배열의 초기화

```
01    #include <stdio.h>
02    #define COL 2
03
04    int main(void)
05    {
06        int data[][COL] = {      // 초기화하는 경우에는 배열의 행 크기를 생략할 수 있다.
07            {10, 20}, {30, 40}, {50, 60},
08        };
09        int row_size = sizeof(data) / sizeof(data[0]);   // 행 크기를 구한다.
10        int i, j;
11
12        for (i = 0; i < row_size; i++) {
13            for (j = 0; j < COL; j++)
14                printf("%3d ", data[i][j]);
15            printf("\n");
16        }
17    }
```

실행 결과

```
10  20
30  40
50  60
```

▶ Quiz ❓

1. int arr[N][M];으로 선언되는 2차원 배열에서 int형인 원소의 개수는?

    ① N개   ② M개   ③ (N+M)개   ④ (N×M)개

2. int x[4][3];의 의미로 가장 적합한 것은?

    ① int를 4개씩 3번 할당한다.   ② int를 3개씩 4번 할당한다.

    ③ int를 7개 할당한다.   ④ int를 24개 할당한다.

7.3 배열의 활용

7.3.1 함수의 인자로 배열 전달하기

배열도 함수의 인자로 전달할 수 있다. 배열에 대하여 자주 사용되는 기능을 함수로 작성해보자.

(1) 배열을 매개변수로 갖는 함수의 정의

함수의 매개변수로 배열을 선언할 때, 배열의 크기는 생략한다. int arr[ ];는 매개변수가 int형 배열이라는 것만 알려줄 뿐 크기는 알려주지 않는다. int arr[5];로 선언하더라도 [ ] 안에 써준 크기는 아무 의미가 없다. 그 이유는 나중에 알아볼 것이다.

정수형 배열을 출력하는 print_array 함수는 다음과 같이 정의할 수 있다.

```
void print_array(int arr[])         // 매개변수를 선언할 때 배열의 크기는 생략한다.
{
    int  i;
    for (i = 0; i < 5; i++)         // 함수 안에서 배열의 크기를 상수로 지정하면
        printf("%d ", arr[i]);      // 크기가 5인 배열만 출력할 수 있다.
    printf("\n");
}
```

이 함수 안에서 배열의 원소를 출력하려면 배열의 크기가 필요하다. 위의 코드처럼 배열의 크기를 직접 상수로 지정하면 print_array 함수는 크기가 5인 배열에 대해서만 사용할수 있다. print_array 함수가 다양한 크기의 배열을 출력할 수 있게 만들려면 [그림 7-15]처럼 배열의 크기도 매개변수로 받아온다.

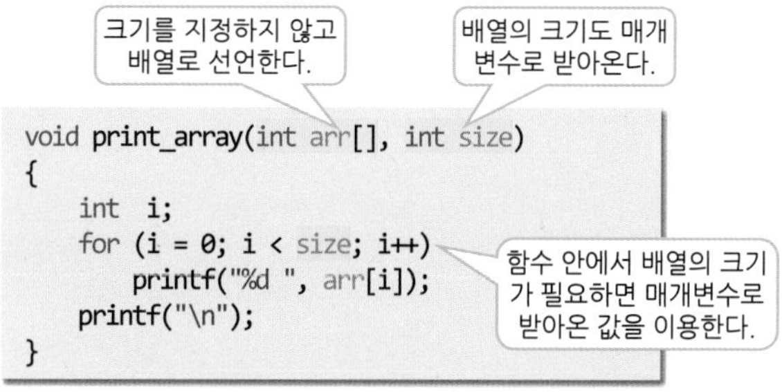

[그림 7-15] 배열을 매개변수로 받아오는 함수의 정의

배열을 매개변수로 갖는 함수를 정의하는 방법을 정리하면 다음과 같다.

① 함수의 매개변수로 배열을 선언할 때는 배열의 원소형, 매개변수명(배열명)과 [ ]를 적어준다. [ ] 안에 배열의 크기를 쓰지 않고 비워둔다.

```
void print_array(int arr[]);          // 배열의 원소형은 int, 매개변수명은 arr로 지정하고,
                                       // 배열의 크기는 생략하고 [ ]만 써준다.
```

② 배열의 크기를 전달받기 위한 별도의 매개변수가 필요하다. 배열의 크기는 정수이므로 int형의 매개변수를 선언한다.

```
void print_array(int arr[], int size); // size는 배열의 크기
```

③ 함수 안에서 배열의 크기가 필요할 때는 매개변수로 전달받은 배열의 크기를 이용한다.

```
void print_array(int arr[], int size)
{
    int  i;
    for (i = 0; i < size; i++)         // 배열의 크기가 필요할 때 매개변수(size)를 이용한다.
        printf("%d ", arr[i]);
    printf("\n");
}
```

(2) 배열을 매개변수로 갖는 함수의 호출

배열을 매개변수로 갖는 함수를 호출할 때는 배열의 이름을 인자로 전달한다. 이때, 매개변수의 원소형과 인자로 전달하는 배열의 원소형이 같아야 한다. 또한 배열의 크기도 함께 인자로 전달한다.

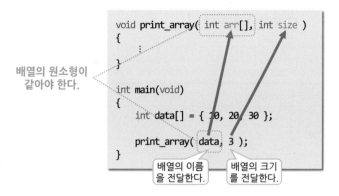

[그림 7-16] 함수의 인자로 배열을 전달하는 방법

배열의 이름이 아니라 배열의 원소를 전달하면 인자와 매개변수의 데이터형이 다르기 때문에 컴파일 경고가 발생한다. 따라서 배열을 인자로 전달할 때는 [ ] 없이 배열의 이름만 써준다.

```
print_array(data[0], 3);     // 배열 원소를 전달하면 매개변수와 형이 같지 않으므로 컴파일 경고
```

배열의 실제 크기와 다른 값을 함수의 인자로 전달하면 어떻게 될까? 배열을 매개변수로 갖는 함수 안에서는 항상 매개변수로 전달받은 배열의 크기를 이용한다. print_array 함수도 매개변수로 전달된 크기만큼 배열의 원소를 출력한다.

```
int x[5] = { 1, 2, 3, 4, 5 };    // x는 크기가 5인 배열
print_array(x, 3);               // x가 크기가 3인 배열인 것처럼 {1, 2, 3}만 출력한다.
```

배열을 함수의 인자로 전달할 때는 반드시 매개변수와 원소형이 일치해야 한다. 인자와 매개변수의 원소형이 같지 않으면 컴파일 경고가 발생하고, 이 경고를 무시하고 프로그램을 실행하면 실행 에러가 발생한다. 즉, 메모리에는 float형 배열이 있는데, print_array 함수가 이 배열을 int형 배열인 것처럼 사용하기 때문에 문제가 된다.

```
float grades[3] = { 4.0, 4.3, 3.7 };
print_array(grades, 3);          // 인자와 매개변수의 원소형이 같지 않으므로 컴파일 경고
```

[예제 7-9]는 int형 배열의 원소를 출력하는 print_array 함수를 정의하고 호출하는 코드이다.

예제 7-9 : 배열의 출력

```
01   #include <stdio.h>
02   void print_array(int arr[], int size);    // 함수 선언
03
04   int main(void)
05   {
06       int data[3] = { 10, 20, 30 };
07       int x[] = { 1, 2, 3, 4, 5 };
08       int size = sizeof(x) / sizeof(x[0]);  // x 배열의 크기
09
10       printf("data = ");
11       print_array(data, 3);                 // 배열 이름과 크기를 인자로 전달한다.
12
13       printf("x    = ");
14       print_array(x, size);                 // 배열 이름과 크기를 인자로 전달한다.
15
16       printf("x    = ");
17       print_array(x, 3);                    // 인자로 전달한 크기만큼 출력한다.
18   }
19
20   void print_array(int arr[], int size)     // 배열형의 매개변수에서 크기는 생략한다.
21   {                                         // 배열의 크기는 별도의 매개변수로 받아와야 한다.
22       int  i;
23       for (i = 0; i < size; i++)            // 매개변수로 받아온 배열의 크기를 이용한다.
24           printf("%d ", arr[i]);
25       printf("\n");
26   }
```

실행 결과

```
data = 10 20 30
x    = 1 2 3 4 5
x    = 1 2 3
```

7.3.2 배열의 탐색과 정렬

예를 들어 가격 비교 사이트에서 구매할 물건을 검색한다고 해보자. 검색할 상품명을 입력하면 여러 쇼핑몰의 상품 정보 중에서 상품명이 일치하는 항목을 찾아서 화면에 표시해야 한다. 이처럼 **주어진 데이터 집합에서 조건이 만족하는 데이터를 찾는 것을 '탐색 (search)'** 또는 **'검색'**이라고 한다.

또한 가격 비교 사이트에서 검색 결과로 표시된 상품 목록을 낮은 가격 순으로 보거나 높은 가격 순으로 확인하기도 한다. 이처럼 **주어진 데이터 항목을 지정된 순서로 나열하는 것을 '정렬(sort)'**이라고 한다.

탐색과 정렬은 가장 기본적이면서 활용도가 높은 알고리즘이며, 다양한 알고리즘이 널리 사용되고 있다. 배열에 저장된 데이터에 대해서 탐색과 정렬 알고리즘을 구현하는 방법을 알아보자.

(1) 배열의 탐색

배열의 탐색에서는 **탐색 키(key)와 같은 값을 가진 원소를 찾는다.** 여기서 탐색 키는 찾을 값을 의미한다. 탐색 알고리즘 중 가장 간단한 방법은 **순차 탐색(sequential search)**이다. 순차 탐색은 배열의 0번째 원소부터 순서대로 탐색 키와 비교해서 값이 같은 원소를 찾는다.

[예제 7-10]은 int형 배열에서 입력받은 탐색 키를 찾는 코드이다. 탐색 키와 값이 같은 원소를 찾으면, 찾은 원소의 인덱스를 출력한다.

📝 **예제 7-10 : 배열의 탐색**

```
01   #define  _CRT_SECURE_NO_WARNINGS        // Visual Studio 2022에서 scanf 사용 시 필요
02   #include <stdio.h>
03
04   void print_array(int arr[], int size)   // 배열의 원소를 출력하는 함수
05   {
06       int  i;
07       for (i = 0; i < size; i++)
08           printf("%d ", arr[i]);
09       printf("\n");
```

```
10      }

11

12      int main(void)

13      {

14          int data[] = { 12, 34, 51, 22, 91, 12, 15 };     // 배열의 크기 생략

15          int size, i;

16          int key;                                         // 탐색할 키 값을 입력받을 변수

17

18          size = sizeof(data) / sizeof(data[0]);           // 배열의 크기 구하기

19          printf("data = ");

20          print_array(data, size);                         // data 배열을 출력한다.

21

22          printf("찾을 값(키)? ");

23          scanf("%d", &key);                               // 탐색 키를 입력받는다.

24          for (i = 0; i < size; i++) {

25              if (data[i] == key)                          // 탐색 키와 값이 같은 원소를 찾는다.

26                  printf("찾은 원소의 인덱스: %d\n", i);

27          }

28      }
```

실행 결과

```
data = 12 34 51 22 91 12 15
찾을 값(키)? 12
찾은 항목의 인덱스 : 0
찾은 항목의 인덱스 : 5
```

[예제 7-10]은 탐색 키와 일치하는 원소가 여러 개면 각각의 인덱스를 모두 출력한다. [그림 7-17]을 보면 [예제 7-10]의 실행 과정을 알 수 있다.

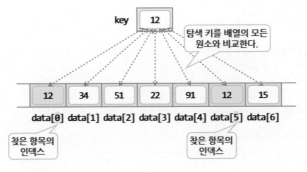

[그림 7-17] 탐색 키와 값이 같은 원소를 모두 찾는 경우

탐색 키와 값이 같은 원소를 모두 찾는 대신, 탐색 키와 일치하는 첫 번째 원소만 찾고 탐색을 종료할 수도 있다. 이때는 탐색 키와 일치하는 원소를 찾은 다음 break로 for문을 탈출하면 된다.

탐색 알고리즘 중에 2진 탐색(binary search)은 배열을 정렬한 상태에서 탐색하는 방법이므로 빠르게 탐색할 수 있다. 표준 C 라이브러리는 2진 탐색을 수행하는 bsearch 함수를 제공한다. bsearch 함수를 사용하려면 <stdlib.h>를 포함해야 한다.

```
void* bsearch(const void* key, const void* ptr, size_t count, size_t size,
    int(*comp)(const void*, const void*));
```

(2) 배열의 정렬

배열의 정렬은 **원소들을 비교해서 크기가 커지는 순서 또는 작아지는 순서로 나열한다.** 크기가 커지는 순서를 **오름차순(ascending order)**라고 하고, 크기가 작아지는 순서를 **내림차순(descending order)**라고 한다.

데이터가 정렬되어 있으면 데이터에 대한 여러 가지 작업이 간단해진다. 예를 들어 배열이 오름차순으로 정렬되어 있으면 최소값은 배열의 0번 원소가 된다. 마찬가지로 최대값은 배열의 마지막 원소가 된다. 또, 배열을 탐색할 때도 2진 탐색을 할 수 있으므로 빠르게 탐색할 수 있다.

다양한 정렬 알고리즘 중 비교적 간단한 **선택 정렬(selection sort)**을 이용해서 배열을 정렬하는 방법을 알아보자. 선택 정렬은 전체 배열의 원소 중 가장 작은 값을 선택해서 배열의 0번 원소로 옮기고, 그 다음 작은 값을 선택해서 배열의 1번 원소로 옮기는 식으로 진행된다.

[예제 7-11]에서 index_min은 data[i]~data[SIZE-1] 중에서 가장 작은 원소의 인덱스를 저장하기 위한 변수이다. index_min을 찾은 다음에는 data[i]와 data[index_min]를 맞바꾼다. i와 index_min이 같으면 가장 작은 원소가 이미 data[i]에 있으므로 맞바꿀 필요가 없다. 여기까지 수행하면 data[i]에 i번째 작은 값이 들어있게 된다. 바깥쪽 for는 0번째 작은 원소, 1번째 작은 원소, ..., (SIZE-2)번째로 작은 원소를 찾는다.

[예제 7-11]은 오름차순으로 선택 정렬을 수행하는 코드이다. 선택 정렬이 수행되는 과정을 확인할 수 있도록 i번째 작은 값을 찾을 때마다 배열을 출력한다.

📝 **예제 7-11 : 오름차순 선택 정렬**

```
01    #include <stdio.h>
02    #define SIZE 5
03
04    void print_array(int arr[], int size)    // 배열의 원소를 출력하는 함수
05    {
06        int  i;
07        for (i = 0; i < size; i++)
08            printf("%d ", arr[i]);
09        printf("\n");
10    }
11
12    int main(void)
13    {
14        int data[SIZE] = { 52, 31, 28, 17, 46 };
15        int i, j, temp;
16        int index_min;        // 아직 정렬되지 않은 원소 중 가장 작은 원소의 인덱스
17
18        for (i = 0; i < SIZE - 1; i++) {         // 0~(i-1)까지는 정렬된 상태이다.
19            index_min = i;
20            for (j = i + 1; j < SIZE; j++) {
21                // data[i]~data[SIZE-1]중에서 가장 작은 원소의 인덱스를 찾는다.
22                if (data[index_min] > data[j])     // 오름차순 정렬
23                    index_min = j;
24            }
25            if (i != index_min) {                // data[i]를 data[index_min]와 맞바꾼다.
26                temp = data[i];
27                data[i] = data[index_min];
28                data[index_min] = temp;
29            }                                    // data[i]가 i번째로 작은 값이 된다.
30
31            printf("i = %d 일때 정렬 결과 : ", i);
32            print_array(data, SIZE);             // i번째 작은 값을 찾은 후의 정렬 결과 출력
33        }
34    }
```

실행 결과

```
i = 0 일때 정렬 결과 : 17 31 28 52 46
i = 1 일때 정렬 결과 : 17 28 31 52 46
i = 2 일때 정렬 결과 : 17 28 31 52 46
i = 3 일때 정렬 결과 : 17 28 31 46 52
```

[그림 7-18]을 보면 선택 정렬이 수행되는 과정을 확인할 수 있다.

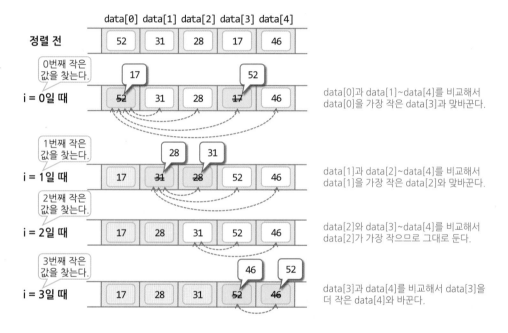

[그림 7-18] 선택 정렬의 수행 과정

배열을 내림차순으로 정렬하려면 안쪽 for문의 조건식을 수정하면 된다. 이때는 안쪽 for문에서 아직 정렬되지 않은 원소 중 가장 큰 원소의 인덱스를 찾는다. 그리고 나서 data[i]와 data[index_max]를 맞바꾸면 data[i]에 i번째 큰 값이 들어있게 된다.

```
for (i = 0; i < SIZE - 1; i++) {      // 0~(i-1)까지는 정렬된 상태이다.
    index_max = i;                    // 아직 정렬되지 않은 원소 중 가장 큰 원소의 인덱스
    for (j = i + 1; j < SIZE; j++) {  // 안쪽 for
        if (data[index_max] < data[j]) // 내림차순 정렬
            index_max = j;
    }
}
```

```
    // data[i]와 data[index_max]를 맞바꾼다.
     ⋮
}
```

표준 C 라이브러리는 정렬 알고리즘 중에서 가장 빠른 퀵 정렬을 수행하는 qsort 함수를 제공한다. qsort 함수를 사용하려면 <stdlib.h>를 포함해야 한다.

```
void qsort(void* ptr, size_t count, size_t size, int(*compare)(const void*, const void*));
```

1. int arr[5];로 선언된 배열이 있을 때 함수의 인자로 arr 배열을 전달하기 위해서 넘겨주는 값은??
   ① arr   ② arr[0]   ③ &arr   ④ sizeof(arr)

2. 주어진 데이터 집합에서 조건이 만족하는 데이터를 찾는 것을 무엇이라고 하는가?
   ① 탐색   ② 정렬   ③ 분할   ④ 병합

3. 주어진 데이터를 조건에 따라 순서대로 나열하는 것을 무엇이라고 하는가?
   ① 탐색   ② 정렬   ③ 분할   ④ 병합

연습 문제

1. 배열의 개념에 대한 설명 중 잘못된 것을 모두 고르시오.

    ① 배열의 원소들은 같은 이름을 사용하고, 인덱스로 원소들을 구분한다.

    ② 서로 다른 데이터형의 변수를 배열의 원소로 사용할 수 있다.

    ③ 배열의 원소들은 메모리에 연속적으로 할당된다.

    ④ 배열의 원소에 접근할 때는 1부터 시작하는 인덱스를 사용한다.

    ⑤ 배열은 주로 for나 while 같은 반복문과 함께 사용된다.

2. 다음 중 배열의 선언이 잘못된 것을 모두 고르시오.

    ① `int arr[10];`

    ② `int arr[0];`

    ③ `double arr[];`

    ④ `#define MAX 10`
       `int arr[MAX];`

    ⑤ `const int max = 10;`
       `int arr[max];`

    ⑥ `int size = 10;`
       `int arr[size];`

3. 배열에 대한 설명 중 잘못된 것을 모두 고르시오.

    ① 배열의 크기는 반드시 0보다 큰 정수형 상수로 지정해야 한다.

    ② 배열 이름이 arr일 때 배열의 크기(원소의 개수)는 sizeof(arr) / sizeof(arr[0])으로 구할 수 있다.

    ③ 배열 이름이 arr일 때 sizeof(arr)는 배열 전체의 바이트 크기이다.

    ④ 배열의 초기값은 { } 안에 콤마로 나열한다.

    ⑤ 배열의 초기값이 1개일 때는 { }를 생략할 수 있다.

    ⑥ 배열을 초기화할 때 배열의 크기보다 초기값이 부족하면 컴파일 에러가 발생한다.

    ⑦ 배열의 초기값을 지정할 때는 배열의 크기를 생략할 수 있다.

    ⑧ 배열의 인덱스는 0~(배열의 크기−1) 범위의 값이다.

    ⑨ 배열에 대하여 잘못된 인덱스를 사용하면 컴파일 에러가 발생한다.

    ⑩ 배열의 원소는 배열 원소형의 변수처럼 사용할 수 있다.

4. 다차원 배열의 선언문과 그 의미가 올바른 것은?

배열의 선언문	의미
① `int arr[3][2];`	int[3]를 2개 할당한다.
② `int arr[2][4];`	int를 2개씩 4번 할당한다.
③ `char str[3][20];`	char를 20개씩 3번 할당한다.
④ `double data[2][3][4];`	double을 (2+3+4)개 할당한다.

E x e r c i s e

5. 다차원 배열에 대한 설명 중 잘못된 것을 모두 고르시오.

    ① 다차원 배열을 선언할 때는 배열의 크기를 2개 이상 지정한다.

    ② 다차원 배열의 원소를 사용할 때는 1차원 배열처럼 인덱스를 하나만 사용한다.

    ③ 다차원 배열의 모든 원소는 연속된 메모리에 할당된다.

    ④ 2차원 배열을 초기화할 때는 배열의 열 크기를 생략할 수 있다.

    ⑤ 2차원 배열에서 전체 원소의 개수는 (열 크기)×(행 크기)개이다.

    ⑥ 다차원 배열의 차수에는 제한이 없다.

    ⑦ 2차원 배열의 원소를 사용할 때는 인덱스를 2개 사용한다.

6. 배열을 함수의 인자로 전달하는 방법에 대한 설명 중 잘못된 것을 모두 고르시오.

    ① 함수의 매개변수로 배열을 선언하려면 배열의 크기를 지정해야 한다.

    ② 배열을 매개변수로 갖는 함수를 호출하려면 배열의 이름을 인자로 전달한다.

    ③ 배열을 매개변수로 갖는 함수를 호출하려면 배열의 원소를 인자로 전달한다.

    ④ 함수 안에서 배열의 크기가 필요할 때는 배열의 크기도 별도의 매개변수로 전달받는다.

    ⑤ 함수 안에서 배열의 원소에 접근할 때는 인덱스를 사용한다.

    ⑥ 배열을 함수의 인자로 전달할 때는 반드시 매개변수와 원소형이 일치해야 한다.

    ⑦ 함수 안에서 sizeof 연산자로 배열의 크기를 구할 수 있다.

7. 다음은 실수형 배열인 values의 원소를 출력하는 코드이다. ____ 부분에 필요한 코드를 작성하시오.

```c
#include <stdio.h>
int main(void)
{
    double values[] = { 0.5, 0.125, 0,75, 1.05, 2.25, 3.75 };
    int count = _____;   // 배열의 크기(원소의 개수)
    int i;
    for (i = 0; i < count; i++)
        printf("%f ", values[i]);                 // values 배열의 원소를 출력한다.
}
```

8. 다음은 정수형 배열에 대하여 모든 원소의 합을 구하는 코드이다. ___ 부분에 필요한 코드를 작성하시오.

```c
#include <stdio.h>
int main(void)
{
    int orders[] = { 3, 5, 1, 2, 2, 4, 3, 1, 1, 2 };
    int sz = sizeof(orders) / sizeof(orders[0]);
    int sum = 0;
    int i;
    for (i = 0; i < sz; i++)
        _____;
    printf("합계 : %d\n", sum);
}
```

9. 정수형 배열을 매개변수로 전달받아 배열 전체를 0으로 채우는 함수의 원형을 작성하시오.

10. 실수형 배열을 매개변수로 전달받아 원소들의 합계를 리턴하는 함수의 원형을 작성하시오.

11. 다음은 구구단을 구해서 2차원 배열에 저장하는 코드이다. 배열 인덱스는 0부터 시작하므로 gugu[0][0]에 1×1을 저장하고, gugu[8][8]에 9×9를 저장해야 한다. ___부분에 필요한 코드를 작성하시오.

```c
#include <stdio.h>
int main(void)
{
    int gugu[9][9] = { 0 };
    int i, j;
    for (i = 1; i <= 9; i++)
        for (j = 1; j <= 9; j++)
            ①_____;  // 구구단을 gugu 배열에 저장한다.
    for (i = 1; i <= 9; i++) {
        for (j = 1; j <= 9; j++)
            printf("%d*%d = %2d  ", i, j, ②_____);  // gugu를 출력한다.
        printf("\n");
    };
}
```

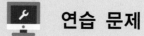

12. 다음 코드의 실행 결과를 쓰시오.

```c
#include <stdio.h>
int main(void)
{
    int x[4][3] = { {1, 2, 3}, {4, 5}, {6} };
    int i, j;
    for (i = 0; i < 3; i++)
        for (j = 0; j < 3; j++)
            x[3][j] += x[i][j];
    for (i = 0; i < 4; i++) {
        for (j = 0; j < 3; j++)
            printf("%2d ", x[i][j]);
        printf("\n");
    }
}
```

프로그래밍 과제

Programming Assignment

1. 등차수열은 앞의 항에 항상 일정한 수(공차)를 더하여 만들어가는 수열이다. 크기가 10인 정수형 배열에 대하여 등차수열로 값을 채우려고 한다. 첫 번째 항의 값과 공차(common difference)를 입력받아서 배열을 채우고 출력하는 프로그램을 작성하시오. [배열/난이도 ★]

```
실행 결과

첫 번째 항? 3
공차? 7
등차수열: 3 10 17 24 31 38 45 52 59 66
```

2. 등비수열은 앞의 항에 항상 일정한 수(공비)를 곱하여 만들어가는 수열이다. 크기가 10인 실수형 배열에 대하여 등비수열로 값을 채우려고 한다. 첫 번째 항의 값과 공비(common ratio)를 입력받아서 배열을 채우고 출력하는 프로그램을 작성하시오. [배열/난이도 ★]

```
실행 결과

첫 번째 항? 3
공비? 5
등비수열: 3 15 75 375 1875 9375 46875 234375 1.17188e+06 5.85938e+06
```

3. 정수형 배열의 원소 중 최대값과 최소값을 찾아서 출력하는 프로그램을 작성하시오. 배열의 크기는 10이고 다음과 같이 초기화해서 사용하시오. [배열/난이도 ★]

```
실행 결과

배열: 23 45 62 12 99 83 23 50 72 37
최대값: 99
최소값: 12
```

4. 입력받은 값을 정수형 배열의 끝에서부터 역순으로 찾아서, 찾은 원소의 인덱스를 출력하는 프로그램을 작성하시오. 같은 값을 가진 원소를 찾을 수 없으면 에러 메시지를 출력하고, 같은 값을 가진 원소가 여러 개일 때는 첫 번째로 찾은 원소의 인덱스를 출력한다. 배열의 크기는 10이고 다음과 같이 초기화해서 사용하시오. [배열의 탐색/난이도 ★]

```
실행 결과

배열: 23 45 62 12 99 83 23 50 12 37
찾을 값? 23
23는 6번째 원소입니다.
```

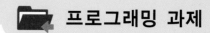

프로그래밍 과제

5. 실수형 배열의 원소들을 역순으로 만드는 프로그램을 작성하시오. 실수형 배열의 크기는 10이고 다음과 같이 초기화해서 사용하시오. [배열의 인덱스 사용/난이도 ★]

> **실행 결과**
>
> 배열: 1.2 3.1 4.3 4.5 6.7 2.3 8.7 9.5 2.3 5.8
> 역순: 5.8 2.3 9.5 8.7 2.3 6.7 4.5 4.3 3.1 1.2

6. 정수형 배열의 모든 원소를 특정값으로 채우는 함수를 작성하시오. 함수의 매개변수로는 정수형 배열, 배열의 크기, 배열을 채울 값이 필요하다. 크기가 20인 배열을 선언해서 입력받은 값으로 배열 전체를 채우고 출력하는 프로그램을 작성하시오. [배열을 매개변수로 갖는 함수/난이도 ★★]

> **실행 결과**
>
> 배열의 원소에 저장할 값? 1
> 1 1 1 1 1 1 1 1 1 1 1 1 1 1 1 1 1 1 1 1

7. 실수형 배열을 매개변수로 전달받아 원소들의 합계를 구해서 리턴하는 함수를 작성하시오. 이 함수를 이용해서 크기가 5인 실수형 배열에 실수를 입력받은 후 합계를 구해서 출력하는 프로그램을 작성하시오. [배열을 매개변수로 갖는 함수/난이도 ★★]

> **실행 결과**
>
> 실수 5개를 입력하세요: 12.3 4.34 54.45 0.125 0.0002
> 합계 : 71.215200

8. 상품 가격이 저장된 정수형 배열에 대하여 할인율(%)을 입력받아 할인된 가격을 계산해서 출력하는 프로그램을 작성하시오. 상품 가격이 저장된 배열의 크기는 5이고, 상품 가격은 입력받아서 사용한다. 할인된 가격은 별도의 배열에 저장하시오. [여러 개의 배열 사용/난이도 ★★]

> **실행 결과**
>
> 상품가 5개를 입력하세요: 12000 10000 8000 9900 7200
> 할인율(%)? 20
> 가격: 12000 --> 할인가: 9600
> 가격: 10000 --> 할인가: 8000
> 가격: 8000 --> 할인가: 6400
> 가격: 9900 --> 할인가: 7920
> 가격: 7200 --> 할인가: 5760

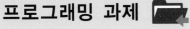
9. 3x3 행렬의 합을 구하는 프로그램을 작성하시오. 행렬로 사용될 2차원 배열은 초기화해서 사용하시오. [2차원 배열/난이도 ★★]

$$\begin{bmatrix} a_{11} & a_{12} & a_{13} \\ a_{21} & a_{22} & a_{23} \\ a_{31} & a_{32} & a_{33} \end{bmatrix} + \begin{bmatrix} b_{11} & b_{12} & b_{13} \\ b_{21} & b_{22} & b_{23} \\ b_{31} & b_{32} & b_{33} \end{bmatrix} = \begin{bmatrix} a_{11}+b_{11} & a_{12}+b_{12} & a_{13}+b_{13} \\ a_{21}+b_{21} & a_{22}+b_{22} & a_{23}+b_{23} \\ a_{31}+b_{31} & a_{32}+b_{32} & a_{33}+b_{33} \end{bmatrix}$$

실행 결과

```
x 행렬:
 10  20  30
 40  50  60
 70  80  90
y 행렬:
  9   8   7
  6   5   4
  3   2   1
x + y 행렬:
 19  28  37
 46  55  64
 73  82  91
```

10. 기차표 예매 프로그램을 작성하려고 한다. 간단한 구현을 위해 좌석은 모두 10개라고 하자. 예매할 좌석수를 입력받아 빈 자리를 할당한다. 예매할 때마다 각 좌석의 상태를 출력한다. O이면 예매 가능, X는 예매 불가를 의미한다. 더 이상 예매할 수 없으면 프로그램을 종료한다. [배열/난이도 ★★★]

실행 결과

```
현재 좌석: [ O O O O O O O O O O ]
예매할 좌석수? 3
1 2 3 번 좌석을 예매했습니다.
현재 좌석: [ X X X O O O O O O O ]
예매할 좌석수? 4
4 5 6 7 번 좌석을 예매했습니다.
현재 좌석: [ X X X X X X X O O O ]
예매할 좌석수? 5
남은 좌석수가 3이므로 5좌석을 예매할 수 없습니다.
```

11. 음악 재생 프로그램에는 재생 목록에 있는 곡들을 임의의 순서로 뒤섞는 셔플 기능이 있다. 이 셔플 기능처럼 크기가 10인 정수형 배열의 원소를 임의의 순서로 뒤섞는 프로그램을 작성하시오. 크기가 10인 정수형 배열은 다음과 같이 초기화해서 사용하시오. [배열/난이도 ★★★]

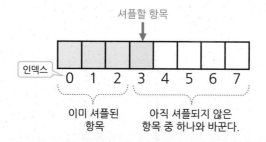

실행 결과

```
셔플 전: 12 43 39 98 71 63  8 16 54 85
셔플 후: 54 39 98 16 12 71 85 63 43  8
```

12. 한 학기 성적은 중간고사 30점, 기말고사 30점, 팀프로젝트 30점, 출석 10점으로 계산된다. 학생이 모두 5명일 때, 각 학생별 총점을 구하고 중간고사, 기말고사, 팀프로젝트, 출석, 총점의 평균을 구해서 출력하는 프로그램을 작성하시오. 성적을 저장하는 2차원 배열은 다음과 같이 초기화해서 사용하시오. [2차원배열과 1차원 배열//난이도 ★★★]

실행 결과

		중간	기말	팀플	출석	총점
학 생	1번:	28	28	26	9	91
학 생	2번:	30	27	30	10	97
학 생	3번:	25	26	24	8	83
학 생	4번:	18	22	22	5	67
학 생	5번:	24	25	30	10	89
항목별 평균:		25.0	25.6	26.4	8.4	85.4

8

포인터

8.1 포인터의 기본

C에 대한 잘못된 선입견 중 하나가 포인터가 어렵다는 것이다. C 언어를 처음 배우는 프로그래머들은 종종 포인터를 전혀 이용하지 않고 프로그램을 작성하기도 한다. 이처럼 포인터를 사용하지 않고도 C 프로그램을 작성할 수 있지만, 좋은 프로그램을 작성하기는 어렵다.

포인터를 처음 배울 때는 포인터의 기본 개념만 정확히 알아 두도록 하자. 일단 포인터가 사용된 코드를 이해할 수 있으면 된다. 포인터가 사용된 코드를 이해할 수 있으면, 포인터를 마음대로 다룰 수 있게 되기까지 오랜 시간이 걸리지 않을 것이다.

8.1.1 포인터의 개념

포인터(pointer)는 주소(address)를 저장하는 변수이다. char형 변수에 문자 코드를 저장하고, int형 변수에 정수를 저장하듯이, 포인터 변수에는 주소를 저장한다. 포인터 변수를 간단히 포인터라고 부른다.

메모리는 연속된 바이트의 모임이며, 각각의 바이트를 구분하기 위해서 주소(번지)를 사용한다. 메모리 주소의 크기는 플랫폼에 따라서 다르다. 예를 들어 32비트 플랫폼에서는 주소가 32비트(4바이트) 크기이고, 64비트 플랫폼에서는 64비트(8바이트) 크기이다.

이 책에서는 메모리 주소의 크기가 4바이트라고 가정하도록 하자. 4바이트 크기의 메모리 주소는 0x00000000번지~0xffffffff번지 사이의 값이 된다. 메모리 주소가 가질 수 있는 범위를 **메모리 주소 공간(address space)**이라고 한다. 메모리 주소도 2진 데이터이므로 16진수로 표기한다. 예를 들어 0x00000000번지는 32비트가 모두 0인 주소값이고, 0xffffffff번지는 32비트가 모두 1인 주소값이다.

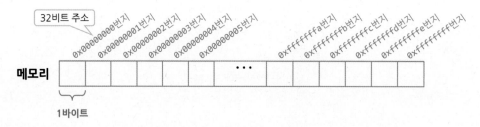

[그림 8-1] 32비트 플랫폼의 메모리 주소 공간

　　프로그래머는 운영체제와 컴파일러가 할당한 변수의 주소를 사용만 할 뿐 마음대로 변수의 주소를 정할 수는 없다. 따라서, 포인터를 사용할 때, 주소값 자체가 중요한 게 아니라 포인터가 어떤 변수를 가리키는지가 중요하다. 이 책에서는 포인터를 나타낼 때, 포인터가 어떤 변수를 가리키는지 알 수 있도록 [그림 8-2]처럼 화살표를 이용해서 표기할 것이다.

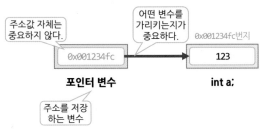

[그림 8-2] 포인터는 다른 변수를 가리킨다.

　　포인터는 변수의 이름을 사용할 수 없더라도 주소로 변수에 접근할 수 있는 방법을 제공한다.

8.1.2 포인터의 선언 및 초기화

(1) 포인터의 선언

　　포인터 변수를 선언할 때는 데이터형과 *를 쓴 다음 변수 이름을 적어준다. 변수 선언문에 사용된 * 기호는 **포인터 수식어**로, 그 다음에 써주는 변수를 포인터로 만든다.

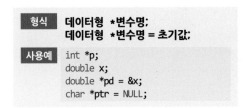

　　포인터 선언 시 사용된 데이터형은 포인터가 가리키는 변수의 데이터형이다. 어떤 형의 변수를 가리키는지에 따라 포인터의 데이터형이 결정된다. int 변수를 가리킬 때는 int*형의 포인터를, double 변수를 가리킬 때는 double*형의 포인터를 사용해야 한다. int*형의 포인터를 간단히 int 포인터라고 한다.

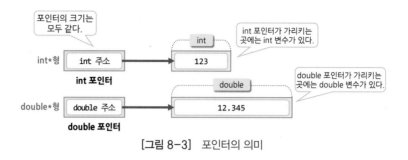

[그림 8-3] 포인터의 의미

데이터형에 관계없이 포인터의 크기는 항상 같다. 포인터(주소)의 크기는 플랫폼에 의해서
결정되기 때문이다. 포인터의 크기를 확인하려면 sizeof 연산자를 이용한다.

[예제 8-1]은 sizeof 연산자를 이용하여 포인터와 포인터형의 크기를 알아보는 예제이다.

예제 8-1 : 포인터의 바이트 크기 구하기

```
01    #include <stdio.h>
02
03    int main(void)
04    {
05        int *pi;        // *는 포인터 수식어이며, 다음에 나오는 변수를 포인터로 선언한다.
06        double *pd;     // 포인터의 크기는 데이터형에 관계없이 항상 같다.
07        char *pc;
08
09        printf("sizeof(pi) = %d\n", sizeof(pi));         // 포인터의 크기를 구한다.
10        printf("sizeof(pd) = %d\n", sizeof(pd));
11        printf("sizeof(pc) = %d\n", sizeof(pc));
12
13        printf("sizeof(int*) = %d\n", sizeof(int*));     // 포인터형의 크기를 구한다.
14        printf("sizeof(double*) = %d\n", sizeof(double*));
15        printf("sizeof(char*) = %d\n", sizeof(char*));
16    }
```

실행 결과 ■■■

```
sizeof(pi) = 4
sizeof(pd) = 4
sizeof(pc) = 4            포인터의 크기는 항상 같다.
sizeof(int*) = 4
sizeof(double*) = 4
sizeof(char*) = 4
```

Further Study

포인터 수식어 *의 위치

포인터 수식어 *는 데이터형 쪽에 붙여 써도 되고 변수 쪽으로 붙여 써도 된다.

세 문장은 모두 같은 뜻이다.

포인터를 하나만 선언할 때는 *의 위치는 관계없다. 그런데 변수를 여러 개를 함께 선언할 때는 변수 쪽에 붙여 써주는 것이 좋다. 다음 문장은 p1, p2가 둘 다 int*형의 변수인 것처럼 혼동될 수 있다.

```
int* p1, p2;        // p1은 포인터지만 p2는 int형 변수이다.
```

포인터 수식어인 *는 그 다음에 나오는 변수를 포인터로 만든다. *를 변수 쪽으로 붙여 써주면 포인터 선언문의 의미가 명확해진다.

```
int *p1, p2;        // p1은 포인터이고, p2는 포인터가 아니라는 것을 알 수 있다.
```

p1, p2를 둘 다 포인터로 선언하려면 변수마다 앞에 포인터 수식어를 써주어야 한다.

```
int *p1, *p2;       // p1, p2는 모두 포인터이다.
```

포인터의 크기

[예제 8-1]을 빌드하면 %d 형식문자열에 대한 경고가 발생하며, 경고를 무시하고 실행 시 포인터의 크기가 8바이트라고 출력된다. 이것은 Visual Studio의 프로젝트 구성 때문이다. Visual Studio 2022는 C++ 프로젝트의 솔루션 플랫폼을 'x64'로 지정하여 64비트 애플리케이션으로 실행 파일을 생성한다.

주소가 4바이트 크기인 32비트 애플리케이션으로 실행 파일을 생성하려면 [빌드] → [구성관리자] 메뉴를 선택하고, 활성 솔루션 플랫폼을 'x86'로 선택한다.

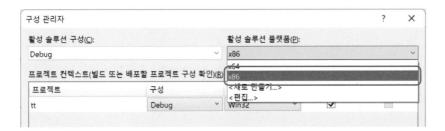

continued

Further Study

포인터를 사용하는 프로젝트에서는 솔루션 플랫폼이 32비트인지 64비트인지 주의해야 한다. 64비트 플랫폼에서는 sizeof 연산자의 결과값이 부호 없는 64비트 정수값(unsigned long long형)이므로 출력 시 %zd 형식 문자열을 사용하는 것이 좋다.

이 책에서 예제의 실행 결과는 32비트 애플리케이션으로 실행한 경우이며, 64비트 애플리케이션으로 실행 시 주소가 64비트라는 점을 주의하자.

(2) 포인터의 초기화

포인터도 초기화하지 않으면 쓰레기값을 가진다. 포인터를 초기화하려면 주소가 필요하다. 메모리 주소를 할당하는 것은 운영체제와 컴파일러가 담당하므로, 프로그래머는 할당된 변수의 주소를 구해서 사용해야 한다. **변수의 주소를 구하려면 주소 구하기(addresss-of) 연산자인 &를 이용한다.** int 포인터 p는 int형 변수의 주소로 초기화할 수 있다.

```
int a = 10;
int *p = &a;        // p를 a의 주소로 초기화한다. p는 a를 가리킨다.
```

포인터를 선언할 때 어떤 변수의 주소로 초기화할지 알 수 없으면 NULL로 초기화한다. NULL은 표준 C 라이브러리에 0으로 정의된 매크로 상수이다. NULL은 메모리 0번지를 의미하는 것이 아니라 포인터가 어떤 변수도 가리키지 않는다는 뜻이다. NULL 대신 0을 사용할 수도 있다. 이것을 **널 포인터**라고 한다.

```
int *q = NULL;      // NULL로 초기화하면, 어떤 변수도 가리키지 않는다는 뜻이다.
int *r = 0;         // NULL 대신 0을 사용할 수도 있다.
```

[예제 8-2]는 포인터를 선언하고 초기화하는 예제이다. 포인터에 저장된 주소를 출력하려면 printf 함수의 서식 지정자로 %p를 사용한다.

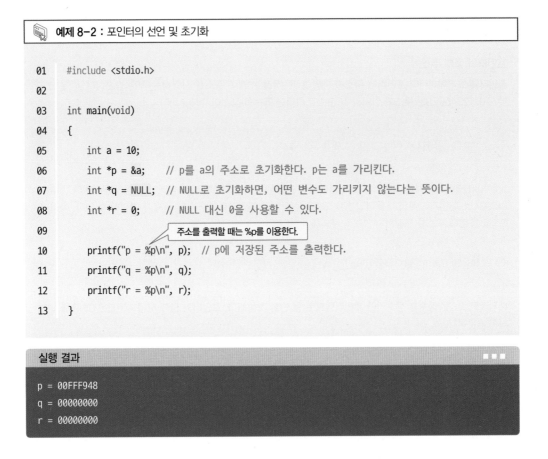

```
01    #include <stdio.h>
02
03    int main(void)
04    {
05        int a = 10;
06        int *p = &a;      // p를 a의 주소로 초기화한다. p는 a를 가리킨다.
07        int *q = NULL;    // NULL로 초기화하면, 어떤 변수도 가리키지 않는다는 뜻이다.
08        int *r = 0;       // NULL 대신 0을 사용할 수 있다.
09                          주소를 출력할 때는 %p를 이용한다.
10        printf("p = %p\n", p);  // p에 저장된 주소를 출력한다.
11        printf("q = %p\n", q);
12        printf("r = %p\n", r);
13    }
```

실행 결과

```
p = 00FFF948
q = 00000000
r = 00000000
```

이 책에서는 포인터를 그림으로 나타낼 때, 어떤 형의 변수를 가리키는 포인터인지 알아보기 쉽도록 '*type* 주소'로 표기할 것이다. '*type* 주소'는 *type*형 변수의 주소, *type* 포인터라는 뜻이다. 또한 화살표로 어떤 변수를 가리키는지 표시할 것이다.

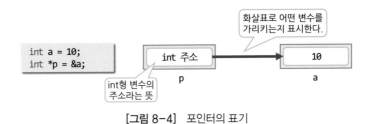

[그림 8-4] 포인터의 표기

Further Study

포인터와 절대 주소

포인터를 초기화하거나 포인터에 주소를 대입할 때, 직접 16진수 주소를 사용하는 것은 잘못이다. 다음 코드에서 0x12345678은 주소가 아니라 16진수로 나타낸 정수형 상수이기 때문이다.

⊘   `int *p = 0x12345678;`   `// 0x12345678은 주소가 아니라 정수형 상수이다.`

(int*)0x12345678처럼 포인터형으로 변환해서 포인터에 대입하면 컴파일 에러는 발생하지 않는다. 하지만 0x12345678번지에 무엇이 들어있는지 모르는 상황에서 포인터로 접근하면 문제가 발생할 수 있다. 따라서, 포인터에 절대 주소를 저장하지 않도록 주의해야 한다.

⊘   `int *p = (int*)0x12345678;`   `// 절대 주소를 사용하면 실행 에러가 발생할 수 있다.`

예외적으로 0은 정수형 상수지만 포인터형으로 형 변환 가능하다. 포인터와 함께 사용되는 0은 0번지를 의미하기 때문이다.

`int *p = 0;`   `// 0은 정수형 상수지만 포인터와 함께 사용될 수 있다.`

8.1.3 포인터의 사용

C는 포인터와 함께 사용할 수 있도록 두 가지 연산자를 제공한다. 변수의 주소를 구하는 주소 구하기 연산자와 포인터가 가리키는 변수에 접근하기 위한 역참조 연산자가 바로 그것이다.

(1) 주소 구하기 연산자

주소 구하기 연산자는 & 다음에 써주는 변수의 주소를 구한다. & 연산의 결과는 주소이며, & 다음에 있는 변수에 대한 포인터형이다.

```
int a = 10;
int *p = &a;                // &a는 a의 주소이며, int*형의 주소값이다.
```

& 연산자는 반드시 변수와 함께 사용해야 하며, 상수나 수식에는 사용할 수 없다.

⊘	p = &10;	// 리터럴 상수 10의 주소는 구할 수 없다. (컴파일 에러)
⊘	p = &(a + 1);	// 수식 (a + 1)의 주소는 구할 수 없다. (컴파일 에러)
⊘	p = &MAX;	// 매크로 상수 MAX의 주소는 구할 수 없다. (컴파일 에러)

(2) 역참조 연산자

포인터 앞에 *를 쓰면 포인터가 가리키는 변수의 값을 읽어오거나 변경할 수 있다. 포인터가 다른 변수를 가리키는 것을 **참조(reference)**라고도 한다. 참조와 반대 방향으로 포인터가 가리키는 변수를 끌어와서 사용하는 것을 **역참조(dereference)**라고 한다. * 연산의 결과는 * 다음에 있는 포인터가 가리키는 변수의 데이터형이다. 예를 들어 p가 int*형 변수일때, *p 연산의 결과는 int형이 된다.

```
*p = 20;                   // p가 가리키는 int 변수에 20을 대입한다.
printf("*p = %d\n", *p);   // p가 가리키는 int 변수의 값을 출력한다.
```

역참조 연산자를 사용하면 포인터가 가리키는 변수가 대신 사용된다. p가 a를 가리킬 때, *p 대신 a가 사용되는 것처럼 처리된다.

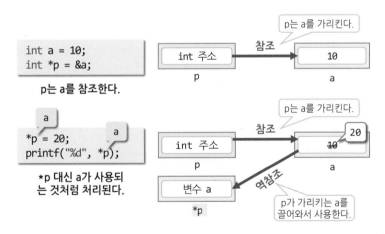

[그림 8-5] 역참조 연산의 의미

포인터를 통해서 변수에 간접적으로 접근한다는 뜻에서 역참조 연산자를 **간접 참조 (indirection) 연산자**라고도 한다. **역참조 연산자를 이용하면 변수의 이름을 모르더라도 주소로 변수에 접근할 수 있다.**

＊ 연산자는 포인터에만 사용할 수 있으며, 일반 변수나 상수, 수식에는 사용할 수 없다.

```
    int a = 10;
⊘   *a = 20;                    // 일반 변수에는 * 연산자를 사용할 수 없다. (컴파일 에러)
⊘   *(a + 1) = 20;              // 상수나 수식에는 * 연산자를 사용할 수 없다. (컴파일 에러)
```

[예제 8-3]은 주소 구하기 연산자와 역참조 연산자를 이용해서 포인터를 사용하는 코드이다.

예제 8-3 : 포인터의 사용

```
01    #include <stdio.h>
02
03    int main(void)
04    {
05        int a = 10;
06        int* p = &a;                    // p는 a를 가리키는 포인터이다.
07
08        printf(" a = %d\n", a);         // a의 값을 출력한다.
09        printf("&a = %p\n", &a);        // a의 주소를 출력한다.
10
11        printf(" p = %p\n", p);         // 포인터에 저장된 값을 출력한다. (a의 주소 출력)
12        printf("*p = %d\n", *p);        // p가 가리키는 int형 변수 a를 출력한다.
13        printf("&p = %p\n", &p);        // p의 주소를 출력한다. (포인터에도 주소가 있다.)
14
15        *p = 20;                        // p가 가리키는 int 변수 a에 20을 저장한다.
16        printf("*p = %d\n", *p);        // p가 가리키는 int 변수 a를 출력한다.
17    }
```

실행 결과
■ ■ ■

```
 a = 10
&a = 004FF71C
 p = 004FF71C
*p = 10
&p = 004FF710
*p = 20
```

8.1.4 포인터의 용도

변수를 직접 사용하는 대신 변수의 주소를 구해서 포인터에 저장하고, 포인터로 다시 역 참조해서 변수에 접근하는 이유는 왜일까? 변수를 직접 사용할 수 있을 때는 굳이 포인터를 사용할 필요가 없다. 그렇다면 어떤 경우에 포인터가 필요한지 알아보자.

(1) 다른 함수의 지역 변수를 변경하려고 할 때

예를 들어 test 함수에서 main 함수에 선언된 지역 변수 x를 변경하려고 한다. 지역 변수는 변수가 선언된 블록에서만 사용할 수 있으므로 test에서는 main의 지역 변수 x를 사용할 수 없다.

```
void test()
{
    x = 20;          // 다른 함수에 선언된 지역 변수는 사용할 수 없다.
}

int main(void)
{
    int x = 10;      // main 함수에 선언된 지역 변수 x는 main 함수에서만 사용할 수 있다.
    test();
}
```

x를 매개변수로 받아와도 여전히 main 함수의 지역 변수 x는 변경할 수 없다. [그림 8-6]을 보면 매개변수 x는 test1 함수가 호출될 때 생성되며, main의 x로 초기화된다. 매개변수 x와 main의 x는 서로 다른 변수이다. 따라서, test1 함수 안에서 x를 변경해도 main의 x는 변경되지 않는다.

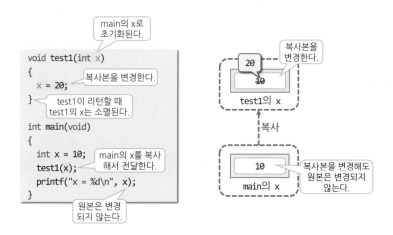

[그림 8-6] 인자를 매개변수로 복사해서 전달하는 경우

이런 상황을 해결할 수 있는 것이 포인터이다. **변수를 직접 사용할 수 없을 때 포인터를 이용해서 주소로 접근할 수 있다.** test2 함수의 매개변수 p에 main에 선언된 x의 주소를 받아오면 포인터 p를 역참조해서 main의 x에 접근할 수 있다. test2의 매개변수 p는 main의 x를 가리키기 때문이다.

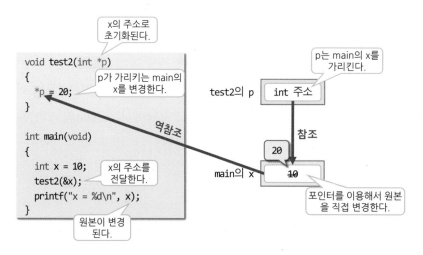

[그림 8-7] 인자를 포인터로 전달하는 경우

[예제 8-4]는 포인터가 필요한 경우를 알아보기 위한 코드이다.

📝 **예제 8-4 : 포인터가 필요한 경우**

```
01    #include <stdio.h>
02
03    void test1(int x)          // 매개변수 x는 함수가 호출될 때 main의 x로 초기화된다.
04    {
05        x = 20;                // 매개변수를 변경하는 것은 아무 의미가 없다.
06    }                          // 매개변수 x는 test1이 리턴할 때 소멸된다.
07
08    void test2(int *p)         // 매개변수 p는 main의 x를 가리킨다.
09    {
10        *p = 20;               // p가 가리키는 변수(main의 x)에 20을 대입한다.
11    }
12
13    int main(void)
14    {
```

```
15      int x = 10;
16      test1(x);                       // main의 x를 test1의 매개변수 x로 복사해서 전달한다.
17      printf("test1 호출 후 x = %d\n", x);        // x의 값은 변경되지 않는다.
18
19      test2(&x);                      // x의 주소를 test2의 매개변수 p로 전달한다.
20      printf("test2 호출 후 x = %d\n", x);        // x의 값이 변경된다.
21   }
```

실행 결과

```
test1 호출 후 x = 10
test2 호출 후 x = 20
```

(2) 여러 변수에 공통의 방법으로 접근하고 싶을 때

프로그램 실행 중에 조건에 따라서 포인터가 가리키는 변수가 결정된다고 해보자. **포인터가 어떤 변수를 가리킬지 미리 알 수 없는 경우에도 포인터가 가리키는 변수로 어떤 작업을 수행하도록 코드를 작성할 수 있다.** [그림 8-8]을 보면 포인터 p는 조건식의 참, 거짓에 따라 a를 가리킬 수도 있고, b를 가리킬 수도 있다. p가 어떤 변수를 가리키든지 상관없이 나머지 코드에서는 *p로 역참조해서 p가 가리키는 변수를 이용할 수 있다.

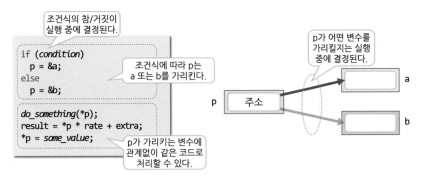

[그림 8-8] 여러 변수에 대하여 공통의 코드를 작성할 수 있다.

포인터가 아니라 변수를 직접 사용하는 경우에는 a를 처리하는 코드와 b를 처리하는 코드를 따로 작성해야 하므로 비슷한 코드가 반복된다. 이런 코드 중복은 코드를 복잡하고 알아보기 힘들게 만들며, 유지 보수하기도 어렵다.

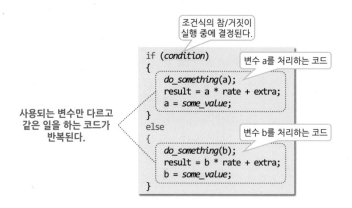

[그림 8-9] 변수마다 코드를 구분해서 작성하는 경우

이 밖에도 포인터가 필요한 상황이 다양하지만 우선은 이 정도만 알아보도록 하자.

8.1.5 포인터 사용 시 주의 사항

포인터는 유용한 기능이지만 잘못 사용하면 실행 에러를 발생시키는 원인이 된다. 다음 두 가지 주의 사항만 잘 지키면 안전하게 포인터를 사용할 수 있다.

(1) 어떤 변수도 가리키지 않는 포인터는 널 포인터로 만든다.

포인터를 선언할 때 어떤 변수를 가리킬지 알 수 없으면, 널 포인터로 초기화한다. 널 포인터는 어떤 변수도 가리키지 않는다는 뜻이다. 널 포인터로 역참조 연산을 하면 운영체제가 예외를 발생시키므로 프로그램이 죽는다.

```
int* q = NULL;              // 다른 변수를 가리키지 않으면 널 포인터로 만든다.
printf("%d", *q);           // 널 포인터로 역참조 연산을 수행하면 프로그램이 죽는다.(예외 발생)
```

포인터는 항상 특정 변수를 가리키거나 널 포인터로 만든다. 그런 다음 역참조 연산을 할 때 널 포인터인지 검사하면, 포인터를 안전하게 사용할 수 있다. if(q != NULL) 대신 if(q)라고 써주어도 된다.

```
if(q != NULL)              // q가 NULL이 아니면 항상 다른 변수를 가리킨다.
    printf("%d", *q);      // q가 널 포인터가 아닌 경우에만 역참조 연산한다.
```

(2) 포인터와 포인터가 가리키는 변수의 데이터형이 같아야 한다.

int 변수의 주소는 int*형 변수에 저장해야 하고, double 변수의 주소는 double*형 변수에 저장해야 한다. 형이 일치하지 않으면 컴파일 경고가 발생하며, 컴파일 경고를 무시하고 실행하면 실행 에러가 발생한다.

[그림 8-10]을 보면 pd가 가리키는 곳에 실제로 int형 변수 x가 있다. 그런데 *pd는 이 것을 double형 변수인 것처럼 사용하기 때문에 문제가 발생한다. 따라서 포인터를 사용할 때는 항상 데이터형에 주의해야 한다.

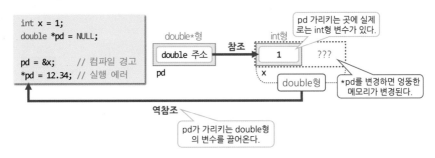

[그림 8-10] 포인터형이 일치하지 않는 경우

포인터 관련 컴파일 경고는 무시하지 말고 확인 후 코드를 수정하는 것이 좋다. 컴파일 경고를 무시하고 실행하면 실행 에러가 발생한다. 그런데 포인터 관련 실행 에러는 엉뚱한 변수의 값이 바뀐 채 실행되기 때문에 어디서 문제가 발생한 것인지 찾기가 쉽지 않다. 따라서, 처음부터 실행 에러가 발생하지 않도록 방어적으로 코드를 작성하는 것이 안전하다.

8.1.6 const 포인터

포인터도 const 변수로 선언할 수 있다. 포인터 선언 시 사용된 const의 위치에 따라 const 포인터의 의미가 달라진다. const는 포인터의 데이터형 앞에 써줄 수도 있고, 변수명 앞에 써줄 수도 있고, 양쪽 모두에 써줄 수도 있다.

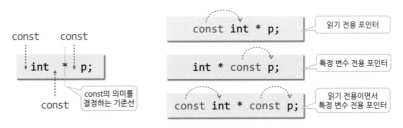

[그림 8-11] const의 위치

세 가지 const 포인터 중에서 읽기 전용 포인터만 주로 사용되므로, const의 위치에 따라 포인터의 의미가 어떻게 다른지만 우선 알아 두도록 하자.

(1) const type *variable;

const가 데이터형 앞에 있으면 **포인터가 가리키는 변수의 값을 변경할 수 없다**. 즉, 포인터가 가리키는 변수를 const 변수인 것처럼 사용한다. 이것을 **읽기 전용 포인터**라고 한다. const 포인터로 가리키는 변수를 변경하려고 하면 컴파일 에러가 발생한다.

```
int a = 10, b = 20;
const int *p1 = &a;        // p1는 a에 읽기 전용으로 접근한다.

printf("*p1 = %d\n", *p1); // p1이 가리키는 변수 a의 값을 읽어온다.
*p1 = 100;                 // p1이 가리키는 변수의 값을 변경할 수는 없다.(컴파일 에러)
```

const 포인터가 가리키는 변수가 const인지에 관계없다. const 포인터로 접근할 때만 const 변수인 것처럼 사용된다.

```
a = 100;                   // a가 const 변수가 아니므로 a를 직접 변경할 수는 있다.
(*p1)++;;                  // p1으로 역참조한 변수를 const 변수인 것처럼 사용한다.(컴파일 에러)
```

이때, 포인터 자신의 값(포인터에 저장된 주소)은 변경할 수 있다. 즉, 포인터가 다른 변수를 가리키게 만들 수는 있다.

```
p1 = &b;                   // p1이 다른 변수 b를 가리킬 수 있다.
printf("*p1 = %d\n", *p1); // p1이 가리키는 변수 b의 값을 읽어온다.
```

읽기 전용 포인터는 선언 시 널 포인터로 초기화하고, 원하는 시점에 특정 변수의 주소를 저장하고 사용할 수 있다.

```
const int* q = NULL;       // q는 아직 가리키는 변수가 없으므로 널 포인터로 초기화한다.
int data = 12345;
q = &data;                 // 원하는 시점에 변수의 주소를 저장하고 사용할 수 있다.
```

읽기 전용 포인터를 선언할 때 const 키워드를 데이터형 바로 뒤에 써줄 수도 있다. 이때도 * 보다 앞에 const를 써주어야 한다.

```
int const *q = NULL;        // const 키워드를 데이터형과 * 사이에 써줄 수도 있다.
```

(2) *type* * const variable;

const가 변수 이름 앞에 있으면 **포인터 자신의 값(포인터에 저장된 주소)을 변경할 수 없다**. 주소를 변경할 수 없으므로 **특정 변수의 전용 포인터**가 된다. 이 const 포인터로는 다른 변수를 가리킬 수 없다.

```
    int *const p2 = &a;      // .p2는 a 전용 포인터이다.
Ø   p2 = &b;                 // p2는 다른 변수를 가리킬 수 없다.(컴파일 에러)
```

하지만 p2가 가리키는 변수의 값은 변경할 수 있다. 즉, p2가 a를 가리키므로 *p2를 변경하면 a가 변경된다.

```
    *p2 = 100;               // p2가 가리키는 변수의 값을 변경할 수 있다.
```

특정 변수의 전용 포인터는 선언 시 특정 변수의 주소로 초기화해야 한다. 널 포인터로 초기화하면 사용할 수 없는 포인터가 된다. 일단 만들어진 다음에는 포인터에 다른 주소를 저장할 수 없기 때문이다.

(3) const *type* * const *variable*;

const가 데이터형 앞과 변수 이름 앞에 양쪽 다 있으면, **읽기 전용 포인터이면서 특정 변수의 전용 포인터**가 된다. 이 경우도 반드시 초기화해야 하며, 이 포인터로는 가리키는 변수의 값도 변경할 수 없고 포인터 자신의 값(포인터에 저장된 주소)도 변경할 수 없다.

```
    const int * const p3 = &a;  // p3는 읽기 전용이면서 a 전용 포인터
Ø   *p3 = 100;                  // p3가 가리키는 변수의 값을 변경할 수 없다.
    p3 = &b;                    // p3가 다른 변수를 가리킬 수 없다.
```

[예제 8-5]는 const 포인터의 의미를 알아보기 위한 코드이다.

예제 8-5 : const 포인터

```c
01    #include <stdio.h>
02
03    int main(void)
04    {
05        int a = 10, b = 20;
06
07        const int *p1 = &a;          // p1는 a에 읽기 전용으로 접근한다. (읽기 전용 포인터)
08        int *const p2 = &a;          // p2는 a 전용 포인터이다. (특정 변수의 전용 포인터)
09        const int * const p3 = &a;   // p3는 읽기 전용이면서 a 전용 포인터
10
11        printf("*p1 = %d\n", *p1);   // p1이 가리키는 변수 a의 값을 읽어온다.
12        //*p1 = 100;                 // p1이 가리키는 변수의 값을 변경할 수는 없다.
13        p1 = &b;                     // p1이 다른 변수 b를 가리킬 수 있다.
14        printf("*p1 = %d\n", *p1);   // p1이 가리키는 변수 b의 값을 읽어온다.
15
16        //p2 = &b;                   // p2는 다른 변수를 가리킬 수 없다.
17        *p2 = 100;                   // p2가 가리키는 변수의 값을 변경할 수 있다.
18        printf("*p2 = %d\n", *p2);
19
20        //*p3 = 100;                 // p3가 가리키는 변수의 값을 변경할 수 없다.
21        //p3 = &b;                   // p3가 다른 변수를 가리킬 수 없다.
22        printf("*p3 = %d\n", *p3);   // p3이 가리키는 변수 a의 값을 읽어온다.
23    }
```

실행 결과

```
*p1 = 10
*p1 = 20
*p2 = 100
*p3 = 100
```

 Quiz

1. 주소를 저장하는 변수를 무엇이라고 하는가?

   ① 포인터   ② 배열   ③ 구조체   ④ const 변수   ⑤ 비트필드

2. 다음 중 주소 구하기 연산자 &를 사용할 수 있는 것은?

   ① 변수   ② 상수   ③ 수식   ④ 함수 호출문

3. 다음 중 포인터를 꼭 사용해야 하는 경우는?

　① 변수의 주소를 확인해보고 싶을 때　　　② 포인터가 어떤 기능인지 알아보고 싶을 때

　③ 다른 함수의 지역 변수에 접근하고 싶을 때　④ 프로그램을 알아보기 힘들게 작성하고 싶을 때

4. 다음 중 읽기 전용 포인터형인 것은?

　① const char*　　② char*　　③ char * const　　④ int * const

8.2 포인터의 활용

8.2.1 배열과 포인터의 관계

C에서 배열과 포인터는 떼려야 뗄 수 없는 관계이다. **배열을 포인터처럼 사용할 수도 있고, 반대로 포인터를 배열처럼 사용할 수도 있다.** 그렇다고 해서 포인터과 배열이 서로 같은 것은 아니다. 배열과 포인터의 관계를 이해하기 위해서 우선 포인터의 연산에 대해 살펴보자.

(1) 포인터의 연산

포인터에도 연산자를 사용할 수 있다. 〈표 3-1〉은 포인터와 함께 사용할 수 있는 연산자를 정리한 것이다. 그중에서 +, − 연산과 ++, −− 연산이 주로 사용된다.

〈표 8-1〉 포인터의 연산

연산자	의미
p + N	주소에 (포인터가 가리키는 데이터형의 크기×N) 만큼 더한다.
p − N	주소에서 (포인터가 가리키는 데이터형의 크기×N) 만큼 뺀다.
p1 − p2	포인터가 가리키는 데이터형의 개수로 주소의 차를 구한다.
++p, p++	주소를 (포인터가 가리키는 데이터형 크기)만큼 증가시킨다.
−−p, p−−	주소를 (포인터가 가리키는 데이터형 크기)만큼 감소시킨다.
p1 = p2	같은 형의 포인터끼리 대입한다.
p1 == p2	주소가 같은지 비교한다.
p1 != p2	주소가 다른지 비교한다.

연산자	의미
p[N]	포인터를 배열 이름인 것처럼 사용해서 N번째 원소에 접근한다.
*p	p가 가리키는 변수에 접근한다.
&p	p의 주소를 구한다.
p->m	p가 가리키는 구조체의 멤버 m에 접근한다.

■ 포인터와 +, - 연산

포인터에 대한 +, - 연산은 '포인터+정수', '포인터-정수', '포인터-포인터'의 형태로 사용된다. 먼저 포인터에 정수를 더하거나 빼는 경우부터 생각해보자. '포인터+정수'는 '정수+정수' 연산과는 다르게 처리된다.

p+N 연산의 결과는 p가 가리키는 데이터형을 N개만큼 더한 주소이다. p가 int*형이면 p+N의 값은 p에 int를 N개만큼(4×N바이트) 더한 주소가 된다. p가 double*형이면 p+N은 p에 double을 N개만큼(8×N바이트) 더한 주소가 된다.

[예제 8-6]은 '포인터+정수' 연산의 결과를 알아보기 위한 코드이다.

📇 **예제 8-6** : '포인터+정수' 연산의 결과

```
01    #include <stdio.h>
02
03    int main(void)
04    {
05        int *p = (int*)0x100;          // 포인터 연산 결과를 확인하기 위해 절대 주소로 초기화
06        double *q = (double*)0x100;
07        char *r = (char*)0x100;
08
09        printf("int*   : %p, %p, %p\n", p, p + 1, p + 2); // 4바이트씩 늘어난 주소를 출력
10        printf("double*: %p, %p, %p\n", q, q + 1, q + 2); // 8바이트씩 늘어난 주소를 출력
11        printf("char*  : %p, %p, %p\n", r, r + 1, r + 2); // 1바이트씩 늘어난 주소를 출력
12    }
```

실행 결과   ▪▪▪

```
int*   : 00000100, 00000104, 00000108
double*: 00000100, 00000108, 00000110   ◀── 주소를 16진수로 출력한다.
char*  : 00000100, 00000101, 00000102
```

[예제 8-6]에서는 int 포인터, double 포인터, char 포인터를 각각 0x100으로 초기화한다. 포인터 변수에 절대 주소를 저장하는 것은 위험하지만, 이 예제에서는 역참조 연산은 하지 않고 포인터 연산의 결과만 확인하므로 문제가 발생하지 않는다.

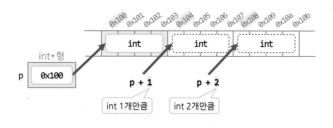

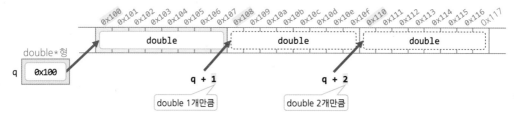

[그림 8-12] '포인터 + 정수' 연산의 의미

[그림 8-12]를 보면 '포인터+정수' 연산의 의미를 알 수 있다. p+1은 p가 가리키는 변수의 주소에 int 1개만큼 더한 주소를 구한다. p+2는 p가 가리키는 변수의 주소에 int 2개만큼 더한 주소를 구한다. **'포인터+정수' 연산은 포인터가 가리키는 주소에 마치 배열이 있는 것처럼 메모리에 접근한다.**

int*형인 p와 int 배열 arr가 있을 때, p에 arr[0]의 주소를 저장한다고 해보자. arr[0]도 int형 변수이므로 int 포인터 p가 arr[0]을 가리킬 수 있다.

```
int arr[5] = { 1, 2, 3, 4, 5 };
int *p = &arr[0];    // arr[0]은 int형 변수이므로 arr[0]의 주소를 p에 저장할 수 있다.
```

이 경우에 p+1를 구하면 arr[0]의 주소에 int 1개만큼 더한 주소, 즉 arr[1]의 주소가 된다. p+2를 구하면 arr[0]의 주소에 int 2개만큼 더한 주소, 즉 arr[2]의 주소가 된다. 결국 p가 arr[0]의 주소일 때, p+i은 arr[i]의 주소가 된다. p에 역참조 연산을 적용해보면, ***(p+i)는 arr[i]를 의미한다.**

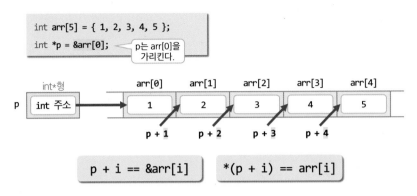

[그림 8-13] 포인터가 arr[0]을 가리킬 때 '포인터 + 정수' 연산

'포인터+정수' 연산을 이용하면 포인터를 배열처럼 사용할 수 있다. 배열과 포인터의 관계는 잠시 후에 다시 알아보도록 하자.

같은 형의 포인터에 대해서 '포인터-포인터' 연산을 수행하면 두 포인터의 주소 차를 구하는데, 포인터가 가리키는 데이터형 몇 개 크기만큼 차이가 나는지를 구한다.

```
int offset = &arr[2] - &arr[0];    // offset은 2가 된다. 즉, int 2개 크기만큼 차이가 난다.
```

■ 포인터와 ++, -- 연산

포인터에 대한 증감 연산도 포인터형에 의해 연산의 결과가 결정된다. **p++이나 ++p는 p가 가리키는 데이터형 1개 크기만큼 주소를 증가시킨다.**

포인터의 증감 연산도 포인터가 배열의 0번 원소를 가리킬 때 의미 있게 사용된다. p+1과 비교해보면, p+1은 p의 값을 변경하지 않는데 비해 p++이나 ++p는 p의 값을 직접 증가시킨다.

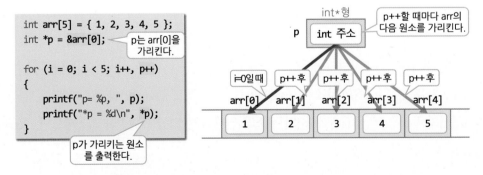

[그림 8-14] 포인터가 arr[0]을 가리킬 때 포인터 증감 연산

[예제 8-7]은 arr[0]을 가리키는 포인터에 증감 연산을 수행한 결과를 확인하는 코드이다.

예제 8-7 : arr[0]을 가리키는 포인터와 증감 연산의 의미

```
01    #include <stdio.h>
02
03    int main(void)
04    {
05        int arr[5] = { 1, 2, 3, 4, 5 };
06        int *p = &arr[0];              // p는 arr[0]을 가리킨다.
07        int i;
08
09        for (i = 0; i < 5; i++, p++)    // p는 arr[0]~arr[4]를 가리킨다.
10        {
11            printf("p= %p, ", p);       // p가 가리키는 원소가 계속 바뀐다.
12            printf("*p = %d\n", *p);    // p가 가리키는 원소의 값을 출력한다.
13        }
14    }
```

실행 결과

```
p= 0102FBD8, *p = 1
p= 0102FBDC, *p = 2
p= 0102FBE0, *p = 3
p= 0102FBE4, *p = 4      주소가 4바이트씩 증가된다.
p= 0102FBE8, *p = 5
```

(2) 배열처럼 사용되는 포인터

type＊형의 포인터는 *type*형의 변수 또는 *type*형 배열의 원소를 가리킬 수 있다. *type* 형의 변수는 크기가 1인 *type*형의 배열로 볼 수 있으므로 이런 경우의 포인터를 **배열 원소를 가리키는 포인터**라고 한다. 지금까지 우리가 사용한 포인터는 모두 배열 원소를 가리키는 포인터이다.

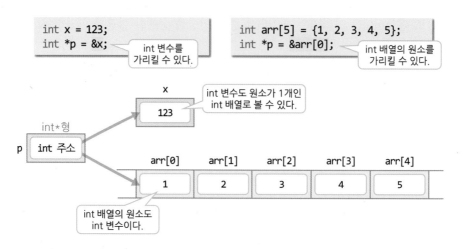

[그림 8-15]   배열 원소를 가리키는 포인터

배열 이름을 인덱스 없이 사용하면 배열의 시작 주소를 의미한다. 배열의 시작 주소에는 항상 0번 원소가 있기 때문에 arr와 &arr[0]은 항상 같은 값이다. 따라서, 배열 원소를 가리키는 포인터에 배열 이름을 대입할 수 있다.

```
int* p = arr;        // p에 arr 배열의 시작 주소(&arr[0])를 저장한다.
```

배열 원소를 가리키는 포인터는 배열처럼 사용할 수 있다. 즉, 포인터 다음에 [ ]와 인덱스를 사용할 수 있다. C/C++ 컴파일러는 배열 원소를 가리키는 포인터에 대하여 p[i]를 항상 *(p+i)로 처리한다. *(p+i)보다 p[i]가 간단하므로 p[i]를 사용하는 것이 좋다.

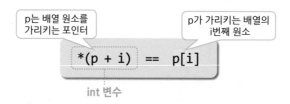

[그림 8-16]   배열 원소를 가리키는 포인터는 배열처럼 사용할 수 있다.

[예제 8-8]은 배열 원소를 가리키는 포인터를 배열처럼 사용하는 코드이다.

📖 **예제 8-8** : 포인터를 배열처럼 사용하는 경우

```c
01   #include <stdio.h>
02
03   int main(void)
04   {
05       int arr[5] = { 1, 2, 3, 4, 5 };
06       int *p = arr;     // int *p = &arr[0];과 같은 의미. 배열 이름은 배열의 시작 주소
07       int i;
08
09       for (i = 0; i < 5; i++)
10           printf("p[%d] = %d\n", i, p[i]); // p를 배열처럼 사용한다.
11   }
```

실행 결과

```
p[0] = 1
p[1] = 2
p[2] = 3       p가 가리키는 배열의 원소를 출력할 때,
p[3] = 4            p를 배열처럼 사용한다.
p[4] = 5
```

(3) 포인터처럼 사용되는 배열

배열 이름은 배열의 시작 주소이다. 따라서 **배열 이름을 포인터처럼 사용할 수 있다.** 즉, arr[i] 대신 *(arr+i)를 사용할 수 있다. 하지만 arr[i]가 더 간단하므로 굳이 *(arr+i)를 사용할 필요가 없다. 배열 이름을 포인터처럼 사용할 수 있다는 점만 기억하자.

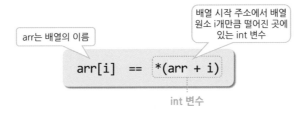

배열 시작 주소에서 배열 원소 i개만큼 떨어진 곳에 있는 int 변수

arr는 배열의 이름

$$arr[i] \;\; == \;\; *(arr + i)$$

int 변수

[그림 8-17] 배열 이름을 포인터처럼 사용할 수 있다.

(4) 배열과 포인터의 비교

배열과 포인터는 사용 방법은 비슷하지만 본질적으로 다르다. 배열과 포인터가 어떻게

다른지 알아보자.

　배열 이름은 특정 변수 전용 포인터로 볼 수 있다. 배열의 시작 주소는 변경할 수 없기 때문이다. 따라서 배열 이름(배열의 시작 주소)에 다른 주소를 대입하거나 배열 이름으로 증감 연산을 할 수 없다.

　반면에, 포인터는 값을 변경할 수 있으므로 포인터에 다른 주소를 대입하거나, 포인터로 증감 연산을 할 수 있다.

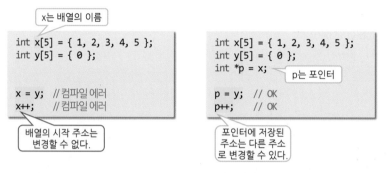

[그림 8-18]　배열과 포인터의 차이점

　배열과 포인터의 또 다른 차이점은 크기이다. **sizeof(*배열명*)는 배열 전체의 바이트 크기를 구하지만, sizeof(*포인터명*)은 포인터 변수의 크기를 구한다.**

```
int x[5];
int *p = x;
printf("x의 크기 = %d\n", sizeof(x));      // x 배열 전체의 크기이므로 20바이트
printf("p의 크기 = %d\n", sizeof(p));      // 포인터 p의 크기이므로 4바이트
```

 Further Study

여러 가지 포인터의 선언

포인터는 다양하게 활용될 수 있다. 포인터가 원소인 배열을 만들 수도 있고, 배열 전체를 가리키는 포인터를 선언할 수도 있고, 포인터의 주소를 저장하는 포인터를 선언할 수도 있다. 심지어는 함수의 주소를 저장하는 포인터를 선언할 수도 있다. 포인터를 처음 배울 때는 이 모든 기능을 다 사용할 필요는 없다. 다양한 포인터 선언문을 보고 어떤 의미인지 파악할 수 있으면 된다.

continued

Further Study

포인터 배열

포인터 배열은 주소를 저장하는 배열이다. 즉, 배열의 원소가 다른 변수를 가리키는 포인터이다. arr[i]가 주소이므로 arr[i]가 가리키는 변수에 접근하려면 *arr[i]처럼 사용해야 한다. 포인터 배열은 주로 동적 메모리와 함께 사용된다.

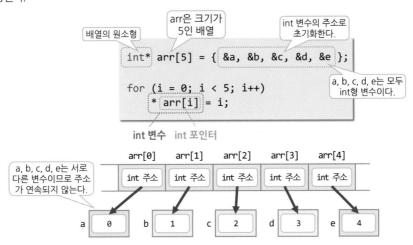

배열에 대한 포인터

배열에 대한 포인터는 배열 전체를 가리키는 포인터이다. 배열에 대한 포인터는 2차원 배열을 가리키는데 사용된다. 2차원 배열에는 행 크기(N)와 열 크기(M)가 있어 전체 원소가 M×N개 생성된다. 이때 열 크기만큼 만들어진 묶음을 가리킬 때 배열에 대한 포인터를 사용한다. 배열에 대한 포인터를 사용할 때는 2차원 배열인 것처럼 사용한다.

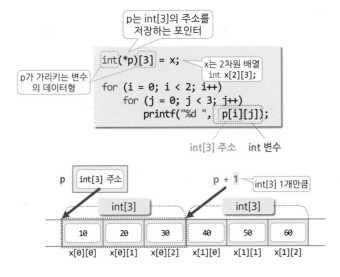

continued

Further Study

이중 포인터

이중 포인터(double pointer)는 포인터의 주소를 저장하는 포인터이다. 이중 포인터가 가리키는 변수에 접근할 때도 역참조 연산자를 사용한다. 이중 포인터가 가리키는 포인터를 이용해서 다시 int 변수에 접근하려면 역참조 연산을 2번 해야 한다.

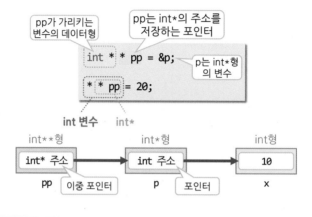

1. 다음 중 int*형의 포인터로 가리킬 수 있는 것을 모두 고르시오.

　　① int 변수　　　② int 배열의 0번 원소　　　③ int 배열의 1번 원소　　　④ double형 변수

2. int*형의 포인터가 int형 배열 x의 시작 주소를 저장하고 있을 때 다음 중 값이 다른 것은?

```
int x[5];
int *p = x;
```

　　① p　　　　　　　② x　　　　　　　③ &x[0]　　　　　④ p+0　　　　　　⑤ *p

3. 다음 중 변경할 수 있는 것은?

　　① 배열의 시작 주소　　　　　　　② 배열의 0번 원소의 주소

　　③ 특정 변수 전용 포인터에 저장된 주소　　　④ 포인터에 저장된 주소

8.3 함수와 포인터

8.3.1 함수의 인자 전달 방법

함수의 인자를 매개변수로 전달하는 방법에는 **값에 의한 호출(call by value)**과 **참조에 의한 호출(call by reference)**이 있다. 지금까지는 값에 의한 호출만 사용했는데 포인터형의 매개변수를 이용하면 참조에 의한 호출을 사용할 수 있다.

〈표 8-2〉 함수의 인자 전달 방법

구분	특징
값에 의한 호출 (값 호출)	• 인자를 매개변수로 복사해서 전달한다. • 함수 안에서 매개변수(복사본)를 변경해도 인자(원본)은 변경되지 않는다.
참조에 의한 호출 (참조 호출)	• 인자의 주소를 포인터형의 매개변수로 전달한다. • 함수 안에서 매개변수(참조)가 가리키는 인자(원본)을 변경할 수 있다.

참조에 의한 호출에 대하여 알아보기 전에 먼저 기본적인 인자 전달 방법인 값에 의한 호출에 대하여 다시 살펴보자.

8.3.2 값에 의한 호출

값에 의한 호출은 인자를 매개변수로 복사해서 전달한다. 함수의 매개변수는 함수가 호출될 때 생성되는 지역 변수로, 인자의 값으로 초기화된다.

값에 의한 호출 대신 참조에 의한 호출이 필요한 경우를 알아보기 위해서 두 변수의 값을 맞바꾸는 swap 함수를 다음과 같이 정의해보자.

```
void swap(int x, int y)      // 값에 의한 호출
{
    int temp = x;            // 임시 변수 temp를 x로 초기화한다.
    x = y;                   // x에 y의 값을 대입한다.
    y = temp;                // y에 temp(저장해 둔 x)를 대입한다.
}
```

그런데 swap 함수를 호출해도 인자의 값이 바뀌지 않는다. 그 이유는 [그림 8-19]를 보면 알 수 있다. 매개변수 x, y는 각각 인자 a, b의 복사본이다. 따라서, 함수 안에서 복사본인 x, y를 변경해도 원본인 a, b의 값은 변경되지 않는다.

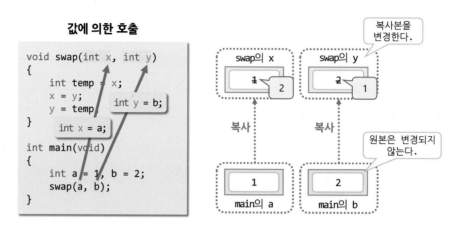

[그림 8-19] 값에 의한 호출로 구현한 swap 함수

결론적으로 swap 함수는 값에 의한 호출로는 구현할 수 없다. 함수를 호출한 곳에 있는 변수를 함수 안에서 직접 변경하려면 참조에 의한 호출을 사용해야 한다. 이제 제대로 된 swap 함수를 참조에 의한 호출로 구현해보자.

8.3.3 참조에 의한 호출

(1) 참조에 의한 호출 과정

참조에 의한 호출은 변수의 복사본을 전달하는 대신 변수에 대한 참조를 전달한다. 변수에 대한 참조를 전달하기 때문에 함수 안에서 직접 변수를 변경할 수 있다. C에서는 포인터를 이용해서 참조에 의한 호출을 처리한다.

앞에서 본 swap 함수를 참조에 의한 호출로 정의하면 다음과 같다. 먼저 **매개변수는 인자를 가리키는 포인터로 선언한다.** 예를 들어 참조할 인자가 int 변수면 int*형의 매개변수를, 인자가 double 변수면 double*형의 매개변수를 사용한다. 이때, 매개변수 이름에 접두사로 p를 붙여주면 포인터라는 것을 쉽게 구분할 수 있다.

```
void swap(int* px, int* py);    // 매개변수는 인자에 대한 포인터형으로 선언한다.
                                // 포인터라는 것을 알 수 있도록 p로 시작하는 이름을 사용한다.
```

함수를 호출할 때는 인자로 전달하려는 변수의 주소를 전달한다. 참조에 의한 호출에서는 반드시 변수만 인자로 전달할 수 있다.

```
swap(&a, &b);                    // 인자로 전달하려는 변수의 주소를 전달한다.
```

함수를 정의할 때는 포인터형의 매개변수를 역참조해서 매개변수가 가리키는 변수에 접근한다.

```
void swap(int* px, int* py) // 참조에 의한 호출
{
    int temp = *px;          // temp를 px가 가리키는 변수의 값으로 초기화한다.
    *px = *py;               // py가 가리키는 변수의 값을 px가 가리키는 변수에 대입한다.
    *py = temp;              // py가 가리키는 변수에 temp를 대입한다.
}
```

참조에 의한 호출에서는 함수 호출 시 넘겨준 변수의 주소가 매개변수인 포인터로 전달된다. 따라서 함수 안에서 매개변수인 포인터를 통해서 함수를 호출한 곳에 있는 변수를 변경할 수 있다.

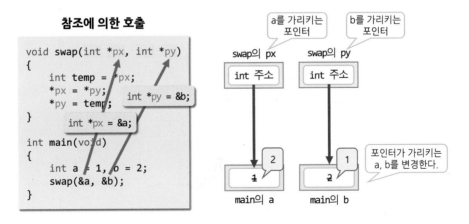

[그림 8-20] 참조에 의한 호출로 구현한 swap 함수

[예제 8-9]는 참조에 의한 호출로 구현한 swap 함수 코드이다.

📑 **예제 8-9 : 참조에 의한 호출로 구현한 swap 함수**

```
01    #include <stdio.h>
02    void swap(int* px, int* py); // 매개변수는 인자에 대한 포인터형으로 선언한다.
03
04    int main(void)
05    {
06        int a = 1, b = 2;
07
08        printf("a = %d, b = %d\n", a, b);
09        swap(&a, &b);              // 인자로 전달하려는 변수의 주소를 전달한다.
10        printf("a = %d, b = %d\n", a, b);
11    }
12
13    void swap(int* px, int* py)  // 참조에 의한 호출
14    {
15        int temp = *px;           // temp를 px가 가리키는 변수의 값으로 초기화한다.
16        *px = *py;                // py가 가리키는 변수의 값을 px가 가리키는 변수에 대입한다.
17        *py = temp;               // py가 가리키는 변수에 temp를 대입한다.
18    }
```

실행 결과   ■■■

```
a = 1, b = 2
a = 2, b = 1  ◁── a, b의 값이 서로 바뀐다.
```

(2) 매개변수의 역할에 따른 인자 전달 방법 결정

값에 의한 호출과 참조에 의한 호출 중에서 어떤 방법으로 인자를 전달할지 결정하려면 먼저 매개변수의 역할을 구분해야 한다. 함수의 매개변수는 매개변수의 역할에 따라 크게 세 가지로 구분할 수 있다.

〈표 8-3〉 매개변수의 역할

구분	역할	인자 전달 방법
입력 매개변수 (in parameter)	• 함수 안에서 값이 사용될 뿐 변경되지 않는다. `int add(int x, int y);`	값에 의한 호출
출력 매개변수 (out parameter)	• 함수 안에서 값이 사용되지는 않고 함수 리턴 전에 변경된다. `void get_sum_product(int x, int y, int *sum, int *product);`	참조에 의한 호출

구분	역할	인자 전달 방법
입출력 매개변수 (in-out parameter)	• 함수 안에서 값이 사용도 되고, 함수 리턴 전에 변경도 된다. `void swap(int* px, int* py);`	참조에 의한 호출

함수의 처리 결과가 2개 이상인 경우에 출력 매개변수를 사용한다. **출력 매개변수나 입출력 매개변수는 함수 안에서 변경되어야 하므로 참조에 의한 호출로 전달해야 한다.**

매개변수의 역할에 따라 인자 전달 방법이 결정되므로, 함수를 정의할 때 매개변수의 역할을 잘 파악하는 것이 필요하다.

(3) 함수의 처리 결과를 출력 매개변수로 전달하는 방법

두 정수의 합과 곱을 구하는 get_sum_product 함수를 정의해보자. 이 함수의 입력으로는 2개의 정수가 필요하고, 출력으로는 합과 곱을 구해야 한다. 함수의 처리 결과가 2개 이상이므로 출력 매개변수를 사용해야 한다.

함수의 처리 결과를 출력 매개변수로 전달하는 방법은 다음과 같다.

① 함수의 원형을 정할 때는, 출력 매개변수를 포인터로 선언한다. 이때, 처리 결과를 저장할 변수를 가리키는 포인터형으로 선언한다. 합과 곱을 int형 변수에 저장해야 하므로 int*형의 *psum*과 *pproduct*를 매개변수로 선언한다.

```
void get_sum_product(int x, int y, int *psum, int *pproduct);   // x, y는 입력 매개변수
```

② 함수를 호출할 때는, 처리 결과를 받아올 변수의 주소를 전달한다.

```
int sum, product;          // sum, product는 처리 결과를 받아올 변수
get_sum_product(123, 456, &sum, &product);
```

③ 함수를 정의할 때는, 포인터형의 매개변수가 가리키는 곳에 처리 결과를 저장한다.

```
void get_sum_product(int x, int y, int *psum, int *pproduct)
{
    *psum = x + y;         // psum이 가리키는 변수에 합을 저장한다.
    *pproduct = x * y;     // pproduct가 가리키는 변수에 곱을 저장한다.
}
```

[예제 8-10]은 출력 매개변수를 갖는 get_sum_product 함수를 정의하고 호출하는 코드이다.

📑 **예제 8-10** : 출력 매개변수를 갖는 get_sum_product 함수

```
01   #include <stdio.h>
02   // 1. 처리 결과를 저장할 변수를 가리키는 포인터형으로 출력 매개변수를 선언한다.
03   void get_sum_product(int x, int y, int *psum, int *pproduct);    // x, y는 입력 매개변수
04
05   int main(void)
06   {
07       int sum, product;
08
09       // 2. 처리 결과를 받아올 변수의 주소를 전달한다
10       get_sum_product(123, 456, &sum, &product);
11       printf("sum = %d, product = %d\n", sum, product);
12   }
13
14   void get_sum_product(int x, int y, int *psum, int *pproduct)
15   {
16       // 3. 포인터형의 매개변수가 가리키는 곳에 처리 결과를 저장한다.
17       *psum = x + y;
18       *pproduct = x * y;
19   }
```

실행 결과   ■ ■ ■

```
sum = 579, product = 56088
```

8.3.4 배열의 전달

(1) 배열의 전달 다시 보기

함수의 인자로 배열을 전달하려면, 크기를 생략한 배열형의 매개변수와 배열의 크기를 전달하는 매개변수가 필요하다. 다음은 정수형 배열의 원소를 출력하는 print_array 함수의 원형이다.

```
void print_array(int arr[], int size);      // 배열의 크기는 생략한다.
```

C에서는 배열을 함수의 인자로 전달할 때 항상 포인터로 전달한다. 그 이유는 효율성 때문이다. 배열을 값에 의한 호출로 전달하면 배열 전체를 복사해야 하므로 시간적, 공간적 성능 저하가 발생한다. 따라서 **배열을 전달할 때는 항상 참조에 의한 호출을 사용한다.** 배열인 것처럼 보여도 항상 포인터로 전달하기 때문에 다음 두 문장을 항상 같은 뜻이며 둘 중 어떤 것을 사용해도 상관없다.

```
void print_array(int arr[], int size);      // int arr[]는 항상 int *arr로 처리된다.
void print_array(int *arr, int size);
```

매개변수 int arr[ ];는 항상 int *arr;로 처리되며, 배열 원소를 가리키는 포인터형이다. int arr[ ];는 배열처럼 보이지만 실제로는 포인터이므로 [ ] 안에 크기를 써주어도 아무 의미가 없다.

*arr*은 포인터이므로 sizeof(*arr*)는 항상 4바이트이다. 따라서 함수 안에서 sizeof(*arr*)/sizeof(*arr*[0])으로 배열의 크기를 구할 수 없다. 이런 이유 때문에 **배열의 크기를 별도의 매개변수로 전달해야 한다.**

함수 호출 시 배열을 전달하려면, 배열 이름, 즉 배열의 시작 주소를 전달한다.

```
int x[SIZE] = { 10, 20, 30, 40, 50 };
print_array(x, SIZE);         // 배열의 시작 주소 x를 arr로 전달한다.(참조에 의한 호출)
```

함수 안에서는 포인터형의 매개변수 *arr*를 배열처럼 사용한다. *arr*[i]는 항상 *(*arr*+i)로 처리되기 때문이다.

```
void print_array(int *arr, int size)  // arr는 포인터지만 배열처럼 사용한다.
{
    int  i;
    for (i = 0; i < size; i++)
        printf("%d ", arr[i]);        // arr[i]는 *(arr+i)로 처리된다.
    printf("\n");
}
```

배열은 항상 참조에 의한 호출로 전달하기 때문에 입력 매개변수인지 출력 매개변수인지를 구분하기 위한 별도의 방법이 필요하다. **배열이 입력 매개변수일 때는 읽기 전용 포인터로 선언하는 것이 좋다.** 즉, const int *arr;처럼 const 포인터로 선언하면 함수 안에서 *arr*가 가리키는 배열의 원소를 변경할 수 없다.

```c
void print_array(const int *arr, int size)  // arr는 읽기 전용 포인터로 선언된 입력 매개변수
{
    arr[0] = 100;            // arr가 읽기 전용 포인터이므로 *(arr+0) = 100;은 컴파일 에러
}
```

배열을 복사하는 copy_array 함수도 다음과 같이 선언할 수 있다. copy_array 함수는 *source*가 가리키는 배열을 *target*이 가리키는 배열로 복사하므로 *source*는 입력 매개변수, *target*은 출력 매개변수이다. 따라서 *source*에만 const를 지정한다.

```c
void copy_array(const int *source, int *target, int size)   // source는 입력 매개변수
```

[예제 8-11]은 배열을 매개변수로 갖는 print_array 함수와 copy_array 함수를 정의하고 호출하는 코드이다.

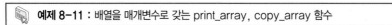

예제 8-11 : 배열을 매개변수로 갖는 print_array, copy_array 함수

```c
01    #include <stdio.h>
02    #define SIZE 5
03
04    void copy_array(const int *source, int *target, int size);
05    void print_array(const int *arr, int size);
06
07    int main(void)
08    {
09        int x[SIZE] = { 10, 20, 30, 40, 50 };
10        int y[SIZE] = { 0 };
11
12        printf("x = ");
13        print_array(x, SIZE);   // 배열의 시작 주소 x를 arr로 전달한다.(참조에 의한 호출)
14
```

```
15        copy_array(x, y, SIZE);
16        printf("y = ");
17        print_array(y, SIZE);
18    }
19
20    // source와 size는 입력 매개변수,   target은 출력 매개변수
21    void copy_array(const int *source, int *target, int size)
22    {
23        int i;
24        for (i = 0; i < size; i++)
25            target[i] = source[i];   // source, target은 포인터지만 배열처럼 사용한다.
26    }
27
28    void print_array(const int *arr, int size)   // arr는 입력 매개변수
29    {
30        int  i;
31        for (i = 0; i < size; i++)
32            printf("%d ", arr[i]);   // arr은 포인터지만 배열처럼 사용한다.
33        printf("\n");
34    }
```

실행 결과

```
x = 10 20 30 40 50
y = 10 20 30 40 50
```

(2) 배열을 함수의 인자로 전달하는 방법

배열을 함수의 인자로 전달하는 방법을 정리하면 다음과 같다.

① 함수 원형을 정할 때, 함수의 매개변수는 배열의 크기를 생략하고 선언하거나 배열
   원소에 대한 포인터형으로 선언한다. 다음 두 문장은 항상 같은 뜻이므로, 둘 중 한
   가지로 선언한다.

```
void print_array(int arr[]);    // 배열의 크기를 생략하고 선언한다.
void print_array(int *arr);     // 배열 원소에 대한 포인터형으로 선언한다.
```

② 함수 코드를 작성할 때 배열의 크기가 필요하면 배열의 크기도 매개변수로 받아와야
한다.

```
void print_array(int *arr, int size);
```

③ 배열이 입력 매개변수일 때는 const 키워드를 지정한다.

```
void print_array(const int *arr, int size);
```

④ 배열을 매개변수로 갖는 함수를 호출할 때는 배열 이름을 인자로 전달한다.

```
int x[5] = { 10, 20, 30, 40, 50 };
print_array(x, 5);
```

⑤ 함수를 정의할 때는 매개변수인 포인터를 배열처럼 사용한다.

```
void print_array(int *arr, int size)
{
    int  i;
    for (i = 0; i < size; i++)
        printf("%d ", arr[i]);
    printf("\n");
}
```

▶ **Quiz** ❓

1. 함수 호출 시 변수의 복사본을 전달하는 대신 변수의 원본을 직접 전달하는 방식은?
   ① 값에 의한 호출　　　　② 참조에 의한 호출　　　　③ 복사에 의한 호출

2. 함수 안에서 사용되지는 않고 리턴 전에 변경되는 매개변수는?
   ① 입력 매개변수　　　② 출력 매개변수　　　③ 지역 변수　　　④ 전역 변수

3. 배열을 함수의 인자로 전달하는 때는 어떤 방법을 사용하는가?
   ① 값에 의한 호출　　　　② 참조에 의한 호출　　　　③ 복사에 의한 호출

4. double 배열이 함수의 입력 매개변수일 때 매개변수의 데이터형은?
   ① double arr[]　　　　② double *arr　　　　③ const double *arr

연습 문제

1. 포인터에 대한 설명 중 잘못된 것을 모두 고르시오.

   ① 포인터는 다른 변수를 가리키는 변수이다.

   ② 포인터의 크기는 포인터가 가리키는 변수의 크기와 같다.

   ③ 포인터는 다른 변수의 주소를 저장한다.

   ④ 포인터를 이용하면 이름을 직접 사용할 수 없는 변수에도 접근할 수 있다.

   ⑤ 포인터에 절대 주소를 저장하고 역참조 연산해도 아무 문제 없다.

   ⑥ int 포인터로 double형 변수를 가리키고 사용해도 아무 문제없다.

   ⑦ 포인터를 초기화하지 않고 사용하는 것은 위험하다.

   ⑧ 포인터의 크기를 구할 때 sizeof 연산자를 이용한다.

2. 널 포인터에 대한 설명 중 잘못된 것은?

   ① NULL은 표준 C 라이브러리에 정의된 매크로 상수이다.

   ② NULL은 0으로 정의된 매크로 상수이다.

   ③ 널 포인터에 대하여 역참조 연산자(*)를 사용하면 메모리 0번지를 읽어오거나 변경할 수 있다.

   ④ 포인터가 가리키는 변수가 없을 때 널 포인터로 만든다.

3. 다음 중 포인터의 선언 및 초기화가 잘못된 것을 모두 고르시오.

   ① `char *pc = NULL;`   ② `char *pch = 0;`

   ③ `int *pi = 0x12345678;`   ④ `int x;`
                                        `int *px = &x;`

   ⑤ `int arr[10];`   ⑥ `double y;`
      `int *parr = arr;`   `double *pd = y;`

   ⑦ `int a;`
      `short *ps = &a;`

4. 다음과 같이 선언된 포인터를 사용하는 코드 중 잘못된 코드를 모두 고르시오.

   ```
   double x, y;
   double* px = NULL;
   ```

   ① `px = &x;`   ② `px = &0.5;`

   ③ `px = &(x * 0.1);`   ④ `*x = 0.5;`

   ⑤ `y = px;`   ⑥ `px = &y;`

5. 다음과 같이 선언된 포인터에 대하여, 포인터 연산의 결과를 구하시오.

```
int arr[] = { 2, 4, 6, 8 };
int* ptr = arr; // ptr에 저장된 arr의 주소가 0x100번지라고 가정한다.
```

①   *ptr   ②   ptr + 2

③   *(ptr+2)   ④   ptr[3]

⑤   (*ptr)+1   ⑥   *(ptr + 1)

6. 다음과 같이 선언된 const 포인터에 대하여, 컴파일 에러가 발생하는 코드를 모두 고르시오.

```
int x[] = { 2, 4, 6, 8, 10 };
int y[5];
const int* ptr = x;
```

①   *ptr = 0;   ②   ptr = 0;

③   ptr = y;   ④   ++ptr;

⑤   (*ptr)++;   ⑥   ptr[1] = 3;

7. 배열 이름이 가진 포인터로서의 의미를 가장 잘 표현한 것은?

```
int x[] = { 2, 4, 6, 8, 10 };
```

①   int *x;   ②   const int *x;

③   int * const x;   ④   const int * const x;

8. 다음과 같이 선언된 배열과 포인터에 대한 코드 중 컴파일 에러가 발생하는 것을 모두 고르시오.

```
double x[3] = {0}, y[3] = {0}, z[3] = {0};
double* pd = x;
```

①   pd = y;   ②   x = z;

③   ++pd;   ④   (*pd)--;

⑤   ++z;   ⑥   (*y)--;

연습 문제

9. 함수의 인자 전달 방법에 대한 설명 중에서 잘못된 것을 모두 고르시오.

① 값에 의한 호출은 인자를 매개변수로 복사해서 전달한다.

② 참조에 의한 호출은 인자의 복사본을 전달한다.

③ 함수 안에서 변경되는 인자는 참조에 의한 호출로 전달해야 한다.

④ void f(int arr[]);와 void f(int *arr);는 서로 다른 함수이다.

⑤ 배열을 함수의 인자로 전달할 때는 복사해서 전달한다.

⑥ 배열이 입력 매개변수일 때는 const 포인터로 전달한다.

⑦ 함수 안에서 매개변수로 전달받은 배열의 크기를 sizeof 연산자로 구할 수 있다.

10. 실수형 배열의 합계를 구하는 함수의 원형을 작성하시오.

11. 직사각형의 넓이와 둘레를 구하는 함수의 원형을 작성하시오. 하나의 함수로 넓이와 둘레를 모두 구해야 한다.

12. 다음 프로그램의 실행 결과를 쓰시오.

```c
#include <stdio.h>
int main(void)
{
    int arr[5] = { 1, 2, 3, 4, 5 };
    int* p = arr;
    int i;
    for (i = 0; i < 5; i++) {
        printf("%d ", ++(*p));
        p++;
    }
    printf("\n");
}
```

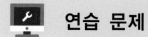

연습 문제

13. 다음은 int 배열의 합계와 평균을 구하는 get_sum_average 함수의 정의이다. ___ 부분에 필요한 코드를 작성하시오.

```c
#include <stdio.h>
int get_sum_average(①_____)
{
    int sum, i;
    for (i = 0, sum = 0; i < size; i++)
        sum += arr[i];
    if (average != NULL)
        ②_____ = (double)sum / size;
    return sum;
}
int main(void)
{
    int scores[5] = { 98, 99, 78, 85, 91 };
    double ave;
    printf("합계 : %d\n", get_sum_average(scores, 5, ③_____));
    printf("평균 : %.2f\n", ave);
}
```

프로그래밍 과제

1. 배열 원소를 가리키는 포인터를 이용해서 실수형 배열의 모든 원소를 출력하는 프로그램을 작성하시오. 실수형 배열은 크기가 10이고 다음과 같이 초기화해서 사용한다. [배열 원소를 가리키는 포인터/난이도 ★]

실행 결과
```
0.10  2.00  3.40  5.20  4.50  7.80  9.70  1.40  6.60  7.20
```

2. 크기가 3인 double형 배열의 모든 원소의 주소를 출력하는 프로그램을 작성하시오. 단, 주소 구하기 연산자를 사용하지 마시오. [포인터처럼 사용되는 배열/난이도 ★]

실행 결과
```
x[0]의 주소: 012FFE14
x[1]의 주소: 012FFE1C
x[2]의 주소: 012FFE24
```

3. 배열 원소를 가리키는 포인터를 이용해서 정수형 배열의 원소에 입력받은 정수를 더한 다음 출력하는 프로그램을 작성하시오. 배열의 크기는 10이고 다음과 같이 초기화해서 사용한다. [배열 원소를 가리키는 포인터/난이도 ★]

실행 결과
```
12 54 23 43 87 31 67 92 79 7
정수? -1
11 53 22 42 86 30 66 91 78 6
```

4. 실수형 배열의 합계를 구하는 함수를 작성하시오. 이 함수를 이용해서 크기가 5인 실수형 배열에 실수를 입력받아 합계를 구하는 프로그램을 작성하시오. [배열의 전달, 입력 매개변수/난이도 ★]

실행 결과
```
실수 5개를 입력하세요: 12.34 0.54 1.23 4.01 0.12
합계: 18.240000
```

5. 정수형 배열에 대하여 배열의 원소 중 최대값과 최소값을 찾는 get_min_max 함수를 정의하시오. 이 함수를 이용해서 배열의 최대값과 최소값을 출력하는 프로그램을 작성하시오. 배열의 크기는 10이고 다음과 같이 초기화해서 사용한다. [배열의 전달, 출력 매개변수/난이도 ★★]

실행 결과
```
배열: 23 45 62 12 99 83 23 50 72 37
최대값: 99
최소값: 12
```

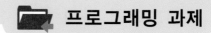

6. 직사각형의 넓이와 둘레를 구하는 함수를 작성하시오. 이 함수를 이용해서 직사각형의 가로, 세로의 길이를 입력받아 넓이와 둘레를 구해서 출력하는 프로그램을 작성하시오. [참조에 의한 호출, 출력 매개변수/난이도 ★★]

```
실행 결과                                                    ■■■
가로? 100
세로? 200
넓이: 20000, 둘레: 600
```

7. 크기가 같은 2개의 정수형 배열을 매개변수로 전달받아 두 배열의 원소들의 값을 맞바꾸는 함수를 작성하시오. 이 함수를 이용해서 크기가 5인 두 배열의 값을 맞바꾸는 프로그램을 작성하시오. 배열은 다음과 같이 초기화해서 사용한다. [배열의 전달, 입출력 매개변수/난이도 ★★]

```
실행 결과                                                    ■■■
a 배열:  1  3  5  7  9
b 배열:  0  2  4  6  8
≪ swap_array 호출 후 ≫
a 배열:  0  2  4  6  8
b 배열:  1  3  5  7  9
```

8. 정수형 배열을 1~(N-1) 사이의 임의의 정수로 채우는 함수를 작성하시오. 이 함수를 이용해서 크기가 10인 int 배열에 0~99 사이의 임의의 정수를 채우고 출력하는 프로그램을 작성하시오. [배열의 전달, 출력 매개변수/난이도 ★★]

```
실행 결과                                                    ■■■
63 42 42  2 79 90 47 33 15 72
```

9. 열 크기가 5인 2차원 int 배열의 모든 원소를 특정값으로 채우는 함수를 작성하시오. 이 함수를 이용해서 열 크기가 5, 행 크기가 3인 2차원 배열을 입력받은 값으로 채우고 출력하는 프로그램을 작성하시오. [배열의 전달, 출력 매개변수/난이도 ★★]

```
실행 결과                                                    ■■■
배열의 원소에 저장할 값? 12
12 12 12 12 12
12 12 12 12 12
12 12 12 12 12
```

프로그래밍 과제

10. 등차수열은 앞의 항에 항상 일정한 수(공차)를 더하여 만들어가는 수열이다. 배열과 배열의 크기, 공차(common difference)를 매개변수로 전달받아 등차수열로 배열을 채우는 함수를 정의하시오. 첫 번째 항의 값은 배열의 0번 원소에 넣어서 전달한다. 이 함수를 이용해서 크기가 10인 배열에 등차수열을 구하고 출력하는 프로그램을 작성하시오. 첫 번째 항과 공차는 입력받도록 처리한다. [배열의 전달/난이도 ★★]

```
실행 결과                                            ▪▪▪
첫 번째 항? 3
공차? 5
등차수열: 3 8 13 18 23 28 33 38 43 48
```

11. 7장의 선택 정렬 코드를 이용해서 정수형 배열을 정렬하는 함수를 정의하시오. 이 함수를 이용해서 int 배열을 정렬하고 그 결과를 출력하는 프로그램을 작성하시오. 배열의 크기는 10이고 다음과 같이 초기화해서 사용한다. [배열의 전달, 입출력 매개변수/난이도 ★★★]

```
실행 결과                                            ▪▪▪
정렬 전: 92 34 76 32 15 28 41 55 89 62
정렬 후: 15 28 32 34 41 55 62 76 89 92
```

12. 정수형 배열과 키 값을 매개변수로 전달받아 키 값과 같은 원소를 모두 찾은 다음, 찾은 원소의 인덱스를 배열에 저장해서 리턴하는 함수를 작성하시오. 이 함수는 찾은 원소의 개수를 리턴한다. 예를 들어 배열에서 키 값을 2개 찾았으면 2를 리턴하고 찾은 원소의 인덱스는 인덱스 배열에 저장한다. 키 값을 찾을 수 없으면 0을 리턴한다. [배열의 전달, 출력 매개변수/난이도 ★★★]

```
실행 결과                                            ▪▪▪
12 45 62 12 99 83 23 12 72 37
찾을 값? 12
찾은 항목은 모두 3개입니다.
찾은 항목의 인덱스: 0 3 7
```

C
Warming-up

C H A P T E R

9

문자열

9.1 문자 배열

9.1.1 문자와 문자열

텍스트 기반의 콘솔 프로그램은 입력과 출력을 모두 문자로 처리한다. 예를 들어 정수 10을 입력하기 위해서 키보드에서 10과 Enter 키를 누르면 실제로는 '1', '0', '\n'에 해당하는 문자가 입력 버퍼에 저장된다. scanf 함수는 입력 버퍼에서 문자들을 읽어서 형식 문자열에 따라 정수나 실수 등으로 변환한다. 출력도 마찬가지이다. 이처럼 입력과 출력의 기본 단위인 문자와 문자열에 대해 자세히 알아보자.

문자는 하나의 문자로 구성되며, 문자나 문자 코드를 작은따옴표(' ')로 묶어준다. **문자열(string)은 연속된 문자들의 모임**이다. 문자열은 큰따옴표(" ")로 묶어주며, 문자열의 끝에는 널 문자('\0')를 함께 저장한다. 이처럼 문자열의 끝을 나타내는 널 문자를 함께 저장하는 문자열을 **널 종료 문자열(null-terminated string)**이라고 한다. 'A'는 문자지만 "A"는 널 문자를 함께 저장하는 문자열이다.

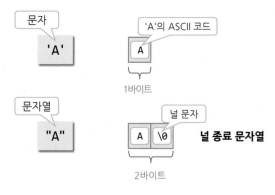

[그림 9-1] 문자와 문자열

문자 상수는 'A'나 '\012'처럼 표시한다. 문자를 변수에 저장하려면 char형을 사용하며, char형 변수에는 문자 코드를 저장한다.

문자열도 상수와 변수로 나눌 수 있다. 문자열 상수는 값이 변경되지 않는 문자열이며, "hello", "\n"처럼 표시한다. 문자열 상수를 **문자열 리터럴**이라고도 한다. **문자열을 변수에 저장하려면 문자 배열을 사용한다.** 실행 중에 사용자로부터 입력받은 문자열을 저장하거나, 내용이 변경되는 문자열을 저장하려면 문자 배열을 사용해야 한다.

9.1.2 문자 배열의 선언 및 초기화

문자 배열을 선언할 때, 배열의 크기는 '저장할 문자열의 길이+1'로 지정한다. 널 문자까지 저장해야 하기 때문이다. 문자 배열도 초기화하지 않으면 쓰레기값을 가진다.

```
char str[10];                    // 길이가 9인 문자열을 저장하기 위한 문자 배열
```

문자 배열을 초기화할 때는 문자열 리터럴을 이용한다. 문자 배열의 크기가 문자열 리터럴의 길이보다 크면, 배열의 나머지 원소는 널 문자로 초기화된다.

```
char str[10] = "abc";            // 문자 배열을 문자열 리터럴로 초기화한다.
```

문자 배열의 크기가 '문자열 리터럴의 길이+1'보다 작으면 컴파일 경고가 발생한다. 문자열의 끝을 나타내는 널 문자가 없으면 문자열 사용 시 문제가 발생할 수 있기 때문이다.

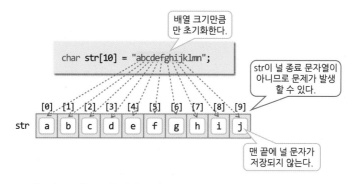

[그림 9-2] 문자 배열의 크기보다 긴 문자열로 초기화하는 경우

일반 배열처럼 { } 안에 문자 상수를 나열해서 문자 배열을 초기화할 수도 있다. 하지만 문자를 작은따옴표로 감싸서 나열하는 것은 귀찮은 작업이므로 이 방법은 잘 사용되지 않는다.

```
char str[10] = { 'a', 'b', 'c' };    // 문자 배열을 문자 상수로 초기화할 수 있다.
```

초기값을 지정하는 경우에는 문자 배열의 크기를 생략할 수 있다. 이때 컴파일러는 '문자열의 길이+1'의 크기로 문자 배열을 할당한다.

```
char str[] = "abc";              // 크기가 4인 배열로 할당된다.
```

문자 배열 전체를 널 문자로 초기화하려면 널 문자열("")로 초기화한다. 널 문자열은 널 문자 하나로 이루어진 문자열로, 연속된 큰따옴표 2개로 표시한다.

```
char str[10] = "";               // char str[10] = {0};과 같다. 배열 전체를 널 문자로 초기화
```

문자 배열을 어떤 값으로 초기화할지 알 수 없으면 널 문자열로 초기화하는 것이 안전하다.

9.1.3 문자 배열의 사용

문자 배열의 인덱스를 이용하면, 문자열의 문자를 하나씩 읽거나 변경할 수 있다.

```
char str[10] = "abc";
str[0] = 'A';                         // 인덱스를 이용해서 한 문자씩 변경할 수 있다.

for (i = 0; str[i] != '\0'; i++)    // 널 문자를 만날 때까지 str[i]를 한 문자씩 출력한다.
    printf("%c", str[i]);
```

문자 배열의 인덱스를 사용할 때도 잘못된 인덱스를 사용하지 않도록 주의해야 한다. 인덱스가 음수이거나, '배열의 크기 - 1'보다 커지면 안된다.

```
str[10] = 'A';                       // 잘못된 인덱스를 사용하면 안된다. (실행 에러)
```

문자 하나하나를 출력하는 대신 문자열 전체를 출력하려면 %s 서식 지정자를 사용한다. %s 서식 지정자는 문자열의 끝(널 문자)을 만날 때까지 문자 배열의 문자들을 출력한다.

```
printf("str = %s\n", str);           // 널 문자를 만날 때까지 str 배열의 원소를 모두 출력한다.
```

형식 문자열 없이 문자 배열을 직접 printf 함수의 첫 번째 인자로 전달할 수도 있다.

```
printf(str);                    // printf 함수의 첫 번째 인자로 문자 배열을 전달할 수 있다.
```

문자 배열을 변경하기 위해서 문자 배열에 문자열 리터럴을 대입하면 컴파일 에러가 발생한다. **배열 이름은 배열의 시작 주소이므로 변경할 수 없기 때문이다.**

```
str = "XYZ";                    // 배열 이름은 배열의 시작 주소이므로 변경할 수 없다.
```

문자 배열을 개별 문자들의 집합이 아니라 하나의 문자열로 다루려면 표준 C 라이브러리 함수 중 문자열 처리 함수를 이용해야 한다. 문자열 처리 함수에 대해서는 다음 절에서 자세히 알아보기로 하자.

[예제 9-1]은 문자 배열을 선언 및 초기화하고 사용하는 코드이다.

📋 **예제 9-1** : 문자 배열의 선언 및 초기화, 사용

```
01    #include <stdio.h>
02
03    int main(void)
04    {
05        char str1[10] = "abc";              // 문자 배열은 문자열 리터럴로 초기화한다.
06        char str2[10] = "very long string"; // 문자 배열보다 긴 문자열로 초기화하는 경우
07        char str3[] = "abc";                // 크기가 4인 배열로 할당된다.
08        char str4[10] = "";                 // 배열 전체를 널 문자로 초기화한다.
09        int i;
10
11        str1[0] = 'A';                      // 인덱스를 이용해서 한 문자씩 변경할 수 있다.
12        printf("str1 = ");
13        for (i = 0; str1[i] != '\0'; i++)   // 널 문자를 만날 때까지
14            printf("%c", str1[i]);          // str1[i]를 한 문자씩 출력한다.
15        printf("\n");
16
17        printf("str2 = %s\n", str2); // 문자열의 끝에 널 문자가 없으므로 쓰레기값 출력
18        printf(str3);                       // printf 함수의 첫 번째 인자로 문자 배열을 전달할 수 있다.
19        printf("\nstr4 = %s\n", str4);      // str4는 널 문자열이므로 아무것도 출력되지 않는다.
20    }
```

str2를 배열의 크기보다 긴 문자열로 초기화하면 문자열의 끝을 나타내는 널 문자가 저장되지 않는다. printf 함수는 문자열을 출력할 때 널 문자를 만날 때까지 출력한다. 따라서 str2를 출력하면 문자열의 끝을 확인할 수 없으므로 [예제 9-1]의 실행 결과처럼 쓰레기 값이 함께 출력된다.

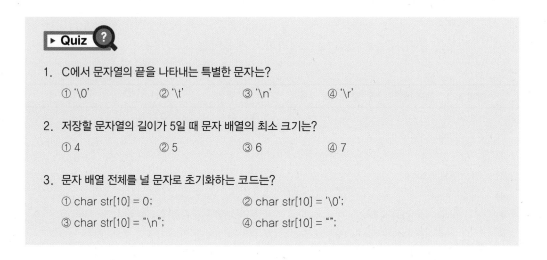

9.2 표준 C의 문자열 처리 함수

표준 C 라이브러리는 다양한 문자열 처리 함수를 제공한다. 이런 문자열 처리 함수를 이용하면 구체적인 처리 과정은 알 필요 없이 간단하게 문자열을 다룰 수 있다.

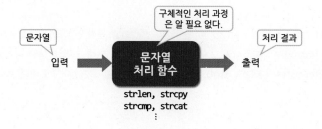

[그림 9-3] 문자열 처리 함수

문자열 처리 함수를 사용하려면 `<string.h>`를 포함해야 한다. 〈표 9-1〉은 자주 사용되는 문자열 처리 함수를 정리한 것이다.

〈표 9-1〉 표준 C 라이브러리의 문자열 처리 함수

문자열 처리 함수	설명
strlen(*str*);	*str*의 길이를 구한다. (널 문자 제외)
strcpy(*dest*, *src*);	*src*를 *dest*로 복사한다.
strcmp(*lhs*, *rhs*);	*lhs*와 *rhs*를 비교해서 같으면 0을, *lhs* > *rhs*면 0보다 큰 값을, *lhs* < *rhs*면 0보다 작은 값을 리턴한다.
strcat(*dest*, *src*);	*dest*의 끝에 *src*를 연결한다.
strchr(*str*, *ch*);	*str*에서 *ch* 문자를 찾는다. (찾은 문자의 주소 리턴)
strstr(*str*, *substr*);	*str*에서 *substr* 문자열을 찾는다. (찾은 문자열의 주소 리턴)
strtok(*str*, *delim*);	*str*을 *delim*을 이용해서 토큰으로 분리한다. (토큰 문자열 리턴)

표준 C 라이브러리는 문자열 처리 함수와 함께 사용될 수 있도록 다양한 문자 처리 함수를 제공한다. 문자 처리 함수를 사용하려면 `<ctype.h>`를 포함해야 한다. 문자 처리 함수는 어떤 종류의 문자인지 검사하는 기능과 대소문자 변환 기능을 제공한다.

〈표 9-2〉 표준 C 라이브러리의 문자 처리 함수

함수	설명	함수	설명
isalnum(*ch*);	알파벳이나 숫자인지 검사한다.	isalpha(*ch*);	알파벳인지 검사한다.
isdigit(*ch*);	숫자인지 검사한다.	islower(*ch*);	소문자인지 검사한다.
isupper(*ch*);	대문자인지 검사한다.	isspace(*ch*);	공백 문자인지 검사한다.
isxdigit(*ch*);	16진수 숫자인지 검사한다.	tolower(*ch*);	소문자로 변환한다.
toupper(*ch*);	대문자로 변환한다.		

그 밖에도 표준 C 라이브러리는 문자열을 정수나 실수로 변환하거나 정수나 실수로 문자열을 만드는 데이터 변환 함수를 제공한다.

〈표 9-3〉 표준 C 라이브러리의 데이터 변환 함수

헤더 파일	함수 원형	설명
<stdlib.h>	int atoi(const char* str);	문자열을 정수로 변환한다.
	double atof(const char* str);	문자열을 실수로 변환한다.
	long atol(const char* str);	문자열을 long형 값으로 변환한다.
<stdio.h>	int sscanf(const char* buff, const char* format, …);	문자열을 정수나 실수로 변환해서 읽어온다.
	int sprintf(char* buff, const char* format, …);	형식 문자열을 이용해서 정수나 실수를 문자열로 변환한다.

표준 C 라이브러리는 scanf와 printf 함수 외에도 한 줄의 문자열을 입력받거나 출력하는 함수들을 제공한다. 〈표 9-4〉는 문자열 입출력 함수를 정리한 것이다. 이 함수들을 사용하려면 <stdio.h>가 필요하다.

〈표 9-4〉 표준 C 문자열 입출력 함수

입출력 함수	설명문자열
scanf("%s", *str*);	공백 문자까지 문자열을 입력받아서 *str*에 저장한다.
printf(*str*); printf("%s", *str*);	*str*을 출력한다.
gets_s(*str*, *count*);	한 줄의 문자열을 읽어서 *str*에 저장한다. (줄바꿈 문자 포함 X)
fgets(*str*, *count*, *stdin*);	한 줄의 문자열을 읽어서 *str*에 저장한다. (줄바꿈 문자 포함)
puts(*str*);	*str*을 출력하고 줄을 바꾼다.

9.2.1 문자열의 길이 구하기

strlen 함수는 널 문자를 제외한 문자열의 길이를 구한다. strlen 함수의 원형은 다음과 같다.

```
size_t strlen(const char* str);     // str은 입력 매개변수
```

strlen 함수의 매개변수로는 문자 배열이나 문자열 리터럴을 전달할 수 있다.

```
char str[10] = "hello";                        // str은 크기가 10인 문자 배열로 선언된다.

printf("%d\n", strlen(str));                    // str에 저장된 문자열의 길이는 5
printf("%d\n", strlen("good bye"));            // 문자열 리터럴의 길이는 8
```

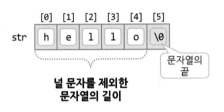

[그림 9-4] strlen 함수

문자열을 조작하려면 문자열의 길이가 필요한 경우가 많다. 예를 들어 문자열의 마지막 글자를 삭제하려면, 먼저 문자열의 길이(len)를 구하고 문자열의 len−1 위치에 널 문자를 저장하면 된다.

```
len = strlen(str);
if (len > 0)                                    // 널 문자열이 아니면
    str[len - 1] = '\0';                        // 마지막 한 글자를 삭제한다.
```

[예제 9-2]는 strlen 함수를 사용해서 여러 가지 문자열의 길이를 구하는 코드이다. 문자열 처리 함수를 사용하려면 <string.h>를 포함해야 한다.

예제 9-2 : 여러 가지 문자열의 길이 구하기

```
01   #include <stdio.h>
02   #include <string.h>              // 문자열 처리 함수 사용 시 필요하다.
03
04   int main(void)
05   {
06       char str[10] = "hello";     // 크기가 10인 문자 배열 선언
07       int len = 0;
08
09       printf("str의 길이: %d\n", strlen(str));        // 널 문자를 제외한 문자열의 길이
```

```
10        printf("\"good bye\"의 길이: %d\n", strlen("good bye"));      // 문자열 리터럴의 길이
11
12        printf("str = %s\n", str);
13        len = strlen(str);
14        if (len > 0)                    // 널 문자열이 아니면
15            str[len - 1] = '\0';    // 마지막 한 글자를 삭제한다.
16        printf("str = %s\n", str);
17    }
```

> 문자열 안에서 " 문자를 사용하려면
> \와 함께 지정한다.

실행 결과

```
str의 길이: 5
"good bye"의 길이: 8
str = hello
str = hell
```

9.2.2 문자열의 복사

strcpy 함수는 *src* 문자열을 *dest* 문자 배열로 복사한다. strcpy 함수의 원형은 다음과 같다.

```
char* strcpy(char* dest, const char* src);  // dest는 출력 매개변수, src는 입력 매개변수
```

strcpy 함수의 첫 번째 매개변수인 *dest*에는 반드시 문자 배열을 지정해야 한다. 두 번째 매개변수인 *src*에는 문자 배열이나 문자열 리터럴을 모두 사용할 수 있다. strcpy 함수는 *src* 문자열을 *dest* 문자 배열을 복사한 다음에 *dest*를 리턴한다.

```
char s1[10] = "abcde";
char s2[10] = "";
strcpy(s2, s1);              // s1를 s2로 복사한다.
```

strcpy 함수는 널 문자를 만날 때까지 s1의 문자들을 s2으로 복사한다. 이때 널 문자도 함께 복사된다. 문자 배열에 저장된 문자열을 변경하려면 strcpy 함수를 이용한다.

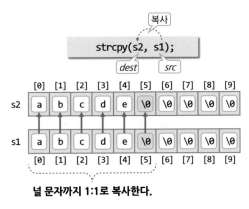

[그림 9-5] strcpy 함수

strcpy 함수의 첫 번째 인자로 문자 배열이 아니라 문자열 리터럴을 지정하면 실행 에러가 발생한다. 문자열 리터럴은 변경할 수 없기 때문이다.

⊘   strcpy("not ok", s2);   // s2를 문자열 리터럴로 복사할 수 없으므로 실행 에러

그런데 Visual Studio 2022에서 strcpy 함수를 사용하면, 컴파일 에러가 발생한다. 그 이유는 **strcpy 함수의 안정성 문제** 때문이다. *src* 문자열을 *dest* 문자 배열로 복사하려면 *dest* 문자 배열의 크기가 strlen(*src*)+1보다 크거나 같아야 한다. 그런데 strcpy 함수는 *dest* 문자 배열의 크기에 관계없이 무조건 *src* 문자열의 널 문자를 만날 때까지 문자열을 복사한다.

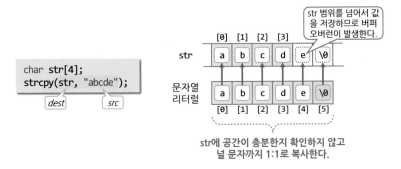

[그림 9-6] strcpy 함수의 버퍼 오버런 문제

[그림 9-6]처럼 할당 받은 메모리 범위를 넘어서 값을 저장할 때 메모리가 변조(corrupt)되는 상황을 **버퍼 오버런(buffer overrun)**이라고 한다. C 초기에 만들어진 표준 C 라이브러리 함수 중 일부에는 버퍼 오버런의 위험성이 있다. 따라서 C99 이상을 지원하는

컴파일러에서는 이런 함수들에 대하여 컴파일 경고를 발생시킨다. 참고로 Visual Studio 2022의 SDL 검사 기능은 안전성 검사를 보다 엄격하게 수행하기 때문에 이런 함수의 사용을 컴파일 에러로 처리한다. strcpy 함수도 마찬가지이다.

> **！ 컴파일 에러**   ▪▪▪
>
> 1>C:\work\chap09\ex09_03\ex09_03\swap_string.c(10,1): error C4996: 'strcpy': This func-
> tion or variable may be unsafe. Consider using strcpy_s instead. To disable depreca-
> tion, use _CRT_SECURE_NO_WARNINGS. See online help for details.
> 1>C:\Program Files (x86)\Windows Kits\10\Include\10.0.17763.0\ucrt\string.h(133): message :
> 'strcpy' 선언을 참조하십시오.

strcpy 함수 관련 컴파일 에러를 없애려면 안전 문자열 처리 함수인 strcpy_s 함수를 대신 사용해야 한다. C11에서 표준으로 채택된 안전 문자열 처리 함수는 예외 처리 등의 추가 기능을 함께 사용해야 하며, 사용 방법이 기존의 함수들에 비해 다소 복잡하다. 따라서 ANSI C를 기준으로 개발할 때는 안전 문자열 처리 함수 대신 기존의 문자열 처리 함수를 사용하기도 한다.

Visual Studio 2022에서 안전성 관련 컴파일 에러가 발생하지 않게 하려면, 라이브러리 헤더 파일을 포함하는 문장 앞에 _CRT_SECURE_NO_WARNINGS 매크로를 정의한다.

```
#define _CRT_SECURE_NO_WARNINGS        // Visual Studio 2022에서 strcpy 사용 시 필요
#include <stdio.h>
#include <string.h>
```

[예제 9-3]은 strcpy 함수를 이용해서 2개의 문자 배열의 내용을 맞바꾸는 코드이다.

> 📄 **예제 9-3 : 문자열 맞바꾸기**

```
01    #define _CRT_SECURE_NO_WARNINGS // Visual Studio 2022에서 scanf, strcpy 사용 시 필요
02    #include <stdio.h>
03    #include <string.h>                // 문자열 처리 함수 사용 시 필요
04
```

```
05    int main(void)
06    {
07        char str1[10] = "";          // 널 문자열로 초기화한다.
08        char str2[10] = "";          // 널 문자열로 초기화한다.
09        char temp[10];
10
11        printf("2개의 문자열? ");
12        scanf("%s %s", str1, str2); // 빈칸으로 구분해서 문자열 입력
13        printf("str1 = %s, str2 = %s\n", str1, str2);
14
15        // 두 문자 배열을 swap한다.
16        strcpy(temp, str1);          // str1을 temp로 복사한다.
17        strcpy(str1, str2);          // str2을 str1로 복사한다.
18        strcpy(str2, temp);          // temp을 str2로 복사한다.
19        printf("str1 = %s, str2 = %s\n", str1, str2);
20    }
```

실행 결과

```
2개의 문자열? mango blueberry
str1 =.mango, str2 = blueberry
str1 = blueberry, str2 = mango
```

9.2.3 문자열의 비교

strcmp 함수는 *lhs* 문자열과 *rhs* 문자열을 알파벳순으로 비교한다. strcmp 함수의 원형은 다음과 같다.

```
int strcmp(const char* lhs, const char* rhs);    // lhs와 rhs는 입력 매개변수
```

strcmp 함수는 *lhs*와 *rhs*가 같으면 0을, *lhs*가 *rhs*보다 알파벳순으로 앞쪽이면 음수를, 뒤쪽이면 양수를 리턴한다. strcmp 함수는 *lhs*와 *rhs*가 대소문자까지 정확히 일치하는 경우에만 0을 리턴한다.

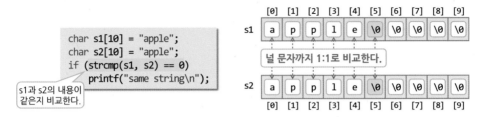

[그림 9-7] strcmp 함수

문자열을 비교할 때는 관계 연산자를 사용하면 문자열의 주소를 비교하므로 주의해야
한다. 주소 대신 문자열의 내용을 비교하려면 strcmp 함수를 사용해야 한다.

```
if (s1 == s2)            // s1과 s2의 주소가 같은지 비교하므로 잘못이다.
    printf("s1과 s2이 같습니다.\n");
```

[예제 9-4]는 strcmp 함수를 이용해서 문자열을 비교하는 코드이다.

📑 **예제 9-4 : 문자열의 비교**

```
01    #include <stdio.h>
02    #include <string.h>            // 문자열 처리 함수 사용 시 필요하다
03
04    int main(void)
05    {
06        char s1[10] = "apple";
07        char s2[10] = "apple";
08
09        if (s1 == s2)             // s1과 s2의 주소가 같은지 비교한다.
10            printf("s1과 s2의 주소가 같습니다.\n");
11        else
12            printf("s1과 s2의 주소가 다릅니다.\n");
13
14        if (strcmp(s1, s2) == 0)    // s1과 s2의 내용이 같은지 비교한다.
15            printf("s1과 s2의 내용이 같습니다.\n");
16        else
17            printf("s1과 s2의 내용이 다릅니다.\n");
18    }
```

9.2.4 문자열의 연결

strcat 함수는 *dest* 문자 배열에 저장된 문자열의 끝에 *src* 문자열을 복사해서 연결한다. strcat 함수의 원형은 다음과 같다.

```
char* strcat(char* dest, const char* src);  // dest는 입출력, src는 입력 매개변수
```

strcat 함수도 첫 번째 매개변수인 *dest*에 반드시 문자 배열을 지정해야 한다. 또한 *dest* 문자 배열에 *src* 문자열을 연결할 만큼 메모리가 충분한지를 확인하지 않으므로 버퍼 오버런의 위험이 있다.

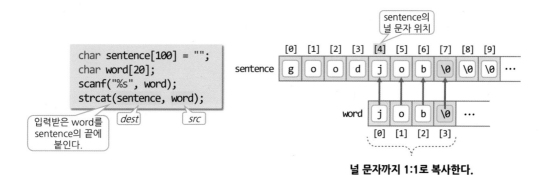

[그림 9-8] strcat 함수

[예제 9-5]는 strcat 함수를 이용해서 입력받은 단어들을 연결해서 문장을 만드는 코드이다. "."가 입력될 때까지 문자열을 입력받아서 sentence 문자 배열에 연결한다.

📝 **예제 9-5 : 문자열의 연결**

```
01    #define _CRT_SECURE_NO_WARNINGS    // Visual Studio 2022에서 scanf, strcat 사용 시 필요
02    #include <stdio.h>
03    #include <string.h>
04
```

```
05      int main(void)
06      {
07          char sentence[100] = "";
08          char word[20];
09
10          do {
11              printf("단어? ");
12              scanf("%s", word);
13              strcat(sentence, word);       // 입력받은 단어를 sentence의 끝에 붙인다.
14              strcat(sentence, " ");        // 단어를 구분할 수 있도록 빈칸을 붙인다.
15          } while (strcmp(word, ".") != 0); // "."이 입력될 때까지 반복한다.
16
17          printf("%s\n", sentence);
18      }
```

실행 결과

```
단어? this
단어? program
단어? tests
단어? strcat
단어? .
this program tests strcat .
```

9.2.5 문자열의 검색

strchr 함수는 *str*에서 *ch* 문자를 찾고, strstr 함수는 *str*에서 *substr* 문자열을 찾는다. 두 함수의 원형은 다음과 같다.

```
char* strchr(const char* str, int ch);              // str과 ch는 입력 매개변수
char* strstr(const char* str, const char* substr);  // str과 substr는 입력 매개변수
```

strchr와 strstr 함수는 문자나 문자열을 찾으면 찾은 위치에 있는 문자의 주소(char*형)를 리턴한다. 문자나 문자열을 찾을 수 없으면 NULL을 리턴한다.

[그림 9-9]에서 strchr(filename, '.');은 filename 배열에서 '.' 문자가 들어있는 위치를

찾아서 리턴한다. '.'을 제외하고 파일 확장자 부분만 출력하려면 p+1를 printf 함수의 인
자로 전달하면 된다.

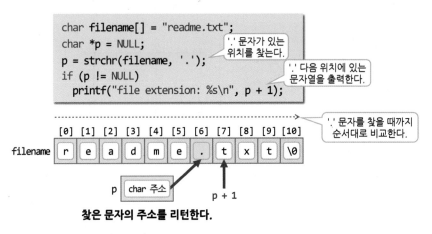

[그림 9-9] strchr 함수

[예제 9-6]은 strchr 함수를 이용해서 파일명을 저장하는 문자열에서 확장자를 찾는 코
드이다. 또한 strstr 함수를 이용해서 파일 확장자가 ".txt"인지 확인한다.

📖 **예제 9-6 : 문자열의 검색**

```
01    #include <stdio.h>
02    #include <string.h>
03
04    int main(void)
05    {
06        char filename[] = "readme.txt";
07        char *p = NULL;
08
09        p = strchr(filename, '.');        // filename에서 '.'를 찾아 그 주소를 받아온다.
10        if (p != NULL)
11            printf("file extension: %s\n", p + 1);  // p + 1은 '.' 다음 위치의 문자열 주소
12
13        p = strstr(filename, ".txt");     // filename에서 ".txt"를 찾아 그 주소를 받아온다.
14        if (p != NULL)
15            printf("file type: TEXT file\n");
16    }
```

실행 결과   ...

```
file extension: txt
file type: TEXT file
```

9.2.6 문자열의 토큰 나누기

strtok 함수는 *str* 문자열을 *delim* 문자열에 있는 구분 문자들을 이용해서 분리한다.
strtok 함수의 원형은 다음과 같다.

```
char* strtok(char* str, const char* delim);      // str은 입출력, delim은 입력 매개변수
```

문장에서 더 이상 나눌 수 없는 최소 단위를 토큰이라고 한다. strtok 함수는 주어진 문
자열을 *delim*에 있는 문자들을 이용해서 토큰으로 쪼개고 토큰의 주소를 리턴한다. 토큰
이 없으면 NULL을 리턴한다. **strtok 함수 호출 후에 첫 번째 매개변수인 *str*이 변경되므로
주의해야 한다.**

strtok 함수 호출 후에 이전 문자열에서 다음 토큰을 구하려면, 첫 번째 인자로 NULL을
지정해서 strtok 함수를 다시 호출한다. strtok 함수의 첫 번째 인자로 NULL을 지정하면
계속해서 다음 토큰을 얻을 수 있다.

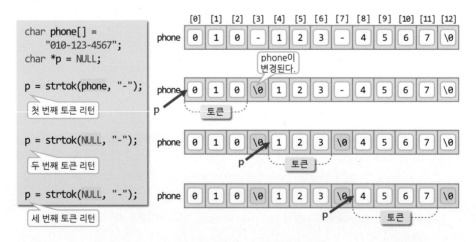

[그림 9-10] strtok 함수

[예제 9-7]은 strtok 함수를 이용해서 전화번호 문자열을 통신망 식별번호, 국번호, 개별 번호로 나누는 코드이다.

예제 9-7 : 문자열의 토큰 나누기

```
01    #define _CRT_SECURE_NO_WARNINGS    // Visual Studio 2022에서 strtok 사용 시 필요
02    #include <stdio.h>
03    #include <string.h>
04
05    int main(void)
06    {
07        char phone[] = "010-123-4567";
08        char *p = NULL;
09
10        p = strtok(phone, "-");
11        printf("mobile  : %s\n", p);
12        p = strtok(NULL, "-");
13        printf("prefix  : %s\n",p);
14        p = strtok(NULL, "-");
15        printf("line no.: %s\n", p);
16    }
```

실행 결과

```
mobile  : 010
prefix  : 123
line no.: 4567
```

9.2.7 문자열의 입출력

scanf 함수로 문자열을 입력받으려면 서식 지정자로 %s을 사용한다.

```
char str[128];
scanf("%s", str);    // 공백 문자를 만날 때까지의 문자열을 str로 읽어온다.
```

scanf 함수는 입력 버퍼에서 공백 문자를 만날 때까지 문자열을 읽어온다. 따라서 빈칸

을 포함한 문자열을 입력받을 때는 scanf 함수 대신 gets 함수를 이용한다. gets 함수의 원형은 다음과 같다.

```
char* gets(char* str);   // 버퍼 오버런에 매우 취약하므로 사용하지 않는 것이 좋다.
```

gets 함수는 줄바꿈 문자가 입력될 때까지 입력된 문자열을 *str*에 저장한다. 그런데 gets 함수도 strcpy 함수처럼 버퍼 오버런에 매우 취약한 함수이다. 따라서 C99에서 gets함수를 더 이상 사용하지 않도록 권고하였고, C11에서는 완전히 제거하였다. 그러므로 gets 함수 대신 fgets 함수 또는 gets_s 함수를 사용하는 것이 좋다. fgets 함수와 gets_s 함수의 원형은 다음과 같다.

```
char* fgets(char* str, int count, FILE* stream);   // count는 str 배열의 크기
char* gets_s(char* str, size_t n);                 // n은 str 배열의 크기
```

fgets 함수는 줄바꿈 문자를 만날 때까지 한 줄의 문자열을 파일로부터 읽어오는 함수이다. 이 함수의 마지막 매개변수인 *stream*에 stdin을 전달하면 표준 입력인 콘솔에서 한 줄의 문자열을 입력받는다. 두 번째 매개변수인 *count*에 배열의 크기를 전달하면 줄바꿈 문자를 만날 때까지 또는 최대 *count*−1 글자를 입력받아서 *str*에 저장한다. 이때, *str*에는 줄바꿈 문자도 함께 저장된다.

```
char str[128];
fgets(str, sizeof(str), stdin); // 줄바꿈 문자까지를 str로 읽어온다. (str에 줄바꿈 문자 포함)
printf(str);                    // str 출력 후 줄이 바뀐다.
```

fgets 함수 대신 gets_s 함수를 사용할 수도 있다. fgets 함수와는 다르게 **gets_s 함수가 읽어온 문자열의 맨 끝에는 줄바꿈 문자가 포함되지 않는다.**

```
gets_s(str, sizeof(str));       // 줄바꿈 문자까지를 str로 읽어온다. (str에 줄바꿈 문자 포함되지 않음)
printf(str);                    // str 출력 후 줄이 바뀌지 않는다.
```

위의 코드처럼 printf 함수의 첫 번째 인자로 문자열을 전달할 수 있다. 이때는 문자열만

출력할 뿐 자동으로 줄이 바뀌지는 않는다. 반면에 puts 함수는 문자열을 출력하고 줄을 바꿔 커서를 다음 줄로 이동한다. puts 함수의 원형은 다음과 같다.

```
int puts(const char* str);
```

puts 함수로 문자열을 출력할 때는 출력 후 자동으로 줄이 바뀐다.

```
puts("hello there");                    // printf("hello there\n");와 같다.
```

gets_s 함수나 puts 함수는 주로 sscanf, sprintf 함수와 함께 사용된다. gets_s 함수로 한 줄의 문자열을 읽어온 다음, sscanf 함수를 이용해서 문자열을 형식 문자열에 따라 변환할 수 있다.

```
int sscanf(const char* buffer, const char* format, ...);     // format부터 scanf와 같다.
```

sscanf 함수는 scanf 함수와 비슷한 함수로, 첫 번째 매개변수인 *buffer*를 추가로 사용한다. 이 함수는 *buffer* 문자열로부터 형식 문자열인 *format*에 지정된 대로 값을 읽어온다. 즉, scanf 함수는 표준 입력의 입력 버퍼에서 값을 읽어오는 데 비해, sscanf 함수는 주어진 문자열에서 값을 읽어온다.

```
gets_s(str, sizeof(str));               // 한 줄의 문자열을 문자 배열 str로 읽어온다.
sscanf(str, "%d", &n);                  // str에서 정수를 읽어서 int형 변수 n에 저장한다.
```

출력을 할 때도 출력할 문자열을 sprintf 함수로 준비한 다음 puts 함수로 한번에 출력할 수 있다. sprintf 함수의 원형은 다음과 같다.

```
int sprintf(char* buffer, const char* format, ...);
```

sprintf 함수는 printf 함수와 비슷한 함수로, 첫 번째 매개변수인 *buffer*를 추가로 사용한다. 이 함수는 형식 문자열에 지정된 대로 문자열을 만들어서 *buffer* 문자 배열에 저장

한다. 즉, printf 함수는 화면으로 출력을 수행하는 데 비해, sprintf 함수는 출력할 내용을
문자 배열에 저장한다.

```
sprintf(str, "n = %d", n);     // 형식 문자열에 따라 출력할 문자열을 만들어 str에 저장한다.
puts(n);                       // str를 출력하고 줄을 바꾼다.
```

[예제 9-8]은 날짜를 "yyyymmdd" 형식의 문자열로 입력받아서 연, 월, 일 값으로 변
환하고, 다시 연, 월, 일 값으로 출력할 문자열을 생성하는 코드이다.

📑 **예제 9-8 : 문자열의 입출력**

```
01    #define _CRT_SECURE_NO_WARNINGS  // Visual Studio 2022에서 sscanf, sprintf 사용 시 필요
02    #include <stdio.h>
03    #include <string.h>
04
05    int main(void)
06    {
07        char str_in[128];
08        char str_out[128];
09        int year, month, day;
10
11        printf("날짜(yyyymmdd)? ");
12        gets_s(str_in, sizeof(str_in));               // 한 줄의 문자열 입력
13
14        // 문자열을 int형의 year, month, day로 변환한다.
15        sscanf(str_in, "%4d%2d%2d", &year, &month, &day);
16
17        // 출력할 문자열을 str_out에 생성한다.
18        sprintf(str_out, "Due Date: %04d-%02d-%02d", year, month, day);
19        puts(str_out);                                // 한줄의 문자열 출력
20    }
```

실행 결과   ▪ ▪ ▪

```
날짜(yyyymmdd)? 20220501
Due Date: 2022-05-01
```

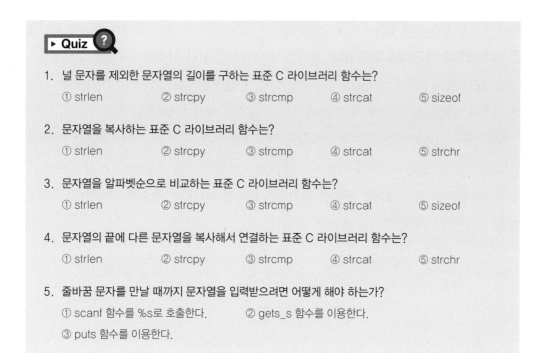

▶ Quiz

1. 널 문자를 제외한 문자열의 길이를 구하는 표준 C 라이브러리 함수는?
   ① strlen   ② strcpy   ③ strcmp   ④ strcat   ⑤ sizeof

2. 문자열을 복사하는 표준 C 라이브러리 함수는?
   ① strlen   ② strcpy   ③ strcmp   ④ strcat   ⑤ strchr

3. 문자열을 알파벳순으로 비교하는 표준 C 라이브러리 함수는?
   ① strlen   ② strcpy   ③ strcmp   ④ strcat   ⑤ sizeof

4. 문자열의 끝에 다른 문자열을 복사해서 연결하는 표준 C 라이브러리 함수는?
   ① strlen   ② strcpy   ③ strcmp   ④ strcat   ⑤ strchr

5. 줄바꿈 문자를 만날 때까지 문자열을 입력받으려면 어떻게 해야 하는가?
   ① scanf 함수를 %s로 호출한다.   ② gets_s 함수를 이용한다.
   ③ puts 함수를 이용한다.

9.3 문자열 포인터

9.3.1 char*형의 문자열 포인터

char*형의 포인터는 char형의 변수 또는 char형 배열의 원소를 가리킬 수 있다. char* 형의 포인터는 배열 원소를 가리키는 포인터이기 때문이다. 일반적으로 **char*형의 포인터는 문자열을 가리키는 용도로 사용하므로 문자열 포인터라고 한다.**

```
char* p = "abcde";                    // p는 문자열 포인터이다.
```

문자열 포인터 p에는 어떤 값이 저장될까? 이 문장이 어떤 의미인지 알아보려면 문자열 리터럴에 대해 다시 한번 알아볼 필요가 있다.

(1) 문자열 리터럴의 의미

상수는 필요할 때 잠깐 동안 CPU 레지스터에 값을 저장하고 사용하는 임시값이다. 따라서 상수는 메모리에 할당되지 않으며, 주소가 없다. 그런데 상수 중에서 **문자열 리터럴은 예외적으로 메모리에 할당된다.** 문자열 리터럴은 길이가 다양하므로, 크기가 정해진 CPU 레지스터에 보관할 수 없기 때문이다. C/C++ 컴파일러는 텍스트 세그먼트라는 특별한 메모리 영역에 문자열 리터럴을 보관하고 그 주소를 대신 사용한다.

예를 들어 "abcde"라는 문자열 리터럴은 데이터형이 char[6]이고, 이름이 없는 문자 배열로 생각할 수 있다. 즉, 배열 이름 대신 문자열 리터럴을 직접 사용한다. 배열 이름이 배열의 주소를 의미하는 것처럼 **문자열 리터럴은 문자열 리터럴의 주소를 의미한다.** 따라서 %p로 문자열 리터럴의 주소를 출력할 수 있다.

```
printf("%d\n", sizeof("abcde"));    // "abcde"의 데이터형이 char[6]이므로 6을 출력한다.
printf("%p\n", "abcde");            // "abcde"의 주소를 출력한다.
```

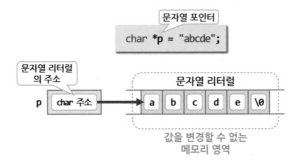

[그림 9-11] 문자열 리터럴의 의미

문자열 리터럴은 메모리에 저장되지만 값을 변경할 수 없다. 문자열 리터럴이 할당되는 텍스트 세그먼트는 변경할 수 없는 메모리이기 때문이다. 따라서 문자열 리터럴은 읽기 전용으로만 사용해야 하며 변경하려고 하면 실행 에러가 발생한다.

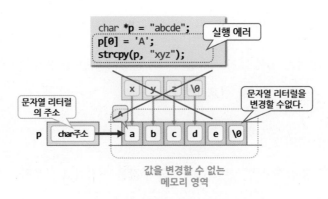

[그림 9-12] 문자열 리터럴은 변경할 수 없다.

문자열 포인터가 문자열 리터럴을 가리킬 때, 문자열 포인터에 다른 문자열 리터럴을 대입하면, 포인터가 가리키는 대상만 달라진다. [그림 9-13]에서 char*형 변수 hobby에 "golf"를 대입하면 hobby가 가리키는 문자열의 내용이 변경되는 것이 아니라 hobby가 "golf"를 가리키게 된다.

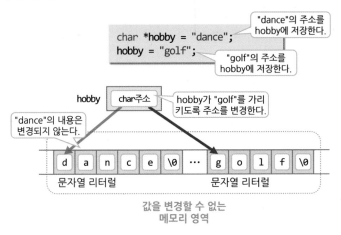

[그림 9-13] 문자열 포인터의 변경

char*형의 문자열 포인터로 문자열 리터럴을 가리키는 것은 좋은 방법이 아니다. 문자열 포인터로 문자열 리터럴을 변경하려고 하면 실행 에러가 발생하기 때문이다. 그러면 char*형의 문자열 포인터는 어디에 사용되어야 하는지 알아보자.

(2) char*형 포인터의 용도

char*형의 문자열 포인터는 주로 문자 배열을 가리키는 데 사용된다.

```
char str[64] = "";        // 문자 배열
char* p = str;            // p는 str 배열을 가리킨다.
```

p는 배열 원소를 가리키는 포인터이므로 배열처럼 사용할 수 있다.

```
p[0] = 'H';               // p가 str을 가리키므로 str[0]을 변경한다.
```

p가 가리키는 문자 배열은 변경할 수 있으므로 strcpy 함수의 첫 번째 인자로 p를 지정할 수 있다. 즉, p가 가리키는 문자 배열에 다른 문자열을 복사할 수 있다.

```
strcpy(p, "test string");    // p가 가리키는 str을 변경한다.
```

문자 배열을 직접 사용하지 않고 문자 배열을 가리키는 포인터를 사용하는 이유는 무엇 때문일까? 포인터를 이용하면 문자열의 시작 주소뿐만 아니라 문자열의 특정 위치를 가리키게 할 수 있기 때문이다. 문자열 포인터가 유용하게 사용되는 경우를 알아보기 위해 [그림 9-14]를 보자.

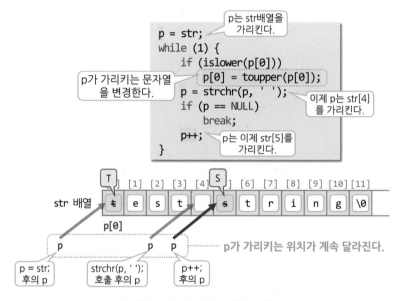

[그림 9-14] 문자열 포인터의 용도

맨 처음 p는 str 배열을 가리킨다. while문에 들어가면 먼저 islower 함수로 p[0]이 소문자인지 검사한다. p[0]이 소문자면 toupper 함수를 호출해서 p[0]을 대문자로 변환한다. 그리고 나서 다음 단어를 찾기 위해서 strchr(p, ' ');를 호출한 다음 리턴값을 p에 저장한다. 이때, p가 변경된다. p가 NULL이면 더 이상 ' ' 문자를 찾을 수 없으므로 while을 탈출한다. p가 NULL이 아니면 p가 ' ' 문자를 가리키고 있으므로, p++로 p가 다음 단어의 첫 글자를 가리키게 만든다. 이런 식으로 **문자 배열의 특정 위치를 가리키도록 문자열 포인터를 변경해 가면서 문자열에 대한 처리를 할 수 있다.**

[예제 9-9]는 문자열 포인터를 이용해서 문자 배열에 저장된 단어의 첫 글자를 모두 대문자로 바꾸는 코드이다.

예제 9-9 : 문자열 포인터의 용도

```
01    #include <stdio.h>
02    #include <string.h>
03    #include <ctype.h>                      // 문자 처리 라이브러리 사용 시 필요
04
05    int main(void)
06    {
07        char str[64] = "this is test string for char pointer.";
08        char* p = str;                       // p는 str 배열을 가리킨다.
09
10        while (1) {
11            if (islower(p[0]))               // p[0]이 소문자인지 검사한다.
12                p[0] = toupper(p[0]);        // p[0]을 대문자로 변경한다.
13            p = strchr(p, ' ');              // str중 ' ' 문자를 찾아 그 주소를 p에 저장한다.
14            if (p == NULL)
15                break;
16            p++;                             // p가 ' ' 문자 다음 문자를 가리키게 한다.
17        }
18        puts(str);
19    }
```

실행 결과

```
This Is Test String For Char Pointer.
```

9.3.2 const char*형의 문자열 포인터

const char*형의 포인터는 읽기 전용의 문자열 포인터이므로 포인터가 가리키는 문자열의 내용을 읽어볼 수만 있고 변경할 수 없다.

```
const char* p = "abcde";     // p가 가리키는 문자열을 변경할 수 없다.(읽기 전용 포인터)
```

const 포인터로 접근할 때는 포인터가 가리키는 대상을 읽어보기만 하고 변경할 수 없다. 예를 들어 p[0]에 대입하려고 하면, p가 읽기 전용 포인터이므로 p[0]을 변경할 수 없다.

🚫   p[0] = 'A';   // p가 읽기 전용 포인터 이므로 p[0]을 변경할 수 없다.(컴파일 에러)

const char*형의 변수는 매개변수가 char*형인 함수의 인자로 전달할 수 없다. 즉, const char*형을 char*형으로 변환하면 문제가 발생할 수 있으므로 컴파일 경고가 발생한다.

🚫   strcpy(p, "xyz");   // strcpy의 첫 번째 매개변수와 p의 데이터형이 다르므로 컴파일 경고

const char*형의 포인터는 주로 문자열 리터럴을 가리키는 용도로 사용된다. 물론 const char*형의 포인터가 문자 배열을 가리킬 수도 있다. 이때도 포인터가 가리키는 문자 배열의 내용을 읽어볼 수만 있고 변경할 수는 없다.

```
char str[64] = "";
const char* p = str;           // p는 str을 읽기 전용으로 접근한다.
```
🚫   p[0] = 'A';   // p가 가리키는 문자 배열을 변경할 수 없다.(컴파일 에러)
🚫   strcpy(p, "xyz");   // p가 가리키는 문자 배열을 변경할 수 없다.(컴파일 경고)

const char*형의 포인터는 문자열을 입력 매개변수로 갖는 함수를 정의할 때 유용하게 사용된다. 매개변수가 const char*형이면 함수 안에서 변경할 수 없다는 뜻이 된다. 예를 들어 문자열에 있는 공백 문자의 개수를 세는 count_space 함수를 [그림 9-15]처럼 정의할 수 있다.

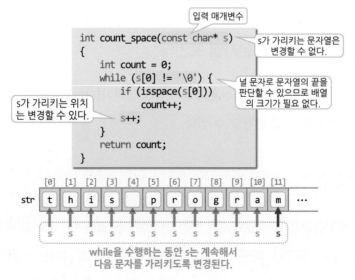

[그림 9-15] 문자열을 입력 매개변수로 전달하는 경우

count_space 함수는 문자열의 내용을 변경하지 않으므로 매개변수의 데이터형을 const char*형으로 지정한다. **문자열을 입력 매개변수로 전달할 때는 널 문자로 문자열의 끝을 판단할 수 있기 때문에 배열의 크기를 전달할 필요가 없다.**

s는 읽기 전용 포인터지만 s가 다른 문자를 가리키게 만들 수 있다. s++;은 s가 다음 문자를 가리키도록 s를 증가시킨다. 즉, while문을 수행하는 동안 s는 문자열의 첫 번째 문자부터 차례차례 다음 문자를 가리키다가 널 문자를 가리키게 되면 while문을 탈출한다.

[예제 9-10]은 문자열을 입력 매개변수로 갖는 count_space 함수를 정의하고 사용하는 코드이다. count_space 함수는 문자열에 있는 공백 문자의 개수를 구해서 리턴한다.

예제 9-10 : count_space 함수의 정의 및 호출

```
01    #include <stdio.h>
02    #include <string.h>
03    #include <ctype.h>
04
05    int count_space(const char* s)    // s는 입력 매개변수이므로 함수 안에서 변경되지 않는다.
06    {
07        int count = 0;
08        while (s[0] != '\0') {          // while (*s != '\0') 과 같은 의미
09            if (isspace(s[0]))          // *s가 공백 문자인지 검사한다.
10                count++;
11            s++;                        // s는 다음 문자를 가리킨다.
12        }
13        return count;
14    }
15
16    int main(void)
17    {
18        char str[64] = "this program\ttests const pointer to string.\n";
19
20        puts(str);
21        printf("공백 문자의 개수: %d\n", count_space(str));    // s는 입력 매개변수
22    }
```

실행 결과

this program   tests const pointer to string.

공백 문자의 개수: 7

9.3.3 문자열 사용을 위한 가이드라인

문자열을 어떤 형의 변수에 저장할지 선택하는 기준을 정리하면 다음과 같다.

① 사용자로부터 입력받거나 변경할 수 있는 문자열은 문자 배열에 저장한다. → **문자열 변수**

② 프로그램 실행 중에 변경되지 않는 문자열은 문자열 리터럴로 나타낸다. → **문자열 상수**

문자열을 가리키는 포인터를 선언할 때, **어떤 형의 문자열 포인터를 사용할지 선택하는 기준**을 정리하면 다음과 같다.

① char*형의 포인터는 문자 배열, 즉 변경할 수 있는 문자열을 가리킬 때만 사용한다.

② const char*형의 포인터는 변경할 수 없는 문자열을 가리킬 때 사용한다.

③ 문자열 리터럴을 가리킬 때는 const char*형의 포인터를 사용한다.

④ 문자 배열을 읽기 전용으로 접근할 때는 const char*형의 포인터를 사용한다.

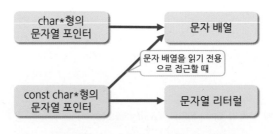

[그림 9-16]   문자열 포인터의 선택

문자열을 매개변수로 갖는 함수를 정의할 때의 주의 사항은 다음과 같다.

① 문자열이 출력 매개변수일 때는 char*형의 매개변수를 사용하며, 배열의 크기도 매개변수로 전달해야 한다. 함수 안에서 문자열을 변경할 때는 문자 배열의 크기를 넘어서지 않도록 주의해야 한다.

② 문자열이 입력 매개변수일 때는 const char*형의 매개변수를 사용한다. 이때는 문자열의 끝을 널 문자로 확인할 수 있으므로 배열의 크기를 매개변수로 받아올 필요가 없다. 입력 매개변수이므로 함수 안에서 문자열을 변경해서는 안된다.

③ 함수 안에서 문자열 포인터를 사용할 때는 문자 배열처럼 인덱스를 사용할 수 있다.

문자열을 매개변수로 갖는 함수를 호출할 때의 주의 사항은 다음과 같다.

① 매개변수의 데이터형이 char*형일 때는 문자 배열과 char*형의 포인터만 인자로 전달할 수 있다. 함수 호출 후 문자열의 내용이 변경될 수 있다.

② 매개변수의 데이터형이 const char*형일 때는 문자 배열, 문자열 리터럴, char*형의 포인터, const char*형의 포인터를 모두 인자로 전달할 수 있다. 함수 호출 후에도 문자열의 내용은 변경되지 않는다.

▶ Quiz ❓

1. 다음과 같이 초기화된 포인터 변수가 있을 때 포인터 p에 저장된 값은?

```
char *p = "apple";
```

① "apple" 문자열   ② "app" 문자열
③ "apple" 문자열 리터럴의 주소   ④ 'a' 문자

2. char*형의 포인터에 저장해도 안전한 값은?
   ① char 배열의 시작 주소   ② char 변수의 값
   ③ 문자열 리터럴의 주소   ④ int 배열의 시작 주소

3. 문자열을 함수의 입력 매개변수로 전달하려고 할 때 사용되는 포인터형은?
   ① const char*   ② char*   ③ char* const   ④ const int*

4. const char*형의 포인터의 용도가 아닌 것은?
   ① 문자열 리터럴을 가리킨다.   ② 읽기 전용의 문자 배열을 가리킨다.
   ③ 입력 매개변수의 데이터형으로 사용된다.   ④ 포인터가 가리키는 문자 배열을 변경한다.

5. 다음 중 const char*형의 매개변수를 가진 함수의 인자로 전달할 수 있는 것을 모두 고르시오.
   ① 문자열 리터럴의 주소   ② 문자 배열의 주소
   ③ char*형 포인터   ④ const char*형 포인터

9.4 문자열의 배열

문자열 하나를 저장하는 데 문자 배열이 필요하므로, 여러 개의 문자열을 저장하려면 2차원 문자 배열이 필요하다. 입력된 문자열이나 실행 중에 변경되는 문자열을 여러 개 저장하려면 2차원 문자 배열을 사용한다.

그런데 문자열 중에는 변경되지 않는 문자열도 있다. 예를 들어 프로그램 실행 중에 표시할 도움말 문자열을 배열로 모아두고 싶다고 해보자. 도움말로 사용될 문자열의 내용은 변경되지 않으므로 문자열 리터럴의 주소만 배열로 저장하면 된다. 즉, 문자열 포인터의 배열을 사용하면 된다.

문자열의 배열을 사용하는 두 가지 방법을 자세히 알아보자.

9.4.1 2차원 문자 배열

2차원 문자 배열을 선언할 때는 널 문자를 포함한 문자열의 길이를 열 크기로, 문자열의 개수를 행 크기로 지정한다. 예를 들어 5권의 책 제목을 30글자의 문자열로 저장하려면 다음과 같이 선언한다.

```
char books[5][30];        // 널 문자를 포함한 문자열의 길이가 30인 문자열을 5개 저장한다.
```

2차원 문자 배열을 초기화하려면 { } 안에 문자열을 나열한다. books는 행 크기가 5인 배열이므로 문자열을 5개 나열하면 된다.

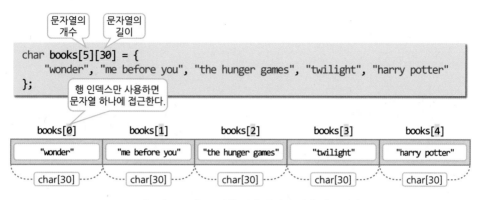

[그림 9-17] 2차원 문자 배열의 선언 및 초기화

2차원 문자 배열에 있는 문자열에 접근하려면 행 인덱스만 사용하면 된다. 예를 들어 books 배열의 경우 books[i]는 책 제목 하나를 의미한다.

```
for (i = 0; i < 5; i++)          // 2차원 배열의 행 크기만큼 반복한다.
    printf("%s\n", books[i]);      // i번째 문자열을 출력한다.
```

i번째 문자열의 j번째 문자에 접근하려면 books[i][j]처럼 행 인덱스와 열 인덱스를 모두 사용한다.

```
for (i = 0; i < 5; i++) {
    if (islower(books[i][0]))          // i번째 문자열의 0번째 문자가 소문자인지 검사한다.
        books[i][0] = toupper(books[i][0]);
}
```

[예제 9-11]은 2차원 문자 배열을 선언 및 초기화하고 사용하는 코드이다. 5개의 책 제목 문자열을 2차원 문자 배열에 저장하고 저장된 문자열의 첫 글자가 소문자면 대문자로 변환한다.

예제 9-11 : 2차원 문자 배열의 선언 및 초기화, 사용

```c
01    #include <stdio.h>
02    #include <string.h>
03    #include <ctype.h>
04
05    int main(void)
06    {
07        char books[5][30] = {
08            "wonder", "me before you", "the hunger games", "twilight", "harry potter"
09        };
10        int i = 0;
11
12        for (i = 0; i < 5; i++)              // 2차원 배열의 행 크기만큼 반복한다.
13            printf("%s\n", books[i]);        // i번째 문자열을 출력한다.
14
15        for (i = 0; i < 5; i++) {
16            if (islower(books[i][0]))        // i번째 문자열의 0번째 문자가 소문자인지 검사
17                books[i][0] = toupper(books[i][0]); // 대문자로 변환한다.
18        }
19
20        puts("<< 변경 후 >>");
21        for (i = 0; i < 5; i++)
22            printf("%s\n", books[i]);
23    }
```

실행 결과

```
wonder
me before you
the hunger games
twilight
harry potter
<< 변경 후 >>
Wonder
Me before you
The hunger games
Twilight
Harry potter
```

2차원 문자 배열에 저장된 문자열에 대하여 strlen, strcpy, strcmp, strcat같은 문자열 처리 함수를 사용하려면 행 인덱스만 지정해서 사용하면 된다.

9.4.2 문자열 포인터 배열

같은 문자열 리터럴을 여러 번 사용할 때는 문자열 포인터에 문자열 리터럴의 주소를 저장해두고 사용하는 것이 좋다. 문자열 리터럴을 수정할 필요가 있을 때, 포인터 선언문만 수정하면 되기 때문이다.

```
const char* msg = "Error! Try again.";   // 문자열 리터럴을 수정하려면 여기만 고친다.
puts(msg);                               // 문자열 리터럴을 가리키는 포인터를 사용한다.
  ⋮
puts(msg);                               // 문자열 리터럴을 가리키는 포인터를 사용한다.
```

저장해둘 문자열 리터럴이 여러 개면 문자열 포인터 배열이 필요하다. 문자열 리터럴의 주소를 저장하려면 const char*형의 포인터 배열을 사용한다. **문자열 포인터 배열에 문자열 리터럴을 모아두면 문자열 리터럴을 관리하기가 쉬워진다.**

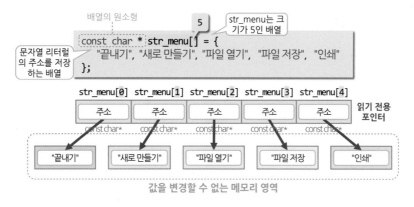

[그림 9-18] 문자열 포인터 배열

문자열 포인터 배열은 배열의 원소가 const char*형이므로 배열 원소가 가리키는 문자열을 읽기 전용으로 접근한다. 즉, str_menu[i]가 가리키는 문자열을 읽거나 출력할 수 있지만 변경할 수는 없다.

```
int sz_menu = sizeof(str_menu) / sizeof(str_menu[0]);    // 포인터 배열의 크기를 구한다.

for (i = 0; i < sz_menu; i++)              // 포인터 배열의 크기만큼 반복한다.
    printf("%d.%s\n", i, str_menu[i]);     // str_menu[i]가 가리키는 문자열을 출력한다.
```

[예제 9-12]는 문자열 포인터 배열을 이용해서 텍스트 기반의 메뉴를 출력하고 선택된 메뉴 문자열을 출력하는 코드이다.

예제 9-12 : 문자열 포인터 배열의 사용

```
01    #define _CRT_SECURE_NO_WARNINGS    // Visual Studio 2022에서 scanf 사용 시 필요
02    #include <stdio.h>
03    #include <string.h>
04
05    int main(void)
06    {
07        const char* str_menu[] = {        // str_menu는 원소가 5개인 포인터 배열
08            "끝내기", "새로 만들기", "파일 열기", "파일 저장", "인쇄"
09        };
10        int sz_menu = sizeof(str_menu) / sizeof(str_menu[0]);    // 포인터 배열의 크기
11        int menu;
12
13        while (1) {
14            int i;
15            for (i = 0; i < sz_menu; i++)              // 포인터 배열의 크기만큼 반복한다.
16                printf("%d.%s\n", i, str_menu[i]);     // str_menu[i]가 가리키는 문자열 출력
17            printf("메뉴 선택? ");
18            scanf("%d", &menu);
19            if (menu == 0)                // menu를 입력받은 다음 루프 탈출 조건을 검사한다.
20                break;
21            else if (menu > 0 && menu < sz_menu)
22                printf("%s 메뉴를 선택했습니다.\n\n", str_menu[menu]);
23            else
24                printf("잘못 선택했습니다.\n\n");
25        }
26    }
```

실행 결과

```
0.끝내기
1.새로 만들기
2.파일 열기
3.파일 저장
4.인쇄
메뉴 선택? 1
새로 만들기 메뉴를 선택했습니다.

0.끝내기
1.새로 만들기
2.파일 열기
3.파일 저장
4.인쇄
메뉴 선택? 0
```

▶ Quiz

1. 변경할 수 있는 문자열을 여러 개 저장하려면 무엇을 사용해야 하는가?

   ① 2차원 문자 배열   ② char*형의 포인터 배열

   ③ const char*형의 포인터 배열   ④ 문자 배열

2. 문자열 리터럴의 주소를 여러 개 저장하려면 다음 중 무엇을 사용해야 하는가?

   ① 2차원 문자 배열   ② char*형의 포인터 배열

   ③ const char*형의 포인터 배열   ④ 문자 배열

연습 문제

1. **문자열에 대한 설명 중 잘못된 것을 모두 고르시오.**

   ① 문자열의 끝에는 널 문자를 저장한다.

   ② 'a'는 문자 상수이고 "a"는 문자열 상수이다.

   ③ 변경할 수 있는 문자열은 문자 배열에 저장한다.

   ④ "abc"를 저장하려면 크기가 3인 문자 배열이 필요하다.

   ⑤ 문자 배열을 초기화할 때 문자열 리터럴을 사용할 수 있다.

   ⑥ 문자 배열을 초기화하지 않으면 쓰레기값을 가진다.

   ⑦ 문자 배열에 다른 문자열을 대입할 수 있다.

   ⑧ 문자 배열의 인덱스를 이용하면 문자 하나를 읽거나 변경할 수 있다.

2. **다음 중 strcpy 함수를 잘못 사용하고 있는 코드를 모두 고르시오.**

   ① `char s1[10];`
      `strcpy(s1, "abc");`

   ② `char s2[10];`
      `strcpy("apple", s2);`

   ③ `char s3[3];`
      `strcpy(s3, "good job");`

   ④ `char s4[] = "xyz", s5[4];`
      `strcpy(s5, s4);`

   ⑤ `strcpy("hello", "bye");`

3. **표준 C 라이브러리의 문자열 처리 함수에 대한 설명 중 잘못된 것을 모두 고르시오.**

   ① 문자열 처리 함수를 사용하려면 〈string.h〉를 포함해야 한다.

   ② strlen 함수는 널 문자를 포함한 문자열의 길이를 구한다.

   ③ strcpy 함수를 사용할 때는 문자열을 복사할 만큼 메모리가 충분한지 신경써야 한다.

   ④ strcpy 함수는 널 문자는 복사해주지 않으므로 문자열을 복사한 다음 널 문자를 직접 저장해야 한다.

   ⑤ strcat 함수를 사용할 때는 src 문자열을 dest 문자 배열의 널 문자 위치에 복사해서 연결한다.

   ⑥ 문자열을 비교할 때는 strcmp 함수를 사용한다.

   ⑦ strchr 함수는 문자열 중에서 부분 문자열을 검색하는 데 사용되고, strstr 함수는 문자열 중에서 특정 문자를 검색하는 데 사용된다.

   ⑧ strtok 함수를 연속적으로 호출하면 토큰을 계속해서 분리할 수 있다.

4. **다음과 같이 선언된 문자열 포인터에 대하여 각각의 코드가 출력하는 값은 무엇인지 쓰시오.**

   ```
   const char* p = "summer";        // "summer"의 주소가 0x8000번지라고 가정한다.
   ```

   (1) `printf("%p", p);`

   (2) `printf("%p", p+2);`

   (3) `printf("%c", *p);`

   (4) `printf("%c", p[1]);`

   (5) `printf("%s", p+1);`

5. 문자열 처리 함수와 리턴 값의 의미가 잘못 연결된 것을 모두 고르시오.

함수 이름	리턴값의 의미
① strlen	널 문자를 포함한 문자열의 길이
② strcpy	src를 dest로 복사한 다음 dest와 같은 값
③ strcat	없음
④ strcmp	두 문자열이 같으면 1, 다르면 0
⑤ strchr	찾은 문자의 인덱스
⑥ strstr	찾은 문자열의 주소
⑦ strtok	토큰 문자열의 주소

6. 문자열 사용을 위한 가이드라인 중 잘못된 것을 모두 고르시오.

① 변경할 수 있는 문자열은 문자 배열에 저장한다.

② char*형의 포인터는 문자 배열을 가리키는 용도로만 사용한다.

③ 문자열 리터럴을 가리킬 때는 const char*형의 포인터를 사용한다.

④ 문자 배열을 읽기 전용으로 접근할 때는 char*형의 포인터를 사용한다.

⑤ 문자열을 입력 매개변수로 전달할 때는 char* const형을 사용한다.

⑥ 문자열을 출력 매개변수로 전달할 때는 char*형을 사용한다.

⑦ 매개변수가 char*형일 때는 문자 배열 뿐만 아니라 문자열 리터럴도 인자로 전달할 수 있다.

7. 주소 10개를 문자열로 저장하려고 한다. 주소 문자열의 길이가 80이라고 할 때, 문자열 배열을 선언하시오.

8. 문자열을 역순으로 만드는 함수의 원형을 작성하시오. 이 함수에는 문자열을 입출력 매개변수로 전달해야 한다.

9. 문자열을 역순으로 만드는 함수의 원형을 작성하시오. 이 함수에는 입력 매개변수인 문자열과 출력 매개변수인 문자 배열을 전달해야 한다.

10. 다음과 같이 선언된 문자열 배열에 대하여 수식의 값이 무엇인지 쓰시오.

```
char movies[][20] = { "avengers", "iron man", "thor", "captain america"};
```

(1) movies[0]   (2) sizeof(movies) / sizeof(movies[0])

(3) movies[0][1]   (4) movies[1][0]

(5) movies[2]   (6) sizeof(movies[0])/sizeof(movies[0][0])

(7) sizeof(movies) / sizeof(movies[0][0])   (8) *movies[3]

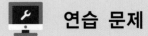

연습 문제

11. 다음 프로그램의 실행 결과를 쓰시오.

```c
#include <stdio.h>
#include <string.h>
#include <ctype.h>
int main(void)
{
    char str[] = "This is sample string for test.";
    char* p = str;
    while (*p != '\0') {
        if (isspace(*p)) {
            char* q = NULL;
            for (q = p + 1; *q != '\0'; q++)
                *(q - 1) = *q;
            *(q - 1) = 0;
        }
        p++;
    }
    puts(str);
}
```

12. 다음은 입력받은 정수의 개수만큼 문자열의 끝에 있는 문자를 삭제하는 프로그램이다. ___에 알맞은 코드를 작성하시오.

```c
#define _CRT_SECURE_NO_WARNINGS    // Visual Studio 2022에서 scanf 사용 시 필요
#include <stdio.h>
#include <string.h>
int main(void)
{
    char str[] = "This is sample string for test.";
    int len = strlen(str);
    int num;
    printf("몇 개? ");
    scanf("%d", &num);

    _____

    puts(str);
}
```

1. 파일 이름과 확장자를 입력으로 받아서 확장자를 포함한 파일명을 출력하는 프로그램을 작성하시오. [문자 배열, 문자열 처리 함수/난이도 ★]

```
실행 결과                                              ■ ■ ■
파일명? report20220510
확장자? doc
전체 파일명: report20220510.doc
```

2. 영문으로 된 이름을 입력받아 이니셜을 출력하는 프로그램을 작성하시오. [문자 배열, 문자열 처리 함수/난이도 ★]

```
실행 결과                                              ■ ■ ■
영문 이름? Son Heung Min
이니셜: SHM
```

3. 한 줄의 문자열을 입력받아서 영문자('a'~'z', 'A'~'Z')의 개수를 세는 프로그램을 작성하시오. [문자 배열, 문자 처리 함수/난이도 ★]

```
실행 결과                                              ■ ■ ■
문자열? Certain words in a C program have special meaning, they are keywords.
영문자의 개수: 56
```

4. 한 줄의 문자열을 입력받아서 소문자는 대문자로, 대문자는 소문자로 변환하는 프로그램을 작성하시오. [문자 배열, 문자 처리 함수/난이도 ★]

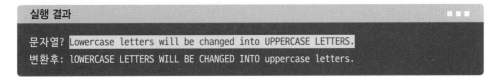

```
실행 결과                                              ■ ■ ■
문자열? Lowercase letters will be changed into UPPERCASE LETTERS.
변환후: LOWERCASE LETTERS WILL BE CHANGED INTO uppercase letters.
```

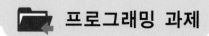

프로그래밍 과제

5. 문자열을 역순으로 만드는 함수를 작성하시오. 이 함수를 이용해서 입력받은 한 줄의 문자열을 역순으로 출력하는 프로그램을 작성하시오. [문자열을 매개변수로 갖는 함수/난이도 ★]

> **실행 결과**   ● ● ●
>
> 문자열? `reverse string`
> 역순으로 된 문자열: gnirts esrever

6. 대소문자를 구분하지 않고 문자열을 비교하는 함수를 작성하시오. 이 함수의 리턴 값은 strcmp와 마찬가지로 lhs가 rhs보다 크면 0보다 큰 값, 두 문자열이 같으면 0, lhs가 rhs보다 작으면 0보다 작은 값을 리턴한다. strcmp_ic 함수를 이용해서 입력받은 두 문자열을 비교하는 프로그램을 작성하시오. [문자열을 매개변수로 갖는 함수/난이도 ★★]

> **실행 결과**   ● ● ●
>
> 첫 번째 문자열 ? `Avengers`
> 두 번째 문자열 ? `avengers`
> Avengers == avengers

★ 직접 두 문자열을 1대1로 비교하는 함수로 작성해야 한다. 대소문자를 구분하지 않고 비교하려면 둘 다 소문자로 만들어서 비교하거나 대문자로 만들어서 비교한다.

7. 시간 문자열을 매개변수로 전달받아 유효한 시간인지 검사하는 함수를 작성하시오. 예를 들어 "120000"는 12:00:00에 해당하는 유효한 시간 문자열이지만 "327892"는 유효한 시간 문자열이 아니다. 이 함수를 이용해서 입력된 시간 문자열이 유효한지 검사해서 출력하는 프로그램을 작성하시오. [문자열의 데이터 변환 함수/난이도 ★★]

> **실행 결과**   ● ● ●
>
> 시간(.입력 시 종료)? `135225`
> 13:52:25는 유효한 시간입니다.
> 시간(.입력 시 종료)? `253161`
> 잘못 입력했습니다. hhmmss형식으로 입력하세요.
> 시간(.입력 시 종료)? .

8. 시저 암호는 간단한 치환 암호로 암호화하고자 하는 문자열의 각 알파벳에 암호 키를 더해서 다른 알파벳으로 치환하는 방식이다. 예를 들어 B를 3만큼 더해서 치환하면 E가 되는 식이다. 문자열과 암호 키를 입력 받아서 암호화된 문자열을 출력하는 프로그램을 작성하시오. [문자 배열, 문자 처리 함수/난이도 ★★]

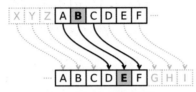

실행 결과

```
문자열? watermelon
암호 키(정수)? 3
암호화된 문자열: zdwhuphorq
```

9. 인터넷 사이트에 회원 가입을 하려는 사용자로부터 아이디를 입력받아 유효한 아이디인지 검사하는 프로그램을 작성하시오. 아이디는 영문자로 시작해야 하고, 영문자와 숫자로만 구성되며 최소 8자가 되어야 한다. [문자 배열, 문자 처리 함수/난이도 ★★]

실행 결과

```
ID? guest
ID는 8자 이상이어야 합니 다.
ID? 1004guest
ID는 영문자로 시작해야 합니다.
ID? anonymous
anonymous는 ID로 사용할 수 있습니다.
```

10. 시, 분, 초에 해당하는 정수값을 매개변수로 전달받아 "hh:mm:ss" 형식의 문자열로 만들어 리턴하는 함수를 작성하시오. 문자열은 출력 매개변수로 처리한다. 전달된 시, 분, 초 값이 올바른 값이 아닌 경우 −1을 리턴하고, 시간 문자열을 생성한 경우에는 생성된 문자열의 길이를 리턴하도록 작성하시오. 이 함수를 이용해서 정수로 입력받은 시, 분, 초 값으로 시간 문자열을 만들어 출력하는 프로그램을 작성하시오. [문자열을 매개변수로 갖는 함수, 문자열 변환/난이도 ★★]

실행 결과

```
시 분 초? 12 35 1
12:35:01
```

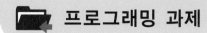

Programming Assignment

11. 이동할 글자수를 입력받아 문자열을 왼쪽이나 오른쪽으로 회전(rotate)한 결과를 출력하는 프로그램을 작성하시오. 예를 들어 "abcdef"를 오른쪽으로 2글자 회전하면 "efabcd"가 된다. 이동할 글자수가 음수면 왼쪽으로, 양수면 오른쪽으로 이동한다. 이동할 글자수로 0이 입력되면 프로그램을 종료한다. [문자열을 매개변수로 갖는 함수/난이도 ★★★]

★ rotate 알고리즘은 reverse 알고리즘을 이용해서 구현할 수 있다. 문자열이 AB 패턴일 때 BA 패턴을 얻으려면 (reverse_A reverse_B)의 reverse를 구하면 된다.

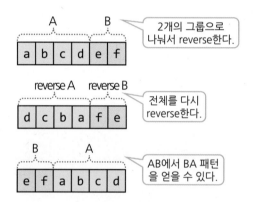

CHAPTER

10

구조체

10.1 구조체의 기본

10.1.1 구조체의 개념

구조체는 서로 다른 데이터형의 변수들을 하나로 묶어서 사용하는 기능이다. 구조체가 왜 필요한지 알아보기 위해서 인터넷 TV에서 VOD(Video On Demand) 서비스로 제공되는 VOD 콘텐츠를 관리하는 앱을 작성한다고 해보자. VOD 콘텐츠마다 콘텐츠 제목, 콘텐츠 가격, 콘텐츠 평점을 저장하기 위한 변수가 필요하다.

```
char title[40];          // 콘텐츠 제목
int price ;              // 콘텐츠 가격
double rate;             // 콘텐츠 평점
```

VOD 콘텐츠마다 title, price, rate 변수가 필요하므로 이 변수들을 하나로 묶어주면 관리하기 편리할 것이다. 구조체는 이처럼 서로 다른 데이터형의 변수들을 하나로 묶을 때 유용한 기능이다.

```
struct content {         // VOD 콘텐츠
    char    title[40];   // 제목
    int     price;       // 가격
    double  rate;        // 평점
};
```

구조체는 C 언어에서 사용자 정의형을 만드는 방법이다. 객체 지향 프로그래밍 언어인 C++은 구조체 개념을 확장해서 클래스를 정의하고 객체를 다루는 기능을 제공한다.

10.1.2 구조체의 정의

구조체를 사용하려면 먼저 구조체를 정의해야 한다. 구조체를 정의하는 기본적인 형식은 다음과 같다.

```
형식    struct 태그명 {
            데이터형  멤버명;
            데이터형  멤버명;
                ⋮
        };

사용예   struct content {
            char title[40];
            int price;
            double rate;
        };
```

구조체를 정의하려면 struct 키워드와 태그 이름(tag name)이 필요하다. **태그 이름**은 구조체를 구별하기 위한 이름이다. 태그 이름 다음에는 { }를 쓰고, { } 안에 구조체의 멤버를 나열한다. 구조체를 구성하는 변수를 **구조체의 멤버**라고 한다. 구조체의 멤버도 데이터형과 변수 이름으로 선언한다. { } 다음에는 **구조체 정의의 끝을 나타내는 세미콜론(;)이 필요하다.**

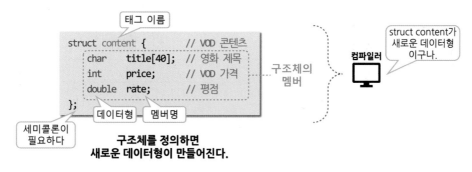

[그림 10-1] 구조체의 정의

[그림 10-1]는 VOD 콘텐츠마다 저장해야 할 정보를 모아서 content 구조체를 정의한 것이다. 기본형의 변수나 배열, 포인터 모두 구조체의 멤버가 될 수 있다. content 구조체의 title 멤버는 콘텐츠 제목이므로 문자 배열로 선언한다. 콘텐츠 가격은 int형 변수, 평점은 double형의 변수로 선언한다. 참고로 평점은 0~10 사이의 값이라고 가정하자.

일반적으로 구조체는 여러 함수에서 사용되기 때문에 함수 밖에 정의하며, 소스 파일 전체에서 사용될 수 있도록 소스 파일의 시작 부분에 정의하는 것이 좋다.

구조체를 정의하면 새로운 데이터형이 만들어진다. 구조체 정의문은 'title, price, rate가 멤버인 content이라는 구조체를 새로운 데이터형으로 사용하겠다.'고 컴파일러에게 알려준다. 구조체를 정의한다고 해서 자동으로 구조체 변수가 만들어지지는 않는다. **구조체형의 변수를 선언해야 구조체 변수가 메모리에 할당된다.**

구조체도 데이터형이므로 sizeof 연산자로 구조체의 바이트 크기를 구할 수 있다. 구조체의 바이트 크기는 멤버들의 바이트 크기를 모두 더한 것보다 크거나 같다.

```
printf("%d", sizeof(struct content));    // content 구조체의 바이트 크기를 구한다.
```

구조체를 사용할 때는 struct 키워드와 태그 이름을 함께 사용해야 한다. 즉, 'struct content'가 데이터형 이름이 된다. struct 키워드 없이 태그 이름만 사용하면 컴파일 에러가 발생한다.

⊘
```
printf("%d", sizeof(content));           // content가 구조체 이름이라는 것을 알 수 없다.
```

[예제 10-1]은 VOD 콘텐츠에 대한 정보를 저장하는 content 구조체를 정의하고, 구조체의 바이트 크기를 확인하는 코드이다.

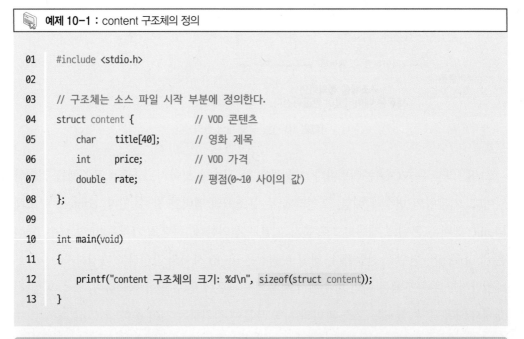

예제 10-1 : content 구조체의 정의

```
01    #include <stdio.h>
02
03    // 구조체는 소스 파일 시작 부분에 정의한다.
04    struct content {            // VOD 콘텐츠
05        char    title[40];      // 영화 제목
06        int     price;          // VOD 가격
07        double  rate;           // 평점(0~10 사이의 값)
08    };
09
10    int main(void)
11    {
12        printf("content 구조체의 크기: %d\n", sizeof(struct content));
13    }
```

실행 결과   ▪▪▪

content 구조체의 크기: 56 ┤ 멤버의 크기 합인 52보다 큰 값이다.

Further Study

구조체의 크기와 메모리 정렬

원칙적으로 구조체의 크기는 멤버들의 크기를 모두 더한 것과 같아야 한다. 그런데 content 구조체처럼 멤버들의 크기의 합보다 더 커지는 경우가 종종 있다. 그 이유는 **메모리 정렬(alignment)** 때문이다. CPU는 메모리에 접근할 때 하드웨어적으로 특정 바이트 크기를 한번에 읽거나 쓴다. 따라서 이런 메모리 접근 단위에 맞춰서 변수를 할당하면 효율적으로 메모리에 접근할 수 있다. 예를 들어 메모리가 4바이트 정렬된 경우에는 변수가 4의 배수인 주소에 할당된다. 메모리가 정렬된 경우에는, 4바이트 크기의 변수를 읽으려면 메모리에 한번만 접근하면 된다. 그런데 메모리가 정렬되어 있지 않은 경우에는, 4바이트 크기의 변수를 읽어오기 위해서 메모리에 두 번 접근해야 하는 경우가 발생한다.

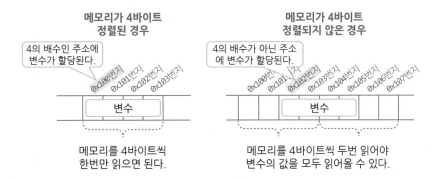

C/C++ 컴파일러는 정렬된 주소에 구조체를 할당하기 위해서, 멤버 사이에 사용되지 않는 데이터 바이트를 삽입하기도 한다. 이것을 **패딩(padding)**이라고 한다. 메모리가 n 바이트 정렬된 경우, C/C++ 컴파일러는 패딩을 삽입해서 구조체의 크기가 n의 배수가 되게 만든다. Visual Studio 2022는 디폴트로 메모리가 8바이트 정렬되어 있으므로 content 구조체의 크기가 8의 배수인 56바이트가 된다.

사용중인 컴파일러의 메모리 정렬 정보를 확인하려면 #pragma pack를 이용한다. 또한 #pragma pack을 이용하면 메모리 정렬 방식을 변경해서 구조체 멤버 사이에 패딩을 넣지 않게 만들 수도 있다.

```
#pragma pack(show)        // 컴파일러의 메모리 정렬 정보를 출력창에 경고 메시지로 표시한다.
```

10.1.3 구조체 변수의 선언 및 초기화

구조체 변수를 선언하려면 struct 키워드와 태그 이름을 쓴 다음, 구조체 변수 이름을 써준다.

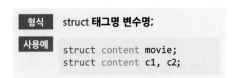

형식   struct **태그명 변수명;**

사용예
```
struct content movie;
struct content c1, c2;
```

구조체 변수를 선언하면 구조체의 멤버들이 선언된 순서대로 메모리에 할당된다.

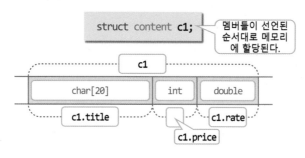

[그림 10-2]   구조체 변수의 메모리 할당

구조체 변수도 초기화하지 않으면 쓰레기값을 가진다. **구조체 변수를 초기화하려면 { }
안에 멤버들의 초기값을 선언된 순서대로 나열한다.**

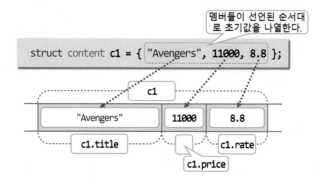

[그림 10-3]   구조체 변수의 초기화

{ } 안에 지정된 초기값이 멤버의 개수보다 부족하면 나머지 멤버들은 0으로 초기화된
다. 반대로 멤버의 개수보다 초기값을 더 많이 지정하면 컴파일 에러가 발생한다.

```
struct content c2 = { "Aladdin", 11000 };          // 초기값이 부족하면 나머지는 0으로 초기화
struct content c3 = { "Spider-Man", 5500, 8.1, 1 }; // 초기값이 멤버의 개수보다 많으면 안된다.
```

구조체의 초기값으로 { 0 }을 지정하면 모든 멤버가 0으로 초기화된다. content 구조체
의 멤버 중 문자 배열인 title의 모든 문자가 0(널 문자)로 초기화되고, price와 rate도 각각
0과 0.0으로 초기화된다.

```
struct content c4 = { 0 };                         // 모든 멤버가 0으로 초기화된다.
```

구조체를 정의하면서 구조체 변수를 함께 선언할 수도 있다. 다음 코드는 앱 정보를 저장하는 app_info 구조체를 정의하면서 app_info 구조체 변수를 선언한다.

```
struct app_info {
    char title[128];          // 앱 제목
    int notification;         // 알림 설정
    int version;              // 버전 정보
} facebook;                   // app_info 구조체를 정의하면서 facebook 변수를 선언한다.
```

구조체 정의와 변수 선언을 한 번에 할 때는 태그 이름을 생략할 수 있다. 하지만 태그 이름이 생략된 구조체는 나중에 다시 사용할 수 없으므로 태그 이름을 지정하는 것이 좋다.

```
struct {                      // 일회성으로 사용되는 구조체는 태그 이름을 생략할 수 있다.
    char title[128];
    int notification;
    int version;
} facebook;                   // facebook 변수 선언 후 이 구조체형을 다시 사용할 수 없다.
```

10.1.4 구조체 변수의 사용

구조체의 멤버에 접근하려면 멤버 접근 연산자(.)를 이용한다. 구조체 변수 이름 다음에 .을 쓰고 멤버 이름을 적어준다. 구조체의 멤버도 수식에 사용하거나 함수 호출 시 인자로 사용할 수 있다.

```
c1.rate = 8.9;                // c1.rate는 double형 변수로 사용할 수 있다.
c1.price *= 0.8;              // c1.price를 수식에 이용할 수 있다.
strcat(c1.title, ": Endgame");  // c1.title이 문자 배열이므로 strcat 함수를 이용해야 한다.
```

위의 코드에서 c1.rate와 c1.price는 각각 double형 변수, int형 변수로 사용할 수 있다. c1.title은 문자 배열이므로 문자열 처리 함수와 함께 사용해야 한다.

구조체의 멤버는 구조체에 속한 변수이므로 항상 구조체 변수를 통해서만 접근할 수 있다. 구조체 변수 없이 사용하면 구조체의 멤버가 아니라 일반 변수로 간주된다.

🚫   rate = 8.9;   // content 구조체의 멤버가 아닌 일반 변수 rate를 의미한다.(컴파일 에러)

구조체 변수를 여러 개 선언하면, 각각의 구조체 변수는 서로 다른 메모리에 할당된다. 이때도 구조체 변수를 통해서 멤버에 접근하기 때문에 어떤 변수의 멤버를 사용하는지 구분할 수 있다. [그림 10-4]를 보면 c2.title과 c3.title은 서로 다른 변수이며 함께 사용된 구조체 변수 이름으로 구분할 수 있다.

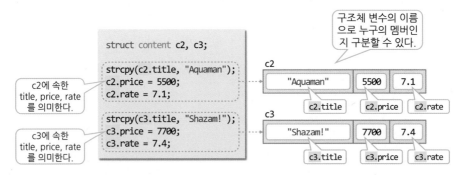

[그림 10-4] 여러 개의 구조체 변수를 사용하는 경우

구조체의 멤버가 배열일 때는 배열 이름에 대입할 수 없다. content 구조체의 title 멤버는 문자 배열이므로 문자열을 조작하려면 문자열 처리 함수를 이용해야 한다.

🚫   c2.title = "Aquaman";   // c2.title은 문자 배열이므로 배열 이름에 대입할 수 없다.
      strcpy(c2.title, "Aquaman");   // c2.title에 문자열을 저장하려면 strcpy 함수를 이용한다.

[예제 10-2]는 content 구조체 변수를 여러 개 선언해서 각각의 멤버에 값을 저장하고 출력하는 코드이다.

📝 **예제 10-2 : 구조체 변수의 선언 및 사용**

```
01    #define _CRT_SECURE_NO_WARNINGS    // Visual Studio 2022에서 strcpy 사용 시 필요
02    #include <stdio.h>
03    #include <string.h>
04
05    struct content {
06        char    title[40];
```

```
07          int      price;
08          double  rate;
09      };
10
11      int main(void)
12      {
13          struct content c1 = { "Avengers", 11000, 8.8 }; // 구조체 변수의 선언 및 초기화
14          struct content c2, c3;           // 초기화되지 않은 구조체 변수 선언(쓰레기값)
15
16          strcpy(c2.title, "Aquaman");     // 구조체 변수 c2의 멤버를 변경한다.
17          c2.price = 5500;
18          c2.rate = 7.1;
19
20          strcpy(c3.title, "Shazam!");     // 구조체 변수 c3의 멤버를 변경한다.
21          c3.price = 7700;
22          c3.rate = 7.4;
23
24          printf("c1 = %s, %d, %.1f\n", c1.title, c1.price, c1.rate);     // c1의 멤버 출력
25          printf("c2 = %s, %d, %.1f\n", c2.title, c2.price, c2.rate);     // c2의 멤버 출력
26          printf("c3 = %s, %d, %.1f\n", c3.title, c3.price, c3.rate);     // c3의 멤버 출력
27      }
```

실행 결과

```
c1 = Avengers, 11000, 8.8
c2 = Aquaman, 5500, 7.1
c3 = Shazam!, 7700, 7.4
```

10.1.5 구조체 변수 간의 초기화와 대입

같은 구조체형의 변수들끼리 서로 초기화하거나 대입할 수 있다. 구조체 변수로 다른 구조체 변수를 초기화하면, 같은 멤버끼리 1:1로 복사해서 초기화한다. [그림 10-5]는 구조체 변수 c1으로 c2를 초기화하는 코드이다.

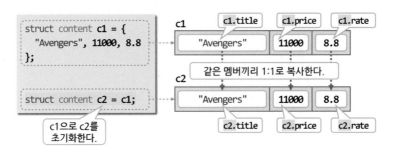

[그림 10-5] 구조체 변수 간의 초기화

같은 구조체형의 변수끼리 대입할 때도 같은 멤버끼리 1:1로 복사해서 대입한다. c1을 c3에 대입하면 c1의 모든 멤버가 c3로 대입된다. 기본형의 멤버 뿐 아니라 배열형의 멤버도 1:1로 복사된다. 즉, c1.title이 c3.title로, c1.price가 c3.price로, c1.rate가 c3.rate로 복사된다.

```
c3 = c1;                          // 같은 멤버끼리 1:1로 복사해서 대입한다.
```

구조체 변수에 { }를 이용해서 값을 직접 대입할 수는 없다. { } 안에 멤버들의 값을 나열하는 것은 구조체를 초기화할 때만 사용할 수 있다.

```
c3 = { "Aquaman", 5500, 7.1 };    // 대입에는 { }를 사용할 수 없다.(컴파일 에러)
```

구조체 변수끼리는 대입할 수 있지만 구조체의 멤버인 배열끼리는 대입할 수 없다. c3.title에 c1.title을 복사하려면 strcpy 함수를 이용해야 한다.

```
c3.title = c1.title;              // 구조체의 멤버인 배열끼리는 대입할 수 없다.
strcpy(c3.title, c1.title);       // title이 문자 배열이므로 문자열 처리 함수를 이용한다.
```

[예제 10-3]은 content 구조체 변수를 이용해서 content 구조체 변수를 초기화하거나 대입하는 코드이다.

📝 **예제 10-3 : 구조체 변수 간의 초기화와 대입**

```c
01    #include <stdio.h>
02    #include <string.h>
03
04    struct content {
05        char    title[40];
06        int     price;
07        double  rate;
08    };
09
10    int main(void)
11    {
12        struct content c1 = { "Avengers", 11000, 8.8 };
13        struct content c2 = c1;      // 같은 멤버끼리 1:1로 복사해서 초기화한다.
14        struct content c3 = { 0 };   // 0으로 초기화
15
16        c3 = c1;                     // 같은 멤버끼리 1:1로 복사해서 대입한다.
17
18        printf("c1 = %s, %d, %.1f\n", c1.title, c1.price, c1.rate);
19        printf("c2 = %s, %d, %.1f\n", c2.title, c2.price, c2.rate);
20        printf("c3 = %s, %d, %.1f\n", c3.title, c3.price, c3.rate);
21    }
```

실행 결과　　•••

```
c1 = Avengers, 11000, 8.8
c2 = Avengers, 11000, 8.8
c3 = Avengers, 11000, 8.8
```

10.1.6 구조체 변수의 비교

구조체 변수에는 관계 연산자를 사용할 수 없다.

🚫
```
if (c1 == c2)      // 구조체 변수에 관계 연산자를 사용하면 컴파일 에러 발생
    printf("c1과 c2가 같습니다.\n");
```

구조체 변수의 값이 같은지 비교하려면 멤버 대 멤버로 비교해야 한다. 이때, content 구조체의 title 멤버는 문자열이므로 문자열 비교 함수인 strcmp 함수를 이용해야 한다. price와 rate 멤버는 기본형이므로 == 연산자로 비교할 수 있다.

```
if (strcmp(c1.title, c2.title) == 0 && c1.price == c2.price && c1.rate == c2.rate)
    printf("c1과 c2의 값이 같습니다.\n");
```

[예제 10-4]는 두 content 구조체 변수의 값이 같은지 비교하는 코드이다.

예제 10-4 : 구조체 변수의 비교

```
01    #include <stdio.h>
02    #include <string.h>
03
04    struct content {
05        char    title[40];
06        int     price;
07        double  rate;
08    };
09
10    int main(void)
11    {
12        struct content c1 = { "Avengers", 11000, 8.8 };
13        struct content c2 = c1;          // c1으로 c2를 초기화한다.
14
15        // 각각의 멤버끼리 같은지 비교한다.
16        if (strcmp(c1.title, c2.title) == 0 && c1.price == c2.price && c1.rate == c2.rate)
17            printf("c1과 c2의 값이 같습니다.\n");
18        else
19            printf("c1과 c2의 값이 다릅니다.\n");
20    }
```

실행 결과

```
c1과 c2의 값이 같습니다.
```

Quiz

1. 서로 다른 데이터형의 변수들을 하나로 묶어서 사용하는 기능은?

   ① 문자열　　　　　　② 배열　　　　　　③ 구조체　　　　　　④ 포인터

2. 구조체의 멤버가 메모리에 할당되는 시점은?

   ① 구조체를 정의할 때　　　② 프로그램이 시작될 때　　　③ 구조체 변수를 선언할 때

3. 구조체의 멤버에 접근할 때 사용되는 연산자는?

   ① ( )　　　　　② .　　　　　③ [ ]　　　　　④ *　　　　　⑤ &

4. 구조체 변수로 같은 구조체형의 변수를 초기화하면 어떻게 되는가?

   ① 모든 멤버를 0으로 초기화한다.　　　　② 초기화되지 않고 쓰레기값이 된다.

   ③ 같은 멤버끼리 1:1로 복사해서 초기화한다.　　④ 컴파일 에러가 발생한다.

10.2 구조체의 활용

구조체를 정의하면 구조체형은 새로운 데이터형이 된다. 따라서 구조체형의 변수를 선언할 수도 있고, 구조체 배열이나 포인터를 선언할 수도 있다. 함수를 정의할 때, 매개변수의 데이터형이나 리턴형으로 구조체형을 사용할 수도 있다. 그리고 다른 구조체를 정의할 때 멤버의 데이터형으로 구조체형을 사용할 수도 있다.

10.2.1 구조체 배열

(1) 구조체 배열의 선언 및 사용

구조체 배열을 선언하려면, 배열 이름을 쓰고 [ ] 안에 배열의 크기를 지정한다. 구조체 배열의 원소들도 메모리에 연속적으로 할당된다.

```
struct content arr[3];        // 크기가 3인 content 구조체 배열
```

구조체 배열을 초기화하려면 { } 안에 배열 원소의 초기값을 나열한다. 이때 배열의 원소가 구조체 변수이므로 구조체의 초기값을 { }로 묶어서 { } 안에 나열한다. 구조체 배열을 초기화할 때는 배열의 크기를 생략할 수 있다.

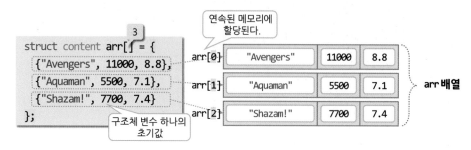

[그림 10-6] 구조체 배열의 선언 및 초기화

구조체 배열의 원소에 접근하려면 인덱스를 이용한다. 구조체 배열의 원소는 구조체 변수이므로 구조체의 멤버에 접근하려면 멤버 접근 연산자 .를 이용한다. **arr가 구조체 배열의 이름일 때 구조체의 멤버에 접근하려면 *arr[i].member*로 접근한다.**

```
for (i = 0; i < size; i++)   // arr[i]는 content 구조체 변수이다.
    printf("arr[%d] = %s, %d, %.1f\n", i, arr[i].title, arr[i].price, arr[i].rate);
```

구조체 배열의 i번째 원소는 arr[i]이고, arr[i]는 content 구조체 변수가 된다. 따라서 arr[i]의 title 멤버를 사용하려면 arr[i].title로 접근해야 한다.

[그림 10-7] 구조체 배열의 사용

[예제 10-5]는 content 구조체 배열을 선언 및 초기화하고 사용하는 코드이다.

> 📝 **예제 10-5 : 구조체 배열의 선언 및 초기화, 사용**

```
01    #include <stdio.h>
02    #include <string.h>
03
04    struct content {
05        char    title[40];
```

```
06          int      price;
07          double   rate;
08     };
09
10     int main(void)
11     {
12          struct content arr[] = {              // 구조체 배열의 선언 및 초기화
13               {"Avengers", 11000, 8.8},        // arr[0]의 초기값
14               {"Aquaman", 5500, 7.1},          // arr[1]의 초기값
15               {"Shazam!", 7700, 7.4}           // arr[2]의 초기값
16          };
17          int size = sizeof(arr) / sizeof(arr[0]);    // 배열의 크기
18          int i;
19
20          for (i = 0; i < size; i++)           // arr[i]는 content 구조체 변수이다.
21               printf("arr[%d] = %s, %d, %.1f\n", i, arr[i].title, arr[i].price, arr[i].rate);
22     }
```

실행 결과   ■ ■ ■

```
arr[0] = Avengers, 11000, 8.8
arr[1] = Aquaman, 5500, 7.1
arr[2] = Shazam!, 7700, 7.4
```

(2) 구조체 배열의 활용

구조체 배열에 대해서도 데이터의 탐색(search)과 정렬(sort)같은 기능을 구현할 수 있다. 예를 들어 VOD 콘텐츠 목록에서 제목으로 검색해서 찾은 콘텐츠의 가격과 평점을 확인하는 프로그램을 작성한다고 해보자. 콘텐츠 검색 기능을 구현하려면 먼저 검색할 제목을 입력받아야 한다. 이때 검색할 제목 문자열은 특정 구조체의 멤버가 아니라 별도의 문자열이므로 문자 배열을 따로 준비한다.

```
char title[40];                      // 검색할 콘텐츠 제목을 저장할 변수를 준비한다.
printf("제목? ");
gets_s(title, sizeof(title));        // 빈칸을 포함한 문자열 입력
```

구조체 배열의 원소 중에서 title과 제목이 같은 원소를 찾으면 break로 for문을 탈출한다. 이때, i가 찾은 원소의 인덱스가 된다. for문을 모두 수행하고도 제목이 같은 원소를 찾지 못하면 i는 size가 되므로, i의 값을 이용해서 검색이 실패했는지 확인할 수 있다.

```
for (i = 0; i < size; i++)              // size는 구조체 배열의 크기
    if (strcmp(arr[i].title, title) == 0)   // 제목이 같은 원소를 찾으면
        break;                          // for를 탈출한다.(i는 찾은 원소의 인덱스)
```

[예제 10-6]은 콘텐츠 제목을 입력받아 content 구조체 배열을 검색한 다음, 찾은 콘텐츠의 가격과 평점을 출력하는 코드이다.

예제 10-6 : 구조체 배열의 검색

```
01    #include <stdio.h>
02    #include <string.h>
03
04    struct content {
05        char    title[40];
06        int     price;
07        double  rate;
08    };
09
10    int main(void)
11    {
12        struct content arr[] = {                   // 초기화된 구조체 배열
13            {"Avengers", 11000, 8.8}, {"Aquaman", 5500, 7.1}, {"Shazam!", 7700, 7.4},
14            {"X-Men", 3300, 8.0},    {"Us", 8800, 7.1},      {"Inception", 2200, 8.7}
15        };
16        int size = sizeof(arr) / sizeof(arr[0]);   // 구조체 배열의 크기
17        int i;
18        char title[40];                            // 검색할 콘텐츠 제목을 저장할 변수
19
20        printf("제목? ");
21        gets_s(title, sizeof(title));              // 빈칸을 포함한 문자열 입력
22
```

```
23        for (i = 0; i < size; i++)              // size는 구조체 배열의 크기
24            if (strcmp(arr[i].title, title) == 0)   // 제목이 같은 원소를 찾으면
25                break;                           // for 탈출(i는 찾은 원소의 인덱스)
26
27        if (i == size)        // for문을 끝까지 수행했지만 검색이 실패한 경우
28            printf("해당 콘텐츠를 찾을 수 없습니다.\n");
29        else                    // 검색이 성공한 경우(i는 찾은 원소의 인덱스)
30            printf("%s: 가격=%d, 평점=%.1f\n", arr[i].title, arr[i].price, arr[i].rate);
31    }
```

실행 결과

```
제목? Aquaman
Aquaman: 가격=5500, 평점=7.1
```

실행 결과

```
제목? Captain Marvel
해당 콘텐츠를 찾을 수 없습니다.
```

for문에서 사용된 조건식을 변경하면 다양한 방법으로 검색 기능을 구현할 수 있다. 예를 들어 가격이 특정 금액 이하인 콘텐츠, 평점이 기준 점수 이상인 콘텐츠, 제목이 일부만 일치하는 콘텐츠 등을 검색하는 기능도 쉽게 구현할 수 있다.

10.2.2 구조체 포인터

구조체 포인터는 구조체 변수의 주소를 저장하는 포인터이다. 구조체 포인터를 선언할 때는 구조체형과 *(포인터 수식어) 다음에 포인터 변수 이름을 써준다.

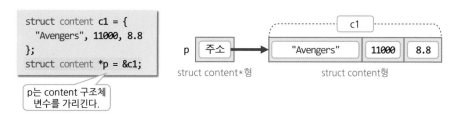

[그림 10-8] 구조체 포인터

구조체 포인터로 포인터가 가리키는 구조체 변수의 멤버에 접근하려면 간접 멤버 접근 연산자(->)를 사용한다. 간접 멤버 접근 연산자를 이용하는 대신 역참조 연산자(*)와 멤버 접근 연산자(.)를 이용할 수도 있다. 다음 두 문장은 같은 뜻이다.

```
p->rate = 8.9;      // 간접 멤버 접근 연산자 ->를 이용해서 멤버에 접근한다.
(*p).rate = 8.9;    // 역참조 연산자 *와 멤버 접근 연산자 .를 이용하는 경우에는
                    // ()가 반드시 필요하다.  *p.rate는 *(p.rate)이므로 주의해야 한다.
```

즉, 구조체 포인터 ptr이 가리키는 구조체 변수의 멤버에 접근하려면, ptr->member 또는 (*ptr).member을 사용한다. (*ptr).member보다 ptr->member이 더 간단하므로 -> 연산자를 사용하는 것이 좋다.

var.member / 구조체 변수
ptr->member / 구조체 포인터
(*ptr).member / 구조체 포인터

[그림 10-9] 구조체의 멤버 접근 연산자

[예제 10-7]은 content 구조체 포인터를 사용하는 간단한 코드이다.

예제 10-7 : 구조체 포인터

```
01   #define _CRT_SECURE_NO_WARNINGS    // Visual Studio 2022에서 strcat 사용 시 필요
02   #include <stdio.h>
03   #include <string.h>
04
05   struct content {
06       char    title[40];
07       int     price;
08       double  rate;
09   };
10
11   int main(void)
12   {
13       struct content c1 = { "Avengers", 11000, 8.8 };
```

```
14        struct content *p = &c1;          // content 구조체 변수를 가리키는 포인터
15
16        p->price *= 0.8;                  // p가 가리키는 구조체의 price 멤버를 변경한다.
17        p->rate = 8.9;                    // p가 가리키는 구조체의 rate 멤버를 변경한다.
18        strcat(p->title, ": Endgame");    // p가 가리키는 구조체의 title 멤버에 문자열 연결
19
20        printf("%s, %d, %.1f\n", p->title, p->price, p->rate);
21    }
```

실행 결과

```
Avengers: Endgame, 8800, 8.9
```

구조체를 가리키는 포인터로 구조체 변수에 읽기 전용으로 접근하게 하려면 const 포인터로 선언한다.

```
const struct content* ptr = &c1;    // content 구조체 변수에 대한 읽기 전용 포인터
```

const 포인터로 구조체 변수에 접근할 때는 구조체 변수의 값을 읽어볼 수만 있고 변경할 수는 없다.

```
ptr->price = 9900;                  // ptr이 가리키는 구조체 변수를 변경할 수 없다.
```

10.2.3 함수의 인자로 구조체 전달하기

구조체도 함수의 인자로 전달할 수 있다. 구조체를 함수의 인자로 전달할 때는 값에 의한 호출과 포인터에 의한 호출을 둘 다 사용할 수 있다.

(1) 값에 의한 호출

점의 좌표를 나타내는 point 구조체가 다음과 같이 정의되어 있다고 해보자.

```
struct point {
    int x, y;        // 2차원 평면에 있는 점의 좌표
};
```

점의 좌표를 출력하는 코드를 print_point 함수로 정의해보자. print_point 함수에 전달되는 point 구조체는 함수 안에서 변경되지 않으므로 입력 매개변수이다. 입력 매개변수를 값에 의한 호출로 전달하도록 [그림 10-10]처럼 print_point 함수를 정의할 수 있다.

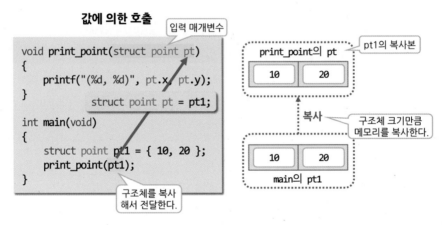

[그림 10-10] 구조체를 값에 의한 호출로 전달하는 경우

값에 의한 호출은 인자를 매개변수로 복사해서 전달한다. 즉, main 함수에 선언된 pt1이 print_point 함수의 매개변수 pt로 복사된다.

[예제 10-8]은 point 구조체를 출력하는 print_point 함수를 값에 의한 호출 방법으로 정의하고 호출하는 코드이다.

예제 10-8 : 값에 의한 호출로 구조체 전달하기

```
01   #include <stdio.h>
02
03   struct point {                    // 구조체 정의가 함수 선언보다 앞에 와야 한다.
04       int x, y;
05   };
06   void print_point(struct point pt);   // 함수 선언
07
```

```
08    int main(void)
09    {
10        struct point arr[] = {          // point 구조체 배열
11            {10, 20}, {35, 41}, {12, 63}, {72, 55}, {92, 86}, {4, 27}
12        };
13        int size = sizeof(arr) / sizeof(arr[0]);
14        int i;
15
16        for (i = 0; i < size; i++) {
17            print_point(arr[i]);        // arr[i]를 함수의 매개변수 pt로 복사해서 전달한다.
18        }
19        printf("\n");
20    }
21
22    void print_point(struct point pt)   // pt는 값에 의한 호출로 전달된다.
23    {
24        printf("(%d, %d) ", pt.x, pt.y);
25    }
```

실행 결과　　　　　　　　　　　　　　　　　　　　　　　　　　　　　　　　　　　　　　　█ █ █

```
(10, 20) (35, 41) (12, 63) (72, 55) (92, 86) (4, 27)
```

[예제 10-8]은 print_point 함수를 호출할 때마다 arr[i]를 pt로 복사하는 작업을 반복한다. 이런 구조체의 복사는 메모리도 더 많이 사용하고, 메모리를 복사하는 데 시간이 걸리므로 공간적·시간적 성능 저하를 유발한다. 특히 구조체의 크기가 커질수록 이런 성능 저하 문제가 더 심각해진다. 따라서 **기본형에 비해 크기가 큰 구조체는 복사하는 대신 구조체의 주소를 전달하는 것이 좋다.**

(2) 참조에 의한 호출

구조체를 복사하지 않고 전달하려면 포인터로 전달한다. 먼저 함수를 정의할 때 매개변수의 데이터형을 구조체 포인터형으로 선언한다. 함수 안에서는 구조체 포인터로 구조체의 멤버에 접근해야 하므로 간접 멤버 접근 연산자(->)를 이용한다.

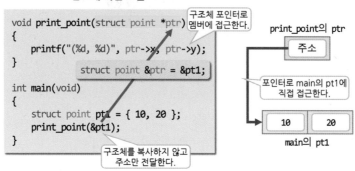

[그림 10-11] 구조체를 참조에 의한 호출로 전달하는 경우

point 구조체처럼 크기가 작은 구조체는 값에 의한 호출을 사용할 때와 참조에 의한 호출을 사용할 때의 성능 차이가 거의 없다. 하지만 content 구조체처럼 **구조체의 크기가 클 때는, 참조에 의한 호출 방법을 사용하는 것이 효율적이다.**

구조체가 입력 매개변수일 때는 const 포인터로 전달하는 것이 좋다. 함수 안에서 포인터가 가리키는 구조체를 변경할 수 없다고 명확하게 표시할 수 있기 때문이다. print_point 함수의 *ptr* 매개변수도 입력 매개변수이므로 const struct point*형으로 선언하는 것이 좋다.

```
void print_point(const struct point* ptr);   // ptr은 입력 매개변수이므로 const 포인터로 선언
```

const 포인터는 읽기 전용 포인터이므로 함수 안에서 포인터가 가리키는 구조체 변수의 값을 읽어볼 수만 있고 변경할 수는 없다. 함수 안에서 const 포인터가 가리키는 구조체 변수를 변경하려고 하면 컴파일 에러가 발생한다.

```
void print_point(const struct point* ptr)    // ptr은 입력 매개변수
{
    ptr->x = 100;        // ptr이 const 포인터이므로 ptr가 가리키는 구조체를 변경할 수 없다.
    printf("(%d, %d) ", ptr->x, ptr->y);
}
```

구조체가 함수의 출력 매개변수이거나 입출력 매개변수일 때는 일반 포인터로 전달한다. 이때는 함수 안에서 포인터가 가리키는 구조체를 변경할 수 있다. 예를 들어 move_point 함수는 *ptr*이 가리키는 점의 좌표를 *offset*만큼 이동시키는 함수이다. *ptr*은 입출

력 매개변수이므로 포인터로 전달한다.

```
void move_point(struct point* ptr, int offset)  // ptr은 입출력 매개변수
{
    ptr->x = ptr->x + offset;                   // ptr이 가리키는 구조체의 x 멤버를 변경한다.
    ptr->y = ptr->y + offset;                   // ptr이 가리키는 구조체의 y 멤버를 변경한다.
}
```

[예제 10-9]는 좌표를 출력하는 print_point 함수와 좌표를 이동하는 move_point 함수를 참조에 의한 호출로 정의하고 호출하는 코드이다.

예제 10-9 : 참조에 의한 호출로 구조체 전달하기

```
01    #define _CRT_SECURE_NO_WARNINGS    // Visual Studio 2022에서 scanf 사용 시 필요
02    #include <stdio.h>
03
04    struct point {
05        int x, y;
06    };
07    void print_point(const struct point* ptr);      // ptr은 입력 매개변수
08    void move_point(struct point* ptr, int offset); // ptr은 입출력 매개변수
09
10    int main(void)
11    {
12        struct point arr[] = {
13            {10, 20}, {35, 41}, {12, 63}, {72, 55}, {92, 86}, {4, 27}
14        };
15        int size = sizeof(arr) / sizeof(arr[0]);
16        int i, offset;
17
18        for (i = 0; i < size; i++) {
19            print_point(&arr[i]);           // arr[i]의 주소를 매개변수 ptr로 전달한다.
20        }                                   // 구조체를 복사하지 않고 전달하므로 효율적이다.
21        printf("\n");
22
23        printf("이동할 오프셋? ");
24        scanf("%d", &offset);
```

```
25        for (i = 0; i < size; i++) {
26            move_point(&arr[i], offset);              // arr[i]를 offset만큼 이동한다.
27            print_point(&arr[i]);                     // 이동된 arr[i]를 출력한다.
28        }
29    }
30
31    void print_point(const struct point* ptr)        // ptr은 입력 매개변수
32    {
33        printf("(%d, %d) ", ptr->x, ptr->y);         // ptr이 포인터이므로 ->로 멤버에 접근한다.
34    }
35
36    void move_point(struct point* ptr, int offset)   // ptr은 입출력 매개변수
37    {
38        ptr->x = ptr->x + offset;                    // ptr이 가리키는 구조체의 멤버를 변경한다.
39        ptr->y = ptr->y + offset;                    // ptr이 가리키는 구조체의 멤버를 변경한다.
40    }
```

실행 결과　　　　　　　　　　　　　　　　　　　　　　　　　　　　　　■ ■ ■

```
(10, 20) (35, 41) (12, 63) (72, 55) (92, 86) (4, 27)
이동할 오프셋? 5
(15, 25) (40, 46) (17, 68) (77, 60) (97, 91) (9, 32)
```

(3) 구조체를 함수의 인자로 전달하는 방법

구조체는 참조에 의한 호출로 전달하는 것이 좋다. 구조체를 함수의 인자로 전달하는 **방법**을 정리하면 다음과 같다.

① 함수의 매개변수는 구조체 포인터형으로 선언한다.

```
void print_content(struct content* ptr);
```

② 구조체 변수가 입력 매개변수일 때는 const 키워드를 지정한다.

```
void print_content(const struct content* ptr);
```

③ 구조체를 매개변수로 갖는 함수를 호출할 때는 구조체 변수의 주소를 인자로 전달한다.

```
struct content c1 = { "Avengers", 11000, 8.8 };
print_content(&c1);
```

④ 함수를 정의할 때는 구조체 포인터로 구조체의 멤버에 접근한다.

```
void print_content(const struct content* ptr)
{
    printf("%s, %d, %.1f\n", ptr->title, ptr->price, ptr->rate);
}
```

Further Study

비트필드

구조체를 정의할 때, 비트필드를 이용하면 구조체의 멤버를 비트 단위로 할당할 수 있다. 비트필드를 정의할 때는 멤버 이름 다음에 :을 쓰고 비트수를 적어준다. 날짜를 저장하는 date 구조체를 비트필드로 정의하면 다음과 같다.

```
struct date {
    unsigned short year : 7;    // 7비트에 연도를 저장한다. (0~99 사이의 값)
    unsigned short month : 4;   // 4비트에 월을 저장한다. (1~12 사이의 값)
    unsigned short day : 5;     // 5비트에 일을 저장한다. (1~31 사이의 값)
};
```

date 구조체를 비트필드로 정의하면 unsigned short형 변수 하나를 비트 단위로 나누어 사용할 수 있다. year는 7비트, month는 4비트, day는 5비트만 있으면 연, 월, 일에 해당하는 값을 모두 표현할 수 있다. 따라서 struct date형의 크기는 2바이트가 된다. 비트필드의 멤버는 메모리 최하위 비트부터 선언된 순서대로 할당된다.

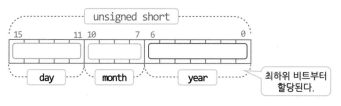

continued

Further Study

비트필드는 구조체와 같은 방법으로 사용한다. 단, 비트필드의 멤버는 비트수가 정해져 있으므로, 주어진 비트로 표현할 수 있는 범위 밖의 값을 저장하면 오버플로우가 발생한다.

```
struct date dday = { 22, 5, 5 };      // 2022년 5월 5일
dday.day = 40;                        // 오버플로우가 발생해서 8이 된다.
```

비트필드는 메모리 사용을 최소화하거나 정해진 바이트 안에 정보를 인코딩하기 위한 목적으로 사용된다. 비트 필드는 자주 사용되는 기능이 아니므로 구조체의 멤버를 비트 단위로 할당할 수 있다는 점만 기억하자.

10.2.4 구조체의 멤버로 다른 구조체 사용하기

구조체를 정의할 때 다른 구조체형의 변수를 멤버로 선언할 수 있다. 즉, **구조체 안에 다른 구조체 변수를 멤버로 포함할 수 있다.** 예를 들어 직선에 대한 정보를 저장하는 line 구조체를 정의할 때, 직선의 시작점과 끝점의 좌표를 point 구조체형의 멤버로 선언할 수 있다.

```
struct line {                // point 구조체를 이용해서 line 구조체를 정의한다.
    struct point start, end; // line 구조체 정의 앞에 point 구조체가 정의되어 있어야 한다.
};
```

line 구조체 변수를 선언하면 point 구조체 변수인 start와 end가 메모리에 할당된다. line 구조체 변수를 초기화하려면, { } 안에 start와 end의 초기값을 나열한다.

```
struct line ln1 = {
    {10, 20}, {30, 40}       // start는 {10, 20}으로 end는 {30, 40}으로 초기화된다.
};
```

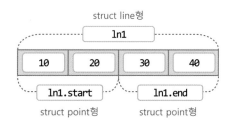

[그림 10-12] line 구조체의 메모리 구조

line 구조체의 멤버에 접근하려면 멤버 접근 연산자 .를 이용한다. ln1.start와 ln1.end는 각각 point 구조체 변수이므로 point 구조체가 사용되는 곳에 언제든지 사용될 수 있다.

```
print_point(&ln1.start);     // ln1의 멤버인 start를 point 구조체 변수로 사용할 수 있다.
```

ln1.start와 ln1.end에 대해서 다시 x, y 멤버에 접근하려면, 멤버 접근 연산자를 연속해서 사용하면 된다.

```
ln1.start.x = 100;           // 여러 번 연속해서 멤버에 접근할 수 있다.
```

line 구조체를 매개변수로 전달받아 직선의 길이를 구하는 get_length 함수를 다음과 같이 정의할 수 있다. line 구조체는 입력 매개변수이므로 const struct line*형의 매개변수를 사용한다. 매개변수 *ptr*로 line 구조체의 멤버에 접근하려면 *ptr->*start처럼 사용해야 한다. 다시 start의 멤버에 접근하려면 *ptr->*start.x처럼 사용해야 한다.

```
double get_length(const struct line* ptr)     // ptr은 입력 매개변수
{
    int dx = ptr->end.x - ptr->start.x;       // 여러 번 연속해서 멤버에 접근할 수 있다.
    int dy = ptr->end.y - ptr->start.y;
    return sqrt(dx * dx + dy * dy);           // sqrt는 제곱근을 구하는 표준 C 라이브러리 함수
}
```

[예제 10-10]은 point 구조체를 멤버로 갖는 line 구조체를 정의하고 사용하는 코드이다.

📎 **예제 10-10 : line 구조체의 정의 및 사용**

```
01    #include <stdio.h>
02    #include <math.h>              // sqrt 함수를 호출하려면 필요하다.
03
04    struct point {                 // point 구조체가 line 구조체보다 앞에 정의되어야 한다.
05        int x, y;
06    };
07    struct line {                  // point 구조체를 이용해서 line 구조체을 정의한다.
08        struct point start, end;
09    };
10    void print_point(const struct point* ptr);
11    double get_length(const struct line* ptr);
12
13    int main(void)
14    {
15        struct line ln1 = {
16            {10, 20}, {30, 40}    // start는 {10, 20}으로 end는 {30, 40}으로 초기화
17        };
18        printf("직선 정보: ");
19        print_point(&ln1.start); // ln1.start를 point 구조체 변수로 사용할 수 있다.
20        print_point(&ln1.end);   // ln1.end를 point 구조체 변수로 사용할 수 있다.
21        printf("\n길이: %f\n", get_length(&ln1));      // line 구조체의 주소를 전달한다.
22    }
23
24    void print_point(const struct point* ptr)
25    {
26        printf("(%d, %d) ", ptr->x, ptr->y);
27    }
28
29    double get_length(const struct line* ptr) // ptr은 입력 매개변수
30    {
31        int dx = ptr->end.x - ptr->start.x;    // 여러 번 연속해서 멤버에 접근할 수 있다.
32        int dy = ptr->end.y - ptr->start.y;
33        return sqrt(dx * dx + dy * dy);        // sqrt는 제곱근을 구하는 표준 C 라이브러리 함수
34    }
```

실행 결과   ■■■

```
직선 정보: (10, 20) (30, 40)
길이: 28.284271
```

Quiz

1. *arr*가 구조체 배열의 이름일 때 구조체 배열에 있는 i번째 원소의 멤버에 접근하려면 어떻게 해야 하는가? (멤버의 이름은 *member*라고 가정한다.)

    ① *arr*[i] ② *arr*[i].*member* ③ *arr*[i]->*member* ④ *arr*->*member*

2. *ptr*이 구조체 포인터일 때 *ptr*가 가리키는 구조체의 멤버에 접근할 수 있는 방법을 모두 고르시오. (멤버의 이름은 *member*라고 가정한다.)

    ① *ptr*.*member* ② *ptr*->*member* ③ (*ptr*)->*member* ④ (*ptr*).*member*

3. date 구조체가 입력 매개변수일 때 다음 중 매개변수의 데이터형으로 가장 적합한 것은?

    ① date d[]; ② date *ptr; ③ date * const ptr; ④ const date *ptr;

10.3 열거체와 공용체

10.3.1 열거체

(1) 열거체의 개념

열거체(enumerated type)는 정수형의 일종으로 열거형이라고도 한다. 열거체가 필요한 경우를 알아보기 위해서 간단한 예를 생각해보자. 게임 프로그램에서 이동 방향을 나타내기 위한 변수를 선언하려고 한다. 동서남북 중 하나로 이동할 수 있다고 가정하고 이 변수는 int형 변수로 선언할 수 있다.

```
int d1 = 0;          // 방향을 나타내는 int형 변수(0은 북, 1은 남, 2는 동, 3은 서)
```

동서남북에 대하여 0~3 사이의 값을 직접 사용하는 것보다 매크로 상수를 정의하고 사용하면 코드가 알아보기가 쉬워진다.

```
#define NORTH   0       // 직접 값을 지정해서 매크로 상수를 정의한다.
#define SOUTH   1
#define EAST    2
#define WEST    3
```

그런데 동서남북 외에 방향을 추가해야 하는 경우를 생각해보자. 매크로 상수를 추가로 정의하려면 기존의 매크로 상수와 값이 겹치지 않도록 주의해야 한다. 추가된 매크로 상수가 기존의 매크로 상수와 값이 같아도 컴파일 에러가 발생하지 않기 때문이다.

```
#define NORTHEAST  3 // 실수로 기존의 매크로 상수와 같은 값으로 정의하는 경우
```

이런 경우에 **열거체와 열거 상수를 이용하면 정수형 상수를 보다 쉽게 정의하고 사용할 수 있다.** 정수형 변수가 특정값들 중 한 가지 값을 가질 때 특정값들을 열거 상수로 정의할 수 있다. 열거체는 이런 열거 상수들로 정의되는 데이터형이다. 열거체도 일종의 사용자 정의형이다.

(2) 열거체의 정의 및 사용

열거체를 정의하려면 enum 키워드와 태그 이름을 쓰고, {} 안에 열거 상수를 나열한다. **열거 상수는 이름이 있는 정수형 상수이다.** 열거체와 열거 상수를 정의하는 형식은 다음과 같다.

형식	`enum 태그명 {열거상수1, 열거상수2, …};`

사용예	`enum color {red, green, blue};`
	`enum direction {`
	`    north, south, east, west`
	`};`

방향을 나타내기 위한 데이터형으로 direction를 열거체로 정의하면 다음과 같다. 열거체를 정의할 때 {} 안에 나열된 north, south, east, west가 열거 상수이다.

```
enum direction { north, south, east, west };    // 열거체와 열거 상수 정의
```

C 컴파일러는 열거체를 int형으로 처리하고, 열거 상수를 정수형 상수로 정의한다. 열거 상수를 정의할 때 값을 지정하지 않으면, 자동으로 0부터 1씩 증가되는 값으로 정의된다. 즉, north가 0, south가 1, east가 2, west가 3으로 정의된다. 열거 상수를 추가로 정의하려면, {}의 끝부분에 이름만 추가하면 된다. 다음 코드에서 추가된 northeast와 northwest는 각각 자동으로 4와 5로 정의된다.

```
enum direction { north, south, east, west, northeast, northwest };   // 이름만 추가하면 된다.
```

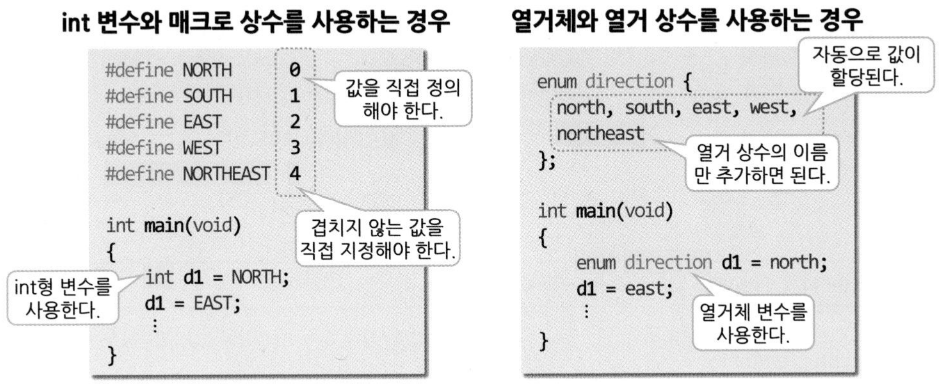

int 변수와 매크로 상수를 사용하는 경우   **열거체와 열거 상수를 사용하는 경우**

```
#define NORTH      0          값을 직접 정의
#define SOUTH      1          해야 한다.
#define EAST       2
#define WEST       3
#define NORTHEAST  4

int main(void)             겹치지 않는 값을
{                          직접 지정해야 한다.
    int d1 = NORTH;
int형 변수를   d1 = EAST;
사용한다.      ⋮
}
```

```
enum direction {                    자동으로 값이
    north, south, east, west,       할당된다.
    northeast
};                      열거 상수의 이름
                        만 추가하면 된다.
int main(void)
{
    enum direction d1 = north;
    d1 = east;
    ⋮                   열거체 변수를
}                       사용한다.
```

[그림 10-13] 매크로 상수와 열거 상수

열거 상수를 특정값으로 정의하려면, 열거 상수 이름 다음에 =을 쓰고 열거 상수의 값을 써준다.

```
enum direction { north = 0x00, south = 0x01, east = 0x10, west = 0x11 };
```

열거 상수 중 일부에만 값을 지정하면, 나머지 열거 상수는 지정된 값보다 1씩 커지는 정수값으로 자동으로 설정된다.

```
enum direction { north = 1, south, east, west };    // south, east, west는 2, 3, 4로 정의된다.
```

열거체를 정의하고 나면 열거체형의 변수나 배열 또는 포인터를 선언할 수 있다. 열거체도 'enum 태그명'으로 사용해야 한다. 열거체 변수를 열거 상수로 초기화하거나 열거체 변수에 열거 상수를 대입할 수 있다. 열거체 변수는 int형으로 처리되므로 열거체 변수의 값을 출력하면 정수로 출력된다.

```
enum direction d1 = south;          // 열거체 변수는 열거 상수로 초기화한다.
d1 = east;                          // 열거체 변수에 열거 상수를 대입할 수 있다.
printf("%d", d1);                   // 열거 상수 east의 정수값이 출력된다.
```

열거체의 태그명을 생략하고 열거 상수만 정의할 수 있다. 이때도 열거 상수는 정수형 상수로 정의된다.

```
enum { north, south, east, west };        // 열거 상수만 정의한다.
```

[예제 10-11]은 direction 열거체와 열거 상수를 정의하고 사용하는 코드이다.

예제 10-11 : direction 열거체의 정의 및 사용

```
01    #include <stdio.h>
02
03    enum direction { north, south, east, west };    // 열거체와 열거 상수 정의
04
05    int main(void)
06    {
07        enum direction moves[] = {              // 열거체 배열 (이동 방향을 순서대로 저장)
08            north, north, east, south, south, west,
09        };
10        int size = sizeof(moves) / sizeof(moves[0]);
11        int i;
12
13        printf("이동 순서: ");
14        for (i = 0; i < size; i++) {
15            switch (moves[i]) {            // moves[i] 열거체 변수의 값에 따라 처리
16            case north:                    // 열거 상수는 case문에 사용할 수 있다.
17                printf("북 ");
18                break;
19            case south:
20                printf("남 ");
21                break;
22            case east:
23                printf("동 ");
24                break;
25            case west:
26                printf("서 ");
27                break;
```

```
28              }
29          }
30          printf("\n");
31      }
```

실행 결과

이동 순서: 북 북 동 남 남 서

[예제 10-11]은 direction 열거체 배열에 저장된 열거체 변수의 값에 따라 이동 순서를 화면에 출력한다. 열거 상수는 정수형 상수이므로 switch문의 case 값으로 이용될 수 있다.

10.3.2 공용체

공용체는 여러 멤버들이 메모리를 공유해서 사용하는 기능이다. 구조체의 멤버들은 선언된 순서대로 메모리에 할당되는 데 비해 **공용체의 멤버들은 모두 같은 주소에 할당된다.** 여러 멤버들이 메모리를 공유하기 때문에 한 멤버의 값을 변경하면 다른 멤버들의 값이 함께 변경된다.

공용체를 정의하려면 union 키워드와 태그 이름을 쓰고 { } 안에 공용체의 멤버들을 선언한다. 공용체를 정의하는 형식은 다음과 같다.

형식
```
union 태그명 {
    데이터형  멤버명;
    데이터형  멤버명;
    ⋮
};
```

사용예
```
union color_t {
    unsigned int dword;
    unsigned char rgb[4];
};
```

공용체가 어떤 식으로 메모리에 할당되는지 알아보기 위해서 여러 가지 데이터형의 멤버로 구성된 test 공용체를 다음과 같이 정의해보자.

```
union test {
    int     i;              // 모든 멤버가 같은 주소에 할당된다.
    char    c;
    short   s;
};
```

공용체를 정의하면 공용체는 새로운 데이터형이 된다. 즉, 공용체형의 변수나 배열 또는 포인터를 선언할 수 있다. 공용체도 'union 태그명'으로 사용해야 한다.

```
union test t1;              // test 공용체 변수를 선언한다.
```

공용체 변수의 멤버들은 모두 같은 주소에 할당된다. 즉, t1의 멤버인 i, c, s는 메모리를 공유한다. 공용체의 크기는 멤버 중 가장 큰 멤버의 크기와 같다.

```
printf("%d", sizeof(union test));       // test 공용체의 멤버 중 가장 큰 멤버의 크기와 같다.
```

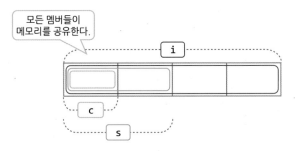

[그림 10-14] 공용체의 메모리 구조

공용체를 초기화할 때는 { } 안에 첫 번째 멤버의 초기값만 지정한다. t1.i가 초기화되면 이 값은 t1.i의 값이면서 t1.c와 t1.s의 값이기도 하다.

```
union test t1 = { 0x12345678 };         // t1.i를 초기화한다.
```

공용체의 멤버에 접근할 때도 멤버 접근 연산자인 .를 사용한다. 공용체 포인터로 멤버에 접근할 때는 간접 멤버 접근 연산자인 −>를 사용한다.

[예제 10-12]는 공용체를 정의하고 사용하는 코드이다.

예제 10-12 : test 공용체의 정의 및 사용

```
01    #include <stdio.h>
02
03    union test {
04        int     i;                              // 모든 멤버가 같은 주소에 할당된다.
05        char    c;
06        short   s;
07    };
08
09    int main(void)
10    {
11        union test t1 = { 0x12345678 };              // t1.i를 초기화한다.
12
13        printf("t1.i의 주소 = %p\n", &t1.i);              // 멤버들의 주소가 모두 같다.
14        printf("t1.c의 주소 = %p\n", &t1.c);
15        printf("t1.s의 주소 = %p\n", &t1.s);
16
17        printf("sizeof(union test) = %d\n", sizeof(union test));   // i 멤버의 크기와 같다.
18
19        printf("t1.i = %x\n", t1.i);                 // 12345678 출력
20        printf("t1.c = %x\n", t1.c);                 // 78 출력
21        printf("t1.s = %x\n", t1.s);                 // 5678 출력
22    }
```

실행 결과

```
t1.i의 주소 = 00F2FE88
t1.c의 주소 = 00F2FE88
t1.s의 주소 = 00F2FE88
sizeof(union test) = 4
t1.i = 12345678
t1.c = 78
t1.s = 5678
```

10.3.3 typedef

구조체, 열거체, 공용체를 사용하려면 struct, enum, union 키워드와 태그명을 함께 사용해야 한다. 그런데 매번 struct, enum, union 키워드를 적어주는 것은 귀찮을 수 있다. 이런 경우에 **typedef를 이용하면 기존의 데이터형에 대한 별명(alias)을 만들 수 있다.** typedef는 사용자 정의형에서만 사용되는 것이 아니라 기본형이나 파생형에 대해서도 별명을 추가로 만들 수 있다.

typedef를 정의하려면, typedef 키워드 다음에 기존의 데이터형 이름을 쓰고, 기존의 데이터형에 대하여 사용할 새로운 이름을 써준다. typedef를 정의하는 형식은 다음과 같다.

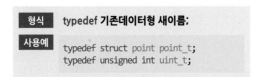

형식   **typedef 기존데이터형 새이름;**

사용예
```
typedef struct point point_t;
typedef unsigned int uint_t;
```

구조체를 정의할 때 typedef를 이용해서 'struct 태그명'을 대신 사용될 이름을 준비해두면 사용하기 편하다.

```
struct point {
    int x, y;
};
typedef struct point point_t;        // point 구조체에 대하여 typedef를 정의한다.
```

일단 typedef를 정의하고 나면 struct point 대신 point_t를 데이터형 이름으로 사용할 수 있다. 즉, point_t가 struct point의 별명이 된다.

```
point_t pt1 = { 10, 20 };          // struct point 대신 point_t형을 사용할 수 있다.
```

구조체를 정의하면서 typedef를 함께 정의할 수도 있다.

```
typedef struct point {              // point 구조체를 정의하면서 typedef를 함께 정의한다.
    int x, y;
} point_t;
```

typedef를 정의한 다음에도 기존의 데이터형을 그대로 사용할 수 있다. 기존의 데이터형과 typedef로 정의된 형 이름은 이름만 다를 뿐 같은 데이터형이다.

```
point_t pt1 = { 10, 20 };        // struct point 대신 point_t형을 사용할 수 있다.
struct point *ptr = &pt1;        // struct point도 계속 사용할 수 있다.
```

구조체에 대한 typedef를 정의할 때, typedef로 정의된 데이터형이라는 것을 알 수 있도록 이름 끝에 _t를 접미사로 사용할 수 있다. 예를 들어 point 구조체에 대한 typedef를 point_t라고 정의하는 식이다. 구조체 태그명과 typedef로 정의되는 이름을 서로 구분할 수 있도록 규칙을 정해두면 도움이 된다.

[예제 10-13]은 point 구조체에 대한 typedef를 정의하고 사용하는 코드이다.

예제 10-13 : typedef의 정의 및 사용

```
01    #include <stdio.h>
02
03    typedef struct point {      // point 구조체를 정의하면서 함께 typedef를 정의한다.
04        int x, y;
05    } point_t;
06    void print_point(const point_t* ptr);    // point_t를 매개변수의 데이터형으로 사용한다.
07
08    int main(void)
09    {
10        point_t pt1 = { 10, 20 };            // struct point 대신 point_t형을 사용할 수 있다.
11        print_point(&pt1);
12    }
13
14    void print_point(const point_t* ptr)
15    {
16        printf("(%d, %d) ", ptr->x, ptr->y);
17    }
```

실행 결과

```
(10, 20)
```

Further Study

typedef의 용도

typedef는 구조체, 열거체, 공용체를 정의할 때만 사용되는 기능은 아니다. 먼저 **typedef는 프로그램의 가독성을 향상시키는 기능이다.** 예를 들어 unsigned char형을 byte_t라고 typedef를 정의할 수 있다. unsigned char형을 사용할 때는 문자 코드를 저장하는 것인지, 2진 데이터를 저장하는 것인지 구분이 쉽지 않다. 반면에 byte_t형을 사용하면 2진 데이터를 저장하기 위한 데이터형이라는 의미가 강조된다.

```
unsigned char in_flags[4];
```

in_flags가 문자열인지
바이트 데이터인지 구별
되지 않는다.

```
typedef unsigned char byte_t;
byte_t in_flags[4];
```

in_flags가 바이트 데이터라
는 것을 명확히 알 수 있다.

typedef를 이용하면 이식성 있는 코드를 작성할 수 있다. 이식성은 하나의 소스 코드가 여러 플랫폼에서 컴파일되고 실행될 수 있는 특성이다. 플랫폼마다 데이터형의 크기가 다르기 때문에 플랫폼에 따라서 다른 데이터형을 사용해야 되는 경우가 많다. 이때, 특정 데이터형을 직접 사용하는 대신 typedef로 정의된 형 이름을 사용해서 소스 코드를 작성하면 된다. 플랫폼이 달라지면 typedef 정의만 변경하고 나머지 소스 코드는 그대로 사용할 수 있다.

▶ Quiz ❓

1. C에서 사용자 정의형을 만들 수 있는 것을 모두 고르시오.

   ① 배열   ② 구조체   ③ 열거체   ④ 공용체   ⑤ 포인터

2. 열거체는 C 컴파일러에 의해서 어떤 형으로 처리되는가?

   ① int형   ② double형   ③ void형   ④ void*형   ⑤ 데이터형이 없다.

3. 공용체의 멤버들이 메모리에 할당되는 순서는?

   ① 멤버들이 선언된 순서대로 할당된다.   ② 멤버들 중 크기가 큰 것부터 메모리에 할당된다.

   ③ 모든 멤버가 같은 주소에 할당된다.   ④ 멤버들이 선언된 순서의 역순으로 할당된다.

1. **구조체에 대한 설명 중 잘못된 것을 모두 고르시오.**

    ① 구조체는 사용자 정의형을 만드는 기능이다.

    ② 구조체형의 변수나 포인터를 선언할 수 있다.

    ③ 구조체형의 배열을 만들 수 있다.

    ④ 구조체는 같은 데이터형의 변수들을 묶어서 사용한다.

    ⑤ 구조체의 크기는 항상 멤버들의 크기를 모두 더한 것과 같다.

    ⑥ 구조체의 크기는 sizeof 연산자로 구한다.

2. **다음 구조체를 정의하는 코드에서 틀린 부분을 모두 찾아서 수정하시오.**

    ```
    struct employee {
        char name[20];
        gender;
        int salary;
        char department[20];
    }
    ```

3. **구조체 변수에 대한 설명 중 잘못된 것을 모두 고르시오.**

    ① 구조체를 정의하면 구조체의 멤버가 메모리에 할당된다.

    ② 구조체 변수를 선언하면 구조체의 멤버들이 모두 같은 주소에 할당된다.

    ③ 구조체 변수를 여러 개 선언하면 구조체 변수마다 멤버들이 각각 메모리에 할당된다.

    ④ 구조체를 사용할 때는 struct을 생략하고 태그명만 사용한다.

    ⑤ 구조체를 정의하면서 구조체 변수를 선언할 수 있다.

    ⑥ 구조체 변수를 초기화하려면 { } 안에 크기가 가장 큰 멤버의 초기값부터 크기 순으로 나열한다.

    ⑦ 구조체 변수를 초기화하려면 { } 안에 멤버들이 선언된 순서대로 초기값을 나열한다.

    ⑧ 초기화되지 않은 구조체 변수는 쓰레기값을 가진다.

4. **point 구조체에 대하여 구조체 변수를 선언하고 초기화하는 코드 중에서 잘못된 것을 모두 고르시오.**

    ① `struct point pt1;`   ② `point pt2;`

    ③ `struct point pt3 = {0};`   ④ `struct point pt4 = 0;`

    ⑤ `struct point pt5 = { 10, 20 };`   ⑥ `struct point pt6 = {0};`
                                                        `struct point pt7 = pt6;`

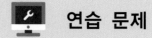

5. 다음과 같이 정의된 contact 구조체와 구조체 변수에 대한 코드 중 잘못된 것을 모두 고르시오.

```c
struct contact {          // 연락처 정보를 나타내는 구조체
    char name[20];        // 이름
    char number[20];      // 전화번호
    int ringtone;         // 벨 소리
};

int main(void)
{
    struct contact cnt1 = { "Park Sung Hyun", "010-1234-5678", 1 };
    struct contact cnt2;
}
```

① cnt2 = cnt1;

② cnt2.name = "Lee Jeong Eun";

③ cnt2.ringtone = 3;

④ cnt2 = { "Lee JE", "010-1111-2222" };

⑤ if (cnt1 == cnt2)
        printf("same contact");

⑥ if (strcmp(cnt1.name, cnt2.name) == 0)
        printf("same contact");

6. 구조체와 비트필드, 공용체에 대한 설명 중 잘못된 것을 모두 고르시오.

① 공용체의 멤버들은 모두 같은 주소에 할당된다.

② 비트필드는 구조체의 멤버를 비트 단위로 할당한다.

③ 공용체의 크기는 모든 멤버의 크기를 더한 값보다 크거나 같다.

④ 공용체를 사용할 때는 'union 태그 이름'으로 사용해야 한다.

⑤ 비트필드는 구조체를 사용할 때보다 메모리를 낭비한다.

⑥ 공용체의 멤버 중 하나의 값을 변경하면 나머지 멤버들의 값도 변경된다.

7. 다음 중 typedef를 정의하는 방법이 잘못된 것은?

① typedef unsigned int color_t;

② typedef color_t unsigned int;

③ typedef struct { int x, y; } point;

④ typedef enum way {up, down, left, right} way_t;

8. 열거체와 열거 상수에 대한 설명 중 잘못된 것을 모두 고르시오.

① 열거체는 사용자 정의형이다.

② 열거체는 정수형으로 처리된다.

③ 열거 상수로 실수형 상수를 정의할 수 있다.

④ 열거 상수의 값을 따로 지정하지 않으면 나열된 순서대로 0부터 1씩 커지는 값으로 할당된다.

⑤ 열거 상수의 값을 직접 지정할 수 없다.

⑥ 열거체와 열거 상수를 사용하면 프로그램의 가독성이 저해된다.

⑦ 열거체를 사용하려면 'enum 태그 이름'으로 사용해야 한다.

9. point 구조체를 이용해서 두 점의 좌표를 맞바꾸는 함수의 원형을 작성하시오.

10. 다음과 같이 song 구조체가 정의되어 있을 때, 두 song 구조체 변수의 title이 같은지 비교하는 함수의 원형을 작성하시오. 이 함수는 노래 제목이 같으면 1을 다르면 0을 리턴하는 함수이다.

```c
struct song {
    char title[40];
    char singer[40];
};
```

11. 다음 프로그램의 실행 결과를 쓰시오.

```c
#define _CRT_SECURE_NO_WARNINGS     // Visual Studio 2022에서 strcpy 사용 시 필요
#include <stdio.h>
#include <string.h>

enum open_mode { read = 0x0, write, append, text = 0x10, binary = 0x20 };
struct file_info {
    char filename[128];
    enum open_mode mode;
};

int main(void)
{
    struct file_info fin;

    strcpy(fin.filename, "output.txt");
    fin.mode = write | text;

    printf("파 일 명: %s\n", fin.filename);
    printf("열기모드: %02X\n", fin.mode);
}
```

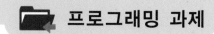

프로그래밍 과제

1. 아이디와 패스워드를 관리하기 위한 login_info 구조체를 정의하시오. 아이디와 패스워드는 최대 20글자까지 입력할 수 있다. login_info 구조체 변수를 선언한 다음 아이디와 패스워드를 입력받아 저장하고 출력하는 프로그램을 작성하시오. 패스워드를 출력할 때는 패스워드의 내용은 보이지 않도록 패스워드 글자수만큼 *을 대신 출력하시오. [구조체의 정의/난이도 ★]

실행 결과
```
ID? Guest
Password? IDon'tKnow
ID: Guest
PW: *********
```

2. 1번 프로그램의 아이디와 패스워드를 항상 소문자로만 저장하도록 수정하시오. login_info 구조체를 매개변수로 전달받아 아이디와 패스워드를 모두 소문자로 만드는 함수와 아이디와 패스워드를 출력하는 함수를 정의하시오. [구조체를 매개변수로 갖는 함수/난이도 ★★]

실행 결과
```
ID? Anonymous
Password? IDon'tKnow
ID: anonymous
PW: *********
```

3. 연월일을 나타내는 date 구조체와 date 구조체를 매개변수로 전달받아 날짜를 "2022/1/1"처럼 출력하는 함수를 정의하시오. date 구조체와 이 함수를 이용해서 입력받은 날짜를 출력하는 프로그램을 작성하시오. [구조체의 정의, 구조체를 매개변수로 갖는 함수/난이도 ★]

실행 결과
```
연? 2022
월? 5
일? 10
2022/5/10
```

4. 3번의 date 구조체 변수 2개를 매개변수로 전달받아 날짜가 같은지 비교하는 함수를 정의하시오. date 구조체 배열을 선언해서 공휴일에 해당하는 날짜로 초기화한 다음 입력받은 날짜가 공휴일인지 검사하는 프로그램을 작성하시오. 입력받은 날짜가 "0 0 0"이면 프로그램을 종료한다. [구조체를 매개변수로 갖는 함수, 구조체 배열/난이도 ★★]

```
실행 결과                                                    ● ● ●
날짜(연월일)? 2022 8 15
2022/8/15은 공휴일입니다.
날짜(연월일)? 2022 5 2
2022/5/2은 공휴일이 아닙니다.
날짜(연월일)? 0 0 0
```

5. 커피숍에서 판매되는 제품 정보를 나타내는 product 구조체를 정의하시오. 각 제품별로 제품명, 가격, 재고 정보를 저장해야 한다. product 구조체를 매개변수로 전달받아 제품 정보를 출력하는 함수를 정의하시오. product 구조체 변수를 선언한 다음 제품명, 가격, 재고를 입력받아 저장하고 출력하는 프로그램을 작성하시오. 참고로 제품명은 빈칸 없는 한 단어로 입력한다. [구조체의 정의, 구조체를 매개변수로 갖는 함수/난이도 ★]

```
실행 결과                                                    ● ● ●
제품명? 아메리카노
가격? 4000
재고? 10
[아메리카노 4000원 재고:10]
```

6. 5번의 product 구조체를 이용해서 최대 5개의 제품 정보를 입력받아 저장하고 출력하는 프로그램을 작성하시오. 제품명으로 "."이 입력되거나 5개의 제품 정보를 모두 입력하면, 지금까지 입력된 제품 정보를 출력하고 종료한다. [구조체 배열/난이도 ★]

```
실행 결과                                                    ● ● ●
제품명? 아메리카노
가격 재고? 4000 10
제품명? 플랫화이트
가격 재고? 5000 10
제품명? .
[아메리카노 4000원 재고:10]
[플랫화이트 5000원 재고:10]
```

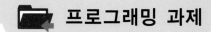

7. 점의 좌표를 나타내는 point 구조체에 대하여 두 점의 좌표를 맞바꾸는 함수를 정의하시오. 이 함수를 이용해서 크기가 10인 point 구조체 배열을 x 좌표를 기준으로 선택 정렬하는 프로그램을 작성하시오. point 구조체 배열은 다음과 같이 초기화해서 사용한다. [구조체를 매개변수로 갖는 함수/난이도 ★★]

실행 결과

```
<<정렬 전>>
(7, 4)(12, 93)(22, 31)(1, 20)(34, 53)(41, 2)(32, 9)(21, 31)(8, 2)(3, 5)
<<정렬 후>>
(1, 20)(3, 5)(7, 4)(8, 2)(12, 93)(21, 31)(22, 31)(32, 9)(34, 53)(41, 2)
```

8. 4바이트 데이터를 2바이트씩 나눠서 low word와 high word로 구분해서 사용하고자 한다. 4바이트 데이터를 2개의 word로 접근할 수 있도록 mydata 공용체를 정의하시오. 공용체의 멤버로는 4바이트 데이터로 접근하는 dword와 2개의 워드로 접근하는 words를 선언한다. low word, high word 값을 매개변수로 전달받아 mydata 공용체로 만들어 리턴하는 함수를 정의하시오. [공용체/난이도 ★★]

실행 결과

```
low word? 0x1234
high word? 0xabcd
dword data: abcd1234
```

9. 직사각형 정보를 나타내는 rect 구조체를 정의하시오. 직사각형은 좌하단점과 우상단점으로 구성되며 점의 좌표는 point 구조체를 이용해서 나타낸다. 직사각형 정보를 출력하는 함수를 정의하고, rect 구조체 변수를 선언해서 직사각형 정보를 입력받고 출력하는 프로그램을 작성하시오.
[구조체 변수를 멤버로 갖는 구조체의 정의/난이도 ★★]

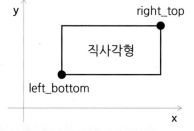

실행 결과

```
직사각형의 좌하단점(x,y)? 10 20
직사각형의 우상단점(x,y)? 100 200
[RECT 좌하단점:(10, 20) 우상단점:(100, 200)]
```

프로그래밍 과제

10. 크기가 3인 rect 구조체 배열을 선언하고 초기화한다. 직사각형의 우상단점의 좌표가 좌하단점보다 크도록 정규화하는 함수와 직사각형의 중심점을 구하는 함수를 정의하고 배열 전체에 대하여 각각 호출하는 프로그램을 작성하시오. [구조체 배열, 구조체를 매개변수로 갖는 함수/난이도 ★★★]

> **실행 결과**
>
> ```
> [RECT 좌하단점:(5, 7) 우상단점:(55, 77)]     중심점: (30, 42)
> [RECT 좌하단점:(10, 20) 우상단점:(30, 60)]    중심점: (20, 40)
> [RECT 좌하단점:(55, 11) 우상단점:(88, 36)]    중심점: (71, 23)
> ```

★ 예를 들어 직사각형의 좌하단점이 (10, 60)이고 우상단점이 (30, 20)일 때 정규화하면 좌하단점이 (10, 20)이 되고, 우상단점이 (30, 60)이 된다. 즉, 두 점의 x 좌표중 작은 값이 좌하단점의 x 좌표가, 두 점의 y 좌표 중 작은 값이 좌하단점의 y 좌표가 되도록 값을 바꾸는 것을 정규화(normalize)라고 한다.

11. 음원 사이트에 등록된 노래 정보를 관리하기 위한 프로그램을 작성하시오. 노래마다 곡명, 가수, 장르 정보를 저장할 수 있도록 song 구조체를 정의한다. 장르는 열거체와 열거 상수를 이용해서 나타내시오. song 구조체 배열을 선언하고 초기화한 다음 전체 노래 목록을 출력하는 프로그램을 작성하시오. [구조체 배열, 열거체/난이도 ★★]

> **실행 결과**
>
> ```
> 제목                 아티스트            장르
> 밤편지               아이유             ballad
> I'm The One         DJ Khaled         hip-hop
> Jealous             DJ Khaled         hip-hop
> 한여름밤의 꿀          San E             hip-hop
> 서울 밤              어반자카파           soul
> 썸머                 GRAY              soul
> 누구 없소(No One)     이하이             dance
> Sixteen             Ellie Goulding     pop
> ```

12. 노래 정보 관리 프로그램에 검색 기능을 추가하려고 한다. 검색할 키워드를 입력받아서 키워드와 곡명 또는 가수명이 같은 노래를 모두 찾아 출력하는 프로그램을 작성하시오. [구조체 배열, 배열의 탐색/난이도 ★★★]

> **실행 결과**
>
> ```
> 키워드(제목/아티스트)? 밤
> 서울 밤              어반자카파           soul
> 밤편지               아이유             ballad
> 한여름밤의 꿀          San E             hip-hop
> 키워드(제목/아티스트)? DJ
> I'm The One         DJ Khaled         hip-hop
> Jealous             DJ Khaled         hip-hop
> 키워드(제목/아티스트)? .
> ```

C
Warming-up

11

입출력

11.1 표준 입출력

11.2 파일 입출력

• 연습 문제
• 프로그래밍 과제

11.1 표준 입출력

지금까지 작성한 프로그램은 프로그램이 종료하면 실행 중에 입력된 데이터가 모두 사라진다. 그런데 우리가 실제로 사용하는 프로그램은 그렇지 않다. 문서 편집기에서 몇 시간에 걸쳐서 작성한 문서가 프로그램을 종료했을 때 사라져버린다면 매우 당황스러울 것이다. 프로그램 종료 후에도 영구적으로 데이터를 저장하려면 하드디스크나 플래시 메모리 같은 저장 장치에 파일로 저장해야 한다. 즉, **프로그램은 콘솔에서만 입출력을 수행하는 것이 아니라 파일로부터 입력을 받아서 처리하고 결과를 파일로 저장할 수 있다.**

C에서는 콘솔 입출력과 파일 입출력을 같은 방식으로 처리할 수 있도록 스트림(stream)이라는 개념을 사용한다. 파일 입출력에 대하여 알아보기 전에 먼저 스트림의 기본 개념을 알아보고, 표준 입출력 함수인 printf, scanf 함수에 대하여 구체적으로 다시 살펴보자.

11.1.1 스트림 기반의 입출력

(1) 스트림의 개념

스트림이란 연속된 데이터 바이트의 흐름이다. 프로그램의 입력은 입력 스트림을 통해서 프로그램의 외부에서 프로그램 안으로 연속적으로 전달된다. 또한, 프로그램의 출력은 출력 스트림을 통해서 프로그램 안에서 프로그램의 외부로 전달된다. 이처럼 **프로그램이 스트림을 통해 프로그램의 외부와 상호작용을 하는 것을 프로그램의 입출력(I/O)이라고 한다.**

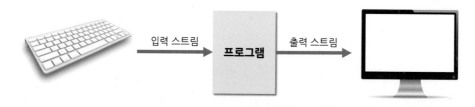

[그림 11-1] 스트림 기반의 입출력

스트림 기반의 입출력에서는 입출력 장치의 종류에 관계없이 같은 방식으로 입출력이 수행된다. 예를 들어 콘솔 출력과 파일 출력은 기본적으로 같은 방식으로 이루어지며, 출력의 대상만 달라진다. 이런 특징을 **장치 독립성(device independence)**이라고 한다. 표준

C의 입출력 라이브러리는 스트림을 이용해서 장치 독립성을 제공한다.

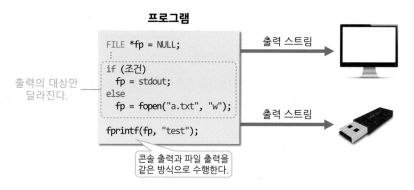

[그림 11-2] 스트림에 의한 장치 독립성

일반적으로 입출력 장치는 CPU에 비해 처리 속도가 매우 느리다. 처리 속도 차이가 크기 때문에 입력 장치에 데이터가 입력되는 동안 CPU가 입력을 기다리는 것은 매우 비효율적이다. 스트림 기반의 입출력에서는 입력 스트림의 내부에 버퍼를 두고, 키보드로부터 입력된 내용을 임시로 버퍼에 저장한다. 입력 스트림은 특정 시점에(Enter 키를 누르면) 입력 버퍼의 내용을 한꺼번에 프로그램으로 전달한다. 출력도 비슷한 방식으로 수행된다. 즉, **효율적인 입출력을 위해서 스트림 기반의 입출력은 버퍼를 경유하는 방식으로 처리된다.**

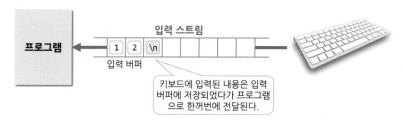

[그림 11-3] 버퍼를 경유한 입출력

(2) 표준 입출력 스트림

입출력을 수행하려면 먼저 스트림을 생성해야 한다. 표준 C 라이브러리는 기본적인 스트림을 프로그램 시작 시 생성하고, 프로그램 종료 시 해제한다. 이것을 **표준 입출력 스트림**이라고 한다. stdin이 표준 입력 스트림, stdout이 표준 출력 스트림이다. stderr는 표준 에러 스트림인데, 에러를 출력하기 위한 목적의 스트림이다. 프로그램 시작 시 stdin, stdout, stderr가 자동으로 생성되므로 프로그램 안에서 바로 사용할 수 있다. scanf 함수는 stdin으로부터의 입력을 처리하고, printf 함수는 stdout으로의 출력을 처리한다.

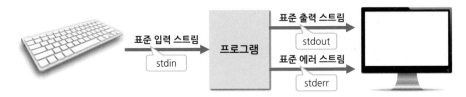

[그림 11-4] 표준 입출력 스트림

(3) 표준 C 라이브러리의 입출력 함수

표준 C 라이브러리의 입출력 함수는 스트림의 종류와 형식(format)의 유무에 따라 분류할 수 있다. 보통 f-로 시작하는 함수들은 일반 스트림에 대한 입출력 함수이다. 표준 스트림은 자주 사용되므로, 표준 스트림 전용 입출력 함수가 따로 준비되어 있다. 일반 스트림 함수와 표준 스트림 함수는 함수 이름이 거의 비슷하고 사용 방법도 유사하다. 표준 스트림 함수는 대상 스트림이 정해져 있으므로 스트림을 지정하지 않고 호출한다. 반면에 일반 스트림 함수는 대상 스트림을 지정하는 매개변수를 추가로 사용한다.

[그림 11-5] 표준 스트림 함수와 일반 스트림 함수

표준 스트림에 대해서도 일반 스트림 함수를 사용할 수 있다. 이때는 표준 스트림인 stdin, stdout, stderr을 대상 스트림으로 지정하면 된다.

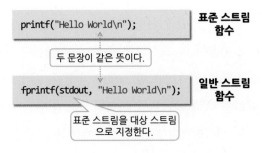

[그림 11-6] 표준 스트림에 대한 입출력

입출력 함수는 형식화된(formatted) 입출력 함수와 형식이 없는(unformatted) 입출력 함수로 나눌 수 있다. 형식화된 입출력에서는 입출력을 수행할 데이터의 형식(정수, 실수, 문자, 문자열)을 지정한다. 형식 문자열을 사용하는 scanf 함수와 printf 함수가 형식화된 입출력 함수에 해당된다. 일반 스트림용 함수인 fscanf 함수와 fprintf 함수도 형식화된 입출력을 수행한다. 형식화된 입력에서는 입력 버퍼에 저장된 문자들을 형식에 따라 정수나 실수로 변환해서 입력을 처리한다. 형식화된 출력에서는 정수나 실수를 문자열로 변환해서 출력 버퍼로 저장한 후 출력을 처리한다.

형식이 없는 입출력에서는 입력과 출력을 모두 텍스트로 처리한다. 즉, 입력 버퍼의 문자나 문자열을 읽어오고 출력 버퍼로 문자나 문자열을 내보내는 함수들이 여기에 해당된다.

〈표 11-1〉 입출력 함수의 종류

구분	표준 스트림 함수	일반 스트림 함수	설명
형식화된 입출력	scanf	fscanf	형식화된 입력
	printf	fprintf	형식화된 출력
형식이 없는 입출력	getchar	fgetc	문자 입력
	putchar	fputc	문자 출력
	gets_s	fgets	문자열 입력
	puts	fputs	문자열 출력

11.1.2 printf 함수 다시 보기

printf 함수는 콘솔 프로그램에서 가장 많이 사용되는 함수 중 하나이다. printf 함수는 표준 출력 스트림(stdout)에 대한 형식화된 출력을 처리한다. printf 함수의 원형은 다음과 같다.

```
int printf(const char* format, ...);
```

printf 함수의 매개변수로는 형식 문자열과 출력할 값을 지정한다. printf 함수는 여러 개의 값을 출력할 수 있도록 가변 매개변수를 갖는 함수로 정의되어 있다. 인자의 개수가 미리 정해져 있지 않기 때문에 필요한 만큼 얼마든지 여러 개의 인자를 전달할 수 있다.

printf 함수의 형식 문자열의 구조는 다음과 같다.

```
%[flags][width][.precision][{h | l | L}] type
```

printf 함수의 형식 문자열은 flags 필드, width 필드, precision 필드, type 필드 등으로 구성되며, type 필드를 제외한 나머지 필드는 생략할 수 있다. 형식 문자열의 [ ]는 생략할 수 있다는 뜻이고, { }는 나열된 항목 중 하나를 선택할 수 있다는 뜻이다. 형식 문자열의 여러 가지 필드를 이용하면 다양하게 출력 형식을 지정할 수 있다.

(1) type 필드

type 필드는 출력할 값의 형식을 지정한다. printf 함수는 type 필드에 따라 출력할 값을 문자열로 변환해서 stdout의 출력 버퍼에 저장한다. 예를 들어 실수를 출력할 때, %f를 사용하면 소수점 표기 방식으로 출력하고, %e를 사용하면 지수 표기 방식으로 출력한다. type 필드에 사용할 수 있는 문자를 정리해보면 다음과 같다.

〈표 11-2〉 printf 함수의 type 필드

유형	type	의미	사용 예	출력 결과
정수	c	문자를 출력한다.	printf("%c", 'A');	A
	d	10진수로 출력한다.	printf("%d", 333);	333
	i	10진수로 출력한다.	printf("%i", 333);	333
	o	8진수로 출력한다.	printf("%o", 333);	515
	u	부호 없는 10진수로 출력한다.	printf("%u", 333);	333
	x	16진수로 출력한다. (abcdef 이용)	printf("%x", 333);	14d
	X	16진수로 출력한다.(ABCDEF 이용)	printf("%X", 333);	14D
실수	e	지수 표기 방식으로 출력한다. (e 사용)	printf("%e", 1.2345);	1.234500e+00
	E	지수 표기 방식으로 출력한다. (E 사용)	printf("%E", 1.2345);	1.234500E+00
	f	소수점 표기 방식으로 출력한다.	printf("%f", 1.2345);	1.234500
	g	지수와 소수점 표기 방식 중 더 간단한 형식으로 출력한다.	printf("%g", 1.2345);	1.2345
	G	지수와 소수점 표기 방식 중 더 간단한 형식으로 출력한다.	printf("%G", 1.2345);	1.2345
포인터	p	주소를 16진수로 출력한다.	printf("%p", "xyz");	00A57B60
문자열	s	문자열을 출력한다.	printf("%s", "xyz");	xyz

type 필드 앞에는 h, l, L을 추가로 지정할 수 있는데, h는 short형을 출력한다는 뜻이고, l은 long형을 출력한다는 뜻이다. L은 long double형을 출력한다는 뜻이다.

(2) width 필드

width 필드는 출력할 값의 폭을 지정한다. 예를 들어 %10d는 전체 10문자 폭에 맞추어 정수값을 출력하라는 뜻이다. 출력할 값의 문자수가 width보다 작으면 전체 폭의 오른쪽으로 맞춰서 출력한다. %10d로 123을 출력하면, 10자리 중 왼쪽 7자리를 빈칸으로 남겨두고, 오른쪽 3자리에 123을 출력한다. 출력할 값의 문자수가 width보다 크면 width를 무시한다. 실수를 출력할 때 사용되는 .이나 e, 부호를 출력할 때 사용되는 +, −도 폭에서 한 문자를 차지한다.

width 필드를 지정하면 문자 폭에 대하여 오른쪽으로 정렬해서 출력한다. 지정한 문자 폭에 대해서 왼쪽으로 정렬해서 출력하려면 %−10d처럼 − flags 필드를 함께 사용한다.

〈표 11-3〉 printf 함수의 width 필드 사용 예

사용 예	출력 결과									
printf("%10d", 333);								3	3	3
printf("%10f", 1.2345);				1	.	2	3	4	5	0	0
printf("%10g", 1.2345);					1	.	2	3	4	5
printf("%10s", "xyz");								x	y	z
printf("%-10d", 333);	3	3	3							
printf("%-10s", "xyz");	x	y	z							

(3) precision 필드

precision 필드는 출력할 값의 정밀도를 지정한다. 실수 출력에 정밀도를 사용하면, 출력할 값의 소수점 이하 자릿수를 설정한다. 예를 들어 %10.3f는 전체 문자 폭이 10이고, 그중 소수점 이하가 3자리라는 뜻이다. 이때, 소수점 4번째 자리에서 반올림한다. %10.3g에서 정밀도는 유효 숫자의 개수가 된다. 실수를 출력할 때, 정밀도를 따로 지정하지 않으면 소수점 이하 6자리를 출력한다.

정수 출력에 정밀도를 사용하면, 출력할 정수의 자릿수를 설정한다. 예를 들어 %10.5d

는 출력할 전체 폭이 10이고 5자릿수로 출력하라는 뜻이다. 정밀도보다 출력할 값의 자릿수가 적으면 0으로 채워서 출력한다.

〈표 11-4〉 printf 함수의 precision 필드 사용 예

사용 예	출력 결과									
printf("%10.3f", 4.5678);						4	.	5	6	8
printf("%10.3e", 4.5678);		4	.	5	6	8	e	+	0	0
printf("%10.3g", 4.5678);							4	.	5	7
printf("%10.5d", 333);						0	0	3	3	3

(4) flags 필드

flags 필드에는 -, +, 빈칸, 0, # 문자를 사용할 수 있다. 〈표 11-5〉는 각 문자의 의미와 flags 필드를 지정하지 않았을 때의 디폴트값이다.

〈표 11-5〉 printf 함수의 flags 필드

flags	의미	디폴트값
-	전체 폭에 대하여 왼쪽으로 정렬하여 출력한다.	오른쪽으로 정렬하여 출력한다.
+	부호(+,-)를 출력한다. 양수면 부호 자리에 +를 출력한다.	음수에 대해서만 -를 출력한다.
빈칸	양수면 부호 자리에 빈칸을 출력한다.	빈칸을 출력하지 않는다.
0	문자 폭에 맞춰서 0으로 채워서 출력한다.	0으로 채우지 않고 출력한다.
#	type 필드 o, x, X와 함께 사용되면 0, 0x, 0X를 함께 출력한다.	0, 0x, 0X를 출력하지 않는다.

〈표 11-6〉 printf 함수의 flags 필드 사용 예

사용 예	출력 결과									
printf("%-10d", 789);	7	8	9							
printf("%+d", 789);	+	7	8	9						
printf("% d\n", 789);		7	8	9						
printf("%010d", 789);	0	0	0	0	0	0	0	7	8	9
printf("%#x", 0xabc);	0	x	a	b	c					

11.1.3 scanf 함수 다시 보기

표준 입력에 사용되는 scanf 함수의 원형은 다음과 같다.

```
int scanf(const char* format, ...);
```

scanf 함수가 사용하는 형식 문자열의 구조는 다음과 같다.

```
%[*][width][{h | l | L}] type
```

(1) type 필드

type 필드에는 입력받을 값의 형식을 지정한다. scanf 함수의 type 필드는 printf 함수의 type 필드와 비슷하다. 즉, %c는 문자 입력에 사용되고, %d, %i, %u, %o, %x, %X는 정수 입력에 사용된다. %e, %E, %f, %g, %G는 실수 입력에 사용되고, %s는 문자열 입력에 사용된다. 참고로 %e, %E, %f, %g, %G는 float형 변수에 대한 입력을 처리하므로, double 형 변수에 대한 입력을 처리하려면 %lf처럼 l을 함께 써주어야 한다.

```
double d;
scanf("%lf", &d);        // double형 변수의 입력에는 %lf를 사용한다.
```

short형 변수에 대한 입력을 처리하려면 %hd를 사용해야 한다. scanf 함수는 포인터형 의 인자를 사용하기 때문에 printf 함수를 사용할 때보다 형식을 정확하게 지정해야 한다.

```
short s;
scanf("%hd", &s);        // short형 변수의 입력에는 %hd를 사용한다.
```

(2) width 필드

width 필드에는 입력받을 값의 자릿수를 지정한다. width 필드를 지정하면 공백 문자로 구분하지 않고도 여러 값을 입력할 수 있다.

```
int year, month, day;
scanf("%4d%2d%2d", &year, &month, &day);        // "20220520"처럼 입력하면 4자리는 year로,
                                                // 2자리는 month로, 2자리는 day로 읽어온다.
```

(3) 형식 문자열에 빈칸 지정하기

scanf 함수로 문자를 입력받을 때는 줄바꿈 문자도 문자로 간주되므로 주의해야 한다. 다음은 정수 하나와 문자 하나를 입력받는 코드이다.

```
int n;
char ch;
scanf("%d%c", &n, &ch);          // 정수 하나와 문자 하나를 입력받는다.
printf("n = %d, ch = %x\n", n, ch); // 10진수 정수와 문자의 ASCII 코드(16진수)를 출력한다.
```

위의 코드를 실행하고 10을 입력한 다음 Enter 키를 누르면 문자 입력을 기다리지 않고 "n =10, ch = a"라고 출력된다. 그 이유는 다음과 같다.

스트림 기반의 입출력에서는 사용자가 키보드를 누르면 입력된 문자를 일단 입력 버퍼에 저장한다. 입력 버퍼에 저장된 문자들은 사용자가 Enter 키를 누르면 한꺼번에 프로그램으로 전달된다. 이때, Enter 키 입력도 줄바꿈 문자로 입력 버퍼에 저장된다. scanf 함수가 "%d%c"로 정수 하나와 문자 하나를 읽어오면 입력 버퍼에 저장된 "10\n"중에서 10을 n에 읽어오고 '\n'을 ch로 읽어오게 된다.

그런데 이 경우에 Enter 키 입력은 입력 버퍼를 프로그램으로 전달하기 위한 목적으로 사용된 것이므로 이 키보드 입력을 무시하게 만들어야 한다. 이때 형식 문자열의 %d와 %c 사이에 빈칸을 지정하면 된다.

```
scanf("%d %c", &n, &ch);        // 형식 문자열의 서식 지정자 사이에 빈칸을 넣어준다.
```

형식 문자열에 빈칸이 있으면, 입력 버퍼의 공백 문자를 모두 제거한다. 입력 버퍼에서 공백 문자에 해당되는 줄바꿈 문자를 제거하고 나면 입력 버퍼가 비게 되므로 스트림은 다음 입력을 기다리는 상태가 된다.

(4) 형식 문자열에 특정 문자 지정하기

형식 문자열에 특정 문자를 써주면 입력 버퍼에서 지정된 문자와 같은 문자를 제거한다. 같은 문자가 입력 버퍼에 들어있지 않으면 에러로 처리된다.

```
scanf("%4d-%2d-%2d", &year, &month, &day);        // "2022-05-20" 형식으로 입력해야 한다.
```

위에 코드처럼 형식 문자열에 ' - ' 문자가 사용된 경우에 "2022 - 05 - 20"을 입력하면 ' - '는 무시하고, year, month, day를 순서대로 읽어온다. 입력된 값이 "yyyy - mm - dd" 형식이 아닌 경우에는 입력이 올바르게 처리되지 않는다.

(5) 문자 집합을 이용한 문자열 입력

[ ]를 이용하면 입력받을 문자 집합을 지정해서 문자열을 입력받을 수 있다. 즉, [ ]에 지정된 문자들로 구성된 문자열을 읽어오며 [ ] 안에 지정되지 않은 문자를 만날 때까지 읽어온다.

```
char str_num[100];
scanf("%[0-9]", str_num);             // '0' ~ '9'문자들로 이루어진 문자열을 입력받는다.
printf("str = %s\n", str_num);
```

위의 코드를 실행하고 "123abc"를 입력하면, str_num으로 "123"을 읽어오고 "abc"부분은 입력 버퍼에 남아있게 된다.

(6) scanf 함수의 리턴값을 이용한 에러 처리

scanf 함수는 입력을 처리한 후 읽은 항목의 개수를 리턴한다. scanf 함수의 리턴값을 이용하면 입력에 대한 에러 처리 코드를 작성할 수 있다. 예를 들어 scanf 함수에서 %d로 입력을 받는데 정수가 아닌 값을 입력하면 어떻게 될까?

```
int num = 0;                // num을 0으로 초기화한다.
scanf("%d", &num);          // "abc"를 입력하면 scanf는 입력을 처리할 수 없다.
printf("num = %d\n", num);  // 입력 실패 시 num에 들어있던 0이 출력된다.
```

위의 코드를 실행하고 "abc"를 입력했다고 해보자. scanf 함수는 입력 버퍼에 들어있는 "abc"를 10진수 정수로 변환할 수 없으므로 입력을 실패로 처리하고 0을 리턴한다. num에 대한 입력이 실패했으므로, num을 출력하면 num의 초기값인 0이 출력된다. 이때 입력 버퍼에는 여전히 "abc"가 남아있는 상태가 된다. scanf 함수는 성공적으로 입력을 처리한 경우에만 입력 버퍼에서 문자들을 꺼내 오기 때문이다.

입력 실패인 경우에 while문을 이용해서 에러 메시지를 출력하고 다시 입력받도록 코드를 작성하면 다음과 같다.

```c
int num;
while (1) {
    if (scanf("%d", &num) == 1)        // scanf 함수가 1을 리턴한 경우에만 while을 탈출한다.
        break;
    printf("잘못 입력했습니다. 정수를 입력하세요.\n");  // 입력 실패 시 에러 메시지 출력
}
```

그런데 이 코드를 실행하면 "잘못 입력했습니다. 정수를 입력하세요."가 화면에 무수히 출력된다. 그 이유는 입력 버퍼 때문이다. scanf 함수는 입력 버퍼의 데이터를 변환할 수 없으면 입력 버퍼를 그대로 둔 채로 리턴한다. 따라서 입력 버퍼에 여전히 "abc"가 남아있는 상태로 while문의 시작 부분으로 돌아가 다시 scanf 함수를 호출하게 된다. scanf 함수는 다시 "abc"가 들어있는 입력 버퍼로부터의 데이터 변환을 시도하고 실패하는 작업을 무수히 반복한다.

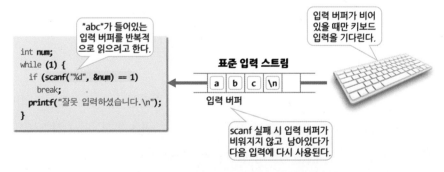

[그림 11-7] 입력이 실패한 경우의 입력 버퍼

scanf 함수는 입력 버퍼가 비어있을 때만 새로운 입력이 들어오기를 기다린다. 따라서 입력 중에 에러가 발생하면 입력 버퍼를 강제로 비워서 새로 입력을 받아들일 수 있게 만

들어 줘야 한다. 입력 버퍼를 비우려면 getchar 함수를 이용해서 입력 버퍼로부터 '\n'을 읽어올 때까지 문자를 하나씩 읽어서 버린다.

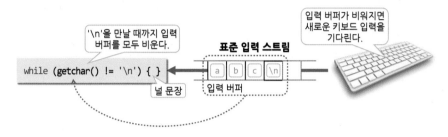

[그림 11-8] 입력 버퍼 비우기

scanf 함수를 이용해서 여러 개의 항목을 입력받을 때는 scanf 함수의 리턴값이 전체 항목의 개수와 같은 경우에만 모든 입력이 성공적으로 처리된 것이다.

```
if (scanf("%4d%2d%2d", &year, &month, &day) == 3)    // scanf의 리턴값이 3인 경우에만 입력 성공
    break;
```

[예제 11-1]은 "yyyymmdd" 형식으로 날짜를 입력받는 코드이다. 이 코드는 잘못된 형식으로 날짜를 입력하면 에러 메시지를 출력하고 다시 입력받는다.

예제 11-1 : scanf 함수의 리턴값을 이용한 에러 처리

```
01    #define _CRT_SECURE_NO_WARNINGS    // Visual Studio 2022에서 scanf 사용 시 필요
02    #include <stdio.h>
03
04    int main(void)
05    {
06        int year, month, day;
07
08        while (1) {
09            if (scanf("%4d%2d%2d", &year, &month, &day) == 3)    // 입력 성공 시 루프 탈출
10                break;
11            printf("yyyymmdd 형식으로 입력하세요.\n");              // 에러 메시지 출력
12            while (getchar() != '\n') {}                         // 입력 버퍼를 비운다.
13        }
14        printf("날짜: %4d-%02d-%02d\n", year, month, day);        // 2022-05-20 형식으로 출력
15    }
```

```
실행 결과                                                    ■ ■ ■
날짜? 2022/5/5
yyyymmdd 형식으로 입력하세요.
날짜? 20220525
입력된 날짜: 2022-05-25
```

11.1.4 형식이 없는 표준 스트림 입출력 함수

형식이 없는 표준 스트림 입출력 함수들은 stdin으로부터 입력 버퍼의 문자나 문자열을 읽어온다. 또한 stdout에 대해서 출력 버퍼로 문자나 문자열을 내보낸다.

〈표 11-7〉 형식이 없는 표준 스트림 입출력 함수

함수 원형	의미
int getchar(void);	문자 하나를 입력받는다.
int putchar(int ch);	문자 하나를 출력한다.
char *gets_s(char *str, size_t n);	한 줄의 문자열을 입력받는다.
int puts(const char *str);	한 줄의 문자열을 출력한다.

getchar 함수와 putchar 함수는 문자 입출력에 사용되고, gets_s 함수와 puts 함수는 문자열 입출력에 사용된다.

gets_s 함수는 입력 버퍼에서 줄바꿈 문자까지 한 줄의 문자열을 읽어와서 줄바꿈 문자를 제외하고 *str*에 저장한다. puts 함수는 문자열을 출력한 다음 자동으로 줄을 바꾼다. 즉, puts 함수로 출력하는 문자열에는 '\n' 문자를 지정하지 않아도 문자열 출력 후 줄을 바꾼다.

```
printf("hello");        // hello 출력 후 줄을 바꾸지 않는다.
puts("hello");          // hello 출력 후 자동으로 줄을 바꾼다.
```

1. 표준 C 입출력 라이브러리가 기본적인 입출력을 수행할 수 있도록 미리 준비해둔 스트림을 무엇이라고 하는가?

    ① 파일 스트림   ② 프린터 스트림   ③ 장치 스트림   ④ 표준 스트림

2. 다음 중 표준 C 입출력 라이브러리 함수 중 표준 스트림 전용 함수가 아닌 것은?

    ① scanf   ② gets_s   ③ fopen   ④ printf   ⑤ getchar

3. scanf 함수의 형식 문자열에 빈칸이 있으면 무슨 뜻인가?

    ① 입력 버퍼에서 ' '을 읽어온다.   ② 입력 버퍼에서 공백 문자를 읽어서 제거한다.

    ③ 형식 문자열의 항목을 구별한다.   ④ 아무 뜻도 없다.

4. scanf 함수의 리턴 값은 무엇인가?

    ① 성공적으로 읽은 항목의 개수   ② 입력 버퍼에서 읽은 문자의 개수

    ③ 입력받은 정수값   ④ 입력받은 문자열 포인터

11.2 파일 입출력

프로그램에서 사용되는 데이터를 하드 디스크의 파일로 저장하면, 프로그램이 종료해도 데이터가 보관되기 때문에 다시 프로그램이 실행될 때 파일로부터 데이터를 읽어서 사용할 수 있다.

데이터를 저장하는 데 사용되는 파일은 텍스트 파일과 2진 파일로 나눌 수 있다. **텍스트 파일**은 일반 문서 편집기에서 열어서 내용을 확인할 수 있는 문자들을 저장하는 파일이다.

2진 파일은 2진 데이터를 저장하는 파일로 일반 문서 편집기에서는 그 내용을 확인할 수 없다. 예를 들어 123을 텍스트 파일에 저장하려면 "123"이라는 문자열로 변환해서 저장해야 한다. 반면에 123을 2진 파일에 저장하려면 123에 해당하는 4바이트 정수값을 저장해야 한다.

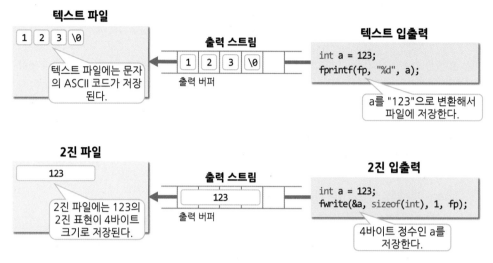

[그림 11-9]   텍스트 파일과 2진 파일

11.2.1 파일 입출력의 개요

(1) 일반적인 파일 입출력 절차

파일 입출력을 하기 위해서는 먼저 파일을 열어야 한다. 파일을 여는 데 사용되는 fopen 함수는 파일 스트림을 생성하고, 생성된 파일 스트림에 대한 FILE 포인터를 리턴한다. 프로그램 시작 시 미리 생성되는 표준 스트림과 다르게 파일 스트림은 직접 생성해야 한다. **fopen 함수는 스트림을 생성하고 입출력을 할 수 있도록 준비한다.** fopen 함수가 리턴하는 FILE 포인터는 파일에 접근하는 데 사용되는 FILE 구조체 포인터이다. FILE 구조체에 대해서 구체적으로 알 필요는 없지만, 반드시 fopen 함수의 리턴값을 FILE 포인터 변수에 저장해두어야 한다. 파일에 접근하려면 항상 FILE 포인터가 필요하기 때문이다.

파일을 연 다음에는 FILE 포인터를 인자로 전달해서 여러 가지 파일 입출력 함수를 호출할 수 있다. 파일 입출력에 사용되는 함수는 텍스트 파일 입출력 함수와 2진 파일 입출력 함수로 나눌 수 있다.

마지막으로 **모든 입출력이 끝나면 파일을 닫아야 한다.** 이때 fclose 함수가 사용된다. 일반적인 파일 입출력 과정을 정리하면 [그림 11-10]과 같다.

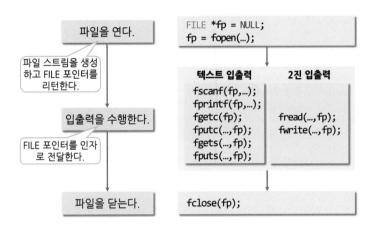

[그림 11-10] 일반적인 파일 입출력 절차

(2) 파일 열기

파일 입출력을 수행하려면 우선 파일을 열어야 한다. 파일을 여는 fopen 함수의 원형은 다음과 같다.

```
FILE* fopen(const char* filename, const char* mode);
```

fopen 함수는 파일 스트림을 생성하고 생성된 파일 스트림에 대한 FILE 포인터를 리턴한다. fopen 함수는 파일을 열 수 없으면 NULL을 리턴한다.

fopen 함수의 매개변수 중 *filename*에는 파일 이름을 문자열을 지정하고, *mode*에는 파일 열기 모드를 문자열로 지정한다. 파일 열기 모드에 따라 텍스트 파일인지 2진 파일인지, 데이터를 읽을 것인지 쓸 것인지가 결정된다. fopen 함수는 디폴트로 파일이 텍스트 파일이라고 간주한다. 〈표 11-8〉은 파일 열기 모드로 사용할 수 있는 값을 정리한 것이다.

〈표 11-8〉 파일 열기 모드

열기 모드	의미	설명	파일이 존재하는 경우	파일이 존재하지 않는 경우
"r"	read	입력용 파일을 연다.	처음부터 읽는다.	열기 실패
"w"	write	출력용 파일을 생성한다.	파일의 내용이 모두 사라진다.	새로 생성한다.
"a"	append	파일 끝에 추가한다.	파일의 끝에 쓴다.	새로 생성한다.
"r+"	read/update	입출력용 파일을 연다.	처음부터 읽는다.	열기 실패

열기 모드	의미	설명	파일이 존재하는 경우	파일이 존재하지 않는 경우
"w+"	write/update	입출력용 파일을 생성한다.	파일의 내용이 모두 사라진다.	새로 생성한다.
"a+"	append/ update	파일 끝에 추가할 수 있게 입출력용 파일을 연다.	파일의 끝에 쓴다.	새로 생성한다.
"t"	text	텍스트 모드에서 입출력을 수행한다.		
"b"	binary	2진 모드에서 입출력을 수행한다.		

예를 들어 열기 모드로 "r"를 지정하면 텍스트 파일을 입력용으로 연다는 뜻이다. 텍스트 파일이라는 의미로 "rt"를 지정할 수도 있다.

```
FILE* fp = NULL;                    // 파일 포인터를 준비한다.
fp = fopen("a.txt", "r");           // 입력용 텍스트 파일을 연다.("rt"와 같은 의미)
```

2진 파일을 열 때는 "b"를 함께 지정한다. "wb"는 2진 파일을 출력용으로 연다는 뜻이다.

```
fp = fopen("a.dat", "wb");          // 출력용 2진 파일을 연다.
```

"a"나 "a+"로 파일을 열면, 파일의 끝에만 쓸 수 있다. 따라서 원래 파일에 있던 데이터는 변경되지 않고 파일의 끝에 추가할 수만 있다.

"r+", "w+", "a+"로 파일을 열면 파일을 읽고 쓰는 작업을 모두 할 수 있다. 단, 읽기 모드와 쓰기 모드를 전환하기 위해서 fflush, fsetpos, fseek, rewind 함수 중 하나를 호출해야 한다.

파일을 열 수 없으면 fopen 함수는 NULL을 리턴한다. FILE 포인터가 NULL일 때, 입출력 함수를 호출하면 실행 에러가 되므로 fopen 함수의 리턴값을 확인해야 한다. fopen 함수의 리턴값이 NULL이면 그 이후의 입출력 관련 코드를 수행하지 않도록 처리해야 한다.

```
int main(void)
{
    FILE *fp = fopen("a.txt", "r");   // "a.txt"가 없으므로 파일 열기 실패
    if (fp == NULL) {                 // 파일 열기가 실패했는지 반드시 확인해야 한다.
```

```
        printf("파일 열기 실패\n");
        return 1;                  // 파일 열기 실패 시 더 이상 입출력을 수행하지 않도록 처리
    }
    ⋮
}
```

(3) 파일 닫기

파일 입출력이 끝나면 fclose 함수를 호출해서 파일을 닫아야 한다. fclose 함수의 원형은 다음과 같다.

```
int fclose(FILE* stream);
```

fclose 함수의 매개변수로는 FILE 포인터를 지정한다. 파일 닫기가 성공하면 0을 리턴하고, 실패하면 EOF을 리턴한다. **EOF는 <stdio.h>에 −1로 정의되어 있는 매크로 상수로 파일의 끝을 나타낸다.** EOF는 입출력 함수의 리턴값으로 자주 사용되며, 주로 파일의 끝 또는 에러를 나타내는 용도로 사용된다.

널 포인터로 fclose 함수를 호출하면 실행 에러가 발생하므로, 파일 열기가 실패일때는 fclose 함수를 호출하지 않도록 주의해야 한다.

[예제 11-2]는 간단한 입력용 텍스트 파일을 열고 닫는 코드이다. 이 예제는 "a.txt" 파일이 없기 때문에 파일 열기가 실패한다.

📄 **예제 11-2** : 파일 열기와 닫기(실패인 경우)

```
01    #define _CRT_SECURE_NO_WARNINGS         // Visual Studio 2022에서 fopen 사용 시 필요
02    #include <stdio.h>
03
04    int main(void)
05    {
06        FILE *fp = fopen("a.txt", "r");       // "a.txt"가 없으므로 파일 열기 실패
07        if (fp == NULL) {          // 파일 열기가 실패했는지 반드시 확인해야 한다.
08            printf("파일 열기 실패\n");
09            return 1;              // 파일 열기 실패 시 더 이상 입출력을 수행하지 않도록 처리한다.
```

```
10          }
11          printf("파일 열기 성공\n");
12          fclose(fp);                    // 파일 열기가 성공인 경우에만 파일을 닫아야 한다.
13      }
```

실행 결과

파일 열기 실패

   Further Study

fopen 함수가 파일을 찾는 위치

fopen 함수는 현재 작업 디렉토리(current working directory)에서 파일을 찾는다. Visual Studio 안에서 프로그램을 실행하면, 프로젝트 폴더가 현재 작업 디렉토리가 된다. 명령 프롬프트에서 직접 프로그램을 실행하면, 명령 프롬프트의 현재 디렉토리가 현재 작업 디렉토리가 된다.

fopen 함수의 파일 이름에 절대 경로명을 지정할 수도 있다.

```
fp = fopen("c:\\work\\chap11\\ex11_02\\a.txt", "r");   // 절대 경로명을 지정하는 경우
```

절대 경로명에서 역슬래시 문자를 나타내려면 "\\"처럼 역슬래시 2개를 연속해서 지정해야 한다. 문자열 안에서 역슬래시(\)는 이스케이프 시퀀스를 나타내므로 역슬래시 문자를 나타낼 때는 "\\"로 표시해야 한다.

[예제 11-3]은 먼저 출력용 파일을 생성한 다음, 다시 같은 파일을 입력용으로 여는 코드이다. 이 경우에는 파일이 생성된 다음에 다시 입력용으로 열기 때문에 파일 열기가 성공한다.

예제 11-3 : 파일 열기와 닫기(성공인 경우)

```
01   #define _CRT_SECURE_NO_WARNINGS         // Visual Studio 2022에서 fopen 사용 시 필요
02   #include <stdio.h>
03
04   int main(void)
05   {
```

```
06      FILE* fout = NULL;                      // 출력용 파일 포인터
07      FILE* fin = NULL;                       // 입력용 파일 포인터
08
09      fout = fopen("a.txt", "w");             // 출력용 텍스트 파일을 연다.
10      if (fout == NULL) {
11          printf("파일 열기 실패\n");
12          return 1;
13      }
14      fclose(fout);                           // 출력용 파일을 닫는다.
15
16      fin = fopen("a.txt", "r");              // 입력용 텍스트 파일을 연다.
17      if (fin == NULL) {
18          printf("파일 열기 실패\n");
19          return 1;
20      }
21      printf("파일 열기 성공\n");
22      fclose(fin);                            // 입력용 파일을 닫는다.
23  }
```

실행 결과   ▪▪▪

파일 열기 성공

(4) 스트림 상태 확인

ferror 함수는 이전 입출력에서 에러가 발생했는지 확인한다. ferror 함수는 *stream*에 에러가 발생했으면 0이 아닌 값을, 에러가 발생하지 않았으면 0을 리턴한다.

```
int ferror(FILE* stream);
```

feof 함수는 파일의 끝인지 검사한다. feof 함수는 읽은 위치가 파일의 끝이면 0이 아닌 값을, 파일의 끝이 아니면 0을 리턴한다.

```
int feof(FILE* stream);
```

11.2.2 텍스트 파일 입출력

파일 입출력 함수로는 문자 하나를 읽어오고 출력하는 fgetc, fputc 함수와 한 줄의 문자열을 읽어오고 출력하는 fgets, fputs 함수가 있다. 또한 형식 문자열을 이용해서 입력을 받거나 출력하는 fscanf, fprintf 함수가 있다.

(1) fgetc, fputc 함수

파일에서 문자 하나를 읽어올 때는 fgetc 함수를, 파일로 문자 하나를 저장할 때 fputc 함수를 사용한다.

```
int fgetc(FILE* stream);
int fputc(int ch, FILE* stream);
```

fgetc 함수의 매개변수인 *stream*에 stdin을 지정하면 표준 입력 스트림에서 문자 하나를 읽어온다. *stream*이 파일 포인터면 파일에서 문자 하나를 읽어온다. fputc 함수의 매개변수인 *stream*이 stdout이면 표준 출력 스트림으로, 파일 포인터면 파일로 문자 하나를 출력한다.

■ 콘솔 입력을 파일로 저장하기

[예제 11-4]는 콘솔에서 입력된 텍스트를 파일로 저장하는 코드이다. 콘솔에 입력된 문자를 읽을 때는 fgetc 함수를, 파일로 출력할 때는 fputc 함수를 사용한다.

📎 **예제 11-4 : 콘솔 입력을 파일로 저장하기**

```
01    #define _CRT_SECURE_NO_WARNINGS    //  Visual Studio 2022에서 fopen 사용 시 필요
02    #include <stdio.h>
03
04    int main(void)
05    {
06        FILE *fp = NULL;
07        int ch;
08
```

```
09        fp = fopen("a.txt", "w");              // 출력용 파일을 연다.
10        if (fp == NULL) {
11            printf("파일 열기 실패\n");
12            return 1;
13        }
14        while ((ch = fgetc(stdin)) != EOF)      // 표준 입력에서 문자 하나를 읽는다.
15            fputc(ch, fp);                      // 읽은 문자를 파일로 저장한다.
16        fclose(fp);
17    }
```

실행 결과

```
This program tests fgetc and fputc functions.
When you press Ctrl+Z and Enter key, fgetc(stdin) fails.
^Z
```

while문의 조건식에서 fgetc 함수의 리턴값을 char형 변수 ch에 대입한 다음, ch의 값을 EOF와 비교하려면, 대입 연산식을 ( )로 묶어주어야 한다. 대입 연산자의 연산자 우선순위가 관계 연산자보다 낮기 때문이다.

```
while ((ch = fgetc(stdin)) != EOF)   // 대입 연산자의 우선순위가 낮으므로 ( )로 묶어준다.
    fputc(ch, fp);
```

윈도우 플랫폼에서는 콘솔에서 Ctrl + Z를 입력하면 EOF 문자로 처리한다. 콘솔에서는 Enter 키를 눌러야 입력된 문자를 프로그램으로 전달하므로 Ctrl + Z 입력 후 Enter 키를 눌러야 한다. [예제 11-4]를 실행하면 프로젝트 폴더 안에 a.txt가 생성되며, [예제 11-4]의 실행 결과에서 입력한 내용이 텍스트 파일로 저장된다.

■ 파일의 내용을 콘솔로 출력하기

[예제 11-5]는 파일에서 읽은 텍스트를 콘솔에 출력하는 코드이다. 파일에서 문자를 읽을 때는 fgetc 함수를, 콘솔에 출력할 때는 fputc 함수를 사용한다.

예제 11-5 : 파일의 내용을 콘솔에 출력하기

```
01    // fgetc_test.c : 소스 파일 이름
02    #define _CRT_SECURE_NO_WARNINGS        // Visual Studio 2022에서 fopen 사용 시 필요
03    #include <stdio.h>
04
05    int main(void)
06    {
07        FILE *fp = NULL;
08        int ch;
09
10        fp = fopen("fgetc_test.c", "r");   // 프로젝트 디렉터리의 소스 파일을 연다.
11        if (fp == NULL) {
12            printf("파일 열기 실패\n");
13            return 1;
14        }
15        while ((ch = fgetc(fp)) != EOF)    // 파일에서 문자 하나를 읽는다
16            fputc(ch, stdout);             // 표준 출력 스트림으로 문자 하나를 출력한다.
17        fclose(fp);
18    }
```

[예제 11-5]는 fopen 함수의 인자로 [예제 11-5]의 소스 파일 이름인 "fgetc_test.c"를 지정했으므로 소스 파일의 내용이 콘솔에 출력된다. [예제 11-5]의 소스 파일 이름은 반드시 "fgetc_test.c"가 되어야 한다. 소스 파일의 내용과 실행 결과가 같으므로 실행 결과는 생략한다.

(2) fgets, fputs 함수

파일에서 한 줄의 문자열을 읽어올 때는 fgets 함수를, 파일로 한 줄의 문자열을 출력할 때는 fputs 함수를 사용한다. 각 함수의 원형은 다음과 같다.

```
char* fgets(char* str, int count, FILE* stream);
int fputs(const char* str, FILE* stream);
```

fgets 함수는 *stream* 파일로부터 최대 *count*−1개의 문자를 읽어서 *str* 문자 배열에 저

장한다. *count*-1개의 문자를 읽기 전에 줄바꿈 문자를 만나면 줄바꿈 문자까지 읽어온다. 줄바꿈 문자까지 읽어온 경우에는 문자열의 끝에는 줄바꿈 문자가 포함된다. fgets 함수는 에러가 발생하거나 EOF를 만나면 NULL을 리턴한다.

fgets 함수는 *stream* 매개변수에 stdin을 지정하면 표준 입력 스트림에서 문자열을 읽어온다. 표준 스트림 함수인 gets_s 함수가 읽어온 문자열에는 줄바꿈 문자가 들어있지 않은데 비해, fgets로 읽어온 문자열의 끝에는 줄바꿈 문자가 포함된다.

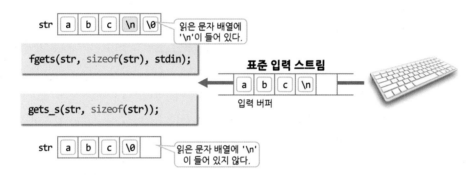

[그림 11-11] fgets 함수와 gets_s 함수

fputs 함수는 *str* 문자열을 *stream* 파일에 출력한다. fputs 함수의 *stream* 매개변수에 stdout을 지정하면 표준 출력 스트림으로 문자열을 출력한다. 표준 스트림 함수인 puts 함수는 문자열을 출력한 다음 줄바꿈 문자까지 출력하는 데 비해, fputs는 문자열만 출력한다.

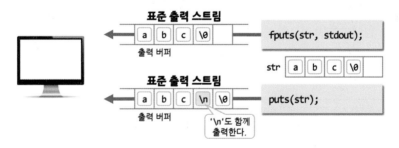

[그림 11-12] fputs 함수와 puts 함수

gets_s, puts 함수와 fgets, fputs 함수는 줄바꿈 문자를 처리하는 방식이 다르므로 혼용하지 않는 것이 좋다. 즉, gets_s, puts 함수를 한 쌍으로 사용하고, fgets, fputs 함수를 한 쌍으로 사용하는 것이 좋다.

■ fgets, fputs를 이용한 텍스트 파일의 복사

입력 스트림과 출력 스트림을 동시에 열어서 한 쪽 스트림에서 읽은 데이터를 다른 쪽 스트림으로 출력할 수도 있다. 동시에 여러 개의 스트림을 사용하려면 스트림에 대한 FILE 포인터가 따로따로 필요하다.

```
FILE *fin = NULL;           // 입력 스트림에 대한 파일 포인터
FILE *fout = NULL;          // 출력 스트림에 대한 파일 포인터
```

파일을 열 때 생성된 파일 스트림을 각각의 파일 포인터 변수에 저장하고 사용한다.

```
fin = fopen(in_fname, "r");     // 입력 스트림을 연다.
fout = fopen(out_fname, "w");   // 출력 스트림을 연다.
```

이때도 각각의 fopen 함수가 실패인지 확인하는 코드가 필요하며 입출력이 끝난 다음에도 각각의 파일을 닫아야 한다.

```
fclose(fin);                // 입력 스트림을 닫는다.
fclose(fout);               // 출력 스트림을 닫는다.
```

[예제 11-6]은 텍스트 파일에 대한 백업 파일을 생성하는 코드이다. 이 프로그램은 입력 파일 이름을 입력받은 다음, 이 파일을 복사해서 파일 이름 끝에 ".bak"이 붙는 백업 파일을 생성한다.

📑 **예제 11-6** : 텍스트 파일의 백업 파일 생성

```
01    #define _CRT_SECURE_NO_WARNINGS // Visual Studio 2022에서 fopen, strcpy, strcat 사용 시 필요
02    #include <stdio.h>
03    #include <string.h>
04
05    int main(void)
06    {
07        char in_fname[128] = "";                // 입력 파일명
08        char out_fname[128] = "";               // 출력 파일명
```

```
09        FILE *fin = NULL;                         // 입력 스트림에 대한 파일 포인터
10        FILE *fout = NULL;                        // 출력 스트림에 대한 파일 포인터
11        char str[BUFSIZ];                         // BUFSIZ는 512 (stdio.h에 정의)
12
13        printf("파일 이름? ");
14        gets_s(in_fname, sizeof(in_fname));
15        fin = fopen(in_fname, "r");               // 입력 스트림을 연다.
16        if (fin == NULL) {
17            printf("%s 파일 열기 실패\n", in_fname);
18            return 1;
19        }
20        strcpy(out_fname, in_fname);
21        strcat(out_fname, ".bak");                // 출력 파일명은 입력파일명.bak
22        fout = fopen(out_fname, "w");             // 출력 스트림을 연다.
23        if (fout == NULL) {
24            printf("%s 파일 열기 실패\n", out_fname);
25            fclose(fin);     // 출력 스트림을 열 수 없으면 입력 스트림을 닫고 종료한다.
26            return 1;
27        }
28        while (fgets(str, sizeof(str), fin) != NULL)  // 텍스트 파일의 복사
29            fputs(str, fout);
30        fclose(fin);                              // 입력 스트림을 닫는다.
31        fclose(fout);                             // 출력 스트림을 닫는다.
32
33        printf("파일 백업 성공: %s로 백업했습니다.\n", out_fname);
34    }
```

실행 결과

```
파일 이름? backup.c
파일 백업 성공: backup.c.bak로 백업했습니다.
```

[예제 11-6]은 fgets 함수로 입력 파일에서 한 줄의 문자열을 읽어서 fputs로 출력 파일에 저장한다. [예제 11-6]을 실행하고 파일 이름으로 [예제 11-6]의 소스 파일인 "backup.c"를 입력하면, "backup.c.bak"가 생성된다.

(3) fscanf, fprintf 함수

형식 문자열을 이용해서 파일에서 입력받을 때는 fscanf 함수를, 파일로 출력할 때는 fprintf 함수를 사용한다. fscanf, fprintf 함수는 첫 번째 매개변수로 파일 포인터가 추가된 것을 빼면 scanf, printf 함수와 사용 방법과 같다. fscanf 함수와 fprintf 함수의 원형은 다음과 같다.

```
int fscanf(FILE* stream, const char* format, ...);
int fprintf(FILE* stream, const char* format, ...);
```

■ 입출력 함수에 파일 포인터 전달하기

파일 포인터를 매개변수로 갖는 함수를 정의하면 표준 스트림과 파일 스트림에 대하여 공통적으로 입출력을 수행하는 코드를 작성할 수 있다. 예를 들어 int 배열의 원소를 출력하는 print_array 함수의 매개변수로 FILE 포인터를 추가할 수 있다. 그 다음 매개변수로 전달받은 파일 포인터를 이용해서 출력을 하도록 print_array 함수의 코드를 수정할 수 있다.

```
void print_array(const int arr[], int size, FILE* stream)   // 파일 포인터 매개변수를 추가한다.
{
    int i;
    for (i = 0; i < size; i++)
        fprintf(stream, "%2d ", arr[i]);                     // 파일 포인터를 이용해서 출력한다.
    fprintf(stream, "\n");
}
```

print_array 함수를 호출할 때 세 번째 매개변수로 stdout를 전달하면 배열의 원소를 콘솔에 출력하고, 파일 스트림을 전달하면 파일로 출력한다.

[예제 11-7]은 파일 이름을 입력받은 다음, int 배열을 파일로 출력하는 프로그램이다.

📖 **예제 11-7** : 파일 포인터를 매개변수로 갖는 함수의 정의

```
01    #define _CRT_SECURE_NO_WARNINGS   // Visual Studio 2022에서 fopen 사용 시 필요
02    #include <stdio.h>
03    #include <string.h>
```

```
04
05    void print_array(const int arr[], int size, FILE* stream)
06    {
07        int  i;
08        for (i = 0; i < size; i++)
09            fprintf(stream, "%2d ", arr[i]);          // 파일 포인터를 이용해서 출력한다.
10        fprintf(stream, "\n");
11    }
12
13    int main(void)
14    {
15        int arr[] = { 60, 34, 55, 28, 12, 5, 63, 45, 91 };
16        int size = sizeof(arr) / sizeof(arr[0]);
17        char filename[128] = "";
18        FILE *fp = NULL;
19
20        printf("파일 이름? ");
21        gets_s(filename, sizeof(filename));
22        fp = fopen(filename, "w");
23        if (fp == NULL)
24            fp = stdout;                              // 파일 열기 실패면 표준 출력에 출력한다.
25        print_array(arr, size, fp);
26        fclose(fp);
27    }
```

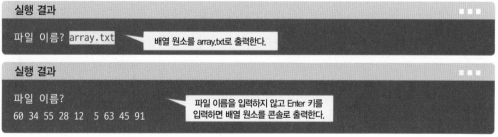

실행 결과

파일 이름? `array.txt`   ← 배열 원소를 array.txt로 출력한다.

실행 결과

파일 이름?
60 34 55 28 12 5 63 45 91   ← 파일 이름을 입력하지 않고 Enter 키를 입력하면 배열 원소를 콘솔로 출력한다.

[예제 11-7]은 fopen 함수로 파일을 열 수 없으면 프로그램을 종료하는 대신 fp를 stdout으로 지정해서 파일 대신 표준 출력 스트림으로 출력한다.

11.2.3 2진 파일 입출력

2진 파일 입출력 함수인 fread, fwrite 함수를 이용하면 변수나 구조체, 배열 같은 다양한 데이터형의 값을 파일에서 읽어오거나 파일로 저장할 수 있다.

(1) fread, fwrite 함수

fwrite 함수는 파일로 2진 데이터를 저장한다. fwrite 함수의 원형은 다음과 같다.

```
size_t fwrite(const void* buffer, size_t size, size_t count, FILE* stream);
```

fwrite 함수의 매개변수 중 *buffer*는 파일로 저장할 데이터의 주소이다. *buffer*는 배열의 시작 주소가 될 수도 있고, 기본형 변수나 구조체 변수의 주소가 될 수도 있다. *size*는 저장할 데이터 항목 하나의 크기이고, *count*는 저장할 항목의 개수이다. 마지막 매개변수인 *stream*은 파일 포인터이다. fwrite 함수는 파일로 데이터를 저장한 다음, 저장한 항목의 개수를 리턴한다.

fread 함수는 파일에서 2진 데이터를 읽어온다. fread 함수의 원형은 다음과 같다.

```
size_t fread(void* buffer, size_t size, size_t count, FILE* stream);
```

fread 함수의 매개변수 중 *buffer*는 파일에서 읽은 데이터를 저장할 주소이다. *size*는 읽어올 데이터 항목 하나의 크기이고, *count*는 읽어올 항목의 개수이다. 마지막 매개변수인 *stream*은 파일 포인터이다. fread 함수는 파일에서 데이터를 읽어온 다음, 읽은 항목의 개수를 리턴한다.

■ 2진 파일에 int 배열을 저장하고 읽어오기

[예제 11-8]은 int 배열을 2진 파일로 저장하고, 다시 2진 파일을 열어 int 배열로 읽어온 다음 두 배열의 값이 같은지 비교하는 코드이다.

예제 11-8 : int 배열을 2진 파일로 저장하고 읽어오기

```
01   #define _CRT_SECURE_NO_WARNINGS     // Visual Studio 2022에서 fopen 사용 시 필요
02   #include <stdio.h>
03   #define SIZE 10                                    // 배열의 크기
04
05   int is_equal_array(const int x[], const int y[], int sz) // 두 배열이 같은지 비교
06   {
07       int i;
08       for (i = 0; i < sz; i++)
09           if (x[i] != y[i])
10               return 0;
11       return 1;
12   }
13
14   int main(void)
15   {
16       int arr1[SIZE] = { 60, 34, 55, 28, 12, 5, 63, 45, 91 };
17       int arr2[SIZE];
18       FILE* fp = NULL;
19
20       fp = fopen("test.dat", "wb");                      // 출력용 2진 파일을 연다.
21       if (fp == NULL) {
22           printf("출력용 파일 열기 실패\n");
23           return 1;
24       }
25       fwrite(arr1, sizeof(arr1[0]), SIZE, fp);           // arr1을 파일로 저장한다.
26       fclose(fp);
27       fp = NULL;     // 파일 포인터도 더 이상 사용되지 않으면 널 포인터로 만든다.
28
29       fp = fopen("test.dat", "rb");                      // 입력용 2진 파일을 연다.
30       if (fp == NULL) {                                  // fp를 다시 사용할 수 있다.
31           printf("입력용 파일 열기 실패\n");
32           return 1;
33       }
34       fread(arr2, sizeof(arr2[0]), SIZE, fp);            // 파일에서 arr2로 읽어온다.
35       fclose(fp);
36       fp = NULL;
37
```

```
38        if (is_equal_array(arr1, arr2, SIZE))       // arr1과 arr2가 같은지 비교한다.
39            printf("2진 파일 입출력 성공\n");
40        else
41            printf("2진 파일 입출력 실패\n");
42    }
```

실행 결과 ∎∎∎

2진 파일 입출력 성공

[예제 11-8]에서 주의할 점은 출력용 2진 파일에 저장한 다음에 반드시 파일을 닫아야 한다. 출력용 파일은 fclose 함수를 호출할 때 출력 버퍼가 파일로 저장된다. 따라서 출력 용 파일을 닫지 않고 같은 파일을 입력용 파일로 다시 열면 문제가 발생한다.

파일 포인터도 포인터이므로 파일을 닫은 후 널 포인터로 만드는 것이 안전하다.

```
fclose(fp);
fp = NULL;    // 파일 포인터도 더 이상 사용되지 않으면 널 포인터로 만든다.
```

(2) 파일의 임의 접근

파일 위치 지시자(file position indicator)는 입력과 출력이 수행되는 위치를 가리킨다. 입력용 파일이나 출력용 파일을 열면, 파일 위치 지시자는 파일의 시작 위치를 가리킨다. 파일을 추가 모드("a"나 "a+")로 연 경우에는 파일 위치 지시자가 파일의 끝 위치를 가리 킨다. 파일 연 다음에 입출력 함수를 호출할 때마다 파일 위치 지시자가 갱신된다.

일반적인 파일 입출력은 파일을 연 다음, 파일의 시작 위치부터 순차적으로 접근한다. 2 진 파일에 대하여 순차 접근이 아니라 **임의 접근(random access)**하려면 fseek 함수와 ftell 함수를 이용한다. fseek 함수와 ftell 함수의 원형은 다음과 같다.

```
int fseek(FILE* stream, long offset, int origin);
long ftell(FILE *stream);
```

fseek 함수는 파일에서 입출력을 수행할 위치를 조정한다. fseek 함수의 매개변수 중 *offset*에는 기준 위치로부터 몇 바이트 떨어진 위치인지를 지정하고, *origin*에는 기준 위치를 지정한다. 기준 위치로는 파일의 시작인 SEEK_SET, 현재 위치인 SEEK_CUR, 파일의 끝인 SEEK_END 세 가지가 있다.

ftell 함수는 파일 시작부터 파일 위치 지시자가 몇 바이트 떨어져 있는지를 리턴한다.

▶ **Quiz** ?

1. 표준 C 라이브러리의 파일 입출력 함수에서 공통적으로 사용되는 매개변수는?
   ① char 배열　　　② 형식 문자열　　　③ char 배열의 크기　　　④ FILE 포인터

2. fopen 함수로 파일을 3개 성공적으로 열었으면 fclose 함수는 몇 번 호출해야 할까?
   ① 0번　　　　　　② 1번　　　　　　③ 3번

3. 2진 파일 입출력을 수행하는 표준 C 라이브러리 함수를 모두 고르시오.
   ① fgets　　　② fputs　　　③ fscanf　　　④ fwrite　　　⑤ fread

4. 다음 중 fread 함수를 이용해서 파일로부터 읽어올 수 있는 것을 모두 고르시오.
   ① 정수 배열　　　② 문자열　　　③ 구조체 변수　　　④ 구조체 배열

E x e r c i s e   🔧 **연습 문제**

1. 입출력에 대한 설명 중 잘못된 것을 모두 고르시오.

① C에서는 표준 입출력과 파일 입출력을 같은 방식으로 처리할 수 있다.

② 스트림은 연속된 데이터 바이트의 흐름이다.

③ 프로그램은 스트림을 통해서 프로그램의 외부와 상호 작용을 한다.

④ 입출력에 스트림을 이용하기 때문에 장치 의존적이다.

⑤ 입출력 장치가 CPU에 비해 처리 속도가 빠르기 때문에 버퍼를 경유한 입출력 방식을 사용한다.

⑥ 입출력 버퍼는 스트림 내부에 있는 char 배열인 것처럼 생각할 수 있다.

⑦ 표준 스트림인 stdin, stdout, stderr는 프로그램 시작 시 직접 생성해야 한다.

⑧ gets_s, puts 함수는 형식화된 입출력 함수이다.

2. printf 함수의 형식 문자열에서 생략할 수 없는 필드는?

① flag 필드   ② width 필드

③ precision 필드   ④ type 필드

3. 다음 printf 함수의 출력 결과는?

```
int data = 0xabc;
printf("%#010x", data);
```

4. printf 함수의 형식 문자열에 지정하는 type 필드와 그 의미가 잘못된 것을 모두 고르시오.

	type 필드	의미
①	%d	10진수 정수로 출력한다.
②	%o	8진수 정수로 출력한다.
③	%u	부호 없는 정수로 출력한다.
④	%X	16진수 정수로 출력한다. 0~9, a~f를 이용한다.
⑤	%p	주소를 10진수로 출력한다.
⑥	%E	실수를 지수 표기로 출력한다.

5. 다음 scanf 함수의 리턴값을 이용한 에러 처리 코드이다. ___ 부분에 들어갈 코드를 작성하시오.

```
int lhs, rhs;
char op;
int result;
result = scanf("%d %c %d", &lhs, &op, &rhs);
if (_____)
    printf("입력 실패\n");
```

6. 표준 입력 스트림으로 입력을 처리하는 중에 에러가 발생하면 입력 버퍼를 비워주어야 입력을 새로 받을 수 있다. '\n'을 만날 때까지 입력 버퍼를 비우는 코드를 작성하시오.

7. 파일 입출력에 대한 설명 중 잘못된 것을 모두 고르시오.
   ① 데이터를 영구적으로 보관하려면 메모리에 저장해야 한다.
   ② 파일 입출력에는 파일 포인터가 필요하다.
   ③ 텍스트 파일의 내용은 일반 문서 편집기에서 확인할 수 없다.
   ④ 파일 스트림을 닫지 않으면 프로그램이 종료 시 파일이 안전하게 저장되지 않는다.
   ⑤ 파일 스트림을 닫은 후 파일 포인터를 사용하면 실행 에러가 발생한다.
   ⑥ 스트림에는 현재 입출력 위치를 나타내는 파일 위치 지시자가 있어서 파일 위치 지시자가 가리키는 위치에서 입출력이 수행된다.
   ⑦ 파일 스트림은 프로그램 시작 시 자동으로 생성된다.

8. fopen 함수의 파일 열기 모드와 그 의미를 찾아서 맞게 연결하시오.

열기 모드	파일이 존재하는 경우의 처리
(1) "r"	① 출력용 파일을 연다.
(2) "w"	② 파일 끝에 추가하기 위해서 파일을 연다
(3) "a"	③ 텍스트 파일을 연다.
(4) "b"	④ 입력용 파일을 연다.
(5) "t"	⑤ 바이너리 파일을 연다.

9. fopen 함수의 열기 모드와 파일이 존재하는 경우의 처리가 잘못 연결된 것은?

열기 모드	파일이 존재하는 경우의 처리
① "r"	파일을 처음부터 읽는다.
② "w"	파일 열기 실패
③ "a"	파일의 끝에 쓴다.
④ "a+"	파일의 끝에 쓴다.

10. 다음 중 2진 파일 입출력에 사용되는 함수가 아닌 것은?
    ① fread   ② fwrite   ③ ftell
    ④ ferror   ⑤ feof   ⑥ fputs

연습 문제

11. 다음은 date 구조체 배열 전체를 2진 파일로 저장하는 코드이다. ____부분에 필요한 코드를 작성하시오.

```c
#include <stdio.h>
struct date {
    int year, month, day;
};

int main(void)
{
    FILE* fp = NULL;
    struct date holidays[] = {
        {2022, 1, 1}, {2022, 3, 1}, {2022, 5, 5}, {2022, 6, 6},
    };
    int count = sizeof(holidays) / sizeof(holidays[0]);
    fp = fopen("holiday.dat", ①_____);
    ②_____
    fclose(fp);
}
```

12. 다음은 date 구조체 배열 전체를 텍스트 파일로 저장하는 코드이다. 파일에 저장되는 날짜는 "2022/1/1"처럼 저장되어야 한다. ___ 부분에 필요한 코드를 작성하시오.

```c
#include <stdio.h>
struct date {
    int year, month, day;
};

int main(void)
{
    FILE* fp = NULL;
    struct date holidays[] = {
        {2022, 1, 1}, {2022, 3, 1}, {2022, 5, 5}, {2022, 6, 6},
    };
    int count = sizeof(holidays) / sizeof(holidays[0]);
    int i;

    fp = fopen("holiday.txt", ①_____);
    ②_____
    fclose(fp);
}
```

1. 텍스트 파일의 이름을 입력받아서 파일의 내용을 라인 번호와 함께 출력하는 프로그램을 작성하시오. [텍스트 파일 입력/난이도 ★]

```
실행 결과

파일명? readme.txt
 1: A C program is a sequence of text files that contain declarations.
 2: They undergo translation to become an executable program,
 3: which is executed when the OS calls its main function.
```

2. 텍스트 파일의 이름을 입력받아서 파일 내의 모든 문자를 소문자로 변환해서 출력하는 프로그램을 작성하시오. [텍스트 파일 입력, 문자열 변환/난이도 ★]

```
실행 결과

파일명? readme.txt
a c program is a sequence of text files that contain declarations.
they undergo translation to become an executable program,
which is executed when the os calls its main function.
```

3. 텍스트 파일의 이름을 입력받아서 파일 내의 문자들에 대하여 영문자의 개수를 문자별로 세서 출력하는 프로그램을 작성하시오. 문자의 개수를 셀 때는 대소문자를 구분하지 않는다. [텍스트 파일 입력, 문자 처리/난이도 ★★]

```
실행 결과

파일명? readme.txt

a:14  b:2  c:10  d:3  e:18  f:3  g:3  h:6  i:10  l:6  m:4
n:12  o:11  p:2  q:1  r:7  s:9  t:15  u:5  w:2  x:3  y:1
```

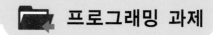

4. 아이디와 패스워드가 저장된 텍스트 파일을 크기가 10인 login_info 구조체로 읽어온 후 출력하는
   프로그램을 작성하시오. 텍스트 파일의 형식은 다음과 같다. [텍스트 파일 입력, 구조체/난이도 ★]

---

password.txt

---

quest idontknow
anonymous test1234
admin poweruser
user 10041004

> **실행 결과**   ■ ■ ■
>
> 4개의 로그인 정보를 읽었습니다.
> ID: quest   PW:idontknow
> ID: anonymous   PW:test1234
> ID: admin   PW:poweruser
> ID: user   PW:10041004

5. 4번 프로그램에서 패스워드 파일을 읽어온 다음, 입력받은 아이디와 패스워드가 일치하면 "로그인
   성공" 아니면 "로그인 실패"라고 출력하는 프로그램을 작성하시오. 아이디로 "."이 입력되면 프로
   그램을 종료한다. [텍스트 파일 입력, 구조체/난이도 ★★]

> **실행 결과**   ■ ■ ■
>
> 4개의 로그인 정보를 읽었습니다.
> ID? user
> Password? 10041004
> 로그인 성공
> ID? .

6. 2개의 텍스트 파일을 비교하는 프로그램을 작성하시오. [텍스트 파일 입력, 문자열 처리/난이도 ★★]

> **실행 결과**   ■ ■ ■
>
> 원본 파일? readme.txt
> 타겟 파일? readme.txt.bak
> 두 파일이 같습니다.

7. 시저 암호는 암호화하고자 하는 문자열의 각 알파벳에 암호 키를 더해서 다른 알파벳으로 치환하는 방식이다. 암호 키와 암호화할 텍스트를 입력받아 암호화한 다음 cipher.txt로 저장하는 프로그램을 작성하시오. [텍스트 파일 출력/난이도 ★★]

```
실행 결과                                              ■ ■ ■

암호 키? 3
암호화할 텍스트? hello world
^Z
```

8. 시저 암호로 암호화된 파일의 이름을 입력받아 입력받은 복호 키로 복호화한 다음 화면에 출력하는 프로그램을 작성하시오. [텍스트 파일 입력/난이도 ★★]

```
실행 결과                                              ■ ■ ■

복호화할 파일? cipher.txt
복호 키? -3
hello world
```

9. 크기가 1000인 정수형 배열에 0~999 사이의 임의의 정수를 생성해서 채운 다음 텍스트 파일과 2진 파일로 각각 저장하는 프로그램을 작성하시오. 저장된 파일을 문서 편집기에서 열어서 내용을 확인해보고 파일의 크기도 비교해본다. [텍스트 파일 출력, 2진 파일 출력/난이도 ★★]

```
실행 결과                                              ■ ■ ■

파일명? test
test.txt와 test.dat를 생성했습니다.
```

Programming Assignment

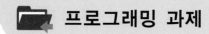

10. 다음과 같은 형식으로 날짜가 저장되어 있는 텍스트 파일을 date 구조체 배열로 읽은 다음, 2진 파일로 변환해서 저장하는 프로그램을 작성하시오. date 구조체는 int형의 연, 월, 일을 나타내는 멤버로 구성되며, date 구조체 배열은 최대 100개까지 읽어올 수 있다고 가정한다. [텍스트 파일 입력, 2진 파일 출력/난이도 ★★★]

---

dates.txt

```
2022 1 1
2022 3 1
⋮
```

실행 결과　　　　　　　　　　　　　　　　　　　　■ ■ ■

파일 이름? dates.txt
8개의 날짜 정보를 읽었습니다.
8개의 날짜 정보를 2진 파일 dates.dat로 저장했습니다.

C H A P T E R

12

전처리기와 분할 컴파일

12.1 전처리기

전처리기는 C/C++ 컴파일러에 내장된 프로그램으로 소스 파일을 컴파일하기 전에 미리 준비하는 기능을 제공한다. 즉, 전처리기가 수행된 후의 소스 파일은 원래의 소스 코드와 다른 파일이 되며, C/C++ 컴파일러는 이 파일로 컴파일을 수행한다.

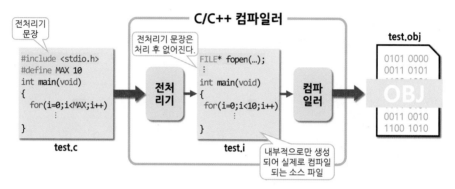

[그림 12-1]   전처리기의 역할

전처리기는 다른 파일을 포함(include)하거나, 소스 파일 내의 특정 문자열을 다른 문자열로 대치(replace)하거나, 조건에 따라서 코드의 일부를 컴파일하도록 또는 하지 않도록 선택하는 기능을 제공한다. 전처리기 문장은 '#'으로 시작하므로 쉽게 구별할 수 있다. 〈표 12-1〉은 전처리기 문장을 정리한 것이다.

〈표 12-1〉 전처리기 문장

전처리기 문장	기능
#define	매크로를 정의한다.
#undef	매크로 정의를 해제한다.
#include	헤더 파일을 포함한다.
#if	조건식이 참이면 #if와 #endif 사이의 코드 블록을 컴파일한다.
#ifdef	매크로가 정의된 경우에 #ifdef와 #endif 사이의 코드 블록을 컴파일한다.
#ifndef	매크로가 정의되지 않은 경우에 #ifndef와 #endif 사이의 코드 블록을 컴파일한다.
#else	#if, #ifdef, #ifndef와 결합되어 사용된다. #if, #ifdef, #ifndef는 반드시 #endif와 한 쌍을 이루어야 한다.
#elif	
#endif	

전처리기 문장	기능
#	문자열을 만든다.
##	토큰을 결합한다.
#error	에러 메시지를 출력하고, 컴파일을 멈춘다.

12.1.1 매크로

매크로는 #define문에 의해 정의되는 식별자로, 단순 매크로와 함수 매크로로 나눌 수 있다.

(1) 단순 매크로

단순 매크로는 특정값으로 정의되는 매크로이다. 매크로 상수가 바로 단순 매크로이다. 단순 매크로를 정의하는 형식은 다음과 같다.

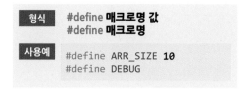

형식	`#define 매크로명 값` `#define 매크로명`
사용예	`#define ARR_SIZE 10` `#define DEBUG`

전처리기는 소스 코드에서 사용된 매크로 이름을 매크로의 값으로 대치한다. 이미 3장에서 매크로 상수를 정의하는 방법에 대하여 알아보았으므로 주의 사항만 다시 확인해보자.

정수형 상수뿐만 아니라 실수형 상수나 문자열 상수를 단순 매크로로 정의할 수 있다. 뿐만 아니라, 함수명이나 데이터형도 단순 매크로로 정의할 수 있다.

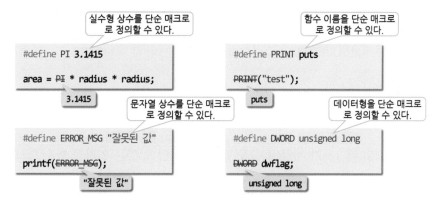

[그림 12-2] 여러 가지 단순 매크로

단순 매크로를 정의할 때, 값을 지정하지 않고 정의할 수도 있다. 다음은 Visual Studio 2022에서 안전성 관련 경고/에러 메시지를 표시하지 않게 만드는 매크로의 정의이다.

```
#define _CRT_SECURE_NO_WARNINGS     // _CRT_SECURE_NO_WARNINGS라는 매크로가 있다는 뜻
```

이렇게 값을 지정하지 않고 정의된 매크로는 조건부 컴파일에서 매크로가 정의되었는지 아닌지를 조건으로 테스트할 때 사용된다.

(2) 함수 매크로

함수 매크로(function-like macro)는 함수처럼 매개변수가 있는 매크로이다. 함수 매크로는 함수인 것처럼 사용되지만 실제로는 함수가 아니다. 전처리기는 함수 매크로가 사용되는 곳에 문자열 대치를 통해서 코드를 복사해서 넣어준다. 함수 매크로가 사용되는 곳에 코드를 복사해서 넣어주는 것을 **매크로 확장**이라고 한다.

■ 함수 매크로의 정의 및 사용

함수 매크로를 정의하는 형식은 다음과 같다.

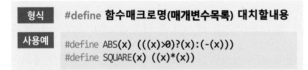

형식	#define **함수매크로명(매개변수목록) 대치할내용**
사용예	#define ABS(x) (((x)>0)?(x):(-(x))) #define SQUARE(x) ((x)*(x))

함수 매크로를 정의하려면 #define 다음에 함수 매크로명을 쓰고, ( ) 안에 매개변수 목록을 써준다. 함수 매크로의 매개변수는 함수의 매개변수가 아니므로 데이터형 없이 이름만 적어준다. ( ) 다음에는 함수 매크로를 대치할 내용을 써준다.

제곱을 구하는 SQUARE를 함수 매크로로 정의하면 다음과 같다.

```
#define SQUARE(x) x * x        // 함수 매크로의 정의
```

전처리기는 함수 매크로가 사용된 곳을 만나면, ( ) 안에 있는 인자를 함수 매크로의 매개변수에 매핑해서, 문자열 대치를 수행한다.

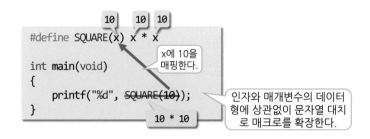

[그림 12-3] 함수 매크로의 확장

함수 매크로의 매개변수에는 데이터형이 없으므로 어떤 형의 값이든지 인자로 전달할 수 있다. 함수 매크로의 인자를 매개변수에 매핑해서 매크로를 확장한 결과가 올바른 문장이 아니면 컴파일 에러가 발생한다.

```
printf("%d\n", SQUARE(10));      // 10 * 10으로 처리
printf("%f\n", SQUARE(1.5));     // 1.5 * 1.5로 처리
printf("%d\n", SQUARE('a'));     // 'a' * 'a'로 처리 --> 97 * 97이라는 뜻
printf("%d\n", SQUARE("a"));     // "a" * "a"는 컴파일 에러
```

함수 매크로를 사용하는 코드는 함수 호출문이 아니므로, 인자와 매개변수의 데이터형을 검사하지 않는다. 또한 일반적인 함수 호출 과정이 수행되지 않는다. 전처리기는 함수 매크로가 사용되는 곳마다 문자열 대치로 정해진 코드를 생성하는데, 연산자 우선순위 때문에 의도와는 다른 코드가 생성될 수 있다.

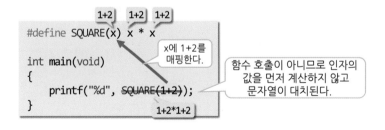

[그림 12-4] 매크로 확장 시 우선순위 문제

SQUARE(1+2)가 일반적인 함수 호출이라면 인자인 1+2를 먼저 계산한 다음에 함수를 호출할 것이다. 그런데 SQUARE(1+2)는 함수 매크로를 사용하는 코드이므로 1+2를 함수 매크로의 매개변수인 x에 매핑해서 매크로를 확장한다.

함수 매크로가 일반적인 함수 호출처럼 인자의 값부터 계산하게 하려면, **함수 매크로를 정의할 때 매개변수를 ( )로 감싸준다.** 또한 함수 매크로가 다른 수식 안에서 사용될 때 우선순위가 바뀔 수 있으므로, 매크로 코드 전체도 ( )로 감싸주는 것이 좋다.

```
#define SQUARE(x) ((x) * (x))        // 함수 매크로의 매개변수를 ( )로 감싸준다.
```

함수 매크로의 인자로 증감 연산식을 사용하면 의도와는 다른 코드가 생성될 수 있으므로 주의해야 한다. 함수 매크로의 코드에서 매개변수가 여러 번 사용되면 증감 연산식도 여러 번 수행되기 때문이다. 따라서 **함수 매크로의 인자로 증감 연산식을 사용하지 않는 것이 좋다.**

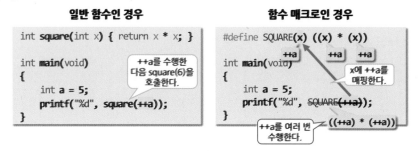

[그림 12-5] 함수 매크로의 인자로 증감 연산식을 사용하는 경우

일반적인 함수 호출에서는 인자와 매개변수의 데이터형이 같지 않으면, 인자를 매개변수의 데이터형으로 형 변환한다. 반면에 함수 매크로는 인자에 대해서 문자열 대치가 일어날 뿐, 실제로는 인자 전달이 일어나지 않기 때문에 데이터형 검사를 하지 않는다.

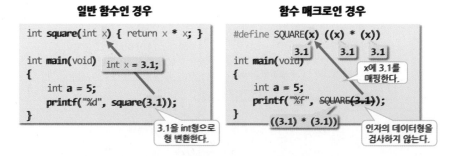

[그림 12-6] 함수 매크로의 인자는 형 검사를 하지 않는다.

[예제 12-1]은 함수 매크로를 정의하고 사용하는 코드이다. 일반적인 함수 호출과 비교할 수 있도록 일반 함수는 square, 함수 매크로는 SQUARE라는 이름으로 정의한다.

예제 12-1 : 함수 매크로의 정의 및 사용

```
01    #include <stdio.h>
02
03    #define SQUARE(x) ((x) * (x))              // 함수 매크로의 매개변수를 ( )로 감싸준다.
04
05    int square(int x)                          // 일반 함수로 정의한 square 함수
06    {   return x * x;   }
07
08    int main(void)
09    {
10        int a;
11        printf("SQUARE(10) = %d\n", SQUARE(10));           // 10 * 10으로 처리
12        printf("SQUARE(1.5) = %f\n", SQUARE(1.5));         // 1.5 * 1.5로 처리
13        printf("SQUARE(\'a\') = %d\n", SQUARE('a'));       // 'a' * 'a' --> 97 * 97
14        //printf("SQUARE(\"a\") = %d\n", SQUARE("a"));     // "a" * "a"는 컴파일 에러
15
16        printf("square(1+2) = %d\n", square(1+2));         // square(3)으로 처리
17        printf("SQUARE(1+2) = %d\n", SQUARE(1+2));         // ((1+2) * (1+2))로 처리
18
19        a = 5;
20        printf("square(++a) = %d\n", square(++a));         // square(6); 호출
21        a = 5;
22        printf("SQUARE(++a) = %d\n", SQUARE(++a));         // ((++a) * (++a)로 처리
23
24        printf("square(3.1) = %d\n", square(3.1));         // square(3)으로 처리
25        printf("SQUARE(3.1) = %f\n", SQUARE(3.1));         // ((3.1) * (3.1)) 로 처리
26    }
```

실행 결과

```
SQUARE(10) = 100
SQUARE(1.5) = 2.250000
SQUARE('a') = 9409
square(1+2) = 9
SQUARE(1+2) = 9
square(++a) = 36
SQUARE(++a) = 49      ←—— ++a가 두 번 수행되므로 7 * 7로 처리된다.
square(3.1) = 9
SQUARE(3.1) = 9.610000
```

[예제 12-1]의 14번째 줄의 주석을 제거하면, 함수 매크로 확장 후 "a" * "a"가 올바른 C 문장이 아니므로 컴파일 에러가 발생한다. 이때 C/C++ 컴파일러는 우리가 작성한 소스 코드가 아니라 매크로 확장 후 생성된 코드에 대한 에러 메시지를 표시하므로 알아보기가 쉽지 않다. 따라서 함수 매크로가 사용된 코드에서 컴파일 에러가 발생하면 주의해서 살펴 봐야 한다.

여러 문장으로 된 함수 매크로는 코드를 { }로 감싸주는 것이 좋다. 함수 매크로의 코드 가 여러 줄일 때는 각 줄의 맨 끝에 역슬래시(\)를 써준다. 전처리기는 매크로 확장 시 \를 만나면, 다음 줄의 코드를 현재 줄의 끝에 연결해준다. 이때, \ 다음에 //로 된 한 줄 주석 을 사용해서는 안된다. // 이후의 코드는 모두 주석으로 처리되기 때문이다.

[그림 12-7]를 보면 점의 좌표를 출력하는 PRINT_POINT 함수 매크로를 여러 줄에 걸 쳐 정의하고 있다. PRINT_POINT 매크로에는 문자열로 된 이름과 point 구조체를 인자로 지정한다. 즉, PRINT_POINT("pt1", pt1);처럼 사용하고, 그 결과로 "pt1 = (100, 200)"을 콘솔에 출력한다. 참고로 C/C++에서 문자열 리터럴을 여러 개 연속해서 사용하면 하나로 합쳐진다. 즉, "pt1" " = "은 "pt1 = "으로 처리된다.

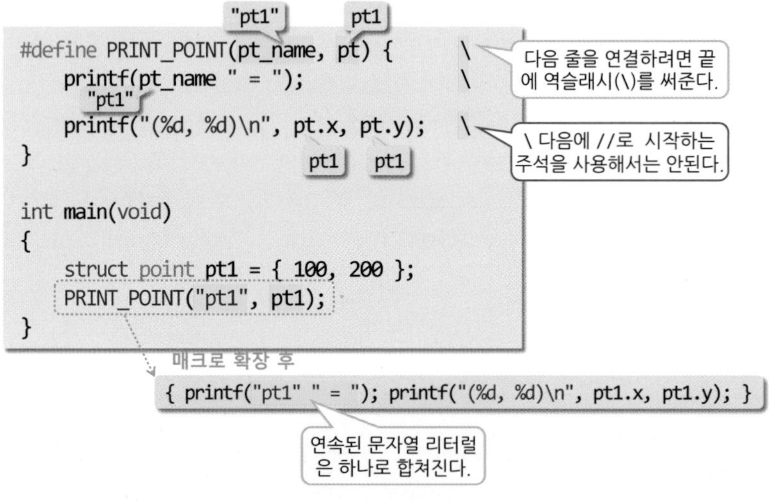

```
                        "pt1"        pt1
#define PRINT_POINT(pt_name, pt) {          \        다음 줄을 연결하려면 끝
    printf(pt_name " = ");                  \        에 역슬래시(\)를 써준다.
        "pt1"
    printf("(%d, %d)\n", pt.x, pt.y);       \        \ 다음에 //로 시작하는
}                              pt1   pt1             주석을 사용해서는 안된다.

int main(void)
{
    struct point pt1 = { 100, 200 };
    PRINT_POINT("pt1", pt1);
}
```

매크로 확장 후

```
{ printf("pt1" " = "); printf("(%d, %d)\n", pt1.x, pt1.y); }
```

연속된 문자열 리터럴 은 하나로 합쳐진다.

[그림 12-7] 여러 줄로 정의된 함수 매크로의 확장

■ 함수 매크로의 장단점

함수 매크로를 사용하면 실제로는 함수 호출이 일어나지 않으므로 **프로그램의 실행 속 도가 빨라진다.** 초기 버전의 C에서는 프로그램 성능을 개선하기 위한 목적으로 코드의 길

이가 짧고 간단한 함수를 함수 매크로로 정의하였다. 그런데 함수 매크로를 사용하면 전처리기가 매크로가 사용되는 부분을 다른 코드로 바꿔서 컴파일하기 때문에 **코드가 알아보기 힘들고, 디버깅도 어렵다.**

프로그램의 가독성이나 디버깅을 위해서는 함수 매크로보다 일반 함수로 정의하는 것이 좋다. 다행이도 C++언어나 C99이상에서는 함수 호출의 오버헤드를 줄일 수 있는 **인라인 함수**라는 기능이 제공되므로 성능상의 이유 때문에 함수 매크로를 사용할 필요는 없다.

하지만 함수 매크로를 이용하면 **매크로 확장으로 통해 일반 함수로는 구현할 수 없는 코드도 만들 수 있다.** 이런 이유로 라이브러리나 복잡한 프로그램에서 함수 매크로가 자주 사용된다.

 Further Study

전처리기 연산자

전처리기가 제공하는 특별한 연산자로 **문자열 만들기 연산자(stringizing operator)**와 **토큰 결합 연산자 (token-pasting operator)**가 있다.

문자열 만들기 연산자인 #은 # 다음에 오는 이름을 " "로 감싸서 문자열 리터럴로 만든다. # 다음에는 함수 매크로의 매개변수만 올 수 있다. 앞에서 정의한 PRINT_POINT 함수 매크로를 #을 이용해서 다음과 같이 다시 정의할 수 있다. 이 함수 매크로를 사용할 때는 point 구조체만 인자로 지정하면 된다.

```
                                    pt1
#define PRINT_POINT(pt) {                    \
    printf(#pt " = ");                       \
        "pt1"
    printf("(%d, %d)\n", pt.x, pt.y); \
}                                 pt1    pt1

int main(void)
{
    struct point pt1 = { 100, 200 };
    PRINT_POINT(pt1);
}
```

매개변수로 문자열을 만든다.

point 구조체만 인자로 지정한다.

매크로 확장 후
```
{ printf("pt1" " = "); printf("(%d, %d)\n", pt1.x, pt1.y); }
```

토큰 결합 연산자(token-pasting operator)인 ## 연산자는 토큰에 다른 토큰을 결합해서 새로운 토큰을 생성한다. ## 연산자의 좌변이나 우변에는 함수 매크로의 매개변수가 올 수 있는데, 먼저 매크로의 매개변수를 문자열 대치한 다음, 토큰을 결합한다.

continued

Further Study

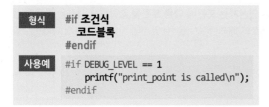

위의 그림에 정의된 DEF_RANGE_OF 매크로는 구조체형을 정의하는 매크로이다. DEF_RANGE_OF(int)처럼 매크로의 인자로 데이터형을 지정하면 int형으로 start~end 범위 정보를 저장하는 RANGE_OF_int 구조체형을 정의한다.

이처럼 전처리기 연산자를 이용하면 일반 함수로는 구현할 수 없는 특별한 코드를 매크로 확장으로 생성할 수 있다.

12.1.2 조건부 컴파일

전처리기의 조건부 컴파일은 특정 조건이 만족할 때만 코드 블록을 컴파일하게 만든다. 상황에 따라서 특정 코드를 컴파일하게 또는 컴파일하지 않게 만들 수 있으므로, 이식성 있는 코드를 개발하는 데 도움이 된다.

조건부 컴파일을 수행하게 하는 전처리기 문장으로는 #if, #endif, #else, #elif, #ifdef, #ifndef 등이 있다.

(1) #if, #else, #elif, #endif

#if와 #endif는 가장 기본적인 조건부 컴파일 기능을 제공한다. **#if 다음의 조건식이 참일 때만 #if와 #endif로 감싸여진 코드 블록을 컴파일한다.** #if와 #endif의 기본적인 형식은 다음과 같다.

형식	```#if 조건식```
	``` 코드블록```
	```#endif```

사용예	```#if DEBUG_LEVEL == 1```
	``` printf("print_point is called\n");```
	```#endif```

#if의 조건식에는 매크로를 정수값과 비교하는 관계 연산자가 주로 사용된다. 그 밖에도 사칙 연산자, 논리 연산자 등이 사용될 수 있다. #if의 조건식의 피연산자로는 매크로 이름만 사용할 수 있으며 변수는 사용할 수 없다.

```
#define WINVER 0xA00        // Windows 10인 경우 WINVER는 0xA00으로 정의된다.

#if WINVER >= 0x600         // #if의 조건식에는 매크로만 사용할 수 있다.
    printf("Above Windows Vista\n");
    // Windows Vista 이상에서만 사용할 수 있는 함수를 호출하는 코드
#endif
```

#if의 조건식에서는 정수식만 사용할 수 있다. 매크로를 실수값이나 문자열과 비교하면 컴파일 에러가 발생한다.

```
#define RATE 0.5
#if RATE >= 0.1             // 실수값은 #if의 조건식에 사용할 수 없다.
    printf("RATE가 0.1이상인 경우\n");
#endif
```

#if에는 반드시 짝이 되는 #endif가 필요하며, #else를 함께 사용할 수도 있다. #if은 C 문장이 아니므로, #if와 #else, #else와 #endif 사이의 코드 블록은 { }로 묶어줄 필요가 없다. 다음 코드는 TEST가 2보다 큰 값으로 정의된 경우에는 #if와 #else 사이의 코드 블록을 컴파일하고, 그렇지 않으면 #else와 #endif 사이의 코드 블록을 컴파일한다. #if, #else, #endif에서는 #if 다음의 코드 블록과 #else 다음의 코드 블록 중 반드시 하나만 컴파일된다.

```
#if TEST > 2               // #if와 #else, #endif 사이의 코드 블록은 { }로 묶어줄 필요가 없다.
    printf("this is printed when TEST is greater than 2\n");
#else                      // #else를 함께 사용할 수 있다.
    printf("this is printed when TEST is less equal than 2\n");
#endif
```

#else에서 다른 조건식을 다시 검사하려면 #elif를 사용한다. 다음 코드는 DEBUG_LEVEL 매크로의 값에 따라 print_point 함수 호출 시 디버깅 정보를 출력한다. DEBUG_

LEVEL이 1이면, 호출된 함수명만 출력하고, 2면 함수명과 매개변수 ptr의 값을 출력한다.
3이면 함수명과 매개변수 ptr, ptr이 가리키는 point 구조체의 값을 출력한다. DEBUG_
LEVEL이 1~3 사이의 값이 아니면 디버깅 정보는 출력하지 않는다.

```
void print_point(const struct point* ptr)
{
#if DEBUG_LEVEL == 1                      // 호출된 함수명만 출력
    printf("print_point is called\n");
#elif DEBUG_LEVEL == 2                    // 호출된 함수명과 ptr 출력
    printf("print_point: ptr = %p\n", ptr);
#elif DEBUG_LEVEL == 3                    // 호출된 함수명과 ptr, ptr의 멤버 출력
    printf("print_point: ptr = %p, ptr->x = %d, ptr->y = %d\n", ptr, ptr->x, ptr->y);
#endif
    printf("(%d, %d)\n", ptr->x, ptr->y);
}
```

[예제 12-2]는 #if, #elif, #endif를 이용해서 함수 호출 시 디버깅 정보를 출력하는 코드
이다. DEBUG_LEVEL 매크로의 값에 따라 print_point 함수가 출력하는 디버깅 정보가 달
라진다.

예제 12-2 : #if를 이용한 조건부 컴파일

```
01    #include <stdio.h>
02
03    #define DEBUG_LEVEL 1                 // 디버깅 정보로 호출된 함수명만 출력한다.
04
05    struct point {
06        int x, y;
07    };
08    void print_point(const struct point* ptr);
09
10    int main(void)
11    {
12        struct point arr[3] = { {10, 20}, {30, 40}, {50, 60} };
13        int i;
14        for (i = 0; i < 3; i++)
```

```
15          print_point(&arr[i]);
16    }
17
18    void print_point(const struct point* ptr)
19    {
20    #if DEBUG_LEVEL == 1                         // 호출된 함수명만 출력
21        printf("print_point is called\n");
22    #elif DEBUG_LEVEL == 2                       // 호출된 함수명과 ptr 출력
23        printf("print_point: ptr = %p\n", ptr);
24    #elif DEBUG_LEVEL == 3                       // 호출된 함수명과 ptr, ptr의 멤버 출력
25        printf("print_point: ptr = %p, ptr->x = %d, ptr->y = %d\n", ptr, ptr->x, ptr->y);
26    #endif
27        printf("(%d, %d)\n", ptr->x, ptr->y);   // 이 부분만 실제 함수 코드이다.
28    }
```

실행 결과: DEBUG_LEVEL이 1로 정의된 경우

```
print_point is called          디버깅 정보로 호출된 함수명만
(10, 20)                       출력된다.
print_point is called
(30, 40)
print_point is called
(50, 60)
```

[예제 12-2]에서 DEBUG_LEVEL을 2나 3으로 정의하면 추가적인 디버깅 정보가 출력된다. DEBUG_LEVEL 매크로가 정의되지 않은 경우에는 디버깅 정보가 출력되지 않는다.

실행 결과 : DEBUG_LEVEL이 3으로 정의된 경우

```
print_point: ptr = 0076FD50, ptr->x = 10, ptr->y = 20    디버깅 정보로 호출된 함수명, ptr의 값, ptr이
(10, 20)                                                 가리키는 point 구조체의 값이 모두 출력된다.
print_point: ptr = 0076FD58, ptr->x = 30, ptr->y = 40
(30, 40)
print_point: ptr = 0076FD60, ptr->x = 50, ptr->y = 60
(50, 60)
```

#if와 #endif는 특정 코드를 컴파일하지 않도록 만들 때도 자주 사용된다. 코드 블록을 #if 0과 #endif로 감싸면 코드를 주석 처리하는 것과 동일한 효과를 줄 수 있다. #if 0과

#endif는 /* */ 주석을 포함하고 있는 문장도 컴파일하지 않게 만들 수 있다. 다시 코드를 컴파일하게 만들려면 #if 0에서 #if 1로 변경하면 된다.

```
for (i = 0; i < 3; i++) {
#if 0
    printf("arr[%d] = ", i);
#endif
    print_point(&arr[i]);
}
```
컴파일하지 않는다.

```
for (i = 0; i < 3; i++) {
#if 1
    printf("arr[%d] = ", i);
#endif
    print_point(&arr[i]);
}
```
컴파일한다.

[그림 12-8]   #if 0, #endif을 이용한 주석 처리

(2) #ifdef, #ifndef

#ifdef는 매크로가 정의된 경우에 #ifdef와 #endif 사이의 코드 블록을 컴파일한다. #ifndef는 매크로가 정의되지 않은 경우에 #ifndef와 #endif 사이의 코드 블록을 컴파일한다. 즉, #ifdef는 'if defined'라는 뜻이고, #ifndef는 'if not defined'라는 뜻이다.

형식	#ifdef 매크로명 코드블록 #endif
사용예	#ifdef INT_COORD typedef int coord_t; #else typedef double coord_t; #endif

#ifdef와 함께 사용되는 매크로는 특정 조건이 만족되었는지를 나타낸다. 이 매크로는 #define으로 정의하거나 컴파일 옵션을 이용해서 정의할 수 있다.

예를 들어 점의 좌표로 정수 좌표를 사용하는 시스템도 있고, 실수 좌표를 사용하는 시스템도 있다고 가정해보자. 정수 좌표를 사용하는 point 구조체와 실수 좌표를 사용하는 point 구조체를 별도의 소스 코드로 작성하는 대신 조건부 컴파일을 이용해서 하나의 소스 코드로 작성할 수 있다. 먼저 좌표형을 coord_t라는 이름으로 정의한다. #ifdef를 이용해서 INT_COORD 매크로가 정의된 경우에는 int를 coord_t로, INT_COORD 매크로가 정의되지 않은 경우에는 double을 coord_t로 정의한다.

```
#ifdef INT_COORD            // 정수 좌표를 사용한다는 의미의 INT_COORD가 정의된 경우
typedef int coord_t;
#else                       // 그렇지 않은 경우(실수 좌표 사용)
typedef double coord_t;
#endif
```

그 다음, point 구조체의 정의와 point 구조체 관련 코드에서 좌표형으로 coord_t를 사용한다. 좌표형이 정수인지 실수인지에 따라서 다르게 처리해야 하는 코드는 #ifdef를 이용해서 작성한다. 예를 들어 좌표형에 따라 print_point 함수에서 사용되는 형식 문자열의 서식 지정자가 다르므로 조건부 컴파일을 사용해서 코드를 작성한다.

```
typedef struct point {
    coord_t x, y;           // 좌표형으로 coord_t를 사용한다.
} point_t;

void print_point(const point_t* ptr)
{
#ifdef INT_COORD            // 좌표형에 따라 다르게 처리할 코드는 조건부 컴파일을 사용한다.
    const char* format = "(%d, %d)";
#else
    const char* format = "(%.2f, %.2f)";
#endif
    printf(format, ptr->x, ptr->y);
}
```

이런 식으로 point 구조체와 관련 코드를 작성하면, 하나의 소스 파일로 정수 좌표를 사용하는 실행 파일과 실수 좌표를 사용하는 실행 파일을 모두 생성할 수 있다. 즉, 하나의 소스 파일을 컴파일만 다시 해서 실행 파일을 두 가지 버전으로 생성할 수 있다. [그림 12-9]처럼 조건부 컴파일과 typedef를 이용하면 여러 플랫폼에 대하여 이식성 있는 코드를 작성할 수 있다.

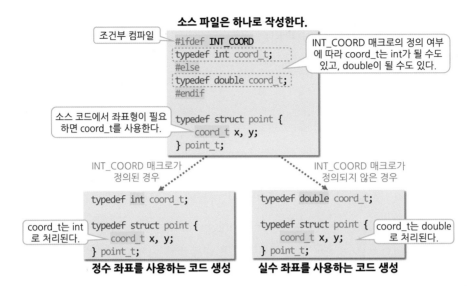

[그림 12-9] 조건부 컴파일과 이식성

[예제 12-3]은 정수 좌표와 실수 좌표 양쪽 모두로 처리될 수 있는 point 구조체를 정의하는 코드이다. 이 코드에서는 #ifdef를 이용한 조건부 컴파일과 typedef문이 함께 사용된다.

예제 12-3 : 조건부 컴파일을 이용한 point 구조체의 정의

```
01    #include <stdio.h>
02
03    #define INT_COORD              // INT_COORD 매크로가 정의되면 정수 좌표를 사용한다는 뜻
04
05    #ifdef INT_COORD               // 정수 좌표를 사용한다는 의미의 INT_COORD가 정의된 경우
06    typedef int coord_t;
07    #else                          // 그러지 않은 경우(실수 좌표 사용)
08    typedef double coord_t;
09    #endif
10
11    typedef struct point {
12        coord_t x, y;              // 좌표형으로 coord_t를 사용한다.
13    } point_t;
14
15    void print_point(const point_t* ptr)
16    {
17    #ifdef INT_COORD               // 좌표형에 따라 다르게 처리할 코드는 조건부 컴파일을 사용한다.
```

```
18        const char* format = "(%d, %d)";
19    #else
20        const char* format = "(%.2f, %.2f)";
21    #endif
22        printf(format, ptr->x, ptr->y);
23    }
24
25    int main(void)
26    {
27        point_t pt1 = { (coord_t)12.34, (coord_t)56.78 };
28        print_point(&pt1);
29    }
```

실행 결과

(12, 56) ◄── INT_COORD 매크로가 정의된
             경우에는 정수 좌표를 사용한다.

[예제 12-3]에서 INT_COORD 매크로를 정의하는 코드를 주석 처리하고 다시 컴파일
하면 실수 좌표를 사용하는 point 구조체에 대한 실행 파일이 생성된다.

실행 결과

(12.34, 56.78) ◄── INT_COORD 매크로가 정의되지
                    않은 경우에는 실수 좌표를 사용한다.

 Quiz

1. 함수처럼 매개변수가 있는 매크로를 무엇이라고 하는가?

　① 단순 매크로　　② 매크로 상수　　③ 함수 매크로　　④ 함수 포인터

2. 함수 매크로의 매개변수에 대한 설명 중 틀린 것은?

　① 함수 매크로의 매개변수는 데이터형이 없다.

　② 연산자 우선순위 문제가 생길 수 있으므로 ( )로 감싸서 사용해야 한다.

　③ 함수 매크로의 인자로 증감식을 전달하면 문제가 생길 수 있다.

　④ 함수 매크로의 인자는 매개변수로 전달될 때 형 변환된다.

12.2 변수의 기억 부류

12.2.1 변수의 특성

지금까지는 변수를 선언할 때 변수의 데이터형, 이름, 초기값만을 사용하였다. 그런데 데이터형 외에도 **변수의 특성으로 영역, 생존 기간, 연결 특성이 있다.**

　변수의 영역(scope)은 변수가 사용될 수 있는 범위를 말한다. 변수의 영역은 블록 범위와 파일 범위로 나눌 수 있다. 블록 범위 안에 선언된 지역 변수는 해당 블록에서만 사용될 수 있다. 함수 밖에 선언된 전역 변수는 파일 범위에서 사용될 수 있다.

　변수의 생존 기간(lifetime)은 변수가 언제 생성되고 소멸되는지를 의미한다. 변수가 메모리에 할당되는 것을 변수의 생성이라고 하고, 변수의 메모리가 해제되는 것을 변수의 소멸이라고 한다. 생존 기간에 따라 변수를 분류하면, 자동 할당 변수와 정적 할당 변수, 동적 할당 변수로 나눌 수 있다.

　자동 할당(static memory allocation) 변수는 블록에 들어갈 때 변수가 메모리에 할당되고 블록을 빠져나갈 때 메모리가 해제된다. 자동 할당 변수는 메모리의 스택(stack) 영역에 할당된다. 지역 변수가 바로 자동 할당 변수이다.

　반면에 **정적 할당(static memory allocation) 변수**는 프로그램이 시작될 때 변수가 메모리에 할당되고, 프로그램이 종료될 때 메모리가 해제된다. 이 변수는 정적 메모리(static memory) 영역에 할당된다. 전역 변수와 static 지역 변수가 정적 할당 변수에 해당된다.

　동적 할당(dynamic memory allocation) 변수는 프로그래머가 원하는 시점에 변수를 메모리에 할당하고, 원하는 시점에 해제할 수 있다. 동적으로 할당된 변수는 메모리의 힙(heap) 영역에 할당된다. 변수를 메모리에 할당할 때는 malloc 함수를, 메모리를 해제할 때는 free 함수를 이용한다.

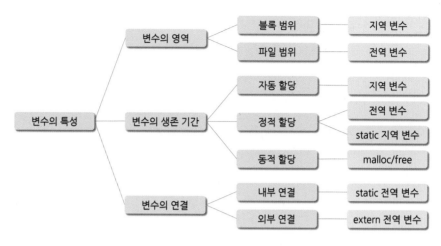

[그림 12-10] 변수의 특성

변수의 연결 특성(linkage)은 변수를 하나의 소스 파일에서만 사용할 수 있을지, 프로그램 전체에서 사용할 수 있는지를 결정한다. 지역 변수는 연결 특성을 갖지 않고 전역 변수만 연결 특성을 가질 수 있는데, 내부 연결과 외부 연결로 구분할 수 있다.

내부 연결(internal linkage)는 전역 변수를 하나의 소스 파일에서만 사용하도록 제한하는 것이다. static 전역 변수가 바로 내부 연결 특성을 갖는다.

외부 연결(external linkage)는 전역 변수를 프로그램 전체에서 사용할 수 있게 만든다. 전역 변수는 디폴트로 외부 연결 특성을 갖는다. 하지만 다른 소스 파일에서 자동으로 전역 변수를 참조할 수 있는 것은 아니다. 다른 소스 파일에 선언된 전역 변수를 참조하려면 전역 변수에 대한 extern 선언이 필요하다

기억 부류 지정자(storage class specifier)는 변수의 생존 기간과 연결 특성에 영향을 주기 위한 키워드로, auto, register, static, extern 네 가지가 있다. 이 중 auto와 register는 지역 변수에만 사용할 수 있다. static과 extern은 함수에도 적용할 수 있다. 기억 부류 지정자는 변수 선언문이나 함수 선언문의 맨 앞에 써준다.

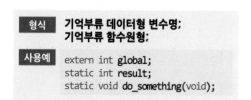

기억 부류 지정자 중에서 auto와 register는 거의 사용되지 않는다. extern과 static은 대규모의 프로젝트나 복잡한 프로그램에서 자주 사용되므로, 이 두 가지에 대하여 자세히 알아보도록 하자.

 Further Study

auto와 register 기억 부류 지정자

지역 변수는 디폴트로 auto로 간주되므로 auto를 따로 지정할 필요가 없다. register는 변수를 메모리에 할당하는 대신 CPU의 레지스터에 할당한다. 변수를 레지스터에 할당하면 변수에 빠르게 접근할 수 있으므로 자주 반복적으로 사용되는 변수를 register로 선언할 수 있다.

어떤 변수를 register로 지정할지에 대해서는 크게 고민할 필요가 없다. 대부분의 C/C++ 컴파일러는 코드 최적화 단계에서 자동으로 레지스터 변수를 설정하는 기능을 제공하기 때문이다. 따라서 **auto와 register 키워드는 거의 사용되지 않는다**.

12.2.2 extern

변수를 선언하면 변수의 데이터형과 이름을 알려주면서, 메모리를 할당하고 초기화한다. 그런데 **변수를 extern으로 선언하면, '~형의 ~이라는 변수가 있다.'라고 알려주지만, 메모리를 할당하지는 않는다.** 변수의 extern 선언은 메모리를 할당하지 않으므로 여러 번할 수 있다.

(1) 전역 변수의 전방 선언

extern은 지역 변수에는 사용할 수 없고, 전역 변수에만 사용할 수 있다. extern 선언이 유용하게 사용되는 경우가 바로 **전방 선언(forward declaration)**이다.

전역 변수를 소스 파일의 시작 부분이 아닌 중간 부분에 선언하면, 전역 변수의 선언문 다음에 있는 함수에서만 전역 변수를 사용할 수 있다. 이때, 소스 파일의 시작 부분에 전역 변수의 extern 선언을 넣어주면, 전역 변수가 선언된 위치에 관계없이 전역 변수를 사용할 수 있다. 즉, **전역 변수의 extern 선언은 전역 변수의 사용 범위를 확장한다.**

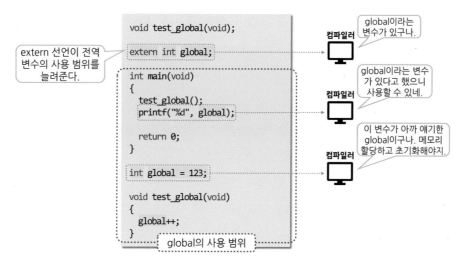

[그림 12-11] 전역 변수의 전방 선언

(2) 다른 소스 파일에 선언된 전역 변수의 사용

전역 변수는 기본적으로 전역 변수가 선언된 소스 파일 범위에서 사용할 수 있다. [그림 12-12]처럼 **다른 소스 파일에 선언된 전역 변수를 사용하려면 전역 변수의 extern 선언이 필요하다.**

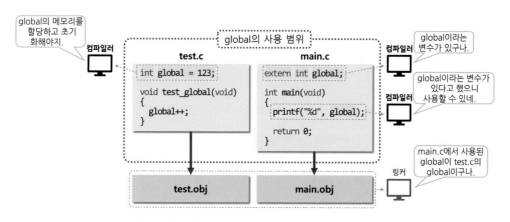

[그림 12-12] 다른 파일에 선언된 전역 변수의 사용

같은 프로그램 내의 소스 파일이 여러 개일 때는 **소스 파일마다 전역 변수의 extern 선언이 필요하다.** 특정 소스 파일에 전역 변수의 extern 선언이 없으면 그 파일에서는 전역 변수를 사용할 수 없다. 반면에, **전역 변수에 대한 메모리 할당 및 초기화는 프로그램 전체에서 한번만 이루어져야 한다.**

참고로 전역 변수는 디폴트로 외부 연결 특성을 갖는다. 따라서 전역 변수 선언문에는 extern이 생략된 것으로 볼 수 있다. 즉, extern 키워드를 쓰더라도 초기화를 하면 전역 변수에 대한 메모리가 할당된다.

```
int global = 123;        // extern int global = 123;과 같은 문장이다.(메모리 할당 및 초기화)
```

메모리는 할당하지 않고 '~라는 변수가 있다.'라고 알려주기 위해서 extern 선언을 할 때는 초기화해서는 안된다.

```
extern int global;        // 전역 변수의 extern 선언 (메모리는 할당하지 않는다)
```

12.2.3 static

기억 부류 지정자인 static의 용도는 세 가지로 구분할 수 있다.

- **static 지역 변수**: 지역 변수가 프로그램 시작 시 생성되고, 프로그램 종료 시 소멸되게 만든다.
- **static 전역 변수**: 전역 변수가 선언된 소스 파일에서만 사용되도록 제한한다.
- **static 함수**: 함수가 정의된 소스 파일에서만 사용되도록 제한한다.

(1) static 지역 변수

지역 변수를 static으로 선언하면 전역 변수처럼 프로그램이 시작할 때 메모리에 할당되고 프로그램이 종료할 때 해제된다. 하지만 전역 변수와는 다르게 static 지역 변수는 선언된 함수 안에서만 사용할 수 있다.

static 지역 변수는 함수가 리턴해도 사라지지 않는다. 따라서 어떤 함수가 여러 번 호출되는 동안 이전 호출에서 만들어진 값을 다음 번 호출에도 사용하려면, static 지역 변수로 선언한다.

static 지역 변수가 사용되는 경우를 알아보기 위해, 누산기 기능을 수행하는 accumulator 함수를 정의한다고 해보자. 일반 계산기는 '10+20'처럼 피연산자를 2개 지정하는 데 비해, 누산기는 이전 연산의 결과를 lhs로 사용해서 연산을 수행한다.

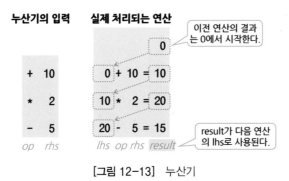

[그림 12-13] 누산기

[예제 12-4]는 누산기 기능을 제공하는 accumulator 함수를 정의하고 사용하는 코드이다.

예제 12-4 : 누산기 기능을 제공하는 accumulator 함수의 정의 및 사용

```
01    #define _CRT_SECURE_NO_WARNINGS       // Visual Studio 2022에서 scanf 사용 시 필요
02    #include <stdio.h>
03
04    void accumulator(char op, int rhs);
05
06    int main(void)
07    {
08        while (1) {
09            char op;
10            int num;
11            printf("연산자와 정수를 입력하세요(. 0 입력시 종료): ");
12            scanf(" %c %d", &op, &num);
13            if (op == '.' && num == 0)
14                break;
15            accumulator(op, num);
16        }
17    }
18
19    void accumulator(char op, int rhs)
20    {
21        static int result = 0;          // 프로그램 시작 시 한번만 생성되고 초기화된다.
22        printf("%d ", result);          // 이전 연산의 결과값을 lhs로 사용한다.
23        switch (op) {
24        case '+':
25            result += rhs;      break;
```

```
26        case '-':
27            result -= rhs;        break;
28        case '*':
29            result *= rhs;        break;
30        case '/':
31            result /= rhs;        break;
32        default:
33            return;
34        }
35        printf("%c %d = %d\n", op, rhs, result);
36    }    // 함수가 리턴해도 result는 사라지지 않고 남아서 다음 번 함수 호출에 이용된다.
```

실행 결과

```
연산자와 정수를 입력하세요(. 0 입력시 종료): + 10
0 + 10 = 10
연산자와 정수를 입력하세요(. 0 입력시 종료): * 2
10 * 2 = 20
연산자와 정수를 입력하세요(. 0 입력시 종료): - 5
20 - 5 = 15
연산자와 정수를 입력하세요(. 0 입력시 종료): . 0
```

[예제 12-4]의 accumulator 함수에서 result를 일반 지역 변수로 선언하면, result는 accumulator 함수가 호출될 때마다 매번 다시 생성되고 0으로 초기화되므로 누산기 기능을 구현할 수 없다.

result를 전역 변수로 선언해서 누산기 기능을 구현할 수도 있다. 하지만 result를 전역 변수로 선언하면, 다른 함수에서도 result를 읽어보거나 변경할 수 있게 된다. 반면에 result 변수를 accumulator 함수의 static 지역 변수로 선언하면, result의 사용 범위가 accumulator 함수로 제한된다.

일반적으로 변수의 사용 범위가 좁을수록 프로그램의 가독성이 좋아지고, 모듈화가 잘 이루어진다. 따라서 전역 변수는 꼭 필요한 경우가 아니면 사용하지 않는 것이 좋다.

(2) static 전역 변수와 static 함수

전역 변수는 디폴트로 외부 연결 특성을 갖는다. 따라서 전역 변수의 extern 선언만 있으면 다른 소스 파일에 선언된 전역 변수를 사용할 수 있다. 그런데 전역 변수를 static으로 선언하면, 전역 변수가 선언된 소스 파일에서만 사용할 수 있게 전역 변수의 사용 범위가 제한된다.

함수도 마찬가지이다. 함수도 디폴트로 외부 연결 특성을 갖는다. 따라서 다른 소스 파일에 정의된 함수도 함수 선언만 있으면 호출할 수 있다. 그런데 함수를 static으로 선언(정의)하면, 함수가 정의된 소스 파일에서만 사용할 수 있게 함수의 사용 범위가 제한된다. static 함수는 함수의 선언 또는 정의에 static 키워드를 지정한다.

이처럼 **static 키워드는 전역 변수의 선언이나 함수의 선언(정의)과 함께 사용되어 전역 변수나 함수의 사용 범위를 제한한다.** 즉, static 전역 변수나 static 함수가 정의된 소스 파일 밖에서는 해당 변수나 함수를 사용할 수 없게 만든다.

함수와 전역 변수를 사용하기 위한 가이드라인을 정리하면 다음과 같다.

① 소스 파일은 기능 단위로 나누어 작성한다. 관련된 함수와 전역 변수를 모아서 소스 파일을 구성한다. 소스 파일명도 의미 있는 이름으로 정하는 것이 좋다.

② 소스 파일에서 외부로 노출해야 하는 함수나 전역 변수는 extern으로 선언한다. 이때 extern 키워드는 생략할 수 있다. 프로그램의 나머지 부분에서 전역 변수를 사용하려면 전역 변수의 extern 선언이 필요하다. 프로그램의 나머지 부분에서 함수를 사용하려면 함수의 선언이 필요하다.

③ 소스 파일 내부에서만 사용되는 함수나 전역 변수는 static으로 선언한다.

▶ **Quiz** ❓

1. 변수의 생존 기간과 연결 특성에 영향을 주기 위한 키워드를 무엇이라고 하는가?
   ① 변수의 속성　　　　② 변수의 데이터형　　　　③ 변수의 초기값　　　　④ 기억 부류 지정자

2. 전역 변수의 사용 범위를 다른 소스 파일까지 확장시켜주는 기억 부류 지정자는?
   ① auto　　　　② register　　　　③ static　　　　④ extern

3. 지역 변수가 프로그램 시작 시 생성되고 프로그램 종료 시 소멸되게 만드는 기억 부류 지정자는?
   ① auto　　　　② register　　　　③ static　　　　④ extern

12.3 분할 컴파일

C 프로그램은 여러 개의 소스 파일로 나누어 작성하는 것이 일반적이다. 지금까지 작성한 코드는 비교적 간단했기 때문에 하나의 소스 파일에 모든 코드를 작성하였다. 작성할 코드의 양이 많거나 여러 사람이 공동으로 개발하는 경우에는 소스 파일을 여러 개로 나누어서 프로그램을 작성해야 한다.

소스 파일을 나누어 작성할 때는 관련된 함수나 변수를 하나의 파일로 모아서 작성하는 것이 좋다. 관련된 코드를 한 곳에 모아두면 유지·보수하기가 쉬워지기 때문이다. 이렇게 관련된 내용을 모아서 소스 파일을 작성하면, 한 소스 파일에서 다른 소스 파일에 있는 코드를 참조해야 하는 경우가 생긴다. 이때 헤더 파일을 사용한다.

헤더 파일은 서로 다른 소스 파일 사이에서 필요한 정보를 공유할 수 있게 만들어준다. 헤더 파일은 확장자 .h를 사용하는 파일로, 소스 파일에 정의된 함수나 전역 변수를 사용하는 데 필요한 정보를 헤더 파일에 넣어 준다.

헤더 파일을 사용하려면 전처리기 문장인 #include가 필요하다. 먼저 #include의 사용 방법을 알아본 다음, 헤더 파일에는 어떤 내용을 넣어주어야 하는지 알아보자.

12.3.1 #include

확장자가 .h인 헤더 파일은 C/C++ 컴파일러에 의해서 직접 컴파일되지 않는다. 대신 **전처리기는 #include가 지정한 헤더 파일의 내용을 #include가 사용된 위치로 복사해서 넣어준다.** 전처리기가 수행된 다음, C/C++ 컴파일러는 헤더 파일이 포함된 상태로 소스 파일을 컴파일한다.

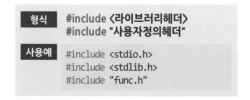

형식	#include <라이브러리헤더>
	#include "사용자정의헤더"
사용예	#include <stdio.h>
	#include <stdlib.h>
	#include "func.h"

#include 다음에 〈 〉 안에 헤더 파일명을 써주면, 전처리기는 C/C++ 컴파일러의 포함 경로(include path)에서 헤더 파일을 찾는다. 포함 경로는 컴파일러가 제공하는 표준 라이브러리의 헤더 파일이 모여 있는 디렉터리이다. 따라서 stdio.h나 stdlib.h, string.h처럼 표

준 C 라이브러리 헤더 파일을 포함할 때는 〈 〉를 사용해야 한다.

```
#include <stdio.h>      // 표준 C 라이브러리 헤더를 포함한다.
#include <string.h>
```

" " 안에 헤더 파일명을 써주면, 전처리기는 소스 파일이 있는 디렉터리에서 헤더 파일을 찾는다. 소스 파일이 있는 디렉터리에 헤더 파일이 없으면 컴파일러의 포함 경로를 검색하고, 그래도 파일을 찾을 수 없으면 컴파일 에러가 발생한다. " "는 사용자 정의 헤더를 포함할 때 사용되는데, 개발자가 직접 만든 헤더 파일을 사용자 정의 헤더라고 한다.

```
#include "func.h"       // 사용자 정의 헤더를 포함한다.
```

12.3.2 헤더 파일의 구성

[그림 12-14]는 프로그램을 여러 개의 소스 파일로 나누어 작성할 때, 헤더 파일과 소스 파일에 들어갈 내용을 정리한 것이다.

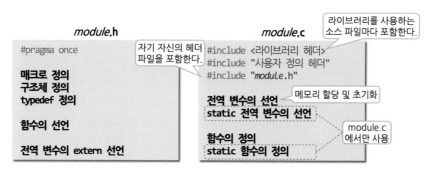

[그림 12-14] 헤더 파일과 소스 파일의 구성

이제 헤더 파일에 들어갈 내용에 대하여 구체적으로 알아보자.

(1) 함수의 선언

분할 컴파일을 하려면 우선 main 함수를 별도의 소스 파일로 분리하는 것이 좋다. 보통은 main.c라는 이름으로 소스 파일을 만들고, 그 안에 main 함수를 정의한다. 그 다음, **관**

련된 함수들을 모아서 여러 개의 소스 파일로 나누어 작성한다. 이때 소스 파일 이름도 의미 있는 이름을 선택하는 것이 좋다.

예를 들어 main 함수가 정의된 main.c와 배열에 관련된 함수들을 모아서 array.c라는 소스 파일로 프로그램을 나누어 작성한다고 해보자. main.c에서 array.c에 정의된 print_array, fill_array 함수를 사용하려면 함수의 선언이 필요하다. 이때, **함수의 선언은 헤더 파일을 만들고 헤더 파일에 넣어주는 것이 좋다.** 함수 선언을 헤더 파일에 모아두면 소스 파일마다 함수 선언을 복사해서 넣어주는 대신 헤더 파일만 포함하면 된다. 또한 함수 선언을 한 곳에 모아두었기 때문에 프로그램을 유지·보수하기도 쉬워진다.

헤더 파일의 이름은 보통 소스 파일의 이름을 따서 정한다. 소스 파일이 array.c이면 헤더 파일의 이름은 array.h로 정한다. array.h에는 array.c에 정의된 함수의 선언을 넣어준다. 이제 array.c에 정의된 함수를 호출하려면 array.h만 포함하면 된다.

소스 파일에 대한 헤더 파일을 만들고 나면, 소스 파일에도 자기 자신의 헤더 파일을 포함하는 것이 좋다. 즉, array.c에도 array.h를 포함한다. 같은 소스 파일 안에 정의된 함수의 선언이 필요할 수 있기 때문이다. 보통은 자기 자신에 대한 헤더 파일이 필요한지 아닌지 구분하지 않고 헤더 파일을 포함한다.

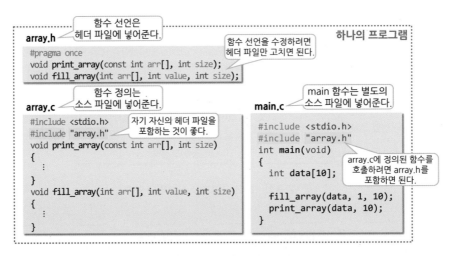

[그림 12-15] 헤더 파일의 사용

[예제 12-5]는 배열에 관련된 함수의 정의는 array.c에 모아두고, 함수 선언이 들어있는 헤더 파일을 만들어서 main.c에서 사용하는 코드이다.

예제 12-5 : 함수 선언이 들어있는 헤더 파일의 이용

[array.h]

```
01  // array.h : 함수 선언은 헤더 파일에 넣어준다.
02  #pragma once                    // 헤더 파일의 중복 포함을 막아주는 문장
03  void print_array(const int arr[], int size);
04  void fill_array(int arr[], int value, int size);
```

[array.c]

```
01  // array.c : 함수 정의는 소스 파일에 넣어준다.
02  #include <stdio.h>        // 라이브러리를 사용하는 소스 파일마다 헤더를 포함한다.
03  #include "array.h"        // 자기 자신의 헤더 파일을 포함하는 것이 좋다.
04
05  void print_array(const int arr[], int size)
06  {
07      int i;
08      for (i = 0; i < size; i++)
09          printf("%d ", arr[i]);
10      printf("\n");
11  }
12  void fill_array(int arr[], int value, int size)
13  {
14      int i;
15      for (i = 0; i < size; i++)
16          arr[i] = value;
17  }
```

[main.c]

```
01  // main.c : main 함수는 별도의 소스 파일에 작성하는 것이 좋다.
02  #include <stdio.h>            // 라이브러리를 사용하는 소스 파일마다 헤더를 포함한다.
03  #include "array.h"            // array.c에 정의된 함수를 호출하려면 array.h를 포함한다.
04
05  int main(void)
06  {
07      int data[10];
08
```

```
09        fill_array(data, 1, 10);        // data 배열 전체에 1을 채운다.
10        print_array(data, 10);          // data 배열을 출력한다.
11    }
```

실행 결과

```
1 1 1 1 1 1 1 1 1 1
```

 Further Study

헤더 파일의 #pragma once

소스 파일에 같은 헤더 파일을 여러 번 포함하면 문제가 될 수도 있다. 헤더 파일에 함수 선언만 들어있을 때는 같은 헤더 파일을 여러 번 포함해도 컴파일 에러가 발생하지 않지만, 매크로나 구조체, typedef의 정의가 들어 있을 때는 재정의 에러가 발생한다.

헤더 파일 안에 들어있는 **#pragma once는 헤더 파일을 한번만 컴파일하도록 명령하는 컴파일러 지시어(directive)이다.** 헤더 파일에 #pragma once를 써주면 같은 헤더 파일이 여러 번 포함되더라도 한번만 컴파일한다. Visual Studio 2022에서는 헤더 파일을 생성하면 디폴트로 #pragma once 문장이 들어있다.

#pragma once 대신 조건부 컴파일 기능을 이용할 수도 있다. 다음의 그림처럼 헤더 파일의 시작과 끝부분에 #ifndef, #define, #endif문을 작성해서 헤더 파일의 중복 포함을 막을 수도 있다.

point.h

```
#ifndef POINT_H
#define POINT_H          헤더 파일의 포함 여부
                         를 나타내는 매크로

typedef struct point {
    int x, y;
} point_t;
void print_point(const point_t* ptr);
void move_point(point_t* ptr, int offset);

#endif
```

헤더 파일이 이미 포함 된 경우에는 이 부분을 컴파일하지 않는다.

(2) 매크로, 구조체, typedef의 정의

매크로, 구조체, typedef를 여러 소스 파일에서 공유해서 사용하려면, 매크로, 구조체, typedef의 정의를 헤더 파일에 넣어준다. 매크로나 구조체, typedef의 정의는 매크로, 구조체, typedef를 사용하는 소스 파일마다 필요하기 때문이다.

구조체 정의를 헤더 파일에 넣을 때, 구조체와 관련된 함수 선언도 헤더 파일에 함께 넣어줄 수 있다. 구조체와 관련된 함수는 함수의 매개변수나 리턴형에 구조체형을 사용하는 함수이다. 이때, 함수 선언에서도 구조체 정의가 사용되므로 함수 선언보다 앞쪽에 구조체가 정의되어야 한다.

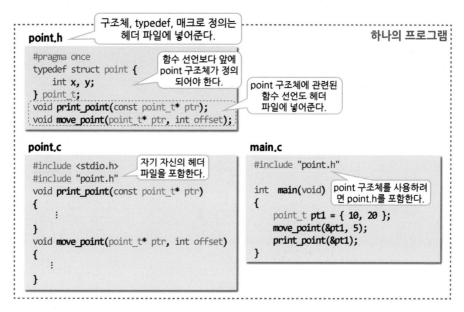

[그림 12-16] 구조체의 헤더 파일 사용

[예제 12-6]은 point 구조체와 point 구조체에 관련된 함수를 정의하고 사용하는 코드이다. point.h에는 point 구조체와 typedef 정의, point 구조체에 관련된 함수들의 선언을 넣어준다.

 예제 12-6 : 구조체, typedef의 정의와 함수 선언이 들어있는 헤더 파일의 이용

[point.h]

```
01   // point.h : 매크로, 구조체, typedef의 정의는 헤더 파일에 넣어준다.
02   #pragma once
03   typedef struct point {      // 함수 선언보다 앞에 point 구조체가 정의되어야 한다.
04       int x, y;
05   } point_t;
06
07   void print_point(const point_t* ptr);      // point 구조체에 관련된 함수의 선언
08   void move_point(point_t* ptr, int offset);
```

[point.c]

```
01    // point.c : point 구조체에 관련된 함수의 정의는 소스 파일에 넣어준다.
02    #include <stdio.h>        // 라이브러리를 사용하는 소스 파일마다 포함한다.
03    #include "point.h"        // 자기 자신의 헤더를 포함한다.
04
05    void print_point(const point_t* ptr)
06    {
07        printf("(%d, %d)", ptr->x, ptr->y);
08    }
09
10    void move_point(point_t* ptr, int offset)
11    {
12        ptr->x += offset;
13        ptr->y += offset;
14    }
```

[main.c]

```
01    // main.c
02    #include "point.h"        // point 구조체와 관련된 함수를 사용하려면 헤더 파일을 포함한다.
03
04    int  main(void)
05    {
06        point_t pt1 = { 10, 20 };
07        move_point(&pt1, 5);
08        print_point(&pt1);
09    }
```

실행 결과   ■■■

(15, 25)

(3) 전역 변수의 extern 선언

다른 소스 파일에 선언된 전역 변수를 사용하려면 전역 변수의 extern 선언이 필요하다. 이때도 전역 변수를 사용하는 소스 파일마다 전역 변수의 extern 선언이 필요하므로, **전역 변수의 extern 선언도 헤더 파일에 넣어준다.**

> ▶ **Quiz** ❓

1. 어떤 소스 파일에 정의된 함수를 다른 소스 파일에서 호출하려면 어떻게 해야 하는가?

   ① 함수 선언이 들어있는 헤더 파일을 포함한다.　　　② 함수 정의가 들어있는 소스 파일을 포함한다.

   ③ 라이브러리 헤더 파일을 포함한다.　　　　　　　④ 라이브러리를 링크한다.

2. 다음 중 해당 항목을 사용하는 소스 파일마다 정의해야 하는 것을 모두 고르시오.

   ① 구조체　　　　　② 매크로　　　　　③ typedef　　　　④ 함수

3. 전역 변수를 여러 소스 파일에서 사용할 수 있게 만들기 위해서 헤더 파일에 넣어야 할 것은??

   ① 전역 변수의 선언 및 초기화　　　② 전역 변수의 static 선언　　　③ 전역 변수의 extern 선언

4. 다음 중 분할 컴파일을 위해 헤더 파일에 넣어주어야 하는 내용을 모두 고르시오.

   ① 함수의 선언　　　② 함수의 정의　　　③ 전역 변수의 선언(메모리 할당 및 초기화)

   ④ 전역 변수의 extern 선언　　　⑤ 구조체의 정의　　　⑥ typedef 정의　　　⑦ 매크로 정의

E x e r c i s e

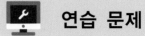

연습 문제

1. **전처리기에 대한 설명 중 잘못된 것을 모두 고르시오.**

   ① 전처리기는 C/C++ 컴파일러와는 별개의 프로그램이다.

   ② 전처리기는 프로그래머가 작성한 소스 파일이 컴파일될 수 있도록 준비한다.

   ③ 전처리기 결과는 항상 파일로 생성된다.

   ④ 같은 소스 파일도 전처리기 문장을 이용하여 여러 가지로 변형할 수 있다.

   ⑤ 전처리기 문장은 '#'으로 시작한다.

   ⑥ 매크로 상수를 정의할 때는 반드시 값을 지정해야 한다.

   ⑦ 함수처럼 매개변수가 있는 매크로를 정의할 수 있다.

   ⑧ 함수 매크로는 함수처럼 호출된다.

   ⑨ #include로 사용자 정의 헤더 파일을 포함하려면 〈 〉로 감싸준다.

2. **다음 중 매크로의 정의 및 사용이 잘못된 것은?**

   ① `#define ERROR "Try again"`
      `printf(ERROR);`

   ② `#define TAX_RATE 0.033`
      `double income_tax = income * TAX_RATE;`

   ③ `#define unsigned int DWORD`
      `DWORD flags;`

   ④ `#define PRT printf`
      `PRT("Hello");`

3. **함수 매크로에 대한 설명 중 잘못된 것을 모두 고르시오.**

   ① 함수처럼 매개변수가 있는 매크로이다.

   ② 함수의 인자를 전달할 때처럼 인자의 값을 먼저 계산한다.

   ③ 함수 매크로의 정의를 여러 줄에 걸쳐서 작성하려면 { }로 묶어준다.

   ④ 함수 매크로를 사용하면 프로그램의 실행 속도가 빨라진다.

   ⑤ 함수 매크로의 매개변수에도 데이터형을 지정한다.

   ⑥ 함수 매크로를 사용하면 코드가 알아보기 쉽고 디버깅도 쉽다.

   ⑦ 함수 매크로의 인자로 증감식을 사용하면 문제가 생길 수 있다.

4. **다음 프로그램의 실행 결과를 쓰시오.**

```c
#include <stdio.h>
#define RECT_AREA(width, height) width * height

int main(void)
{
    printf("%d\n", RECT_AREA(1+2, 3+4) * 2);
}
```

5. 4번의 RECT_AREA 함수 매크로에는 연산자 우선순위 문제가 있다. 문제가 발생하지 않도록 함수 매크로의 정의를 수정하시오.

6. 전처리기의 조건부 컴파일 기능에 대한 설명 중 잘못된 것을 모두 고르시오.

① #if 다음에는 매크로를 포함한 조건식을 사용한다.

② #if의 조건식에 실수형 상수를 사용할 수 있다.

③ #if에는 반드시 #endif가 필요하다.

④ #else 다음에 #if가 다시 사용되면 대신 #elif를 사용할 수 있다.

⑤ #if 안에 다른 #if를 중첩할 수 없다.

⑥ #if의 조건식에 함수 호출문을 사용할 수 있다.

⑦ #ifndef는 매크로가 정의되지 않은 경우에 #ifndef와 #endif 사이의 코드 블록을 컴파일한다.

7. 다음 프로그램의 실행 결과를 쓰시오.

```c
#include <stdio.h>
#define my_printf(format, a) printf(#a " = "format, (a))

int main(void)
{
    int a = 123;
    char c = 'A';
    const char* s = "test string";

    my_printf("%d\n", a);
    my_printf("%c\n", c);
    my_printf("%s\n", s);
}
```

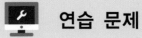

연습 문제

8. 다음 프로그램의 실행 결과를 쓰시오.

```c
#define _CRT_SECURE_NO_WARNINGS    // Visual Studio 2022에서 sprintf 사용 시 필요
#include <stdio.h>
#define PRT_NEWLINE
#ifdef PRT_NEWLINE
#define PRINT puts
#else
#define PRINT printf
#endif
int main(void)
{
    int data[3] = { 10, 20, 30 };
    char out_str[128];
    int i;

    for (i = 0; i < 3; i++) {
        sprintf(out_str, "%d ", data[i]);
        PRINT(out_str);
    }
}
```

9. 변수의 기억 부류에 대한 설명 중 잘못된 것을 모두 고르시오.

① register 변수는 메모리 대신 CPU 레지스터에 할당된다.

② 지역 변수는 따로 지정하지 않아도 auto 변수이다.

③ static 지역 변수는 프로그램을 시작할 때 메모리에 할당된다.

④ static 지역 변수는 변수가 선언된 블록에 처음 들어갈 때 메모리에 할당된다.

⑤ static 지역 변수는 함수가 리턴해도 해제되지 않는다.

⑥ 전역 변수를 특정 소스 파일 안에서만 사용하려면 static으로 선언한다.

⑦ static 전역 변수도 extern 선언이 있으면 다른 소스 파일에서 사용할 수 있다.

⑧ static 지역 변수도 extern 선언이 있으면 다른 함수에서 사용할 수 있다.

10. 헤더 파일과 소스 파일을 나누어 작성할 때 다음에 나열된 항목 중에서 헤더 파일에 넣어주어야 하는 것을 모두 고르시오. (이 헤더 파일은 2개 이상의 소스 파일에서 포함된다고 가정한다.)

① 함수 선언   ② 함수 정의

③ 전역 변수의 extern 선언   ④ 전역 변수를 선언하고 초기화하는 코드

⑤ 구조체의 정의   ⑥ 매크로의 정의

⑦ typedef의 정의   ⑧ static 함수의 선언

⑨ static 전역 변수의 extern 선언

11. 다음 프로그램의 실행 결과를 쓰시오.

```c
#include <stdio.h>

void test_static(void)
{
    static int x = 0;
    int y = 0;

    printf("x = %d, y = %d\n", ++x, ++y);
}

int main(void)
{
    int i;
    for (i = 0; i < 5; i++)
        test_static();
}
```

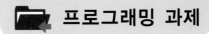

1. low byte와 high byte로 워드(2바이트) 크기의 데이터를 만드는 MAKEWORD 매크로와 low word와 high word로 더블워드(4바이트) 크기의 데이터를 만드는 MAKEDWORD 매크로를 정의하고 테스트하는 프로그램을 작성하시오. [함수 매크로/난이도 ★]

```
실행 결과

low and high byte? 0x12 0x34
WORD data: 1234
low and high byte? 0xab 0xcd
WORD data: abcd
DWORD data: 1234abcd
```

2. 배열 전체를 특정값으로 채우는 함수 매크로와 int 배열의 원소를 출력하는 함수 매크로를 정의하시오. 크기가 5인 int 배열에 대하여 입력받은 값으로 배열 전체를 채우고 출력하는 프로그램을 작성하시오. [함수 매크로/난이도 ★]

```
실행 결과

정수 배열의 초기값? 2
[x] 2 2 2 2 2
```

3. 2번의 int 배열의 원소를 출력하는 함수 매크로를 문자 배열이나 실수 배열의 원소도 출력할 수 있도록 수정하시오. [함수 매크로/난이도 ★★]

```
실행 결과

실수 배열의 초기값? 0.1
[x] 0.1 0.1 0.1 0.1 0.1
문자 배열의 초기값? @
[y] @ @ @ @ @
```

4. RGB 색상으로부터 red, green, blue 값을 각각 추출하는 함수 매크로를 정의하시오. 이 함수 매크로를 이용해서 입력받은 RGB 색상의 red, green, blue 값을 출력하는 프로그램을 작성하시오. [함수 매크로/난이도 ★]

```
실행 결과

RGB 색상? 0xff00ff
RGB FF00FF의 red: 255, green: 0, blue: 255
```

5. red, green, blue 값으로 RGB 색상을 만드는 함수 매크로를 정의하시오. 이 함수 매크로와 4
   번의 함수 매크로를 이용해서 입력받은 RGB 색상의 보색을 구해서 출력하는 프로그램을 작성하시
   오. [함수 매크로/난이도 ★★]

★ RGB 색상의 보색은 red, green, blue의 각 비트를 반전해서 구할 수 있다. 하지만 단순히 RGB 색을 반전하면 사용되
   지 않는 최상위 바이트(0x00)도 반전되므로, red, green, blue 각각을 구해서 반전하고 그 값으로 다시 RGB 색상을
   만들어야 한다.

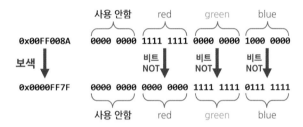

6. 직사각형의 면적을 구하는 함수 매크로와 원의 면적을 구하는 함수 매크로를 정의하고, 각각을 이
   용하는 프로그램을 작성하시오. [함수 매크로/난이도 ★★]

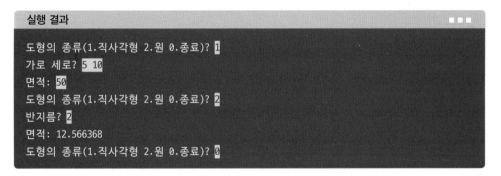

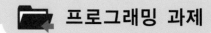

7. 피보나치 수열의 n번째 항을 구하는 함수를 정의하시오. 피보나치 수열은 바로 앞의 두 수의 합으로 구해지며, 처음 두 항은 1이다. 동일한 n에 대하여 함수가 반복적으로 수행되지 않도록 n번째 항을 구하면 그 값을 배열에 저장해두고, 그 다음번에 다시 n번째 항을 구하면 배열에 저장해둔 값을 리턴하도록 구현하시오. 이 함수를 이용해서 입력받은 n에 대하여 피보나치 수열의 n번째 항을 출력하는 프로그램을 작성하시오. [static 지역 변수/난이도 ★★]

> **실행 결과**
>
> ```
> 피보나치 수열의 n번째 항을 구합니다. n은? 10
> 55
> ```

8. 점의 좌표를 나타내는 point 구조체와 구조체를 매개변수로 전달받는 print_point, set_point, get_length, input_point 함수를 정의하시오. 이때, 조건부 컴파일 기능과 typedef를 이용해서, 점의 좌표가 정수인 경우와 실수인 경우를 하나의 소스 파일로 처리할 수 있도록 코드를 작성하시오. 점의 좌표를 2개 입력받아 두 점을 연결하는 직선의 길이를 구해서 출력하는 프로그램을 작성하시오. 이 프로그램을 정수 좌표일 때와 실수 좌표일 때 각각 컴파일해서 실행하시오. [조건부 컴파일, typedef/난이도 ★★★]

> **실행 결과 : 실수 좌표를 사용하는 경우**
>
> ```
> 점의 좌표? 0.5 0.1
> 점의 좌표? 5.1 4.0
> (0.50, 0.10)과 (5.10, 4.00)사이의 거리 : 6.030755
> ```

9. 8번 프로그램을 헤더 파일과 소스 파일로 나누어 작성하시오. point 구조체에 관련된 함수의 정의는 point.c에 작성하고, main 함수의 정의는 main.c에 작성하시오. 필요한 헤더 파일을 만들어 사용하시오. [분할 컴파일/난이도 ★★]

13

동적 메모리와 함수 포인터

13.1 동적 메모리

13.1.1 동적 메모리의 개념

실행 파일은 메모리를 여러 개의 세그먼트(영역)로 구분해서 사용한다. 함수 코드나 문자열 리터럴은 텍스트 세그먼트라는 읽기 전용 영역에 할당된다. 전역 변수나 static 변수는 초기화 여부에 따라 데이터 세그먼트나 bss 세그먼트에 할당된다. 지역 변수는 스택 영역에 할당되고 동적 메모리는 힙 영역에 할당된다.

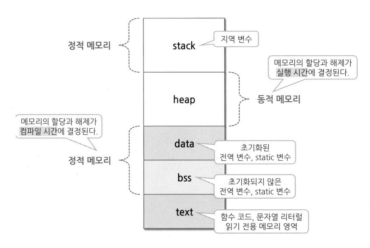

[그림 13-1] 프로그램의 메모리 레이아웃

프로그램에서 사용되는 데이터 메모리는 정적 메모리(static memory)와 동적 메모리(dynamic memory)로 나눌 수 있다. 정적 메모리는 메모리가 언제 할당되고 해제될지, 얼마만큼 할당될지가 컴파일 시간에 결정된다. 반면에 **동적 메모리는 메모리가 언제 할당되고 해제될지, 얼마만큼 할당될지가 실행 시간에 결정된다.**

지역 변수나 전역 변수는 모두 정적 메모리에 할당된다. 지역 변수는 블록에 들어갈 때 메모리에 할당되고 블록을 빠져나갈 때 자동으로 해제된다. 전역 변수는 프로그램 시작 시 메모리에 할당되고 프로그램 종료 시 자동으로 해제된다. 변수의 생존 기간 특성 중에서 자동 할당 변수와 정적 할당 변수가 정적 메모리에 해당한다.

동적 메모리는 프로그래머가 원하는 시점에 메모리를 할당하고, 원하는 시점에 해제할 수 있다. 동적 메모리는 실행 중에 자유롭게 메모리를 사용할 수 있는 대신, 메모리 관리가 전적으로 프로그래머의 책임이 된다.

〈표 13-1〉는 정적 메모리와 동적 메모리의 여러 가지 특징을 비교한 것이다.

〈표 13-1〉 정적 메모리와 동적 메모리

특징	정적 메모리	동적 메모리
메모리 할당	컴파일 시간에 이루어진다.	실행 시간에 이루어진다.
메모리 해제	자동으로 해제된다.	명시적으로 해제해야 한다.
사용 범위	지역 변수는 선언된 블록 내, 전역변수는 프로그램 전체에서 사용할 수 있다.	프로그래머가 원하는 동안만큼 사용할 수 있다.
메모리 관리	컴파일러의 책임이다.	프로그래머의 책임이다.

그러면 어떤 경우에 동적 메모리가 필요한지부터 생각해보자.

13.1.2 동적 메모리의 필요성

같은 형의 데이터를 배열에 저장하려면 배열의 크기가 필요하다. 그런데 소스 코드를 작성하는 시점에는 배열의 크기를 미리 알 수 없고, 프로그램을 실행해야만 배열의 크기가 결정되는 경우가 자주 있다. 이런 경우에는 어떻게 해야 할까?

예를 들어 정수값을 입력받아서 합계를 구하는 프로그램을 작성하려고 한다. 정수가 몇 개나 입력될지 미리 알 수 없다고 해보자. 프로그램이 실행되면 먼저 정수를 몇 개나 입력할지 사용자에게 물어보고, 사용자가 입력한 개수만큼 int 배열을 할당하려고 한다. 그런데 배열의 크기는 상수로만 지정할 수 있기 때문에 다음과 같은 코드는 컴파일 에러가 된다.

```
int size;
printf("정수의 개수? ");
scanf("%d", &size);
int arr[size];          // 배열의 크기를 변수로 지정할 수 없다.(컴파일 에러)
```

배열의 크기를 변수로 지정할 수 없으므로, 배열의 최대 크기를 가정해서 배열을 할당할 수도 있다. 그런데 이 방법에도 여전히 문제가 있다. 정수가 최대 1000개 입력된다고 가정하고 배열을 할당해보자. 실행 중에 정수가 10개밖에 입력되지 않으면 정수 990개만큼의 메모리가 낭비되므로 비효율적이다. 또, 실행 중에 정수가 1000개 이상이 입력되면, 할당된 배열 크기보다 더 많은 메모리를 사용하는 버퍼 오버런이 발생할 수 있다.

```
int arr[1000];        // 필요한 최대 크기를 가정해서 배열을 할당한다.(메모리 낭비 문제)
```

동적 메모리를 사용하면 이런 문제를 모두 해결할 수 있다. **동적 메모리는 꼭 필요한 만큼 크기를 지정해서 메모리를 할당할 수 있다. 그리고 동적 메모리는 메모리의 할당과 해제 시점을 프로그래머가 마음대로 정할 수 있다.** 정적 메모리인 지역 변수는 항상 함수가 리턴할 때 자동으로 해제된다. 동적 메모리는 함수가 리턴할 때 자동으로 해제되지 않으므로 함수 리턴 후에도 계속 사용할 수 있다. 물론 전역 변수나 static 지역 변수도 함수 리턴 후에 계속 사용할 수 있다, 하지만 이 변수들은 항상 프로그램이 종료되는 시점에 해제되므로, 프로그래머가 원하는 시점에 해제할 수가 없다.

이처럼 동적 메모리는 메모리 사용에 있어서 프로그래머에게 최대한의 자유를 보장하는 기능이다. 그러면 이제 직접 동적 메모리를 할당하고 사용 후 해제하는 방법을 알아보자.

13.1.3 동적 메모리의 할당과 해제

(1) 동적 메모리의 할당

동적 메모리를 할당하려면 표준 C 라이브러리 함수인 malloc 함수를 사용한다. malloc 함수를 사용하려면 소스 파일에 <stdlib.h>를 포함한다.

```
void* malloc(size_t size);
```

malloc 함수는 *size* 바이트만큼 동적 메모리를 할당하고 할당된 메모리의 주소를 리턴한다. malloc 함수의 리턴형은 void*형인데, void*형은 '어떤 형인지 알 수 없는 메모리를 가리키는 주소'라는 뜻이다. 즉, malloc 함수가 할당하는 메모리는 용도가 정해지지 않았으며, 이 메모리를 어떻게 사용할지 프로그래머가 마음대로 정할 수 있다. void 포인터는 역참조 연산을 할 수 없으므로, malloc 함수가 리턴한 주소는 특정 포인터형의 변수에 저장해야 한다.

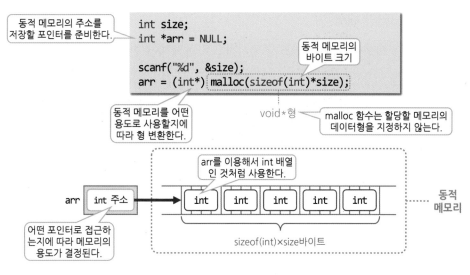

[그림 13-2] 동적 메모리 할당

동적 메모리는 반드시 포인터로 접근해야 한다. 동적 메모리를 사용하려면 먼저 포인터를 준비하고, 이 포인터에 malloc 함수의 리턴값을 저장해야 한다. malloc 함수는 동적 메모리를 할당할 수 없으면 NULL을 리턴한다.

```
arr = (int*)malloc(sizeof(int) * size);      // sizeof(int)*size바이트 동적 메모리를 할당한다.
if (arr == NULL) {                            // 동적 메모리 할당이 실패했는지 확인한다.
    printf("동적 메모리 할당 실패\n");
    return -1;                                // 메모리 할당 실패 시 프로그램 종료(비정상 종료)
}
```

동적 메모리를 할당한 다음에는 **동적 메모리를 가리키는 포인터를 배열처럼 사용할 수 있다.** 즉, arr는 배열 원소를 가리키는 포인터이므로 arr[i]처럼 사용할 수 있다. malloc 함수로 할당된 동적 메모리에는 쓰레기값이 들어있으므로, 사용 전에 적절히 값을 채우고 사용해야 한다.

```
for (i = 0; i < size; i++)
    scanf("%d", &arr[i]);    // 동적 메모리를 가리키는 포인터를 배열처럼 사용할 수 있다.
```

(2) 동적 메모리의 해제

동적 메모리는 사용이 끝나면 반드시 명시적으로 해제해야 한다. 동적 메모리를 해제할 때는 free 함수를 사용한다. free 함수의 원형은 다음과 같다.

```
void free(void* memblock);
```

free 함수는 *memblock*이 가리키는 동적 메모리를 해제한다. free 함수가 리턴되면 *memblock*은 해제된 메모리를 가리키는 포인터가 되므로 더 이상 *memblock*을 사용해서는 안된다. 따라서 **동적 메모리를 해제한 다음에는 동적 메모리를 가리키던 포인터를 널 포인터로 만드는 것이 안전하다.**

```
free(arr);        // 사용이 끝나면 동적 메모리를 해제한다.
arr = NULL;       // 메모리 해제 후 포인터를 널 포인터로 만든다.
```

동적 메모리를 계속 할당만 하고 해제하지 않으면, 어느 시점에는 더 이상 동적 메모리를 할당할 수 없게 된다. 이처럼 더 이상 사용되지 않는 동적 메모리가 해제되지 않고 계속 남아있는 상황을 '메모리 누수(leak)'라고 한다. 일단 메모리가 누수되면 어디서 메모리가 누수된 것인지, 얼마만큼 누수되고 있는지 찾기가 쉽지 않다. 따라서 **동적 메모리를 할당할 때는 해제되어야 하는 시점을 판단해서 해제 코드를 함께 작성하는 것이 좋다.**

[예제 13-1]은 동적 메모리를 이용해서 실행 중에 사용자가 입력한 크기만큼 int 배열을 할당하고, 정수를 입력받아서 입력받은 정수들의 합계를 구하는 코드이다.

예제 13-1 : 동적 메모리를 이용한 정수의 합계 구하기

```
01    #define _CRT_SECURE_NO_WARNINGS        // Visual Studio 2022에서 scanf 사용 시 필요
02    #include <stdio.h>
03    #include <stdlib.h>
04
05    int main(void)
06    {
07        int size;
08        int* arr = NULL;                   // 동적 메모리의 주소를 저장할 포인터를 준비한다.
```

```
09        int i, sum;
10
11        printf("정수의 개수? ");
12        scanf("%d", &size);
13        arr = (int*) malloc(sizeof(int) * size);    // sizeof(int)*size바이트 동적 메모리 할당
14        if (arr == NULL) {                           // 동적 메모리 할당이 실패했는지 확인한다.
15            printf("동적 메모리 할당 실패\n");
16            return -1;                               // 메모리 할당 실패 시 프로그램 종료(비정상 종료)
17        }
18
19        printf("%d개의 정수를 입력하세요: ", size);
20        for (i = 0; i < size; i++)                   // 동적 메모리를 가리키는 포인터 arr를
21            scanf("%d", &arr[i]);                    // 배열처럼 사용할 수 있다.
22        for (i = 0, sum = 0; i < size; i++)
23            sum += arr[i];
24        printf("입력된 정수의 합계: %d\n", sum);
25
26        free(arr);                  // 사용이 끝나면 동적 메모리를 해제한다.
27        arr = NULL;                 // 메모리 해제 후 포인터를 널 포인터로 만든다.
28    }
```

실행 결과　　　　　　　　　　　　　　　　　　　　　　　　　　　■ ■ ■

```
정수의 개수? 5
5개의 정수를 입력하세요: 123 42 35 61 3
입력된 정수의 합계: 264
```

(3) 동적 메모리의 사용 순서

동적 메모리를 사용하는 순서는 다음과 같다.

① **동적 메모리의 주소를 저장할 포인터를 준비한다.** 동적 메모리를 어떤 용도로 사용할지에 따라 포인터의 데이터형을 정하고, 널 포인터로 초기화한다.

```
int* arr = NULL;
```

② 동적 메모리를 할당할 때는 malloc 함수를 사용한다. malloc 함수의 인자로는 할당할 메모리의 바이트 크기를 지정한다. malloc 함수의 리턴값은 형 변환해서 준비된

포인터에 저장한다.

```
arr = (int*)malloc(sizeof(int) * size);
```

③ 동적 메모리를 사용할 때는 배열의 원소를 가리키는 포인터처럼 사용한다. 즉, arr[i] 처럼 인덱스를 이용할 수 있다.

```
for (i = 0; i < size; i++)
    scanf("%d", &arr[i]);
```

④ 동적 메모리는 사용이 끝나면 free 함수로 해제한다. free 함수의 인자로는 동적 메 모리를 가리키는 포인터를 지정한다. free 함수 호출 후에는 해제된 메모리에 접근하 지 않도록 포인터를 널 포인터로 만든다.

```
free(arr);
arr = NULL;
```

13.1.4 동적 메모리의 사용 시 주의 사항

(1) 동적 메모리 해제 후 해제된 메모리를 사용해서는 안된다.

free 함수로 동적 메모리를 해제한 다음에, 해제된 메모리에 접근하면 실행 에러가 발생 한다.

```
int* p = (int*)malloc(sizeof(int) * 100);
⋮                  // p가 가리키는 동적 메모리를 사용한다.
free(p);           // p가 가리키는 동적 메모리를 해제한다. (p는 허상 포인터가 된다.)
*p = 123;          // 해제된 메모리에 접근한다.(실행 에러)
```

포인터에 잘못된 주소(쓰레기값이나 해제된 메모리의 주소)가 들어있을 때 포인터를 사 용하면, 엉뚱한 메모리에 접근하기 때문에 문제가 된다. 이처럼 잘못된 주소가 들어있는 포인터를 **허상 포인터**(dangling pointer)라고 한다. 실수로 허상 포인터를 사용하면 프로 그램이 죽지 않고 엉뚱한 변수의 값이 바뀐 채 실행될 수 있으므로 어디서 문제가 발생한 것인지 확인하기 어렵다.

동적 메모리를 해제하고 나면 동적 메모리를 가리키던 포인터가 허상 포인터가 되므로 더 이상 사용하지 못하도록 널 포인터로 만드는 것이 좋다.

```
free(p);              // 사용이 끝난 동적 메모리를 해제한다. (p가 허상 포인터가 된다.)
p = NULL;             // p를 사용하지 못하도록 널 포인터로 만든다.
*p = 123;             // 메모리 0번지에 접근하므로 프로그램이 죽는다.
```

널 포인터로 역참조 연산을 수행하면 운영체제가 메모리 0번지 접근을 감지해서 예외를 발생시키고 프로그램을 강제 종료한다. 이 경우에는 프로그램이 죽기 때문에 실행 에러가 발생했다는 것을 쉽게 확인할 수 있다.

포인터를 안전하게 사용하려면 포인터가 가리키는 대상이 없을 때 항상 널 포인터로 만든다. 즉, 포인터가 항상 유효한 주소 또는 NULL이 되도록 만들고, 포인터로 역참조 연산을 하기 전에 널 포인터인지 검사한다.

```
if (p != NULL)        // p가 널 포인터가 아니면 유효한 포인터이므로 안전하게 사용할 수 있다.
    *p = 123;
```

(2) 해제된 동적 메모리를 다시 해제해서는 안된다.

다음 코드처럼 이미 해제된 동적 메모리를 다시 해제하려고 하면 실행 에러가 발생한다.

```
int* p = (int*)malloc(sizeof(int) * 100);
  ⋮                   // p가 가리키는 동적 메모리를 사용한다.
free(p);              // 사용이 끝난 동적 메모리를 해제한다. (p는 허상 포인터가 된다.)
  ⋮
free(p);              // 실수로 해제된 메모리를 다시 해제하면 실행 에러가 발생한다
```

이 문제도 첫 번째 free(p); 호출 후에 p를 널 포인터로 만들면 해결할 수 있다. free 함수는 매개변수가 널 포인터면 아무것도 하지 않기 때문이다.

```
free(p);              // 사용이 끝난 동적 메모리를 해제한다.
p = NULL;             // p를 널 포인터로 만든다.
free(p);              // free 함수는 매개변수가 널 포인터면 아무것도 하지 않고 리턴한다.
```

(3) free 함수는 동적 메모리를 해제할 때만 사용해야 한다.

지역 변수나 전역 변수를 가리키는 포인터로 free 함수를 호출하면 실행 에러가 발생한다.

```
int x;
int* p = &x;          // p는 지역 변수를 가리킨다.
free(p);              // 지역 변수를 가리키는 p로 free 함수를 호출하면 실행 에러가 발생한다.
```

free 함수는 동적 메모리를 가리키는 포인터에만 사용해야 한다. 따라서 지역 변수나 전역 변수를 가리키는 포인터와 동적 메모리를 가리키는 포인터는 구분해서 사용하는 것이 좋다.

(4) 동적 메모리의 주소를 잃어버리지 않도록 주의해야 한다.

동적 메모리는 항상 포인터로만 접근하므로 동적 메모리의 주소를 잃어버리면 더 이상 접근할 수 없게 된다. 이렇게 주소를 잃어버린 동적 메모리는 계속 사용중인 상태로 힙을 소모하게 되고, 주소가 없기 때문에 free 함수로 해제할 수도 없다.

다음 코드의 test_memory 함수는 함수 안에서 동적 메모리를 생성한다. 동적 메모리는 함수가 리턴해도 자동으로 소멸되지 않는다. 그런데 동적 메모리를 가리키는 지역 변수 p 는 함수가 리턴할 때 소멸되므로, 동적 메모리의 주소를 잃어버리게 된다.

```
int* test_memory(int cnt)
{
    int i;
    int* p = (int*)malloc(sizeof(int) * cnt);    // p는 test_memory 함수에 선언된 지역 변수
    for (i = 0; i < cnt; i++)
        p[i] = 0;
}                          // 함수가 리턴할 때 동적 메모리의 주소를 저장하는 포인터가 소멸된다.
```

함수 안에서 생성된 동적 메모리를 함수 리턴 후에도 사용하려면, 동적 메모리의 주소를 함수를 호출한 곳으로 리턴해야 한다. 다음 코드는 함수의 리턴값으로 동적 메모리의 주소를 받아오는 경우이다. 이처럼 함수 안에서 생성된 동적 메모리를 함수 리턴 후 함수를 호출한 곳에서 사용하다가 더 이상 필요 없을 때 해제할 수 있다.

```
int main(void)
{
    int* p = test_memory(5);    // 함수의 리턴값으로 동적 메모리의 주소를 받아온다.
    // p 사용
    free(p);                    // 함수를 호출한 쪽에서 사용이 끝난 동적 메모리를 해제한다.
    p = NULL;
}
```

13.1.5 동적 메모리의 활용

(1) 동적 메모리에 문자열 할당하기

문자열을 처리할 때 동적 메모리를 사용하면 꼭 필요한 만큼 메모리를 할당하고 사용할 수 있다. 표준 C의 문자열 처리 함수 중에서 두 문자열을 연결하는 함수는 strcat 함수이다. 그런데 strcat(*dest, src*);은 *dest* 문자 배열에 *src*를 연결할 만큼 메모리가 충분한지 검사하지 않으므로 버퍼 오버런의 위험이 있다.

동적 메모리를 이용해서 두 문자열을 결합하여 새로운 문자열을 만들어서 리턴하는 join_string 함수를 정의해보자. 먼저 join_string 함수의 매개변수로 두 개의 문자열이 필요하다. 각각을 *s1*, *s2*라고 하자. *s1*와 *s2*는 둘 다 함수 안에서 변경되지 않는 입력 매개변수이므로 const char*형으로 선언한다. 동적 메모리에 할당된 문자열의 주소를 리턴해야 하므로 함수의 리턴형은 char*형으로 지정한다.

```
char* join_string(const char* s1, const char* s2)
{
    int len = 0;
    char* p = NULL;                         // 동적 메모리의 주소를 저장할 포인터 변수

    if (s1 == NULL || s2 == NULL)
        return NULL;                        // join_string 실패
    len = strlen(s1) + strlen(s2) + 1;      // 결합한 문자열의 길이를 구한다.
    p = (char*)malloc(sizeof(char)*len);    // 결합한 문자열을 저장할 동적 메모리 할당
    strcpy(p, s1);
    strcat(p, s2);
    return p;        // p가 가리키는 동적 메모리는 함수를 호출한 쪽에서 해제해야 한다.
}
```

join_string 함수는 동적 메모리에 문자열을 생성하기 때문에 *s1*과 *s2*의 길이에 관계없이 언제든지 *s1*과 *s2*를 연결한 문자열을 새로 생성할 수 있다. 하지만 *s1*이나 *s2*가 널 포인터이면 문자열의 길이를 구할 수 없으므로 join_string 함수는 실패했다는 의미로 NULL을 리턴한다.

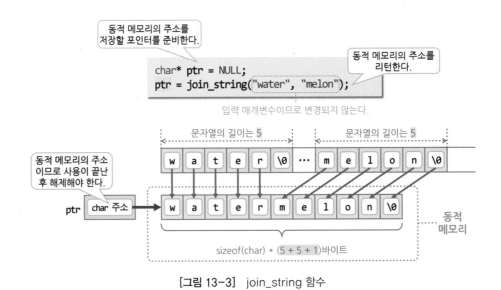

[그림 13-3] join_string 함수

join_string 함수를 호출하려면 먼저 char*형 변수를 준비하고, join_string 함수의 리턴값을 이 포인터에 받아온다. 동적 메모리에 할당된 문자열을 사용하다가 더 이상 문자열이 필요 없으면 free 함수로 해제해야 한다.

```
char* ptr = NULL;                       // 포인터 선언
ptr = join_string("water", "melon");    // join_string이 할당한 동적 메모리의 주소를 받아온다.
printf("%s\n", ptr);                    // ptr이 가리키는 동적 메모리를 사용한다.
free(ptr);                              // ptr이 가리키는 동적 메모리를 해제한다.
ptr = NULL;
```

동적 메모리를 이용하면 함수 안에서 할당한 메모리를 함수가 리턴할 때 해제하지 않고 계속 사용하다가 더 이상 필요 없는 시점에 해제할 수 있다.

[예제 13-2]은 두 문자열을 연결한 새 문자열을 동적 메모리에 할당하고 리턴하는 join_string 함수를 정의하고 사용하는 코드이다.

예제 13-2 : 동적 메모리를 이용한 join_string 함수의 정의 및 사용

```
01   #define _CRT_SECURE_NO_WARNINGS    // Visual Studio 2022에서 strcpy, strcat 사용 시 필요
02   #include <stdio.h>
03   #include <string.h>
04   #include <stdlib.h>
05
06   #define MAX_STR 128
07
08   // 동적 메모리에 s1과 s2를 결합한 새로운 문자열을 만들어서 리턴한다.
09   char* join_string(const char* s1, const char* s2)
10   {
11       int len = 0;
12       char* p = NULL;                        // 동적 메모리의 주소를 저장할 포인터 변수
13
14       if (s1 == NULL || s2 == NULL)
15           return NULL;                       // join_string 실패
16       len = strlen(s1) + strlen(s2) + 1;     // 결합한 문자열의 길이를 구한다.
17       p = (char*)malloc(sizeof(char)*len);   // 결합한 문자열을 저장할 동적 메모리 할당
18       strcpy(p, s1);
19       strcat(p, s2);
20       return p;        // p가 가리키는 동적 메모리는 함수를 호출한 쪽에서 해제해야 한다.
21   }
22
23   int main(void)
24   {
25       char s1[MAX_STR] = "";
26       char s2[MAX_STR] = "";
27       char* s3 = NULL;
28
29       printf("첫 번째 문자열? ");
30       gets_s(s1, sizeof(s1));        // 빈칸을 포함한 문자열 입력
31       printf("두 번째 문자열? ");
32       gets_s(s2, sizeof(s2));
33       s3 = join_string(s1, s2);   // join_string의 리턴값(동적 메모리의 주소)를 받아온다.
34       if (s3 != NULL)
35           printf("연결된 문자열: %s\n", s3);
36       free(s3);         // s3가 가리키는 문자열은 동적 메모리이므로 사용 후 해제해야 한다.
37       s3 = NULL;
38   }
```

```
실행 결과                                                    ■ ■ ■

첫 번째 문자열? water
두 번째 문자열? melon
연결된 문자열: watermelon
```

(2) 동적 메모리에 구조체 할당하기

구조체도 동적 메모리에 할당할 수 있다. 먼저 구조체 포인터를 준비하고, 동적 메모리를 할당하고 그 주소를 구조체 포인터에 저장한다. 구조체 포인터로 동적 메모리에 할당된 구조체에 접근할 때는 간접 멤버 접근 연산자(->)를 사용한다. 동적으로 생성된 구조체의 사용이 끝나면 동적 메모리를 해제한다.

```
struct content* p = NULL;                        // 구조체 포인터 변수를 준비한다.
p = (struct content*) malloc(sizeof(struct content)); // 동적 메모리에 구조체 하나를 할당한다.
strcpy(p->title, "Avengers");           // 구조체 포인터로 동적 메모리에 할당된 구조체 사용
⋮
free(p);                                  // 구조체 포인터가 가리키는 동적 메모리를 해제한다.
p = NULL;
```

이번에는 구조체를 여러 개 사용하는 경우를 생각해보자. 예를 들어 VOD 컨텐츠 관리 앱에서 컨텐츠를 최대 100개까지 등록하고 관리하려고 한다. 간단하게 크기가 100인 content 구조체 배열을 선언하면 어떻게 될까? 이때는 content 구조체 100개가 메모리에 할당되므로 100개×56바이트만큼의 메모리가 할당된다. 그런데 실제로 이 앱에 등록된 콘텐츠가 10개밖에 없으면 나머지 90개×56바이트만큼의 메모리가 낭비된다.

```
struct content arr[100];      // content 구조체를 100개 메모리에 할당한다. (메모리 낭비 문제)
```

content 구조체를 미리 100개 생성하는 대신 **포인터 배열만 준비해두고 구조체는 필요할 때마다 하나씩 동적 메모리에 할당하는 것이 더 효율적이다.** 구조체 포인터를 100개 메모리에 할당하면 100개×4바이트만큼의 메모리가 할당된다. arr는 포인터 배열이므로 주소만 100개 만들어질 뿐, content 구조체는 메모리에 할당되지 않는다. 이 경우에도 메모리가 낭비되긴 하지만 구조체 배열을 메모리에 할당하는 것보다는 메모리를 훨씬 적게 사용한다.

```
struct content* arr[100] = { NULL };    // 구조체 포인터를 100개 메모리에 할당한다.
```

사용자가 콘텐츠 등록 메뉴를 선택하면, content 구조체 하나를 동적 메모리에 할당하고, 그 주소만 포인터 배열의 원소로 저장한다.

```
int cnt = 0;                          // 실제로 할당된 content 구조체의 개수
while (cnt < 100) {                    // 최대 100개의 콘텐츠 등록
    ⋮
    // content 구조체 하나를 동적 메모리에 할당하고, 그 주소를 arr[cnt]에 저장한다.
    arr[cnt] = (struct content*)malloc(sizeof(struct content));
    ⋮                                 // arr[cnt] 사용
    cnt++;                            // 실제로 할당된 content 구조체의 개수를 증가시킨다.
}
```

동적 메모리에 할당된 구조체를 사용하려면, 포인터 배열에 보관해둔 주소를 이용한다. 이때, arr[i]가 구조체 포인터이므로 구조체의 멤버에 접근할 때 −> 연산자를 이용한다.

```
for (i = 0; i < cnt; i++) {     // arr[i]는 content 구조체 포인터
    printf("%s %d %.1f\n", arr[i]->title, arr[i]->price, arr[i]->rate);
}
```

구조체 배열을 선언하는 경우에는 사용되지 않는 구조체를 배열의 크기만큼 미리 메모리에 할당하므로 메모리 낭비가 심하다. 반면에 포인터 배열과 동적 메모리를 사용하면 content 구조체를 꼭 필요한 개수만큼 할당할 수 있다.

포인터 배열로 동적 메모리에 할당된 구조체를 사용할 때는, 사용이 끝난 후에 동적 메모리를 해제해야 한다. 동적 메모리 해제는 동적 메모리 할당과 1:1로 대응된다. 즉, 동적 메모리를 3번 할당했으면, 3번 해제해야 한다.

```
for (i = 0; i < cnt; i++) {     // 동적 메모리를 cnt번 할당했으므로 cnt번 해제해야 한다.
    free(arr[i]);
    arr[i] = NULL;
}
```

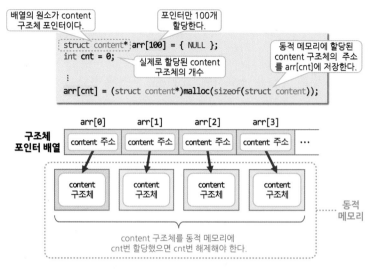

배열의 원소가 content
구조체 포인터이다.

포인터만 100개
할당한다.

```
struct content* arr[100] = { NULL };
int cnt = 0;
```

실제로 할당된 content
구조체의 개수

동적 메모리에 할당된
content 구조체의 주소
를 arr[cnt]에 저장한다.

```
arr[cnt] = (struct content*)malloc(sizeof(struct content));
```

arr[0]   arr[1]   arr[2]   arr[3]

**구조체
포인터 배열**

| content 주소 | content 주소 | content 주소 | content 주소 | ··· |

content
구조체

content
구조체

content
구조체

content
구조체

동적
메모리

content 구조체를 동적 메모리에
cnt번 할당했으면 cnt번 해제해야 한다.

[그림 13-4] 구조체 배열의 동적 메모리 할당

[예제 13-3]은 구조체 포인터 배열과 동적 메모리를 이용해서, 콘텐츠를 등록하는 기능
을 구현한 코드이다.

예제 13-3 : 구조체 포인터 배열과 동적 메모리의 이용

```
01    #define _CRT_SECURE_NO_WARNINGS    // Visual Studio 2022에서 scanf, strcpy 사용 시 필요
02    #include <stdio.h>
03    #include <string.h>
04    #include <stdlib.h>
05
06    #define MAX 100                              // 최대 콘텐츠의 개수
07    #define STR_SIZE 40
08
09    struct content {
10        char    title[STR_SIZE];
11        int     price;
12        double  rate;
13    };
14
15    int main(void)
16    {
17        struct content* arr[MAX] = { NULL };      // 구조체 포인터 배열
18        int cnt = 0;                              // 실제로 할당된 content 구조체의 개수
19        int i;
20
```

```
21        while (cnt < MAX) {                              // 최대 MAX개의 콘텐츠 등록
22            char title[STR_SIZE] = "";
23            printf("콘텐츠를 등록합니다.(. 입력 시 종료)\n제목? ");
24            gets_s(title, sizeof(title));
25            if (strcmp(title, ".") == 0)
26                break;
27            // content 구조체 하나를 동적 메모리에 할당하고, 그 주소를 arr[cnt]에 저장한다.
28            arr[cnt] = (struct content*)malloc(sizeof(struct content));
29            strcpy(arr[cnt]->title, title);
30            printf("가격? ");
31            scanf("%d", &arr[cnt]->price);
32            arr[cnt]->rate = 5.0;                         // 평점은 디폴트로 5.0으로 지정한다.
33            cnt++;
34            while (getchar() != '\n') {}                  // 입력 버퍼를 비운다.
35        }
36        printf("제목                가격    평점\n");
37        for (i = 0; i < cnt; i++) {                       // arr[i]는 content 구조체 포인터
38            printf("%-20s %5d %4.1f\n", arr[i]->title, arr[i]->price, arr[i]->rate);
39        }
40
41        for (i = 0; i < cnt; i++) { // 동적 메모리를 cnt번 할당했으면 cnt번 해제해야 한다.
42            free(arr[i]);
43            arr[i] = NULL;
44        }
45    }
```

실행 결과

```
콘텐츠를 등록합니다.(. 입력 시 종료)
제목? Avengers
가격? 11000
콘텐츠를 등록합니다.(. 입력 시 종료)
제목? Aquaman
가격? 5500
콘텐츠를 등록합니다.(. 입력 시 종료)
제목? Shazam!
가격? 7700
콘텐츠를 등록합니다.(. 입력 시 종료)
제목? .
제목                가격    평점
Avengers            11000  5.0
Aquaman              5500  5.0
Shazam!              7700  5.0
```

13.1.6 동적 메모리 관리 함수

표준 C 라이브러리에는 malloc 함수와 free 함수 외에도 동적 메모리에 관련된 함수들이 몇 가지 더 있다. 동적 메모리 관리 함수를 사용하려면 **<stdlib.h>**가 필요하다. 〈표 13-2〉는 동적 메모리에 관련된 함수들을 정리한 것이다.

〈표 13-2〉 동적 메모리 관리 함수

함수 원형	기능
void* malloc(size_t size);	동적 메모리를 *size* 바이트만큼 할당한다.
void free(void* ptr);	*ptr*이 가리키는 동적 메모리를 해제한다.
void* calloc(size_t num, size_t size);	동적 메모리 배열을 *num* x *size* 바이트만큼 할당하고 0으로 초기화한다.
void *realloc(void *ptr, size_t new_size);	*ptr*이 가리키는 동적 메모리의 크기를 *new_size*로 변경해서 재할당한다.

▶ Quiz ?

1. 다음 중 동적 메모리를 사용해야 하는 이유를 모두 고르시오.
   ① 메모리를 원하는 크기만큼 할당할 수 있기 때문에
   ② 메모리를 원하는 시점에 할당할 수 있기 때문에
   ③ 메모리를 원하는 시점에 해제할 수 있기 때문에
   ④ 메모리가 자동으로 해제되기 때문에

2. 동적 메모리를 할당하는 malloc 함수의 매개변수로는 어떤 값을 전달하는가?
   ① 할당할 메모리의 데이터형   ② 할당할 메모리의 주소
   ③ 할당할 메모리의 초기값   ④ 할당할 메모리의 바이트 크기

3. malloc 함수로 할당한 동적 메모리를 접근하려면 어떻게 해야 하는가?
   ① void*형의 포인터를 이용한다.
   ② 사용하고자 하는 용도에 맞는 포인터를 이용한다.
   ③ 사용하고자 하는 데이터형의 변수로 복사해서 이용한다.

4. 구조체를 한꺼번에 배열로 할당하는 대신 필요할 때마다 하나씩 동적 메모리에 할당하고 그 주소만 저장하려면 무엇이 필요한가?
   ① 구조체 배열   ② 구조체 포인터
   ③ 구조체 포인터 배열   ④ void 포인터

13.2 함수 포인터

13.2.1 함수 포인터의 기본

(1) 함수 포인터의 선언

함수 포인터는 함수의 주소를 저장하는 포인터이다. 변수와 마찬가지로 함수도 컴파일 및 링크 후에 메모리의 특정 번지에 할당된다. 함수 코드는 텍스트 세그먼트라는 읽기 전용 메모리 영역에 할당된다.

함수의 주소를 저장하는 포인터를 함수에 대한 포인터 또는 '함수 포인터'라고 한다. 함수 포인터를 선언하는 기본적인 형식은 다음과 같다.

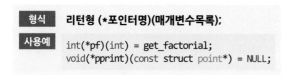

```
형식    리턴형 (*포인터명)(매개변수목록);

사용예   int(*pf)(int) = get_factorial;
        void(*pprint)(const struct point*) = NULL;
```

함수 포인터를 선언하려면 먼저 함수 포인터가 가리킬 함수의 원형이 필요하다. 함수 포인터가 가리킬 함수의 원형과 함수 포인터의 데이터형이 같아야 하기 때문이다.

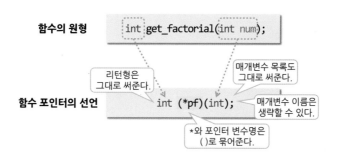

[그림 13-5] 함수 포인터의 선언

함수 포인터를 선언하려면 먼저 리턴형을 쓰고, ( ) 안에 *와 함께 포인터 변수명을 쓴 다음, 다시 ( ) 안에 매개변수 목록을 써준다. 매개변수 목록에서 매개변수 이름은 생략할 수 있다. 이때 *와 포인터 변수명을 반드시 ( )로 묶어주어야 한다. *와 포인터 변수명을 ( )로 묶지 않으면 포인터형을 리턴하는 함수 선언문이 된다.

```
int *pf(int);        // int*형을 리턴하는 pf 함수의 선언문(pf는 함수 이름)
```

함수 포인터도 초기화를 하지 않으면 쓰레기값을 가진다. 함수 포인터가 어떤 함수를 가리킬지 아직 알 수 없으면 널 포인터로 초기화한다.

```
int(*pf)(int) = NULL;        // pf가 어떤 함수를 가리킬 지 알 수 없으면 NULL로 초기화한다.
```

함수 포인터를 특정 함수의 주소로 초기화하려면 = 다음에 주소 구하기 연산자(&)와 함께 함수의 이름을 적어준다.

```
int(*pf)(int) = &get_factorial;        // & 연산자로 함수의 주소를 구한다.
```

함수 이름은 함수의 시작 주소를 의미하므로 & 없이 함수 이름만 사용할 수도 있다. 함수 이름과 함께 ( ) 안에 인자를 지정하면, 함수 호출문이 되므로 주의해야 한다. 인자 없이 함수 이름을 사용할 때만 함수의 주소가 된다.

```
  pf = get_factorial;              // 함수 이름은 함수의 시작 주소를 의미한다.
⊘ pf = get_factorial(10);          // 함수의 리턴값을 함수 포인터에 대입한다.(컴파일 에러)
```

(2) 함수 포인터의 사용

함수 포인터가 가리키는 함수를 호출하려면 역참조 연산자를 이용한다. 이때 역참조 연산자와 함수 포인터를 ( )로 묶어주어야 한다. ( )를 생략하면 함수의 리턴값에 역참조 연산을 수행하므로 주의해야 한다.

역참조 연산자 없이 함수 포인터로 직접 함수를 호출할 수도 있다. 함수 이름은 함수의 주소를 의미하기 때문에 함수의 주소인 **함수 포인터를 함수 이름인 것처럼 사용할 수 있다.**

```
  printf("%d\n", (*pf)(5));        // 역참조 연산자를 이용해서 pf가 가리키는 함수를 호출한다.
⊘ printf("%d\n", *pf(5));          // *(pf(5))라는 뜻이므로 컴파일 에러

  printf("%d\n", pf(5));           // 함수 포인터로 직접 함수를 호출할 수 있다.
```

함수 포인터도 변수이므로 값을 변경할 수 있다. 즉, 함수 포인터에 저장된 주소를 변경

해서 함수 포인터가 다른 함수를 가리키게 만들 수 있다. 이때도 함수 포인터의 원형과 함수 포인터가 가리키는 함수의 원형이 같아야 한다.

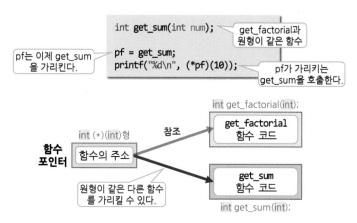

[그림 13-6] 함수 포인터의 값을 변경할 수 있다.

함수 포인터에 원형이 다른 함수의 주소를 저장하면 컴파일 경고가 발생한다. 컴파일 경고를 무시하고 함수를 호출하면 실행 에러가 발생한다.

```
int get_max(int x, int y);        // get_factorial 함수와 원형이 다른 함수

pf = get_max;                     // pf와 get_max의 원형이 다르므로 컴파일 경고
printf("%d\n", (*pf)(10));        // 컴파일 경고를 무시하고 함수를 호출하면 실행 에러가 발생한다.
```

함수 포인터가 가리키는 함수가 없을 때는 항상 NULL을 저장하는 것이 좋다. 함수 포인터로 함수를 호출하기 전에는 널 포인터인지 검사하는 것이 안전하다.

```
if (pf)                           // pf가 널 포인터가 아닐 때만 pf가 가리키는 함수를 호출한다.
    printf("%d\n", (*pf)(10));
```

[예제 13-4]는 함수 포인터를 이용해서 get_factorial 함수와 get_sum 함수를 호출하는 코드이다.

예제 13-4 : 함수 포인터의 선언 및 사용

```c
01    #include <stdio.h>
02
03    int get_factorial(int num)
04    {
05        int i;
06        int result = 1;
07
08        for (i = 1; i <= num; i++)
09            result *= i;
10        return result;
11    }
12
13    int get_sum(int num)                        // get_factorial 함수와 원형이 같은 함수
14    {
15        return num * (num + 1) / 2;
16    }
17
18    int main(void)
19    {
20        int(*pf)(int) = get_factorial;          // pf는 get_factorial 함수를 가리킨다.
21
22        if (pf)              // pf가 널 포인터가 아닐 때만 pf가 가리키는 함수를 호출한다.
23            printf("%d ! = %d\n", 10, (*pf)(10));       // pf가 가리키는 함수를 호출한다.
24
25        pf = get_sum;                           // pf는 이제 get_sum 함수를 가리킨다.
26        if (pf)
27            printf("%d까지 합계 = %d\n", 10, pf(10));   // pf가 가리키는 함수를 호출한다.
28    }
```

실행 결과   ■ ■ ■

```
10 ! = 3628800
10까지 합계 = 55
```

13.2.2 함수 포인터형

(1) 함수 포인터형의 정의

함수 포인터를 직접 선언하는 대신 먼저 typedef를 이용해서 함수 포인터형을 정의하고, 함수 포인터형의 변수를 선언할 수도 있다. 함수 포인터형을 정의하는 기본적인 형식은 다음과 같다.

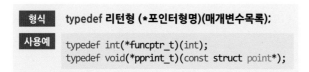

형식   **typedef 리턴형 (*포인터형명)(매개변수목록);**

사용예   typedef int(*funcptr_t)(int);
typedef void(*pprint_t)(const struct point*);

함수 포인터형을 정의하는 방법은 맨 앞에 typedef를 써주는 것만 빼면 함수 포인터를 선언하는 방법과 같다. 함수 포인터형을 정의하려면 먼저 typedef를 쓰고, 리턴형을 쓴 다음 ( ) 안에 *와 함께 함수 포인터형 이름을 쓴다. 그 다음 ( ) 안에 매개변수 목록을 써준다. 이때 typedef로 정의된 것은 함수 포인터 변수가 아니라 데이터형 이름이다.

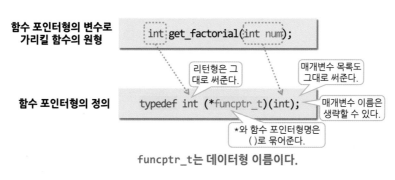

[그림 13-7] 함수 포인터형의 정의

(2) 함수 포인터형의 사용

함수 포인터형을 정의하고 나면, 이 데이터형을 이용해서 변수를 선언할 수 있다. 함수 포인터형은 이미 포인터형이므로, 포인터 수식어가 필요 없다. **함수 포인터형의 변수는 함수 포인터가 된다.**

funcptr_t pf = NULL;   // 함수 포인터형의 변수를 선언할 때, *가 필요 없다.

함수 포인터에는 원형이 같은 함수의 주소를 저장할 수 있다.

```
pf = get_factorial;              // pf는 get_factorial 함수를 가리킨다.
printf("%d\n", (*pf)(10));       // pf가 가리키는 함수를 호출한다.
```

함수 포인터 변수를 직접 선언할 수도 있고, 함수 포인터형을 먼저 정의한 다음에 이 함수 포인터형의 변수를 선언할 수도 있다. 함수 포인터형을 정의해두면 함수 포인터 변수를 선언하는 것이 더 간단하다. 따라서 원형이 같은 함수에 대한 포인터를 여러 번 선언해야 할 때는 함수 포인터형을 정의하고 사용하는 것이 좋다.

13.2.3 함수 포인터 배열

함수 포인터 배열은 배열의 원소가 함수 포인터인 배열이다. 원형이 같은 함수의 주소를 함수 포인터 배열에 원소로 저장하고 함께 사용할 수 있다.

```
typedef void(*pfunc_t)(const char*);   // 함수 포인터형 정의
pfunc_t arr[3] = { NULL };              // 원소가 함수 포인터이고 크기가 3인 함수 포인터 배열
```

함수 포인터 배열을 함수 포인터형을 이용하지 않고 직접 선언할 수도 있다. 이때는 ( )의 위치에 주의해야 한다.

```
void (*arr[3])(const char*) = { NULL }; // arr는 크기가 3인 배열이고,
                                        // 배열의 원소형이 void(*)(const char*)형이 된다.
```

이 배열의 원소로는 원형이 void f(const char*);인 함수의 주소를 저장할 수 있다. [그림 13-8]처럼 pfunc_t형의 배열인 pf_arr를 선언하고 원형이 void f(const char*);인 함수의 주소로 초기화할 수 있다.

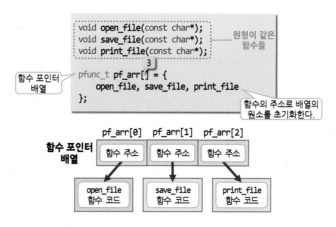

[그림 13-8] 함수 포인터 배열의 메모리 구조

함수 포인터 배열을 이용하면 원형이 같은 함수들을 모아서 관리할 수 있다. 예를 들어 텍스트 기반의 메뉴를 사용하는 프로그램에서 메뉴 번호를 입력받아서 메뉴 번호에 해당하는 기능을 수행하는 함수를 호출하도록 함수 포인터 배열을 초기화할 수 있다. 즉, 선택된 메뉴 번호와 배열의 인덱스가 같도록 함수 포인터 배열에 함수의 주소를 저장할 수 있다.

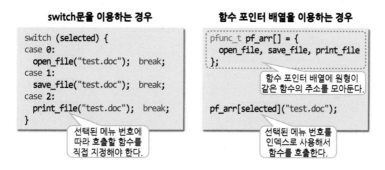

[그림 13-9] 함수 포인터 배열의 이용

[예제 13-5]는 선택된 메뉴 번호로 함수 포인터 배열에 저장된 함수를 호출하는 코드이다.

📑 **예제 13-5 : 함수 포인터 배열을 이용한 텍스트 기반의 메뉴 처리**

```
01  #define _CRT_SECURE_NO_WARNINGS  // Visual Studio 2022에서 scanf 사용 시 필요
02  #include <stdio.h>
03
04  typedef void(*pfunc_t)(const char*);          // 함수 포인터형 정의
05
```

```c
01  void open_file(const char* filename) {
02      printf("%s 파일을 엽니다.\n", filename);
03  }
04
05  void save_file(const char* filename) {
06      printf("%s 파일을 저장합니다.\n", filename);
07  }
08
09  void print_file(const char* filename) {
10      printf("%s 파일을 인쇄합니다.\n", filename);
11  }
12
13  int main(void)
14  {
15      // 메뉴 번호와 메뉴 선택 시 호출할 함수의 인덱스가 같도록 함수 포인터 배열을 초기화
16      pfunc_t pf_arr[] = { open_file, save_file, print_file };
17      const char* menu_str[] = {                    // 메뉴 출력에 사용할 문자열 포인터 배열
18          "열기", "저장", "인쇄", "종료"
19      };
20      int size = sizeof(pf_arr) / sizeof(pf_arr[0]);
21
22      while (1) {
23          int i;
24          int selected = 0;
25          for (i = 0; i < size + 1; i++)        // 종료 메뉴까지 출력해야 한다.
26              printf("%d. %s  ", i, menu_str[i]);
27          printf("선택? ");
28          scanf("%d", &selected);
29          if (selected == size)                 // 종료 메뉴(3번)를 선택하는 경우
30              break;
31          if (selected >= 0 && selected < size)
32              pf_arr[selected]("test.doc");     // 선택된 메뉴 번호를 인덱스로 사용한다.
33          else
34              printf("잘못 선택하셨습니다.\n");
35      }
36  }
```

13.2.4 함수 포인터의 활용

함수 포인터를 이용하면 이름을 알 수 없는 함수를 호출하는 코드를 작성할 수 있다. 표준 C 라이브러리 함수인 qsort 함수는 아직 이름이 정해지지 않은 함수를 함수 포인터를 이용해서 호출한다. qsort 함수는 퀵 정렬(quick sort) 알고리즘으로 배열을 오름차순 또는 내림차순으로 정렬하는 함수이다.

퀵 정렬 알고리즘은 다음과 같다. 정렬할 배열의 원소 중 하나를 키(key)로 선택한다. 그 다음, 정렬할 배열의 원소들을 키보다 작은 값과 키보다 큰 값이라는 2개의 그룹으로 나눈다. 그리고 나서 두 그룹에 대해서 다시 퀵 정렬을 수행한다. 이 과정을 그룹 내에 값이 하나만 남을 때까지 계속 반복한다. 이렇게 큰 문제를 작은 여러 개의 문제로 쪼개어 해결하는 방식을 **재귀(recursion)** 또는 **분할 정복 알고리즘(divide and conquer)**이라고 한다.

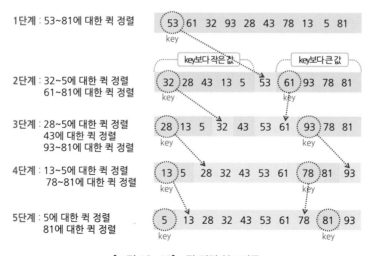

[그림 13-10] 퀵 정렬 알고리즘

퀵 정렬을 수행하는 qsort 함수를 사용하려면 **<stdlib.h>**를 포함해야 한다. qsort 함수
의 원형은 다음과 같다.

```
void qsort(void* ptr, size_t count, size_t size, int(*compare)(const void*, const void*));
```

qsort 함수의 첫 번째 매개변수인 *ptr*은 정렬할 배열의 시작 주소이다. *ptr*은 void*형이
므로 어떤 배열의 주소도 인자로 전달할 수 있다. 즉, qsort 함수는 int 배열을 정렬할 수도
있고, char* 배열을 정렬할 수도 있고, 구조체 배열을 정렬할 수도 있다.

두 번째 매개변수인 *count*은 정렬할 배열에 들어있는 원소의 개수이다. 세 번째 매개변
수인 *size*는 배열 원소의 바이트 크기이다. 따라서 *ptr*이 가리키는 배열의 크기는 count ×
size바이트가 된다.

네 번째 매개변수인 *compare*는 배열의 원소와 키 값을 비교할 때 호출할 함수의 주소
이다. qsort 함수가 정렬할 배열의 데이터형은 정해져 있지 않으므로 배열의 원소를 어떻게
비교해야 하는지 알려주어야 한다. qsort 함수를 호출하려면 먼저 배열의 원소와 키 값을
비교할 때 사용될 비교 함수를 정의하고, 그 주소를 *compare*로 전달해야 한다. qsort 함수
의 코드는 매개변수로 전달받은 비교 함수를 호출해서 배열의 원소와 키 값을 비교한다.

비교 함수의 이름은 마음대로 정할 수 있지만, 원형이 정해져 있다. 매개변수인 *compare*
가 함수 포인터이므로 인자로 넘겨주는 함수가 *compare*와 원형이 같아야 하기 때문이다.
비교 함수의 원형은 다음과 같다.

```
int compare(const void* e1, const void* e2);
```

compare 함수의 매개변수 *e1*, *e2*는 qsort 함수에 인자로 전달된 배열 원소를 가리키는
포인터이다. 비교 함수는 *e1*이 가리키는 원소와 *e2*가 가리키는 원소를 비교한다. *e1*이 가
리키는 원소가 더 크면 0보다 큰 값을 리턴하고, *e2*가 가리키는 원소가 더 크면 0보다 작
은 값을 리턴한다. *e1*이 가리키는 원소와 *e2*가 가리키는 원소의 값이 같으면 0을 리턴한
다. int 배열을 정렬할 때 사용될 비교 함수는 다음과 같이 정의할 수 있다.

```
int compare_int(const void *e1, const void *e2)
{
    // e1, e2는 int의 주소이므로 const int*형으로 형 변환해서 사용한다.
    const int *p1 = (const int*)e1;

    const int *p2 = (const int*)e2;

    return (*p1 - *p2);
}
```

e1, *e2*는 모두 const void*형이므로, 사용하기 전에 먼저 배열의 원소를 가리키는 포인터형으로 형 변환해야 한다. 예를 들어 int 배열을 정렬할 때는 const int*형으로, 구조체 배열을 정렬할 때는 const 구조체 포인터형으로 형 변환해야 한다. *e1*, *e2*가 가리키는 배열의 원소는 *compare* 함수가 수행되는 동안 변경되지 않으므로 const 포인터형을 사용한다.

[예제 13-6]은 qsort 함수를 이용해서 int 배열을 정렬하는 코드이다.

예제 13-6 : qsort 함수를 이용한 int 배열의 정렬

```
01    #include <stdio.h>
02    #include <stdlib.h>
03
04    int compare_int(const void *e1, const void *e2);    // 배열 원소를 비교하는 함수
05    void print_array(const int arr[], int size);        // 배열 원소를 출력하는 함수
06
07    int main(void)
08    {
09        int arr[] = { 53, 61, 32, 93, 28, 43, 78, 13, 5, 81 };
10        int size = sizeof(arr) / sizeof(arr[0]);
11
12        printf("정렬 전: ");
13        print_array(arr, size);
14
15        qsort(arr, size, sizeof(arr[0]), compare_int);
16
17        printf("정렬 후: ");
18        print_array(arr, size);
19    }
20
```

```
21    int compare_int(const void *e1, const void *e2)       // int 배열의 원소를 비교하는 함수
22    {
23        const int *p1 = (const int*)e1;       // e1을 형 변환해서 사용해야 한다.
24        const int *p2 = (const int*)e2;       // e2를 형 변환해서 사용해야 한다.
25        return (*p1 - *p2);
26    }
27
28    void print_array(const int arr[], int size)
29    {
30        int  i;
31        for (i = 0; i < size; i++)
32            printf("%d ", arr[i]);
33        printf("\n");
34    }
```

실행 결과   ● ● ●

```
정렬 전: 53 61 32 93 28 43 78 13 5 81
정렬 후: 5 13 28 32 43 53 61 78 81 93
```

표준 C 라이브러리 함수인 qsort는 마지막 매개변수인 *compare* 함수 포인터로 비교 함수를 호출해서 배열을 정렬한다. 라이브러리가 사용자 프로그램에 정의된 함수를 호출할 수 있는 이유는 함수의 주소를 인자로 전달받아서 함수 포인터로 호출하기 때문이다. 이런 함수를 콜백(callback) 함수라고 한다. **콜백 함수는 프로그래머가 정의한 함수의 주소를 라이브러리 함수를 호출할 때 전달해서 특정 조건일 때 호출되도록 등록하는 기능이다.**

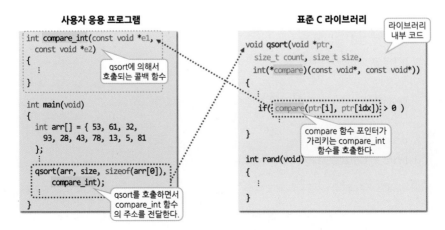

[그림 13-11] 콜백 함수

> ▶ **Quiz** ?

1. 원형이 int f(int, int);인 함수를 가리키는 함수 포인터 p가 있을 때 p로 함수를 호출하는 코드 중 맞는 것을 모두 고르시오.

　① p(10, 20);　　　　② (*p)(10, 20);　　　　③ *p(10, 20);　　　　④ p();

2. 원형이 void f(int x, double y);인 함수를 가리키는 함수 포인터를 올바르게 선언한 것은?

　① void p(int, double);　② void *p(int, double);　③ void (*p)(int, double);　④ void *p;

3. 원형이 void f(int x, double y);인 함수를 가리키는 함수 포인터형의 정의는?

　① typedef void p(int, double);　　　　　　② typedef void *p(int, double);

　③ typedef void (*p)(int, double);　　　　④ typedef void *p;

1. **정적 메모리에 대한 설명 중 잘못된 것을 모두 고르시오.**

   ① 정적 메모리는 메모리의 할당과 해제가 컴파일 시간에 결정된다.

   ② 지역 변수가 할당되는 heap 영역은 정적 메모리에 해당된다.

   ③ 전역 변수가 할당되는 data와 bss 영역은 정적 메모리에 해당된다.

   ④ 컴파일러가 알아서 메모리를 해제하므로 메모리 해제에 대해 신경쓸 필요가 없다.

   ⑤ 정적 메모리를 이용하면 실행 중에 꼭 필요한 만큼 메모리를 할당할 수 있다.

2. **동적 메모리에 대한 설명 중 잘못된 것을 모두 고르시오.**

   ① 동적 메모리는 메모리의 할당과 해제가 실행 시간에 결정된다.

   ② 지역 변수가 할당되는 stack 영역은 동적 메모리에 해당된다.

   ③ 동적 메모리를 이용하면 함수가 리턴해도 메모리를 해제하지 않고 계속 사용할 수 있다.

   ④ 동적 메모리를 이용하면 실행 중에 꼭 필요한 만큼 메모리를 할당할 수 있다.

   ⑤ 동적 메모리는 반드시 포인터로 접근한다.

   ⑥ 동적 메모리를 해제하지 않으면 자동으로 해제된다.

   ⑦ 동적 메모리의 할당이 실패할 수도 있다.

   ⑧ 동적 메모리를 할당만 하고 해제하지 않으면 메모리가 누수된다.

   ⑨ malloc 함수의 리턴값인 void*형의 포인터로 동적 메모리에 역참조 연산을 할 수 있다.

3. **동적 메모리를 할당하기 위해서 필요한 것을 모두 고르시오.**

   ① 할당할 메모리의 데이터형   ② 할당할 메모리 영역 정보

   ③ 할당할 메모리의 바이트 크기   ④ 할당된 메모리의 주소를 저장할 void*형의 포인터

   ⑤ 할당된 메모리의 주소를 저장할 특정 형의 포인터   ⑥ 동적 메모리의 초기값

4. **동적 메모리 사용 시 주의 사항 중 잘못된 것은?**

   ① 동적 메모리를 해제한 다음 동적 메모리를 가리키는 포인터를 NULL로 만든다.

   ② 해제된 동적 메모리를 다시 해제해도 상관없다.

   ③ 지역 변수나 전역 변수를 가리키는 포인터로 free 함수를 호출하면 안된다.

   ④ 동적 메모리의 주소를 잃어버리지 않도록 주의해야 한다.

5. **다음과 같은 원형을 갖는 함수에 대하여 함수 포인터를 선언하시오.**

```
int compare(const char* lhs, const char* rhs);
```

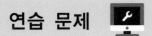

6. 다음과 같은 원형을 갖는 함수에 대하여 함수 포인터형을 정의하시오.

```
void print_date(const struct date* arr, int count);
```

7. 함수 포인터로 함수를 호출하는 코드 중 잘못된 을 모두 고르시오.

① ```
void add(int a, int b);
void (*afp)(int, int) = add;
afp(10, 20);
```

② ```
int get_gcd(int x, int y);
int (*ggfp)(int, int) = &get_gcd;
(*ggfp)(120, 48);
```

③ ```
int get_lcm(int x, int y);
int (*glfp)(int, int) = get_lcm;
*glfp(120, 48);
```

④ ```
double get_max(double x, double y);
int (*gmfp)(int, int) = get_max;
gmfp(10, 20);
```

8. 다음은 매개변수로 전달된 문자열을 동적 메모리에 할당된 char 배열로 복사하고 동적 메모리의 주소를 리턴하는 함수를 정의하고 호출하는 코드이다. ___ 부분에 필요한 코드를 작성하시오.

```
#define _CRT_SECURE_NO_WARNINGS    //  Visual Studio 2022에서 strcpy 사용 시 필요
#include <stdio.h>
#include <string.h>
#include <stdlib.h>

char* strcpy_d(const char* src)
{
    int len = strlen(src);
    char* dest = ①_____;
    return strcpy(dest, src);
}
int main(void)
{
    char* p = strcpy_d("string copy dynamic");
    puts(p);
    ②_____
    p = NULL;
}
```

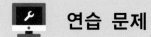

9. 다음은 qsort 함수를 이용해서 노래 정보를 저장하는 song 구조체 배열을 노래 제목 순으로 정렬하는 코드이다. _____ 부분에 필요한 코드를 작성하시오.

```c
#include <stdio.h>
#include <string.h>
#include <stdlib.h>
#define BUF_SIZE 64

typedef struct song {
    char title[BUF_SIZE];   // 제목
    char artist[BUF_SIZE];  // 가수
} song_t;

void print_songs(const song_t* arr, int count)
{
    int i;
    for (i = 0; i < count; i++)
        printf("%-20s %-20s\n", arr[i].title, arr[i].artist);
}
int compare_song(const void* e1, const void* e2)
{
    ①_____

    _____

    _____

}
int main(void)
{
    song_t songs[] = {
        {"I'm The One", "DJ Khaled" },    {"Sixteen", "Ellie Goulding"},
        {"Jealous", "DJ Khaled"},         {"서울 밤", "어반자카파"},
        {"썸머", "GRAY"},                  {"밤편지", "아이유"},
        {"누구 없소(No One)", "이하이"}, {"한여름밤의 꿈", "San E"},
    };
    int count = sizeof(songs) / sizeof(songs[0]);

    qsort(②_____);
    print_songs(songs, count);
}
```

1. 기차표 예매 프로그램을 작성하려고 한다. 프로그램 시작 시 전체 좌석수를 입력받는다. 그 다음 예매할 좌석수를 입력받아 빈 자리를 할당한다. 예매할 때마다 각 좌석의 상태를 출력한다. O이면 예매 가능, X는 예매 불가를 의미한다. [동적 메모리/난이도 ★★]

> **실행 결과**
> ```
> 전체 좌석수? 20
> 현재 좌석: [ O O O O O O O O O O O O O O O O O O O O ]
> 예매할 좌석수? 5
> 1 2 3 4 5 번 좌석을 예매했습니다.
> 현재 좌석: [ X X X X X O O O O O O O O O O O O O O O ]
> 예매할 좌석수? 3
> 6 7 8 번 좌석을 예매했습니다.
> ```

2. 동적 메모리를 이용해서 int 배열의 크기를 2배 늘리는 함수를 작성하시오. 이 함수는 원본 배열의 원소를 2개씩 중복해서 새로운 배열에 저장하고, 새로운 배열의 주소를 리턴한다. [동적 메모리/난이도 ★★]

> **실행 결과**
> ```
> x 배열: [ 1 3 5 7 9 ]
> y 배열: [ 1 1 3 3 5 5 7 7 9 9 ]
> ```

3. 2개의 정수형 배열을 매개변수로 전달받아 하나의 배열로 합친 다음 리턴하는 함수를 작성하시오. 2개의 정수형 배열은 서로 크기가 다를 수 있다. 이 함수의 결과로 생성되는 배열은 동적 메모리에 할당하고, 할당된 배열의 크기와 배열의 시작 주소를 함수를 호출한 곳으로 전달해야 한다. [동적 메모리, 배열, 출력 매개변수/난이도 ★★★]

> **실행 결과**
> ```
> arr1 배열: [ 1 3 5 7 9 ]
> arr2 배열: [ 2 4 6 8 10 12 ]
> arr3 배열: [ 1 3 5 7 9 2 4 6 8 10 12 ]
> ```

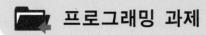

Programming Assignment

4. 배열의 행 크기인 row과 열 크기인 column을 입력받아 크기가 column × row인 2차원 배열을 동적 메모리를 이용해서 할당하시오. 생성한 배열에는 0~99 사이의 임의의 정수를 생성해서 값을 채우고 출력하시오. [동적 메모리/난이도 ★★★]

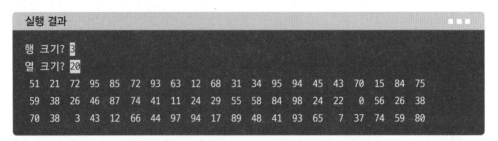

```
실행 결과

행 크기? 3
열 크기? 20
 51  21  72  95  85  72  93  63  12  68  31  34  95  94  45  43  70  15  84  75
 59  38  26  46  87  74  41  11  24  29  55  58  84  98  24  22   0  56  26  38
 70  38   3  43  12  66  44  97  94  17  89  48  41  93  65   7  37  74  59  80
```

5. 책 제목을 최대 100개 입력받아 저장하는 프로그램을 작성하시오. 책 제목마다 문자열의 길이가 다르므로 2차원 문자 배열에 저장하는 대신 char*형의 배열과 동적 메모리를 이용해서 책 제목을 저장하시오. 이 프로그램은 책 제목으로 "."이 입력되면 지금까지 입력된 책 제목 목록을 출력하고 종료한다. [동적 메모리, 포인터 배열/난이도 ★★]

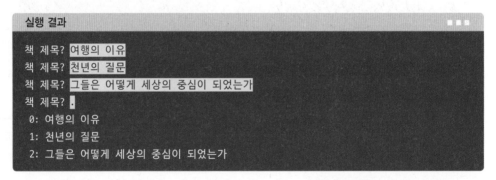

```
실행 결과

책 제목? 여행의 이유
책 제목? 천년의 질문
책 제목? 그들은 어떻게 세상의 중심이 되었는가
책 제목? .
 0: 여행의 이유
 1: 천년의 질문
 2: 그들은 어떻게 세상의 중심이 되었는가
```

6. 영화 제목을 저장하는 문자열 배열이 있을 때, 문자열 배열을 qsort 함수를 이용해서 오름차순으로 정렬하는 프로그램을 작성하시오. 문자열 배열은 크기가 50이며, 영화제목을 미리 초기화해두고 이용한다. [qsort 함수, 문자열 배열/난이도 ★★]

```
실행 결과

<<정렬 전>>
Avengers  Spider-man  Ant-Man  Us  Aladdin
<<정렬 후>>
Aladdin  Ant-Man  Avengers  Spider-man  Us
```

7. 직원 이름, 부서명, 연봉을 저장하는 employee 구조체 배열에 대하여 직원 이름순(오름차순)으로 정렬한 목록과 연봉 순(내림차순)으로 정렬한 목록을 출력하는 프로그램을 작성하시오. 구조체 배열은 초기화해서 사용한다. [qsort 함수, 구조체 배열/난이도 ★★]

```
실행 결과                                              ● ● ●

<< 이름순 >>
김바바 / 기술부 / 4900만원
이라라 / 기획부 / 7200만원
최나나 / 기술부 / 8100만원
<< 연봉순 >>
최나나 / 기술부 / 8100만원
이라라 / 기획부 / 7200만원
김바바 / 기술부 / 4900만원
```

8. 7번의 구조체 배열에 대하여 직원 이름순으로 정렬한 다음, 입력받은 이름으로 직원을 검색해서 부서명과 연봉을 출력하는 프로그램을 작성하시오. [bsearch 함수, 구조체 배열/난이도 ★★★]

```
실행 결과                                              ● ● ●

검색할 이름? 최나나
최나나 / 기술부 / 8100만원
검색할 이름? 김모모
김모모를 찾을 수 없습니다
검색할 이름? .
```

9. employee 구조체를 이용해서 직원 등록 기능을 프로그램하시오. 직원이 최대 100명이라고 가정하고, 직원 등록을 할 때마다 employee 구조체를 동적 메모리에 할당해서 구조체 포인터 배열에 저장하고 관리하는 프로그램을 작성하시오. 등록할 직원 이름으로 "."이 입력되면 직원 등록을 종료하고 등록된 직원 목록을 출력하시오. [구조체 포인터 배열, 동적 메모리/난이도 ★★★]

```
실행 결과                                              ● ● ●

등록할 직원 이름? 최나나
부서명? 기술부
연봉(만원)? 8100
등록할 직원 이름? 김바바
부서명? 기술부
연봉(만원)? 4900
등록할 직원 이름? .
3명의 직원을 등록했습니다.
최나나 / 기술부 / 8100만원
김바바 / 기술부 / 4900만원
```

C
Warming-up

INDEX